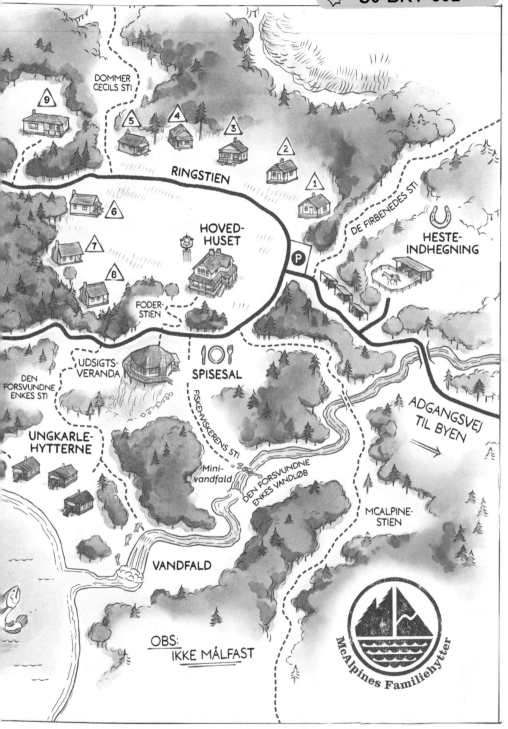

ROMANER AF KARIN SLAUGHTER

Selvstændige romaner

- Hævntørst
- De smukkeste
- Den gode datter
- Brudstykker
- Det rene guld (med Lee Child)
- Det falske vidne

Georgia-serien
(Sara Linton + Will Trent)

- Genesis
- Brudt
- Dybt fald
- Forbryder
- I skjul
- En holdt kvinde
- Den sidste enke
- De tavse kvinder
- Siden den aften
- Hvorfor vi løj

Atlanta-serien
(Will Trent)

- Mørk treenighed
- Bortført

Grant County-serien
(Sara Linton + Jeffrey Tolliver)

- Mord for øje
- Svigt
- Kold frygt
- Hævneren
- Vantro
- Hvid død

KARIN
SLAUGHTER

HVORFOR VI LØJ

OVERSAT AF
MERETE ROSTRUP FLEISCHER

HarperCollins

Bemærkning fra oversætteren:
Bibelcitatet fra Ruths bog 1:16 er fra bibelselskabets oversættelse her:
https://www.bibelselskabet.dk/brugbibelen/bibelenonline/Ruth/1

© HarperCollins Nordic AB, Box 49005, 100 28 Stockholm, 2024
This Is Why We Lied © Karin Slaughter, 2024
Oversættelse: Merete Rostrup Fleischer
Omslagsdesign: Jenny Liljegren Thorsen

This edition is published by arrangement with HarperCollins Publishers LLC, New York, U.S.A.

Sats: Type-it AS, Trondheim
Trykt hos ScandBook UAB, Litauen med 100 % vedvarende elektricitet
ISBN 978-87-435-1755-9

Til David – for hans endeløse omsorg og tålmodighed

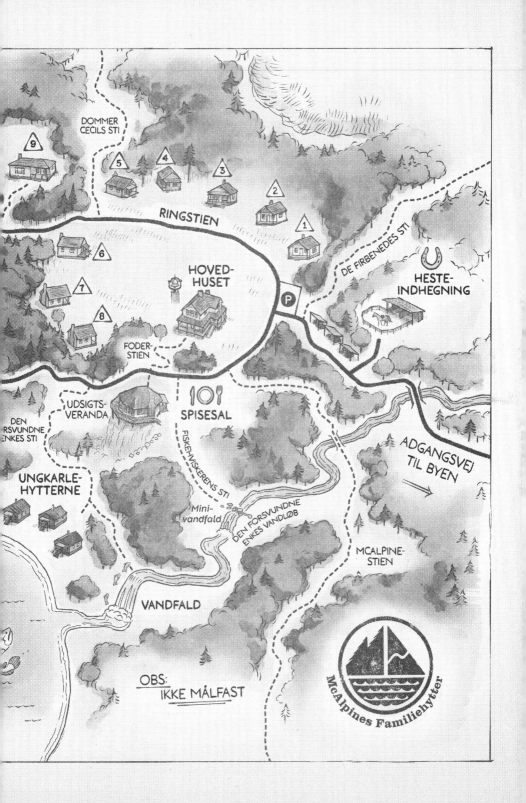

PROLOG

Will satte sig på søbredden for at tage vandrestøvlerne af. Tallene på hans ur lyste op i mørket. Der var en time til midnat. Han kunne høre en ugle i det fjerne. En blid brise hviskede gennem træerne. Månen stod kuglerund på himlen, lyset fra den dansede hen over vandet. Sara Linton svømmede mod badepontonen. Hendes krop badede i et køligt, blåt lys, mens hun skar gennem de blide bølger. Så vendte hun sig om og rygcrawlede dovent, mens hun smilede til Will.

"Kommer du i?"

Will kunne ikke svare. Han vidste godt, Sara var vant til hans kejtede tavshed, men det var ikke det, der var tilfældet her. Han var bare målløs ved synet af hende. Han kunne kun tænke, hvad alle og enhver tænkte, når de så dem sammen: Hvad fanden laver hun sammen med ham? Hun var så allerhelvedes klog og sjov og smuk, og han kunne ikke engang binde sine snørebånd op i mørke.

Han sparkede støvlen af, mens hun kom svømmende mod ham. Det lange, rødbrune hår hang vådt om ansigtet. De nøgne skuldre tittede frem fra det sorte vand. Hun havde taget alt tøjet af, inden hun sprang i, og havde leet af hans betragtning om, at det virkede som en uigennemtænkt idé at springe ned i noget, man ikke kunne se, midt om natten, når der ikke var nogen, der vidste, hvor man var.

Men det virkede også som en endnu dårligere idé ikke at følge en nøgen kvindes ønsker, når hun bad dig komme ned til hende.

Will tog sokkerne af og rejste sig, så han kunne knappe bukserne op. Sara fløjtede lavt og anerkendende, da han begyndte at tage tøjet af.

"Wow," sagde hun. "En lille smule langsommere, tak."

Han lo, men han anede ikke, hvad han skulle stille op med følelsen af lethed i brystet. Will havde aldrig før oplevet denne form for længerevarende lykke. Der havde selvfølgelig været glimtvise lykkelige øjeblikke – hans første kys, hans første seksuelle oplevelse, hans første seksuelle oplevelse, der havde varet mere end tre sekunder, at dimittere fra college, at indløse sin første løncheck, den dag, det lykkedes ham at få skilsmissen igennem fra sin hadefulde ekskone.

Det her var noget andet.

Det var to dage siden, Will og Sara blev gift, og den eufori, han havde oplevet under ceremonien, havde ikke fortaget sig. Om noget blev følelsen mere intens for hver time, der gik. Hun ville smile til ham, eller grine ad nogle af hans dårlige vittigheder, og så var det, som om hans hjerte blev til en sommerfugl. Hvilket han kunne forstå ikke var nogen særlig mandig ting at føle, men der var ting, man tænkte, og ting, man delte med andre, og det var en af de mange grunde til, at han foretrak kejtet tavshed.

Sara jublede, da Will gjorde et nummer ud af at trække skjorten af, inden han trådte ud i søen. Han var ikke vant til at gå nøgen omkring, slet ikke udendørs, så han kom ned under vandet langt hurtigere, end han burde have gjort. Vandet var koldt, selv her midt på sommeren. Gåsehuden trak i huden. Fødderne sank ubehageligt ned i mudderet. Men så slyngede Sara sin nøgne krop om hans, og Will havde ikke længere noget at klage over.

"Hey," sagde han.

"Hey." Hun strøg hans hår tilbage. "Har du nogensinde badet i en sø før?"

"Ikke med min gode vilje," indrømmede han. "Er du sikker på, det er sikkert at bade her?"

Hun tænkte over det. "De giftige hugorme er normalt mest aktive omkring skumringstid. Vi er sikkert for langt nord på til vandmokkasiner."

Will havde slet ikke overvejet faren for slanger. Han var vokset op midt i Atlanta, omgivet af beskidt beton og brugte sprøjter. Sara var vokset op i en universitetsby i den landlige del af det sydlige Georgia, omgivet af natur.

Og slanger, åbenbart.

"Jeg har en tilståelse," sagde hun. "Jeg har fortalt Mercy, at vi løj for hende."

"Det havde jeg godt på fornemmelsen," sagde Will. Episoden mellem Mercy og hendes familie her til aften havde været intens. "Kommer hun over det?"

"Formentlig. Jon virker god nok." Sara rystede på hovedet over det formålsløse i det hele. "Det er hårdt at være teenager."

Will prøvede at lette stemningen. "Der er åbenbart visse fordele ved at vokse op på et børnehjem."

Hun lagde en finger mod hans læber, hvilket han gættede på var hendes måde at sige *ikke sjovt* på. "Se op."

Will så op. Og lod hovedet falde bagover i ærefrygt. Han havde aldrig rigtigt set stjerner på himlen. I hvert fald ikke stjerner som dem her. Klare, enkeltstående knappenålshoveder på nattens sorte fløjlstæppe. Ikke slørede af lysforurening. Ikke nedtonede af smog eller tåge. Han tog en dyb indånding. Mærkede, hvordan hans hjerterytme blev roligere. De eneste lyde var rent faktisk fårekyllinger. Det eneste menneskeskabte lys var et fjernt glimt fra terrassen ved hovedhuset.

Han elskede det ligefrem her.

De havde vandret otte kilometer gennem klippeterræn for at komme frem til McAlpines familiehytter. Stedet havde eksisteret så længe, at Will havde hørt om det som barn. Han havde drømt om at tage hertil en dag. Sejle i kano, stå på paddleboard, køre på mountainbike, ride, vandre, spise kiks med ristede skumfiduser rundtom et bål. At han kunne tage den tur sammen med Sara, at han var en lykkeligt gift mand på bryllupsrejse, var et større under for ham end hver eneste stjerne på himlen.

"Når man er et sted som det her, skal man bare kradse lidt i overfladen, så vælder al galden ud," sagde Sara.

Will vidste godt, at det stadig var Mercy, hun tænkte på. Det brutale skænderi med hendes søn. Den kolde skulder fra forældrene. Hendes ynkelige bror. Det gigantiske pikhoved af en eksmand. Hendes excentriske tante. Dertil kom de andre gæster med deres problemer, der kun var blevet forstærket af de generøse mængder af alkohol, der blev skænket før og under fællesmiddagen. Hvilket igen mindede Will om, at da han havde drømt om stedet som barn, havde han ikke regnet med, at der ville være andre mennesker. Og helt sikkert ikke et helt bestemt røv-hul.

"Jeg ved godt, hvad du vil sige," sagde Sara til ham. "At det var derfor, vi løj."

Det var ikke helt præcis, hvad han havde tænkt sig at sige, men det var tæt på. Will var efterforsker hos GBI, Georgia Bureau of Investigation. Sara var uddannet børnelæge og arbejdede som retsmediciner hos GBI. Begge professioner havde det med at frembringe længere diskussioner med fremmede, de var ikke alle sammen positive, og nogle af dem var meget ubehagelige. Det havde virket som en nemmere måde at få lov til at nyde deres bryllupsrejse, at de havde løjet om deres jobs.

Men på den anden side, bare fordi man siger, man er en ting, holder man ikke op med at være en anden. De var begge typen, der bekymrede sig for andre mennesker. Især for Mercy. Det virkede, som om hele verden var imod hende lige nu. Will vidste, hvor meget råstyrke det krævede at holde hovedet oprejst, at blive ved med at flytte sig fremad, når alle andre i dit liv prøvede at holde dig nede.

"Hey." Sara trak ham endnu tættere til sig og snoede igen benene om livet på ham. "Jeg har endnu en tilståelse."

Will smilede, fordi hun smilede. Sommerfuglen i brystet begyndte at røre på sig. Så var der også andre dele af hans krop, der begyndte at røre på sig, fordi han kunne mærke hendes varme mod sin krop.

"Og hvad er så det?" spurgte han.

"Jeg kan ikke få nok af dig." Sara kyssede sig vej op ad hans hals og nappede ham let med tænderne for at få ham til at reagere. Gåsehuden vendte tilbage. Hendes varme ånde mod hans øre fik begæret til at blusse i hans hjerne. Han lod langsomt hænderne rykke nedefter. Hun hev efter vejret, da han rørte ved hende. Han mærkede hendes bryster hæve og sænke sig mod sit nøgne bryst.

Så gennemskar et skingert, højt skrig natteluften.

"Will." Saras krop stivnede. "Hvad var det?"

Han havde ingen anelse. Han kunne ikke afgøre, om det var et menneske eller et dyr. Skriget havde været hårrejsende skingert. Ikke et ord eller et skrig om hjælp, men lyden af hæmningsløs rædsel. Den form for lyd, der fik dit nervesystem til at slå over i kæmp eller flygt-reaktion.

Will var ikke bygget til at flygte.

Han holdt Sara i hånden, mens de hurtigt bevægede sig ind til bredden. Han samlede deres tøj op og rakte Sara hendes. Will så ud over vandet, da han tog sin skjorte på. Han vidste fra kortet, at søen havde form som en slumrende snemand. Svømmeområdet var hovedet. Kystlinjen forsvandt ind i mørket ved mavens runding. Lyd kunne være svær at retningsbestemme. Den oplagte kilde til skriget var der, hvor folk var. Fire andre par og en enkelt mand boede i hytterne. Familien McAlpine var i hovedhuset. Hvis man så bort fra Will og Sara, så boede gæsterne i fem af de ti hytter, der spredte sig ud fra spisesalen. Dermed befandt der sig i alt atten personer på området.

Og en af dem kunne have skreget.

"Det par, der skændtes under middagen." Sara var i gang med knapperne i sin kjole. "Tandlægen var stegt. IT-fyren var ..."

"Hvad med ham singlefyren?" Wills cargobukser gled op over de våde ben. "Ham, der blev ved med at genere Mercy?"

"Chuck," oplyste Sara. "Advokaten var ulidelig. Hvordan fik han wi-fi-forbindelse?"

"Hans hestetossede kone irriterede alle." Will stak de nøgne fødder i støvlerne. Sokkerne kom han i lommerne. "De løgnagtige app-folk er ude på et eller andet."

"Hvad med Sjakalen?"

Will så op fra støvlesnøringen.

"Skat?" Sara vendte sandalerne med foden, så hun kunne stikke i dem. "Er du ..."

Han lod snørebånd være snørebånd. Han havde ikke lyst til at tale om Sjakalen. "Klar?"

De begyndte at gå op ad stien. Will havde travlt med at komme af sted og satte tempoet op, til Sara sakkede bagud. Hun var utroligt atletisk, men sandalerne var til at gå i, de duede ikke til løb.

Han standsede og vendte sig mod hende. "Er det okay, hvis ..."

"Bare løb," sagde hun. "Jeg indhenter dig."

Will forlod stien og skar gennem skoven. Han brugte lyset fra terrassen som pejlemærke, med hænderne skubbede han grene og tornstængler væk, der greb ud efter hans skjorteærmer. Støvlerne gnavede mod hans våde fødder. Det havde været en fejl ikke at binde det ene snørebånd. Han overvejede at stoppe, men vinden havde skiftet retning og bar en kobberagtig lugt med sig. Will kunne ikke afgøre, om det var

blod, han kunne lugte, eller om hans efterforskningshjerne produce-
rede lugtminder fra tidligere gerningssteder.

Lyden kunne stamme fra et dyr.

Selv Sara havde været i tvivl. Det eneste, Will var sikker på, var, at
hvad end der havde frembragt lyden, så frygtede det væsen for sit liv.
Prærieulv. Rødlos. Bjørn. Der var masser af skabninger i skoven, der
kunne give andre skabninger den følelse.

Overreagerede han?

Han stoppede med at mase sig igennem alt det tilvoksede og spejdede
efter stien. Han kunne let afgøre, hvor Sara befandt sig, ikke fordi han
kunne se hende, men fordi han kunne høre lyden af sandalerne mod
gruset. Hun var halvvejs mellem hovedhuset og søen. Deres hytte lå i
den fjerneste ende af området. Hun var sikkert i fuld gang med at lægge
en plan. Var der lys i nogle af de andre hytter? Skulle hun gå i gang med at
banke på dørene? Eller tænkte hun, ligesom Will, at de var alt for vagt-
somme på grund af deres respektive erhverv, og at dette ville blive en
sjov historie at fortælle sin søster; at de havde hørt et dyrs dødsskrig og
var styrtet af sted for at undersøge sagen i stedet for at dyrke lidenska-
belig sex i en romantisk sø.

Will kunne ikke rigtigt antage den humoristiske vinkel lige nu. Sve-
den fik håret til at klistre sig til hans hoved. En vabel gnubbede hans
ene hæl. Blod piblede fra panden, hvor en tornegren havde revet ham.
Han lyttede til skovens stilhed. Ikke engang fårekyllingerne larmede
nu. Han klaskede et insekt, der bed ham på halsen. Et eller andet bevæ-
gede sig i træerne over hans hoved.

Måske elskede han alligevel ikke dette sted.

Endnu værre, dybt inderst inde bebrejdede han Sjakalen for denne
elendighed. Der gik altid et eller andet galt i Wills liv, når det røvhul var
i nærheden, og det gik helt tilbage til, dengang de var børn. Den sadi-
stiske skiderik havde altid været en omvandrende ulykkeamulet.

Will gned sig i ansigtet med hænderne, som om han kunne udslette
tankerne om Sjakalen fra sin hjerne. De var ikke børn længere. Will var
en voksen mand på bryllupsrejse.

Han gik tilbage mod Sara. Eller om ikke andet i den retning, han tro-
ede, Sara var gået. Will havde mistet både tids- og stedsans i mørket.
Det var svært at vide, hvor længe han var løbet gennem skoven som
en anden Ninja-kriger. At gå igennem den tilvoksede skov var langt

sværere uden adrenalinen, der skubbede ham med hovedet først ind i tornegrene. Will begyndte så småt at lave sin egen plan. Når han kom ud på stien igen, ville han tage sine sokker på og binde støvlerne ordentligt, så han ikke haltede resten af ugen. Han ville finde sin smukke hustru. Han ville tage hende med tilbage til hytten, hvor de kunne fortsætte, hvor de havde sluppet.

"Hjælp!"

Will stivnede.

Denne gang var der ingen tvivl. Skriget var så udtalt, at han vidste, det måtte komme fra en kvinde.

Så skreg hun igen ...

"Hjælp mig!"

Will styrtede væk fra stien og løb mod søen. Lyden kom fra den anden side af det lavvandede svømmeområde, hen mod bunden af snemanden. Han dukkede sig, mens han løb. Benene pumpede. Han kunne høre blodet suse i ørerne sammen med ekkoet fra skrigene. Skoven blev hurtigt mere og mere uigennemtrængelig. Lavthængende grene slog mod hans arme. Myggene svirrede om hans ansigt. Pludselig faldt terrænet. Han landede sidelæns på foden. Han vrikkede om på anklen.

Han ignorerede den skarpe smerte og tvang sig selv til at fortsætte. Will prøvede at få sin adrenalin under kontrol. Han var nødt til at sætte tempoet ned. Hytteområdet lå højere end søen. Der var en stejl skrænt i nærheden af spisesalen. Han fandt den fjerne ende af Ringstien og fulgte en anden zigzaggende sti ned. Hjertet hamrede stadig. Hans hjerne pumpede beskyldninger af sted. Han burde have lyttet til sit instinkt den første gang. Han burde have gennemskuet det. Han blev syg ved tanken om, hvad han ville finde, når han nåede frem, for kvinden havde skreget for sit liv, og der var ikke noget mere ondsindet rovdyr end mennesket.

Han hostede, idet luften blev tyk af røg. Månelyset trængte gennem træerne lige tids nok til, at han kunne se, området var anlagt i terrasser. Will snublede ind i en lysning. Der lå tomme øldåser og cigaretskodder overalt på jorden. Der var værktøj alle vegne. Will spejdede rundt, mens han småløb forbi bordsav og forlængerledninger og en generator, der var væltet om på siden. Her lå tre hytter til, alle sammen var under renovering. Den ene havde en presenning over taget. Den næste havde brædder sømmet for vinduerne. Den tredje hytte var der gået ild

i. Flammerne slikkede ud mellem bjælkerne i siden. Døren stod halvt åben. Taget ville ikke holde ret meget længere.

Skrigene efter hjælp. Branden.

Der måtte være nogen derinde.

Will tog en dyb indånding, før han løb op ad trappen til verandaen. Han sparkede døren op på vid gab. Varmen, der slog mod ham, udtørrede hans øjne. Der var kun et vindue, der ikke var sømmet til. Det eneste lys derinde var fra branden. Han kom ned på alle fire og holdt sig under røgen, mens han bevægede sig gennem stuen. Ind i det lillebitte køkken. Badeværelset med plads til et badekar. Det lille garderoberum. Det var begyndt at brænde i hans lunger. Han kunne snart ikke holde vejret længere. Han indåndede en mundfuld sort røg, da han kravlede mod soveværelset. Ingen dør. Ingen møbler. Ikke noget skab. Bagvæggen i hytten var ribbet til skelettet.

Underliggerne sad for tæt til, at han kunne komme igennem.

Will hørte en høj knagen hen over den brølende ild. Han skyndte sig ind i stuen igen. Loftet var opslugt af flammer. De åd sig ind på støttebjælkerne. Taget kollapsede snart. Stykker af brændende træ regnede ned. Will kunne knap nok se for røgen.

Der var for langt hen til hoveddøren. Han løb mod det knuste vindue og sprang ud i sidste øjeblik, han hastede forbi faldende tagstumper. Hans hud strammede, som om den snart kogte af varmen. Han prøvede at komme på benene, men han kom kun op på alle fire, inden han begyndte at hoste sort sod op. Hans næse løb. Sveden sprang frem i hans ansigt. Han hostede igen. Lungerne føltes som knust glas. Han trykkede panden mod jorden. Mudderet satte sig fast i de afsvedne øjenbryn. Han trak vejret dybt gennem næsen.

Kobber.

Will satte sig op.

Det hed sig blandt politibetjente, at man kunne lugte jernet i blod, når det blev blandet med oxygen. Det var ikke rigtigt. Jernet skulle bruge en kemisk reaktion for at aktivere lugten. På gerningssteder var det 'noget' som regel den fedtholdige masse i hud. Lugten blev forstærket, når der var vand til stede.

Will så ud på søen. Hans syn var sløret. Han tørrede mudderet og sveden væk. Undertrykte det host, der var på vej.

I det fjerne kunne han skelne sålerne på et par Nikesko.

Blodplettede jeans, der var trukket ned om anklerne.

Arme, der flød ud til siderne.

Liget lå på ryggen, halvt ude i vandet, halvt oppe på bredden.

Et øjeblik stod Will som hypnotiseret af synet. Det var måden, månen gav huden en bleg og voksagtig blå farve på. Måske var det hans joke tidligere om at være vokset op på et børnehjem, der sendte hans tanker i den retning, eller måske var det stadig følelsen af familiemedlemmers fravær i hans side af kirken til brylluppet, men Will tog sig i at stå og tænke på sin egen mor.

Så vidt han vidste, eksisterede der kun to fotografier, der dokumenterede de sytten år i hans mors korte liv. Det ene var et forbryderfoto fra en anholdelse, der havde fundet sted, året før Will blev født. Det andet var taget af den retsmediciner, der havde obduceret hende. Polaroid. Falmet. Hans mors voksagtige hud havde samme blå farve som den døde kvinde, der lå fem meter fra ham.

Will kom på benene. Han humpede hen mod liget.

Han havde ingen illusioner om, at det var hans mors ansigt, han ville få at se. Han havde allerede en mavefornemmelse af, hvem det var. Og alligevel ætsede det at stå bøjet over liget og vide, han havde ret, i endnu et sår, han bar dybt i sit hjerte.

Endnu en kvinde fortabt. Endnu en søn, der ville vokse op uden sin mor.

Mercy McAlpine lå i det lave vand, de krusende bølger fik skuldrene til at bevæge sig let. Hovedet hvilede på nogle sten, så næse og mund var over vandet. De flydende lokker lyst hår fik hende til at se helt æterisk ud – en falden engel, en falmet stjerne.

Det var ikke svært at fastslå dødsårsagen. Will kunne se, at hun var blevet dolket adskillige gange. Den hvide skjorte, Mercy havde haft på under middagen, var blevet et med den blodige masse i brystkassen. Vandet havde skyllet nogle af sårene rene. Han kunne se de vrede hug mod hendes skuldre, der hvor kniven var blevet drejet rundt. Mørkerøde firkanter viste, at det eneste, der havde forhindret bladet i at gå dybere, var skaftet.

Will havde set en del forfærdende gerningssteder gennem sin karriere, men det var mindre end en time siden, at denne kvinde havde været i live, gået rundt, lavet sjov, flirtet og skændtes med sin søn, været i krig med sin giftige familie, og nu var hun død. Hun ville aldrig kunne gøre tingene godt igen over for sin søn. Hun ville aldrig opleve ham blive forelsket. Aldrig sidde på første række og se ham blive gift med sit livs kærlighed. Ikke flere højtider eller fødselsdage eller dimissioner eller stille øjeblikke sammen.

Og det eneste, Jon ville stå tilbage med, var det smertelige tab, fordi han havde mistet hende.

Will gav sig selv lov til at sørge et øjeblik, inden hans professionalisme tog over. Han spejdede ind i skoven, for det kunne være, morderen stadig var i nærheden. Han kiggede efter våben på jorden. Gerningsmanden havde taget kniven med sig. Will granskede skovbrynet igen. Lyttede efter mærkelige lyde. Han sank soden og galden i halsen. Knælede ved siden af Mercy. Trykkede fingrene mod siden af halsen for at tjekke, om der var en puls.

Han mærkede et dunk fra et hjerteslag.

Hun var i live.

"Mercy?" Will drejede forsigtigt hendes hoved i sin retning. Øjnene var åbne, det hvide i dem skinnede som marmorkugler. Han gjorde sin stemme karakterfast. "Hvem har gjort det her mod dig?"

Will hørte en pibende lyd, men det var ikke fra næsen eller munden. Hendes lunger prøvede at trække luft ind gennem det åbne sår i hendes bryst.

"Mercy." Han lagde hænderne om hendes ansigt. "Mercy McAlpine. Mit navn er Will Trent. Jeg er efterforsker ved Georgia Bureau of Investigation. Jeg har brug for, at du kigger på mig, lige nu."

Øjenlågene begyndte at sitre.

"Se på mig, Mercy," beordrede Will. "Se på mig."

Det hvide vibrerede et øjeblik. Pupillerne bevægede sig. Der gik sekunder, måske et minut, inden hun endelig fokuserede på Wills ansigt. Der var et kort glimt af genkendelse, så kom frygten. Hun var tilbage i sin krop nu, fyldt med frygt, fyldt med smerte.

"Du skal nok klare den." Will begyndte at rejse sig. "Jeg er her for at hjælpe dig."

Mercy greb fat i Wills krave og trak ham ned igen. Hun så på ham – så *virkelig* på ham. De vidste godt begge to, at hun ikke ville klare den. I stedet for at gå i panik, i stedet for at slippe ham, så fastholdt hun ham. Hun fik fokus på sit liv. De sidste ord, hun havde sagt til sin familie, skænderiet med hendes søn.

"J-Jon ... sig ... sig, han skal ... s-skal væk fra ..."

Will så hendes øjenlåg begynde at sitre igen. Han havde ikke tænkt sig at sige noget som helst til Jon. Mercy skulle sige sine sidste ord direkte til sin søn. Han hævede stemmen og råbte: "Sara! Hent Jon! Skynd dig!"

"N-nej ..." Mercy begyndte at ryste. Hun var ved at gå i chok. "J-Jon må ikke ... ikke ... blive ... skal væk fra ... fra ..."

"Hør på mig," sagde Will. "Giv din søn en chance for at sige farvel."

"E-elsker ..." sagde hun. "Elsker ham ... så meget."

Will kunne høre sit eget knuste hjerte i hendes stemme. "Mercy, bliv hos mig. Bare lidt længere. Sara henter Jon. Han er nødt til at se dig, før ..."

"Undskyld, jeg ..."

"Du skal ikke undskylde," sagde Will. "Bare bliv hos mig. Jeg beder dig. Tænk på de sidste ord, Jon sagde til dig. Det kan ikke slutte sådan. Du ved, han ikke hader dig. Han ønsker ikke, at du var død. Du må ikke efterlade ham der. Jeg beder dig."

"Tilgive ... ham ..." Hun hostede, spruttede blod. "Tilgive ham ..."

"Du skal selv sige det til ham. Jon har brug for at høre det fra dig."

Hun knugede hårdere om skjortekraven. Trak ham tættere på. "Tilgive ham ..."

"Mercy, jeg beder dig ..." Wills stemme knækkede over. Hun forsvandt alt for hurtigt. Pludselig slog det ham, hvad Jon ville få at se, hvis Sara hentede ham. Det var ikke et følsomt øjeblik at tage afsked i. Ingen søn burde leve med synet af sin mors voldsomme død.

Han prøvede at synke sin egen sorg. "Okay, jeg siger det til Jon. Det lover jeg."

Mercy tog hans løfte som en tilladelse.

Hendes krop blev slap. Hun slap grebet i hans krave. Will så til, mens hendes hånd faldt slapt ned, så de krusninger, den skabte, da den ramte vandet. Hun rystede ikke længere. Munden faldt åben. Et langsomt, forpint suk undslap hendes krop. Will ventede på at høre endnu en raspende indånding, men brystkassen var stille.

Stilheden gjorde ham panikslagen. Han kunne ikke slippe hende. Sara var læge. Hun kunne redde Mercy. Hun ville hente Jon, og han ville få lov til at sige farvel.

"Sara!"

Wills stemme gav genlyd rundt om søen. Han flåede sin skjorte af og dækkede hendes sår. Så ville Jon ikke se stiksårene. Han ville kun se sin mors ansigt. Han ville vide, at hun elskede ham. Så behøvede han ikke at tilbringe resten af sit liv med at spekulere over *hvad nu hvis* ...

"Mercy?" Will ruskede hende så voldsomt, at hovedet faldt til siden. "Mercy?"

Han gav hende en lussing. Huden var iskold. Der var ikke mere blod, der kunne forlade ansigtet. Blodet flød ikke længere. Hun trak ikke vejret. Han kunne ikke finde nogen puls. Han var nødt til at begynde at give hjertemassage. Will flettede fingrene og placerede håndfladerne på Mercys brystkasse, låste albuerne, rettede skuldrene og trykkede ned med hele sin vægt.

Smerten ramte ham som et lynnedslag. Han prøvede at trække hånden til sig, men han sad fast.

"Stop!" Sara dukkede op ud af det blå. Hun greb hans hænder og holdt dem mod Mercys brystkasse. "Rør dig ikke. Du skærer nerverne over."

Der gik et øjeblik, før han forstod, at Sara ikke var bekymret for Mercy. Hun var bekymret for Will.

Han så ned. Hans hjerne kunne ikke forklare, hvad det var, han så. Langsomt kom han til sig selv. Det var mordvåbnet, han så på. Angrebet havde været afsindigt, voldeligt, fyldt med raseri. Morderen havde ikke kun dolket Mercy i brystet. Han havde angrebet hende bagfra, jaget kniven ind med så voldsom kraft, at skaftet var brækket af. Bladet sad stadig inde i Mercys brystkasse.

Will havde spiddet sin hånd på den ødelagte kniv.

1

TOLV TIMER FØR MORDET

Mercy McAlpine stirrede op i loftet og tænkte ugen igennem. Alle ti par var tjekket ud her til morgen. Fem nye ville komme vandrende hertil i dag. Der ville komme fem til på torsdag, så de ville igen være fuldt booket over weekenden. Hun skulle sørge for, at kufferterne havnede i de rigtige hytter. Fragtmanden havde sat de sidste af på parkeringspladsen her til morgen. Hun skulle finde ud af, hvad hun skulle stille op med sin brors idiot af en ven, der blev ved med at dukke op hos dem som en anden herreløs hund. Køkkenpersonalet skulle orienteres om, at han var tilbage, for Chuck havde nøddeallergi. Eller måske skulle hun bare lade være med at orientere dem, for så ville hun slippe for cirka halvdelen af alt det pis, hun måtte finde sig i i sit liv.

Ejermanden af den anden halvdel lå og pumpede løs oven på hende. Dave prustede som et damplokomotiv, der aldrig ville komme gennem tunnelen. Øjnene bulede ud af hulerne. Kinderne var højrøde. Mercy havde i al stilfærdighed fået orgasme fem minutter tidligere. Det skulle hun nok have fortalt ham, men hun hadede at give ham den sejr.

Hun drejede hovedet og prøvede at komme til at se på uret ved sengen. De lå på gulvet i hytte fem, for Dave var ikke et lagenskifte værd. Klokken måtte snart være tolv. Mercy kunne ikke komme for sent til familiemødet. Gæsterne ville begynde at komme dryssende hertil ved totiden. Der var telefonopringninger, hun skulle have klaret. To af parrene havde spurgt efter massage. Et andet par havde i sidste øjeblik bestemt sig for white-water-rafting. Hun skulle have bekræftet, at stedet med hesteturene havde noteret det rigtige tidspunkt for morgenturen. Hun skulle tjekke vejrudsigten igen for at se, om uvejret stadig var på vej i deres retning. Deres leverandør havde givet dem nektariner i stedet for ferskner. Regnede han seriøst ikke med, at hun kendte forskellen?

"Merce?" Dave hakkede stadig løs, men hun kunne høre nederlaget i hans stemme. "Jeg tror ikke, jeg kan mere."

Mercy klappede ham to gange på skulderen og lod ham slippe. Daves trætte pik slaskede mod hendes ben, da han kollapsede og rullede om på ryggen. Han stirrede op i loftet. Hun stirrede på ham. Han var lige blevet femogtredive, men han lignede nærmest en på firs. Han havde rindende øjne. Næsen var tilmønstret af sprængte blodkar. Hans vejrtrækning hvæsende. Han var begyndt at ryge igen, fordi sprut og piller ikke slog ham ihjel hurtigt nok.

"Undskyld," sagde han.

Mercy behøvede ikke at reagere, for de havde gjort det her så mange gange, at hendes ord kun eksisterede i form af et bestandigt ekko. *Måske hvis du ikke var høj ... måske hvis du ikke var fuld ... måske hvis du ikke var sådan et kæmpe nul ... måske hvis jeg ikke var sådan en ensom, stupid idiot, der blev ved med at kneppe min eksmand på gulvet ...*

"Vil du gerne have, at jeg ..." Han gestikulerede nedad.

"Nej, det er fint."

Dave lo. "Du er sgu den eneste kvinde, jeg kender, der faker ikke at have fået en orgasme."

Mercy gad ikke joke sammen med ham. Hun blev ved med at være på nakken af Dave over de dårlige beslutninger, han traf, men så blev hun selv ved med at dyrke sex med ham, som om hun var et hak bedre. Hun trak sine jeans på. Derudover havde hun ikke taget andet af end sine sko. De lavendelfarvede Nikesko stod ved siden af værktøjskassen, hvilket mindede hende om: "Du er nødt til at ordne toilettet i treeren, inden gæsterne kommer."

"Javel, chef-ma'am." Dave rullede om på siden og lagde an til at ville rejse sig. Han skyndte sig aldrig med noget. "Tror du, du kan give mig et forskud?"

"Du kan trække det i børnepengene."

Han skar en grimasse. Han var seksten år bagud.

"Hvad skete der med de penge, Papa gav dig til at ordne Ungkarlehytterne for?" spurgte hun.

"Det var et depositum." Daves knæ gav et højt knæk, da han rejste sig. "Jeg skulle købe materialer."

Hun antog, at de fleste af de 'materialer' var blevet leveret af hans bookmaker eller pusher. "En presenning og en brugt generator koster ikke tusind store."

"Kom nu, Mercy Mac."

Mercy sukkede hørbart, mens hun tjekkede sit spejlbillede. Det ar, der løb ned over hendes ansigt, havde en vred, rød farve mod den blege hud. Hendes hår var stadig stramt redt tilbage. Hendes skjorte var ikke engang blevet krøllet. Hun lignede en, der lige havde fået verdens mindst tilfredsstillende orgasme fra verdens mest skuffende mand.

"Hvad tænker du om den investeringsting?" spurgte Dave.

"Jeg tænker, at Papa gør lige præcis, hvad han har lyst til."

"Det er ikke ham, jeg spørger."

Hun så på Dave i spejlet. Hendes far havde annonceret over morgenmaden, at han havde fundet nogle rige investorer. Han havde ikke drøftet det med Mercy, så hun gik ud fra, det var Papas måde at minde hende om, at det stadig var ham, der bestemte. Hytterne var gået i arv i McAlpine-familien igennem syv generationer. Indtil i dag havde der kun været optaget mindre lån, oftest fra stamgæster, der gerne så, at stedet blev ved med at være der. De hjalp med at få repareret tagene eller købe nye vandvarmere eller, en enkelt gang, udskifte strømledningerne oppe fra vejen. Det her lød voldsomt meget større. Papa havde sagt, at de med pengene fra investorerne kunne bygge et anneks til hovedhuset.

"Jeg synes, det er en god idé," sagde Mercy. "De gamle hytter i Awinita-lejren har områdets bedste beliggenhed. Vi kan bygge nogle større hytter og måske markedsføre os til bryllupper og familiesammenkomster."

"Skal den så stadig hedde Av-i-nummi-lejren?"

Mercy havde ikke lyst til at grine, men det gjorde hun. Awinita-lejren var en lejrplads på en halv kvadratkilometer med adgang til søen, et vandløb fyldt med ørreder og en storslået udsigt til bjergene. Området havde også været en sikker indtægtskilde indtil for femten år siden, hvor hver eneste forening, der lejede stedet, fra drengespejdere til baptistmenigheder, oplevede en eller anden form for pædofiliskandale. Der var ikke tal på, hvor mange børn der havde været udsat for det derovre. De havde ikke haft andre muligheder end at lukke området ned, inden det dårlige rygte spredte sig til hele hyttekonceptet.

"D'ved jeg nu ikke," sagde Dave. "Det meste af jorden ligger i et natur-beskyttet område. Man kan ikke rigtigt bygge videre end dertil, hvor vandløbet rammer søen. Plus jeg ikke kan se, at Papa tager nogen som helst med på råd med hensyn til, hvordan pengene bruges."

Mercy citerede sin far: "Der er kun et navn på skiltet ude ved vejen."

"Dit navn står jo også på det skilt," sagde Dave. "Du gør det virkelig godt med at bestyre stedet. Og du havde helt ret i det med, at bade-værelserne skulle opgraderes. Marmoret var et helvede at få slæbt ind, men det er godt nok imponerende. Vandhanerne og badekarrene lig-ner noget, der er som taget ud af et boligmagasin. Gæsterne bruger flere penge, fordi de får noget for dem. Og de kommer igen. De der investorer ville ikke tilbyde nogen penge, hvis det ikke havde været for det, du har udrettet her."

Mercy modstod fristelsen til at sole sig. Komplimenter var ikke noget, man strøede om sig med i hendes familie. Ingen havde sagt et ord om accentvæggene i hytterne, kaffekøkkenerne og altankasserne fyldt til randen med blomster, så gæsterne følte, at de trådte lige ind i et even-tyr.

Hun sagde: "Hvis vi bruger pengene rigtigt, vil folk betale det dob-belte, måske ligefrem det tredobbelte af, hvad de betaler nu. Især hvis vi giver dem adgang via en vej, så de ikke behøver at vandre ind som nu. Vi kunne måske ovenikøbet skaffe et par UTV'er til at køre folk ned til enden af søen. Der er smukt dernede."

"Der er virkelig smukt, det må jeg giver dig." Dave tilbragte de fleste dage dernede, angiveligt i gang med at renovere de tre gamle hytter. "Har Bitty noget at skulle have sagt med hensyn til pengene?" spurgte Dave.

Hendes mor tog altid hendes fars parti, men Mercy sagde: "Hun ville snakke med dig, før hun snakkede med mig."

"Har ingenting hørt." Dave trak på skuldrene. Bitty ville betro sig til ham før eller siden. Hun elskede Dave højere end sine egne børn. "Hvis du spørger mig, er større ikke altid bedre."

Større var præcis, hvad Mercy håbede på. Efter chokket over nyheden havde fortaget sig, var hun blevet varmere på idéen. En likviditetsind-sprøjtning kunne godt ruske lidt op i tingene. Hun var træt af at løbe i kviksand.

"Det er en ret stor forandring," sagde Dave.

Hun lænede sig tilbage mod kommoden og betragtede ham. "Ville det være så slemt, hvis tingene var anderledes?"

De stirrede på hinanden. Der var ganske meget tyngde i det spørgsmål. Hun så forbi de rindende øjne og den røde næse og så den attenårige dreng, der havde lovet at tage hende væk herfra. Så så hun den bilulykke, der havde flænget hendes ansigt. Rehabiliteringen. Mere rehabilitering. Forældremyndighedskampen om Jon. Truslen om at falde af vandvognen. Og altid den konstante, ubønhørlige skuffelse.

Telefonen bippede fra natbordet. Dave så ned på notifikationen. "Der er nogen for enden af stien."

Mercy låste skærmen op. Kameraet var rettet mod parkeringspladsen, hvilket betød, der var to timer til, at de første gæster havde tilendebragt den otte kilometer lange vandretur til hytterne. Eller måske mindre. De så ud, som om det var en nem tur for dem. Manden var høj og lang og ranglet, han havde en løbers krop. Kvinden havde langt, krøllet rødt hår og bar en rygsæk, der så ud, som om den havde været i brug før.

Parret kyssede hinanden dybt og længe, før de begyndte at gå ned ad stien. Mercy følte et stik af jalousi over at se dem holde i hånd. Manden blev ved med at se ned på kvinden. Hun blev ved med at se op på ham. Så lo de begge, som om det gik op for dem, hvor latterligt forelsket de opførte sig.

"Fyren ser pivstiv ud," sagde Dave.

Mercys jalousi blev kun stærkere. "Hun ser også lidt besoffen ud."

"BMW," bemærkede Dave. "Er det de der investorer?"

"Rige mennesker er ikke så glade der. Det må være dem, der er på bryllupsrejse. Will og Sara."

Dave så nærmere på dem, selvom de nu havde ryggen til kameraet. "Ved du, hvad de laver?"

"Han er mekaniker. Hun underviser i kemi."

"Hvor er de fra?"

"Atlanta."

"Det rigtige Atlanta eller storby-Atlanta?"

"Det ved jeg ikke, Dave. Atlanta-Atlanta."

Han gik hen til vinduet. Hun så ham stirre hen over lysningen til hovedhuset. Hun vidste, et eller andet havde trigget ham, men hun orkede ikke at spørge. Mercy havde investeret rigeligt af tid i Dave.

Prøvet at hjælpe ham. Prøvet at hele ham. Prøvet at elske ham nok. Prøvet at være nok. Prøvet, prøvet, prøvet ikke at drukne i det kviksand, hans akutte behov var.

Folk troede, han var mr. Tilbagelænet-tager-det-som-det-kommer-festens-midtpunkt-Dave, men Mercy vidste godt, at han gik rundt med en kæmpemæssig knude af angst i brystet. Dave var ikke misbruger, fordi han var i ro med sig selv. Han havde tilbragt de første elleve år af sit liv i børnehjems- og plejefamiliesystemet. Da han stak af, var der ingen, der ulejligede sig med at prøve at finde ham. Han havde hængt ud på lejrpladserne, indtil Mercys far fandt ham sovende i en af Ungkarlehytterne. Så havde hendes mor lavet mad til ham, og Dave var begyndt at dukke op hver aften, så flyttede han ind i hovedhuset, og McAlpine-parret havde adopteret ham, hvilket havde ført til en masse grimme rygter, da Mercy blev gravid med Jon. Det gjorde ikke sagen bedre, at Dave var atten, og Mercy lige var blevet femten, da det skete.

De havde aldrig betragtet hinanden som søskende. De var nærmere to idioter, der passerede hinanden i natten. Han havde hadet hende, indtil han elskede hende. Hun havde elsket ham, indtil hun hadede ham.

"Advarsel." Dave vendte sig fra vinduet. "Fiskehviskeren er lige på trapperne."

Mercy stak telefonen i baglommen, da hendes bror åbnede døren. Han havde en kat i armene, en tyk kludedukke, der hang fra hans favn. Christopher var klædt, som han altid var klædt: fiskervest, bøllehat med masser af fæstnede fiskefluer, cargobukser med alt for mange lommer, klipklapper, så han hurtigt kunne trække i sine waders og stå midt i vandløbet dagen lang og kaste liner ud. Deraf tilnavnet.

"Hvad har lokket dig på disse kanter, Fiskehvisker?" spurgte Dave.

"D'ved jeg ikke." Fisk hævede sine øjenbryn. "Noget trak mig i land."

Mercy vidste, de kunne fortsætte sådan i timevis. "Fisk, bad du Jon om at fjerne skrald fra kanoerne?"

"Jep, og han sagde, jeg skulle kneppe mig selv i røven."

"Du godeste." Mercy sendte Dave et blik, som om han alene var ansvarlig for Jons opførsel. "Hvor er han nu?"

Fisk satte katten på verandaen ved siden af den anden. "Jeg sendte ham til byen efter ferskner."

"Hvorfor det?" Hun så igen på uret. "Der er fem minutter til familie-mødet. Jeg betaler ham ikke for, at han skal krydre røv inde i byen hele sommeren. Han er nødt til at kende skemaet."

"Han er nødt til ikke at være her." Fisk lagde armene over kors, som han altid gjorde, når han syntes, han havde noget vigtigt at sige. "Delilah er her."

Han kunne lige vel have sagt, at Djævlen sprang badut ude på veran-daen, det ville have chokeret hende mindre. Inden hun nåede at tænke sig om, havde Mercy grebet fat i Daves arm. Hendes hjerte hamrede mod ribbenene. Det var tolv år siden, hun havde været i åben konfron-tation med sin tante i en retssal. Delilah havde prøvet at få permanent forældremyndighed over Jon. Mercy kunne stadig mærke de dybe sår, hun havde fået under kampen om at få ham tilbage.

"Hvad laver den sindssyge kælling her?" forlangte Dave svar på. "Hvad vil hun?"

"D'ved jeg ikke," sagde Fisk. "Hun gik lige forbi mig på plænen og gik ind i huset sammen med Papa og Bitty. Jeg fandt Jon og sendte ham væk, inden han så hende. Selv tak."

Mercy kunne ikke takke ham. Hun var begyndt at svede. Delilah boede en times kørsel herfra i sin egen boble. Hendes forældre havde hentet hende hertil, fordi de var ude på noget. "Stod Papa og Bitty på verandaen og ventede på Delilah?"

"De står altid på verandaen om morgenen. Hvordan skulle jeg vide, om de ventede?"

"Fisk!" Mercy stampede i gulvet. Han kunne kende forskel på en små-mundet og en rødøjet ørredaborre på to kilometers afstand, men han kunne ikke en skid læse andre mennesker. "Hvordan så de ud, da Deli-lah kom? Var de overraskede? Sagde de noget?"

"Det tror jeg ikke. Delilah steg ud af sin bil. Hun bar sin taske sådan her."

Mercy betragtede ham gribe med begge hænder foran maven.

"Så gik hun op ad trappen, og de gik alle sammen indenfor."

"Går hun stadig klædt som Pippi Langstrømpe?" spurgte Dave.

"Hvem er Pippi Langstrømpe?"

"Klap i," hvæsede Mercy. "Og Delilah sagde ikke noget om, at Papa sad i kørestol?"

"Niks. Ingen af dem sagde noget overhovedet, nu jeg tænker over det.

De var sært stille." Fisk holdt en finger i vejret for at indikere, at han huskede endnu en detalje. "Bitty begyndte at skubbe Papas stol indenfor, men Delilah tog over."

"Det lyder ganske rigtigt som Delilah," mumlede Dave.

Mercy bemærkede, at hun skar tænder. Det havde ikke overrasket Delilah, at hendes bror sad i kørestol, hvilket betød, at hun allerede kendte til ulykken, hvilket betød, at de havde talt i telefon sammen. Spørgsmålet var bare, hvem der havde ringet til hvem? Var hun blevet inviteret, eller var hun bare dukket op?

Som på tælling begyndte hendes telefon at ringe. Mercy trak den op af lommen. Hun så på skærmen. "Bitty."

"Sæt den på højtaler," sagde Dave.

Mercy trykkede på skærmen. Hendes mor indledte alle telefonsamtaler på samme måde, uanset om hun ringede op eller tog den. "Det er Bitty."

"Ja, mor," svarede Mercy.

"Kommer I børn over til familiemødet?"

Mercy så på uret. Hun var to minutter for sent på den. "Jeg har sendt Jon ind til byen. Fisk og jeg er på vej."

"Tag Dave med."

Mercys hånd svævede over telefonen. Hun havde været lige ved at lægge på. Nu rystede hendes fingre. "Hvorfor vil du have Dave med?"

Der lød et klik, da hendes mor afbrød opkaldet.

Mercy så på Dave, dernæst på Fisk. Hun kunne mærke en tung dråbe sved rulle ned ad ryggen. "Delilah prøver at få Jon tilbage."

"Nej, hun gør ikke. Jon har lige haft fødselsdag. Han er praktisk taget voksen." For en gangs skyld var det Dave, der var den logiske. "Delilah kan ikke tage ham fra os. Selv hvis hun prøver, går der mindst et par år, før sagen kommer for retten. Og så er han atten år."

Mercy trykkede håndfladen mod brystet. Han havde ret. Det var muligt, Jon opførte sig som en baby nogle gange, men han var seksten år gammel. Mercy var ikke et serie-fuck-up med to domme for spritkørsel, som prøvede at afvænne sig selv fra heroin med Xanax. Hun var en ansvarlig statsborger. Hun bestyrede familievirksomheden. Hun havde været stoffri i tretten år.

"Folkens," sagde Fisk, "er det overhovedet meningen, at vi skal vide, at Delilah er her?"

"Så hun dig ikke, da hun gik over plænen?" spurgte Dave.

"Måske?" Fisk spurgte, han svarede ikke. "Jeg stablede brænde ovre ved skuret. Hun gik ret hurtigt. Du ved, hvordan hun er. Som om hun er på en mission."

Mercy kom i tanke om en forklaring, der næsten var alt for frygtelig til at sige højt. "Måske er kræften vendt tilbage."

Fisk lignede en, der var blevet slået. Dave trådte et par skridt tilbage og vendte ryggen til dem begge. Bitty var blevet diagnosticeret med metastatisk melanom fire år tidligere. En aggressiv behandling havde fået kræften til at aftage, men at den aftog, var ikke det samme, som at hun var kureret. Onkologen havde rådet hende til at få bragt sine ting i orden.

"Dave?" spurgte Mercy. "Har du bemærket noget? Har hun opført sig anderledes?"

Mercy så Dave ryste på hovedet. Han tørrede øjnene med knytnæven. Han havde altid været mors dreng, og Bitty forgudede ham stadig, som var han en baby. Mercy kunne ikke misunde ham den ekstra opmærksomhed. Hans egen mor havde efterladt ham i en papkasse ude foran brandstationen.

"Hun ..." Dave rømmede sig et par gange, så han kunne tale. "Hun ville have fortalt mig det på tomandshånd, hvis den var tilbage. Det ville hun ikke bare sige på et familiemøde."

Mercy vidste, at det var sandt, om ikke andet, så fordi Dave havde været den første person, Bitty havde fortalt det til første gang. Dave og hendes mor havde altid haft en særlig forbindelse. Det var ham, der havde givet hende kælenavnet Bitty Mama, fordi hun var så lille. Mens hun kæmpede mod kræften, havde Dave kørt hende til alle lægeaftaler, alle operationer, alle behandlinger. Det var også ham, der havde skiftet forbindingerne på hendes operationssår, haft styr på hendes pilleregime, endog vasket hendes hår.

Papa havde haft for travlt med at passe forretningen.

"Vi overser helt det åbenlyse," sagde Fisk.

Dave tørrede næsen i sin T-shirt, da han vendte sig om igen. "Hvad?"

"Papa vil tale om investorerne," tilføjede Fisk.

Mercy følte sig som en idiot, fordi hun ikke selv var kommet i tanke om det. "Skal vi have indkaldt til bestyrelsesmøde for at stemme om at tage imod pengene?"

"Nej." Dave kendte vedtægterne for McAlpine familiefond bedre end nogen anden. Delilah havde prøvet at tvinge ham ud, fordi han var adopteret. "Papa er fondsbestyreren, så han træffer den slags beslutninger. Desuden behøves der kun et simpelt flertal for at gennemføre en afstemning. Mercy, du har Jons fuldmagt, så han har kun brug for dig, Fisk og Bitty. Jeg behøver ikke være der. Heller ikke Delilah."

Fisk så nervøst på sit ur. "Vi må hellere gå, ikke? Papa venter på os."

"Venter på at igangsætte sit bagholdsangreb på os," sagde Dave.

Mercy regnede med, at det var det, hendes far havde planer om. Hun havde ingen illusioner om, at de skulle til at dele et varmt familieøjeblik.

"Lad os hellere få det overstået," sagde hun til dem.

Mercy førte an foran drengene hen over grunden. De to katte slentrede ved siden af dem. Hun kæmpede mod sin grundlæggende angstfølelse. Jon var i sikkerhed. Mercy var ikke hjælpeløs. Hun var for gammel til en endefuld, og Papa kunne ikke ligefrem fange hende længere.

Hun blev varm i kinderne. Hun var en forfærdelig datter, at hun overhovedet kunne tænke sådan. Atten måneder tidligere havde hendes far guidet en gruppe op ad et mountainbikespor, da han var væltet ud over styret og røget ned i kløften. En redningshelikopter havde hejset ham op på en båre, mens gæsterne havde set rædselsslagne til. Han havde åbent kraniebrud. Brækket to halshvirvler. Brækket ryggen. Der var ingen tvivl om, at han ville ende i kørestol. Han havde nerveskader i højre arm. Hvis han var heldig, ville han få en vis kontrol over venstre hånd. Han kunne stadig trække vejret selv, men i de første par dage talte kirurgerne om ham, som om han allerede var død.

Mercy havde ikke haft tid til at sørge. Der var stadig gæster i hytterne. Og der kom endnu flere de næste uger. Der skulle lægges skema. Gæsterne skulle fordeles. Der skulle bestilles forsyninger. Og betales regninger.

Fisk var den ældste, men han havde aldrig rigtig interesseret sig for ledelse. Hans passion var at tage gæsterne med ud på vandet. Jon var for ung, og desuden hadede han det her. Dave kunne man ikke stole på ville dukke op. Delilah kunne ikke komme på tale. Bitty veg forståeligt nok ikke fra Papas side. Der var kun Mercy til at tage jobbet. At hun så faktisk viste sig at være rigtig god til det, burde have været noget, familien var stolt af. At hendes forbedringer havde givet et stort overskud allerede det første år, at hun var på vej til at fordoble det nu, burde have været noget, der blev fejret.

Men hendes far havde blot sydet af vrede fra det øjeblik, han kom ud fra rehabiliteringen. Ikke på grund af ulykken. Ikke fordi han mistede kontrol over sin atletiske krop. Ikke engang fordi han mistede sin frihed. Af en eller anden uforklarlig grund var al hans vrede, alt hans fjendskab, rettet direkte og helt og holdent mod Mercy.

Hver eneste dag kørte Bitty Papa rundt på grunden. Hver eneste dag ville han finde fejl i alt, Mercy gjorde. Sengene blev ikke redt på den rigtige måde. Håndklæderne var ikke foldet på den rigtige måde. Gæsterne blev ikke håndteret på den rigtige måde. Måltiderne blev ikke serveret på den rigtige måde. Og naturligvis var den *rigtige måde* altid *hans* måde.

I begyndelsen havde Mercy kæmpet for at behage ham, stryge hans ego med hårene, ladet, som om hun ikke kunne klare sig uden ham, havde tryglet ham om råd og anerkendelse. Ingenting havde virket. Hans vrede blev bare endnu mere indædt. Hun kunne have skidt guldbarrer, og han ville alligevel have fundet fejl ved hver eneste af dem. Hun havde godt vidst, Papa kunne være en kommanderende tyran. Hvad hun ikke havde indset, var, at han var lige så sølle, som han var grusom.

"Vent lige." Fisks stemme var lavere nu, som var de børn, der sneg sig ned til søen. "Hvordan spiller vi vores kort rigtigt her, folkens?"

"På samme måde, som vi altid gør," sagde Dave. "Du stirrer ned i gulvet og klapper i. Jeg pisser Gud og hvermand af. Mercy smøger ærmerne op og kæmper."

Det tjente ham et smil, om ikke andet. Mercy gav Daves arm et klem, inden han åbnede hoveddøren.

Som altid blev hun budt velkommen af mørket. Mørke, vejrbidte vægge. To ganske små sprækkede vinduer. Ingen sollys. Foyeren i hovedhuset havde været den oprindelige gæstehytte, da stedet åbnede efter borgerkrigen. Dengang havde stedet kun været en anelse større end en fiskerhytte. Man kunne se øksemærkerne i træpanelerne, der hvor plankerne var blevet skåret ud af træer, der var fældet på ejendommen.

Held og nødvendighed havde gjort, at huset var blevet udvidet gennem årene. Der var føjet endnu en indgang til i den ene side af verandaen, så vandrerne så noget mere indbydende, når de kom ind fra stien. Private værelser var bygget til for mere velhavende gæster, og det nødvendiggjorde endnu en trappe til øverste etage. En dagligstue og en spisestue var føjet til for de Teddy Roosevelt-typer, der var strømmet til for at udforske den nyeste nationalpark. Køkkenet var blevet tilføjet til huset, dengang brændekomfurer var det nye sort. Verandaen, der gik hele vejen rundt om huset, var en indrømmelse til den kvælende sommervarme. I en periode var der hele tolv McAlpine-brødre, der var stuvet sammen i køjesenge ovenpå. Den ene halvdel hadede den anden, hvilket havde nødvendiggjort, at de tre Ungkarlehytter blev bygget rundt om søen. De var spredt for alle vinde, da den store depression satte ind og efterlod en enkelt fortrydelig McAlpine hængende tilbage i neglene. Han opbevarede deres urner med aske på en hylde i kælderen, efterhånden som de en efter en vendte tilbage til ejendommen. Denne oldefar til Mercy og Fisk var ansvarlig for oprettelsen af den stramt kontrollerede familiefond, og hans bitterhed mod sine søskende stod tydeligt malet i hver eneste linje.

Han var også den eneste grund til, at stedet ikke var blevet udstykket og solgt for år tilbage. Størstedelen af området lå i et naturbeskyttet område, der aldrig ville kunne bebygges. Resten var begrænset af klausuler, der fastsatte, hvordan jorden kunne anvendes. Fonden krævede enstemmighed, før der kunne gøres noget større, og gennem årene havde der udelukkende været McAlpine-røvhuller, der kæmpede mod andre McAlpine-røvhuller, der var imod enhver form for konsensus, om ikke andet så i trods. At hendes far var det største røvhul i en lang række, burde ikke være kommet som nogen overraskelse.

Og alligevel, nu stod de her.

Mercy rankede ryggen, da hun gik ned ad den lange gang gennem huset. Hendes øjne løb i vand, da sollyset strømmede ind gennem de tunge, sidehængte vinduer, dernæst de palladiske vinduer, så foldedørene, der førte ud til verandaen bag huset. Hvert eneste rum var som en årring i et træ. Man kunne tælle, hvor lang tid der var gået, på hestehårspudset, popcornsloftet og de avocadogrønne hårde hvidevarer, der stod side om side med det spritnye Wolf-komfur med seks blus i køkkenet.

Det var der, hendes forældre sad og ventede. Papas kørestol var kørt ind under det runde søjlebord, Dave havde bygget efter ulykken. Ved hans side sad Bitty, rank ryg, trutmund, hænderne hvilede på en stak skemaer. Der var noget tidløst over hendes fremtræden. Der var knap nok en rynke i hendes ansigt. Hun havde altid nærmere lignet Mercys storesøster end hendes mor. Bortset fra den misbilligende mine. Som sædvanlig smilede Bitty først, da hun fik øje på Dave, så lyste hendes ansigt op, som var det Elvis, der kom gående ind med Jesusbarnet i sine arme.

Mercy bemærkede knap nok udvekslingen. Delilah var ikke at se nogen steder, hvilket fik Mercys hjerne på overarbejde igen. Hvor gemte hun sig? Hvorfor var hun her? Hvad ville hun? Havde hun mødt Jon på den smalle vej?

"Er det virkelig så svært at komme til tiden?" Papa gjorde et stort nummer ud af at se hen på køkkenuret. Han gik med armbåndsur, men det krævede en del kræfter at dreje venstre håndled. "Sæt jer."

Dave ignorerede ordren og lænede sig frem for at kysse Bitty på kinden. "Går det godt, Bitty Mama?"

"Helt fint, min kære." Bitty rakte op og klappede hans ansigt. "Gå du bare hen og sæt dig."

Hendes lette berøring fik midlertidigt den bekymrede panderynken til at lette fra Daves ansigt. Han blinkede til Mercy, da han trak sin stol ud. *Mors dreng.* Fisk satte sig på venstre side af hende, som han plejede, blikket i gulvet, hænderne i skødet, præcis som altid.

Mercy lod blikket hvile på sin far. Hans ansigt havde flere ar end hendes nu, samt dybe rynker, der bredte sig som en vifte fra øjenkrogene og dobbeltparenteser, der gled ind i hulningerne i hans kinder. Han var blevet otteogtres i år, men han lignede en på halvfems. Han havde altid været en aktiv udendørsmand. Før cykelulykken havde Mercy aldrig set sin far sidde stille i længere tid, end det tog at skovle et måltid i munden. Bjergene var hans hjem. Han kendte hver eneste centimeter af stierne. Navnene på alle fuglearter. Hver eneste blomst. Gæsterne forgudede ham. Mændene vil leve hans liv. Kvinderne ville have hans fornemmelse af mening med tingene. De kaldte ham deres yndlingsguide, deres sjæls mage, deres fortrolige.

Han var ikke deres far.

"Okay, børn." Bitty åbnede altid familiemøderne med samme sætning, som om de stadig var blebørn. Hun lænede sig frem i stolen, så hun kunne dele ugeskemaerne ud. Hun var en lille kvinde, knap halvanden meter høj, med en blid stemme og en engels ansigt. "Der kommer fem par i dag. Og fem til på torsdag."

"Endnu et fuldt hus," sagde Dave. "Godt gået, Mercy Mac."

Fingrene på Papas venstre hånd greb hårdt om stolens armlæn. "Så er vi nødt til at skaffe ekstra guider til weekenden."

Mercy gav lige sig selv et øjeblik til at finde sin stemme. Havde de virkelig tænkt sig at gennemføre dette møde, som om Delilah ikke stod og lurede i skyggerne? Papa havde noget i ærmet, det var helt tydeligt. Der var ikke så meget andet at gøre end at spille med.

"Jeg har allerede indkaldt Wavier og Gil. Jedediah er på standby."

"Standby," tordnede Papa. "Hvad fanden er *standby*?"

Mercy tvang sig til ikke at tilbyde at google det for ham. De havde strenge regler om antallet af gæster per guide – ikke kun af sikkerhedsgrunde, men fordi deres personlige guidning virkelig skæppede i kassen. "For det tilfælde, at en gæst gerne vil med på hike i sidste øjeblik."

"Så siger man til dem, at det er for sent. Vi lader ikke guider hænge. De arbejder for penge, ikke for løfter."

"Jed har det helt fint med det, Papa. Han sagde, han nok skulle komme, hvis han kunne."

"Og hvad så hvis han ikke kan?"

Mercy skar tænder. Han flyttede altid mållinjen. "Så går jeg selv op med dem."

"Og hvem skal så køre stedet her, mens du dimser rundt oppe i bjergene?"

"De samme personer, der kørte stedet, da du gjorde det."

Papas næsebor flagrede af vrede. Bitty så dybt skuffet ud. De var mindre end et minut inde i mødet, og de var allerede kørt af sporet. Mercy ville aldrig vinde. Hun kunne tonse igennem eller bevæge sig roligt frem, det var stadig kviksand, hun løb i.

"Fint," sagde Papa. "Du gør jo alligevel, som du har lyst til."

Han gav ikke efter. Han fik det sidste ord, samtidig med at han fik sagt, hun var forkert på den. Mercy skulle lige til at svare, da Daves ben pressede sig mod hendes under bordet i en opfordring til at lade det ligge.

Papa var i øvrigt allerede gået videre. Han lod blikket hvile på Fisk. "Christopher, du skal virkelig lægge dig i selen over for investorerne. De hedder Sydney og Max, en kvinde og en mand, men det er hende, der har bukserne på. Tag dem med ned til vandfaldet, hvor vi er sikre på, at de fanger noget godt. Og lad være med at kede dem med al din økologi-snak."

"Absolut. Forstået." Fisk havde en mastergrad i naturressourceledelse med hovedvægt på fiskeri og akvatisk videnskab på UGA. De fleste af gæsterne var meget optagede af hans passion. "Jeg tænkte, de nok ville synes om ..."

"Dave," sagde Papa. "Hvad sker der egentlig med Ungkarlehytterne? Får jeg noget for pengene?"

De passivt-aggressive spredehagl ramte alle omkring bordet, og Dave tog sig tid til at svare. Hans hånd rakte langsomt op til ansigtet. Han klø-ede sig fraværende på hagen. Endelig sagde han: "Jeg fandt noget ind-tørret råd i hytte tre. Jeg var nødt til at pille bagvæggen af og starte for-fra. Måske er der også råd i fundamentet. Hvem ved?"

Papas næsebor flagrede igen. Han havde ingen jordisk chance for at tjekke, om Dave talte sandt. Han kunne ikke komme ned i det område, om så de spændte ham fast på en ATV.

"Jeg vil se billeder," sagde Papa. "Dokumenter skaden. Og sørg for hel-vede for at rydde op efter dig. Der er et uvejr på vej. Jeg betaler ikke for endnu en bordsav, fordi du ikke tænker dig om og lader den stå ude i regnen."

Dave pillede snavs ud fra under neglene. "Selvfølgelig, Papa."

Mercy så sin fars venstre hånd gribe om armlænet igen. To år tidli-gere ville han været kommet rundt om bordet. Nu måtte han samle alle kræfter bare for at klø sig i røven.

"Hvornår vil du have mig til at mødes med investorerne?" spurgte Mercy.

Papa fnøs af spørgsmålet. "Hvorfor skulle du dog mødes med dem?"

"Fordi jeg er bestyreren. Fordi jeg har alle regnearkene og sidder med tallene. Fordi jeg er en McAlpine. Fordi vi alle sammen ejer lige meget af fonden. Fordi det er min ret."

"Du har ret til at klappe kajen i, før jeg gør det for dig."

Papa vendte sig mod Fisk. "Hvorfor er Chuck tilbage? Det er ikke et hjemløseherberg, det her."

Mercy udvekslede et blik med Dave. Det tog han som sit stikord til at smide en bombe midt på bordet. "Har du måske tænkt dig at fortælle os, hvad Delilah laver her?"

Bitty rykkede uroligt på sig i sin stol.

Papa begyndte at smile, hvilket genererede sin helt egen form for frygt i rummet. Hans grusomhed efterlod altid mærker. "Hvorfor tror du selv, at hun er her?"

"Jeg tror ..." Dave begyndte at tromme med fingrene mod bordet. "Jeg tror ikke, investorerne er her for at investere. De er her for at købe."

Fisk tabte underkæben. "Hvad?"

Mercy følte det, som om al luft blev trykket ud af hendes lunger. "D-det kan du ikke ... Fondens vedtægter ..."

"Det er gjort," sagde Papa. "Vi bliver nødt til at komme fri af det her sted, før du kører det i sænk."

"Kører det i sænk?" Mercy kunne ikke tro sine egne ører. "Jeg håber eddermame, du tager pis på mig?"

"Mercy!" hvæsede hendes mor. "Tal pænt."

"Vi er fuldt bookede for hele sæsonen!" Hun kunne ikke lade være med at råbe. "Vi har et overskud, der er tredive procent større end sidste år!"

"Som du ødslede bort på marmorbadeværelser og fisefornemme lagener."

"Som har gjort, at folk booker igen."

"Og hvor længe tror du, det fortsætter?"

"Så længe du for fanden lader være med at blande dig!"

Mercy var røget op af stolen og hørte den vrede skingren i sin stemme, da den gjaldede mod alle vægge. Hun blev overvældet af skyldfølelse. Sådan havde hun aldrig talt til sin far før. Det var der ingen af dem, der havde.

De havde været alt for bange.

"Mercy," sagde Bitty. "Sæt dig ned, barn. Vis lidt respekt."

Mercy sank langsomt ned i stolen igen. Tårerne løb ned over kinderne. Det var så voldsomt et forræderi. Hun var en McAlpine. Det var meningen, hun skulle være den syvende generation. Hun havde opgivet alt – alt – for at blive her.

"Mercy," gentog Bitty. "Sig undskyld til din far."

Mercy mærkede sit hoved dreje fra side til side. Hun prøvede at synke den hudløse fornemmelse i halsen.

"Nu hører du efter, lille frøken tredive procent." Papas stemme var som et barberblad over hendes hud. "Enhver idiot kan lave et godt år. Det er de magre år, du ikke vil kunne klare. Presset vil tynge dig helt ned under gulvbrædderne."

Hun tørrede øjnene. "Det ved du ikke."

Papa slog en kort latter op. "Hvor mange gange har jeg ikke måttet betale din røv ud af fængsel? Betale for din afvænning? Dine advokater? Din prøveløsladelse? Stikke lidt i lommen på sheriffen, så han vendte det blinde øje til? Passet din dreng, fordi du var så døddrukken, at du pissede i bukserne?"

Mercy stirrede på komfuret hen over hans skulder. Dette var den dybeste del af kviksandet, den fortid, hun aldrig nogensinde ville kunne flygte fra.

"Delilah er kørt herned for at stemme, ikke også?"

Papa sagde ingenting.

"Vedtægterne siger, at man skal have tres procent af stemmerne for at sælge den kommercielle del af ejendommen fra. Du satte mig i gang med at arbejde på de hytter, så vi kan inkludere det område i den kommercielle del, ikke sandt?" sagde Dave.

Mercy var knap nok i stand til at høre, hvad han sagde. Familiefondens vedtægter var nærmest volapyk. Hun havde aldrig rigtigt sat sig ind i det, fordi det aldrig for alvor ville kunne gøre en forskel. Alle de generationer, der gik årtier tilbage, havde enten hadet stedet nok til at flytte langt væk eller modstræbende arbejdet for det fælles gode.

"Vi er syv i alt," sagde Dave. "Det betyder, du skal bruge fire stemmer for at sælge."

Mercy lo overrasket. "Dem har du ikke. Jeg har fuldmagt over Jons, til han bliver atten. Vi siger begge nej. Dave siger nej. Fisk siger nej. Du har ikke nok stemmer. Ikke engang med Delilahs."

"Christopher?" Papa naglede Fisk med blikket. "Er det korrekt?"

"Jeg ..." Fisk blev ved med at se ned i gulvet. Han elskede jorden, kendte hver eneste bakke og dal, hvert eneste gode fiskested og hvert eneste rolige sted. Men det ændrede ikke, at han var den, han var. "Jeg kan ikke stille mig i midten af det her. Jeg erklærer mig inhabil. Eller undlader at stemme. Kald det, hvad I vil. Jeg er ude."

Mercy ville ønske, hun ikke var overrasket over hans tilbagetrækning. "Så har vi halvtreds procent hver," sagde hun til sin far. "Halvtreds procent er ikke tres."

"Jeg har også et tal til dig," sagde Papa. "Tolv millioner dollars."

Mercy hørte Dave synke. Penge gjorde altid en forskel for ham. Det var den dr. Jekylls eliksir, der gjorde ham til et monster.

"Træk halvdelen fra i skat," sagde Mercy. "Det er seks millioner delt med syv, ikke? Papa og Bitty får samme andel. Fisk får sin andel, uanset om han stemmer eller ej."

"Det gør Jon også," sagde Dave.

"Dave, helt ærligt." Hun ventede på, at han så på hende. Han havde alt for travlt med at se dollartegn, tænke på alt det lort, han ville købe, de folk, han ville imponere. Mercy befandt sig i et rum fyldt med mennesker, omgivet af sin familie, men som altid var hun helt alene.

"Tænk på, hvad I børn kunne gøre med alle de penge," sagde Bitty. "Rejse. Starte jeres egen virksomhed. Måske tage en uddannelse?"

Mercy vidste præcis, hvad de ville gøre med dem. Jon ville ikke kunne holde fast på dem. Dave ville hælde det hele i næsen og halsen og stadig ville have mere. Fisk ville donere det hele til en eller anden forpulet flodbevaringsforening, han tilfældigt kunne finde. Mercy ville være nødt til at vende hver en mønt, fordi hun havde en plettet straffeattest med to domme for spritkørsel, var gået ud af high school, fordi hun skulle have et barn. Det var alt andet end sikkert, at hun kunne leve af de penge ind i sin alderdom. Hvis hun levede så længe.

Hendes forældre, derimod, de skulle nok klare sig. De havde en livrente, en pensionsopsparing. Forsikringen havde betalt for Papas hospitalsregninger og genoptræning. De havde begge en sygeforsikring, modtog sociale ydelser og udbytte fra hytterne. De havde ikke brug for pengene. De havde alt, de havde brug for.

Bortset fra tid.

"Hvor lang tid tror du selv, du har tilbage?" spurgte hun sin far.

Papa blinkede. Et kort øjeblik blev han fanget med paraderne ned. "Hvad snakker du om?"

"Du laver ikke dine øvelser. Du nægter at lave vejrtrækningsøvelser. Du kommer kun ud af huset, hvis du skal holde øje med mig." Mercy trak på skuldrene. "Covid eller en lungebetændelse kunne gøre det af med dig i næste uge."

"Merce," mumlede Dave. "Der er ingen grund til at blive ond."

Mercy tørrede tårerne væk fra sine øjne. Hun var for længst forbi ond. Hun havde lyst til at såre dem på samme måde, som de sårede hende.

"Og hvad med dig, mor? Hvor lang tid går der, før kræften kommer tilbage?"

"Jøsses," sagde Dave. "Nu går du for vidt."

"Og er det ikke at gå for vidt at stjæle min fødselsret fra mig?"

"Din fødselsret," sagde Papa. "Din dumme møgkælling. Vil du gerne vide, hvad der skete med din fødselsret? Prøv at kigge i spejlet på dit eget forpulet grimme fjæs."

Mercy kunne mærke vibrationen gennem hele kroppen. En form for anspændthed. En modbydelig gru.

Papa havde ikke bevæget sig, men hun følte, hun var teenager igen, og at hans hænder lå om hendes hals. At han greb hende i håret, når hun prøvede at flygte. Rev hende så hårdt i armen, at hun sprang en sene. Igen kom hun for sent i skole, for sent på arbejde, havde ikke lavet sine lektier, havde lavet sine lektier for tidligt. Han var altid efter hende, slog hende på armen, gav hende blå mærker på benene, slog hende med sit bælte, piskede hende med rebet i laden. Han havde sparket hende i maven, da hun var gravid. Tvunget hendes ansigt ned i tallerkenen, da hun havde for meget kvalme til at spise. Låst hende inde på værelset, så hun ikke kunne se Dave. Vidnet i retssalen om, at hun fortjente at komme i fængsel. Sagde til en anden dommer, at hun var psykisk syg. Sagde til en tredje dommer, at hun var uegnet som mor.

Nu så hun ham pludselig i et ulideligt klart lys.

Papa var ikke vred over det, han havde mistet i cykelulykken.

Han var vred over det, Mercy havde opnået.

"Din stupide, gamle mand." Den stemme, der kom ud af hendes mund, lød besat. "Jeg har spildt næsten hele mit liv på det her ugudelige stykke land. Tror du ikke, jeg har hørt alle dine taler og hvisken og telefonsamtaler og natlige tilståelser?"

Papas hoved røg bagover. "Du kan lige vove på ..."

"Hold kæft," bed Mercy. "Alle sammen. Hver evig eneste en. Fisk. Dave. Bitty. Selv Delilah, hvor fuck hun så står og gemmer sig. Jeg kunne ødelægge jeres liv, lige nu. En enkelt telefonopringning. Et brev. Mindst to af jer røvhuller ville ryge direkte i fængsel. Resten af jer ville aldrig kunne vise jeres ansigt her igen. Der er ikke penge nok i verden til at købe jeres liv tilbage. I ville blive knust."

Deres frygt gav Mercy en følelse af magt, hun aldrig før i sit liv havde følt. Hun kunne se, at de overvejede truslerne, afvejede, hvad deres odds var. De vidste, hun ikke bluffede. Mercy kunne brænde dem alle sammen til grunden uden så meget som at stryge en tændstik.

"Mercy," sagde Dave.

"Hvad, Dave? Er det mit navn, du siger, eller giver du op, sådan som du altid gør?"

Han trak hagen ind mod brystet. "Jeg siger bare, du skal passe på."

"Passe på hvad?" spurgte hun. "Du ved jo godt, at jeg kan tage et slag. Alt mit lort er allerede derude. Det står skrevet hen over mit forpulede grimme ansigt. Det er hugget i den gravsten, der står på Atlanta kirkegård. Jeg har intet at miste, bortset fra stedet her, og hvis det kommer dertil, så sværger jeg ved gud, at I alle sammen går ned sammen med mig."

Truslen var nok til at få dem alle til at klappe i i et enkelt, saligt øjeblik. I stilheden hørte Mercy dæk knase hen over småstenene i indkørslen. Den gamle ladvogn trængte til en ny lydpotte, men hun satte pris på advarslen. Jon var kommet tilbage fra byen.

"Vi kan tale om det efter aftensmaden," sagde hun til dem. "Der er gæster på vej. Dave, få ordnet det toilet i treeren. Fisk, få ryddet op i kanoerne. Bitty, mind køkkenet om, at Chuck har nøddeallergi. Og dig, Papa. Jeg ved godt, du ikke er til meget hjælp, men du har eddermame at holde din forpulede søster langt væk fra min søn."

Mercy forlod køkkenet. Hun passerede foldedørene, de palladiske vinduer, de sidehængte vinduer. Hun lagde hånden på dørknoppen i den mørke foyer, men ventede lidt, inden hun åbnede den. Jon var i gang med at bakke vognen på plads. Hun kunne høre gearene skurre, da han slap koblingen.

Hun tog en dyb indånding og udåndede langsomt.

Der var historie i dette mørke rum. Sved og slæb og land, der var gået i arv gennem hundrede og tres år. Fotografier på væggene dokumenterede vigtige milepæle: en daguerreotypi af fiskeskuret. Sepiatonede print af diverse McAlpines, der arbejdede rundtom på ejendommen. Udgravning af den første brønd. Da der blev lagt strøm ind. Annekteringen af Awinita-lejren. Drengespejdere, der sang rundt om lejrbålet. Gæster, der ristede skumfiduser ved søen. Det første farvebillede, der fremviste det første indendørs toilet. Ungkarlehytterne. Badepontonen. Bådehuset. Familieportrætterne. Generationerne af McAlpines; ægteskaberne og begravelserne og babyerne og livet.

Mercy behøvede ikke fotografierne. Hun havde sin egen historie. Dagbøger fra barndommen. Regnskabsbøger, hun havde fundet gemt på kontoret og proppet om bagest i et gammelt skab i køkkenet. Notesbogen, hun selv var begyndt at skrive i. Der var hemmeligheder, der ville knuse Dave. Afsløringer, der ville flå Fisk fra hinanden. Forbrydelser, der ville sende Bitty i fængsel. Og den rene og skære ondskab, Papa havde tyet til for at beholde stedet i sin voldelige, grådige, hule hånd.

Ingen af dem skulle have lov til at tage hytterne fra Mercy.

Så måtte de slå hende ihjel først.

2

TI TIMER FØR MORDET

Det gik ret hurtigt op for Will, at der var ret stor forskel på at løbe otte kilometer om dagen i Atlantas gader og så vandre i bjergene. Måske det havde været en ret dårlig idé at bruge nærmest hele sit liv på at træne sine benmuskler til lige præcis en ting. Det gjorde ikke sagen bedre, at Sara sprang op ad passet som en gazelle. Han havde altid stornydt at se hende lave sin morgenyoga. Det var ikke gået op for ham, at hun i al hemmelighed trænede sig op til en ironman-konkurrence.

Han tog vandflasken op af rygsækken som en undskyldning for at stoppe op. "Vi skal passe på ikke at blive dehydrerede."

Det lumske smil på hendes ansigt fortalte ham, at hun vidste lige præcis, hvad han havde gang i. Hun vendte sig og nød udsigten. "Der er så smukt heroppe. Jeg havde helt glemt, hvor dejligt det er at være omgivet af træer."

"Vi har træer i Atlanta."

"Ikke på den måde her."

Det måtte Will give hende ret i. Udsigten ud over bjergene var til at tabe underkæben over, hvis altså man ikke følte det, som om morderiske gedehamse var i færd med at angribe ens lægmuskler.

"Tak for at tage mig med herop." Hun hvilede hænderne mod hans skuldre. "Det er den helt perfekte måde at starte bryllupsrejsen på."

"Det var også ret fantastisk i aftes."

"Og her til morgen." Hun gav ham et langt, dvælende kys. "Hvad tid skal vi være i lufthavnen?"

Han grinte bredt. Sara havde haft ansvar for brylluppet. Will stod for bryllupsrejsen, og han havde gjort alt, han kunne, for at holde det hemmeligt, han havde ovenikøbet ladet hendes søster stå for at pakke hendes kuffert. Den var sammen med hans sendt i forvejen til hytten. Han havde sagt til Sara, at de skulle vandre en dag, nyde en dejlig picnic for så at tage tilbage til Atlanta for at flyve til den endelige destination.

"Hvad tid vil du gerne være i lufthavnen?"

"Skal vi flyve hele natten?"

"Skal vi?"

"Kommer vi til at sidde i et fly i mange timer? Er det derfor, du ville have noget motion først?"

"Gør vi?"

"Drop bare skuespillet." Hun trak drillende i hans øre. "Tessa har fortalt mig det hele."

Will var lige ved at hoppe på den. Sara var ualmindeligt tæt med sin søster, men han nægtede at tro, at Tessa havde sladret. "Godt forsøgt."

"Jeg er nødt til at vide, hvad jeg skal pakke. Skal jeg have badedragt med eller vinterfrakke?"

"Du mener, om vi skal til stranden eller til Arktis?"

"Mener du seriøst, at jeg skal vente til i aften?"

Will havde diskuteret med sig selv, hvornår han skulle afsløre destinationen for hende. Skulle han vente, til de var fremme ved hytten? Skulle han fortælle det, inden de nåede frem? Ville hun blive glad for hans valg? Hun havde nævnt natflyning. Troede hun, de skulle et romantisk sted hen, som for eksempel Paris? Måske burde han have taget hende med til Paris. Hvis han donerede nok blod, kunne han sikkert skrabe sammen til et ophold på et vandrerhjem der.

"Min elskede." Hun kærtegnede hans øjenbryn med tommelfingeren. "Hvor vi end ender, så bliver jeg glad, fordi det er sammen med dig."

Hun kyssede ham igen, og han besluttede, at nu nok var et lige så godt tidspunkt som ethvert andet. Og hvis hun blev skuffet, var det i det mindste ikke med tilskuere på.

"Lad os sætte os," sagde Will.

Han hjalp hende med rygsækken. Plastictallerkenerne klinkede mod tinbestikket, da den ramte jorden. De havde allerede holdt frokostpause med udsigt til en eng fyldt med græssende heste. Will havde købt nogle fornemme sandwich fra det franske bageri i Atlanta, hvilket havde cementeret hans overbevisning om, at han ikke var fornem sandwich-typen.

Men Sara havde været henrykt, og det var det eneste, der betød noget. Han tog blidt hendes hånd, mens de satte sig på jorden over for hinanden. Wills tommelfinger søgte automatisk hendes ringfinger. Han legede med den smalle vielsesring, der nu sad der sammen med den ring, der havde tilhørt hans mor. Will tænkte over ceremonien, den euforiske følelse sad stadig i ham. Faith, hans makker hos GBI, havde stået ved hans side. Han havde danset med sin chef, Amanda, fordi hun var en slags mor for Will, hvis en mor var den type, der ville skyde dig i benet, så skurkene indhentede dig, mens hun selv løb sin vej.

"Will?" spurgte Sara.

Han mærkede et kejtet smil brede sig. Ud af det blå var han pludselig nervøs. Han ville ikke skuffe hende. Han havde heller ikke lyst til at lægge for meget pres på hende. Måske var det en frygtelig idé med den hytte. Hun kunne ende med at hade det.

"Fortæl mig, hvad du allerbedst kunne lide ved brylluppet," sagde hun.

Will mærkede noget af kejtetheden forlade sit smil. "Din kjole var virkelig smuk."

"Det er sødt," sagde hun. "Det, jeg bedst kunne lide, var, da alle var gået, og du kneppede mig op ad væggen."

Han skraldgrinede mere, end han lo. "Må jeg lave om på mit svar?"

Hun kærtegnede let hans tinding. "Fortæl mig det."

Will tog en dyb indånding og tvang sig selv til at komme ud af hovedet. "Da jeg var barn, var der en kirkegruppe, der lavede sommeraktiviteter på børnehjemmet. De tog os med i en forlystelsespark eller til en collegesportskamp, hvor vi fik hotdogs, med ind at se en film eller noget i den stil."

Saras smil aftog. Hun vidste godt, at livet på børnehjemmet ikke havde været nemt for ham.

"De sponsorerede også børn, så de kunne komme på sommerlejr. To uger i bjergene. Jeg fik aldrig lov til at komme med, men de børn, der gjorde – de talte aldrig om andet resten af året. Om at de havde sejlet i kano og fisket og vandret. Den slags."

Sara kneb læberne sammen. Hun regnede på det. Will havde været i systemet i atten år. Det var statistisk umuligt, at han ikke havde fået lov at tage med en eneste gang.

Will forklarede: "De gav en passager fra Biblen, man skulle lære udenad. Man skulle fremsige dem foran hele kirken. Hvis man kunne huske dem rigtigt, fik man lov til at komme med."

Han så hende synke en klump.

"Shit, det må du undskylde." At få Sara til at græde på deres bryllupsrejse, det var lige en opgave for Will. "Det var mit valg, det havde ikke noget med min ordblindhed at gøre. Jeg kunne godt lære linjerne udenad, men jeg ville ikke stille mig op og sige noget foran en forsamling. Jeg tænker, de bare prøvede at lokke os ud af vores skal? Hjælpe os til at kunne tale foran fremmede, give en præsentation, eller ..."

Hun greb hans hånd.

"Nå, men ..." Han måtte virkelig komme videre i teksten her. "Efter hver sommer hørte jeg om lejren – de andre unger plaprede konstant om det – og jeg tænkte, det ville være dejligt at komme dertil. Ikke for at campere, du ved, jeg hader camping."

"Det ved jeg."

"Men der er et hytteområde, man kan vandre hen til. Man kan ikke komme dertil med bil. Det har tilhørt den samme familie i generationer. De har guider, der kan tage en med op og køre mountainbike og fiske og stå på paddleboard og ..."

Hun afbrød ham med et kys. "Jeg elsker alt ved det."

"Er du sikker?" spurgte Will. "Det handler ikke kun om mig. Jeg har også booket massage til dig, og der er solopgangsyoga ved søen. Plus, der er hverken wi-fi, fjernsyn eller mobilsignal."

"Hold da kæft." Hun så oprigtigt forbløffet ud. "Hvad har du så tænkt dig at lave?"

"Jeg har tænkt mig at kneppe dig op ad hver eneste væg i hytten."

"Vi har vores helt egen hytte?"

"Hej, der!"

De vendte sig begge ved lyden. En mand og en kvinde kom gående tyve meter nede ad stien. De havde vandreudstyr på og bar på rygsække, der så så nye ud, at Will tænkte på, om de havde taget prismærkerne af i bilen.

"Er I også på vej til hytterne?" råbte manden. "Vi er faret vild."

"Vi er ikke faret vild," mumlede kvinden. De bar begge vielsesringe, men det blik, kvinden sendte sin mand, gav Will fornemmelsen af, at det ikke behøvede forblive sådan. "Der er kun en sti ind og ud, ikke?"

Sara så på Will. Han havde ført an på vandringen, og der var faktisk kun en sti, men han havde ikke lyst til at blive inddraget i deres skænderi.

"Jeg hedder Sara," sagde hun til parret. "Det her er min mand, Will."

Will rømmede sig, mens han rejste sig. Hun havde aldrig kaldt ham sin mand før.

Manden så op på Will. "Hold da kæft, hvor høj er du? En halvfems? En femoghalvfems?"

Will svarede ikke, men det så ikke ud til at påvirke manden.

"Jeg hedder Frank. Det her er Monica. Har I noget imod at følges?"

"Selvfølgelig ikke." Sara tog sin rygsæk. Det blik, hun sendte Will, var en umiskendelig påmindelse om, at der var forskel på kejtet stilhed og på at være ubehøvlet.

"Dejlig dag, ikke?" sagde han. "Vejret er perfekt."

"Jeg har hørt, der er et uvejr på vej," sagde Frank.

Monica mumlede noget, andre ikke skulle høre.

"Det er den her vej, ikke?" Frank førte an og gik foran Sara. Stien var så smal, at Will ikke havde andet valg end at danne bagtrop med Monica. Hun nød ikke vandreturen, hvis man skulle dømme efter hendes prusten. Hun var heller ikke klædt på til det. Hendes stik-i-Skechers blev ved med at glide på klipperne.

"... fik idéen til at tage herud," sagde Frank. "Jeg mener, jeg elsker udelivet, men jeg har meget travlt på arbejdet."

Monica stønnede igen. Will så hen over hovedet på hende på Frank. Manden havde brugt en spray af en art på sin måne for at nedtone den lyserøde isse. Sveden havde skyllet farven ned på hans krave, hvor den efterlod en mørk ring.

"... og så sagde Monica: 'Jeg skal nok tage med, hvis du så lover at holde op med at tale om det hele tiden.'" Franks tonefald lød som et slagbor. "Så derfor måtte jeg planlægge mig fri fra arbejdet, hvilket ikke er nemt. Jeg har otte mand under mig."

Will gættede ud fra den måde, Frank talte på, at han tjente færre penge end sin kone. Og at det gik ham på. Han kiggede på sit ur. På hytternes hjemmeside stod der, at det som regel tog gæsterne to timer at vandre turen. Will og Sara havde holdt frokostpause, så de havde måske ti eller femten minutter igen. Eller tyve, eftersom Frank gik langsomt.

Sara sendte Will et blik over skulderen. Hun havde ikke tænkt sig at tage en for holdet. Will var nødt til at komme på banen med mere small-talk.

"Hvordan fandt I stedet her?" spurgte han Frank.

"Google," svarede Frank.

"Ih tak, Google," mumlede Monica.

"Hvad laver I to så?" spurgte Frank.

Will så Sara ranke ryggen. Et par uger tidligere var de blevet enige om, at uanset hvor de tog hen, så ville det nemmeste være at lyve om deres jobs. Will gad ikke blive vurderet på eller rakket ned på på grund af sit politiskilt. Og Sara gad ikke høre på folks mærkværdige sygehistorier eller farlige, ude i hampen-vaccineteorier.

Inden hun fik kolde fødder, sagde han: "Jeg er mekaniker. Min hustru underviser i kemi på en high school."

Han så Sara smile. Det var første gang, Will havde kaldt hende sin hustru.

"Åh, jeg var elendig til det der naturfagshalløj," sagde Frank. "Monica er tandlæge. Havde du kemi, Monica?"

Monica gryntede mere, end hun svarede. Hun og Will var to alen af et stykke.

"Jeg er IT-ansvarlig i Afmeten Insurance Group," sagde Frank. "Bare rolig, dem er der ingen, der har hørt om. Vi arbejder primært med formuende enkeltpersoner og institutionelle investorer."

"Næ, se, flere vandrere," sagde Sara.

Will mærkede maven knuge sig sammen ved tanken om flere mennesker. Den anden mand og kvinde måtte være smuttet forbi dem, mens Sara og Will spiste frokost. Det var et ældre par, nok midt i halvtredserne, mere besluttede og bedre udstyrede til at klare turen.

De smilede begge, mens de ventede på, at gruppen indhentede dem.

"Jeg tænker, I også er på vej til McAlpine-hytterne. Jeg hedder Drew, det her er min partner, Keisha."

Will ventede på, det blev hans tur til at give hånd, mens han prøvede at lade være med at tænke på de lyksalige øjeblikke, han havde haft alene med Sara. Hans hjerne blev ved med at levere billeder fra McAlpines hjemmeside. Måltider tilberedt af egen kok. Guidede vandreture. Fluefisketure. Der var altid to eller tre par, der nød livet, på billederne. Det var først nu, at det gik op for Will, at de par sikkert ikke havde kendt hinanden, før de ankom.

Han ville ende med at skulle stå på paddleboard sammen med Frank.

"I nåede ikke at hilse på Landry og Gordon. De spurtede i forvejen. Det er deres første gang. De er app-udviklere."

"Virkelig?" spurgte Frank. "Sagde de noget om, hvad det er for en app?"

"Vi var alle sammen for optagede af at nyde udsigten til at tale om noget andet." Drew hvilede hånden på Keishas hofte. "Vi har lovet hinanden, at vi ikke taler om arbejde hele ugen. Er I med på den?"

"Absolut," sagde Sara. "Skal vi komme af sted?"

Will havde aldrig elsket hende højere.

De var alle sammen tavse, mens de gik op ad den snoede sti op ad bjerget. Skoven blev tættere over dem. Stien blev igen smallere, så de måtte gå en og en. Der var en velholdt træbro, der førte over et brusende vandløb. Will så ned på det oppiskede vand. Han spekulerede på, hvor tit den mon løb over sine bredder, men han slap spørgsmålet, da Frank højlydt begyndte at diskutere med sig selv, hvad forskellen egentlig var på et vandløb og en flod. Sara sendte Will et forpint, lille smil, mens Frank bjæffede videre og fulgte i hælene på hende som en anden skødehund. Will var på en eller anden måde endt som den andenbageste. Drew gik foran ham. Monica dannede bagtrop, hængende med hovedet og stadig skøjtende på klipperne. Will håbede for hende, at hun havde fået sendt et par vandrestøvler med bagagen til hytten. Han havde sine HAIX militærstøvler på og ville sikkert kunne rappelle ned ad siden på en bygning. Hvis altså hans ankler ikke eksploderede.

Da Frank skulle navigere hen over et meget stenet stykke, holdt han endelig op med at snakke. Gudskelov fortsatte tavsheden, da stien blev bredere, og det gik lidt lettere. Det lykkedes Sara at sakke bagud bag Frank, så hun kunne snakke med Keisha. Snart lo begge kvinder. Will elskede den lethed, Sara havde over sig. Hun kunne finde fælles fodslag med de fleste. Det kunne man ikke rigtigt sige om Will, men han var meget bevidst om, at de ville være omgivet af disse mennesker de næste seks dage. Og også om det blik, Sara havde sendt ham tidligere. Hun havde brug for, at han også tog ansvar for sin del af samtalen. Det eneste tidspunkt, Will var god til smalltalk, var, når han sad ved et bord over for en mistænkt.

Han tænkte på sine fire medgæster og spekulerede på, hvilken form for forbrydere de hypotetisk set ville være. Eftersom hytterne her på ingen måde var billige, så antog han, at mindst tre af dem ville hælde til økonomisk kriminalitet. Frank ville uden tvivl være involveret i noget med kryptovaluta. Keisha havde den snuhed og kompetence, der skulle til for at begå underslæb. Drew mindede ham om en plattenslager, han engang havde knaldet for noget fusk med kosttilskud. Så var der Monica tilbage, der reelt lignede en, der havde planer om at myrde Frank. Hun var den i gruppen, der slog Will som en, der rent faktisk kunne slippe af sted med noget. Hun ville have et alibi. Hun ville have en advokat. Og hun ville fandeme ikke lade sig afhøre frivilligt.

Og han ville virkelig have svært ved at bebrejde hende for forbrydelsen.

"Will," sagde Drew. Hvilket var den måde, man startede en samtale på, hvis man ikke var i gang med at lege forbryderleg i sit hoved. "Er det første gang, du er heroppe?"

"Jah." Will talte lavmælt, fordi Drew gjorde. "Og jer?"

"Tredje gang. Vi elsker det her sted." Han stak tommelfingrene ind under stropperne i rygsækken. "Keisha og jeg driver et cateringfirma på West Side. Det er temmelig svært at trække stikket. Hun måtte slæbe mig herop den første gang, jeg kunne slet ikke forlige mig med, at der hverken var telefon eller internet. Jeg troede, jeg ville gå i chok, inden første dag var omme. Men så ..."

Will så ham brede armene ud og tag en dyb, frisættende vejrtrækning.

"At være i naturen er som at få trykket på sin resetknap, forstår du, hvad jeg mener?" spurgte Drew.

Will nikkede, men han havde et par forbehold. "Så, alt heroppe foregår i grupper?"

"Måltiderne er fælles. Og aktiviteterne er begrænset til fire gæster per guide."

Det var ikke odds, Will brød sig om. "Hvordan bliver man fordelt?"

"Man kan godt bede om et bestemt par," sagde Drew. "Hvorfor tror du, jeg sakkede bagud for at tale med dig?"

Will tænkte, at det var ret åbenlyst. "Og der er virkelig ikke noget internet? Ikke noget netværk?"

"Ikke for os." Drew grinte. "De har en fastnettelefon til nødstilfælde. Personalet har adgang til wi-fi, men de må ikke udlevere passwordet.

Tro mig, jeg gjorde, hvad jeg kunne den første gang, men Papa holder sine folk i kort snor."

"Papa?"

"Halløjsa!" brølede Frank.

Will så et dådyr spæne hen over stien. Der lå en stor lysning hundrede meter længere fremme. Solen strømmede ned i åbningen. Will så en regnbue hen over den blå himmel. Det var som taget ud af en film. Der manglede bare en syngende nonne. Han mærkede, hvordan hjertet slog langsommere i brystkassen. En ro sænkede sig over ham. Sara så på ham igen, hun smilede bredt. Will slap vejret, han havde ikke anet, han havde holdt det.

Hun var glad.

"Her." Drew gav Will et kort. "Det er gammelt, men det hjælper en til at få et overblik."

Gammelt var en meget præcis beskrivelse. Kortet lignede noget fra halvfjerdserne, med maskinskrevne bogstaver og streger, der pegede på forskellige særligt interessante steder. Der var en lassoformet ringsti øverst, hvorfra der gik flere mindre stier, der var markeret med stiplede linjer, Will fik øje på en gangbro der, hvor de havde krydset vandløbet. Det var tydeligvis ikke et målfast kort. De havde vandret i mindst tyve minutter for at komme hertil. Han gættede ud fra McAlpine-stemplet, at det ikke var nøjagtighed, der havde været ejernes formål.

Han nærstuderede tegningerne, mens han gik. Hytterne, der bredte sig ud i bunden af lassoen, så ud til at ligge i centrum af ejendommen. Han gik ud fra, at de mindre huse var hytterne. De var alle nummererede fra 1-10. En ottekantet bygning var spisesalen, hvis man skulle tro den tallerken og det bestik, der var tegnet ved siden af den. En anden sti førte til et vandfald, hvor der var tegnet fisk, der sprang op i luften. En anden havde et materielskur med kanoer. Og endnu en sti bugtede sig mod et bådehus. Søen havde form som en snemand, der lænede sig op ad en væg. Hovedet var åbenbart der, man svømmede. Der var en badeponton. Og det, der lignede et smukt udsigtssted, havde en bænk med udsigt over herlighederne.

Will bemærkede med interesse, at der kun var en adgangsvej, som endte ved hovedhuset. Han antog, at vejen krydsede vandløbet et sted nær gangbroen og fortsatte mod byen. Familien bar ikke deres forsyninger hertil på ryggen. Et sted af denne størrelse købte stort ind og havde udover leveringer brug for en adgangsvej til personalet. Samt vand og strøm. Han gik ud fra, landlinjen var nedgravet. Ingen havde lyst til at blive fanget i en Agatha Christie-roman.

"For pokker da," sagde Drew. "Det syn bliver jeg aldrig træt af."

Will så op. De var kommet ind i lysningen. Hovedhuset lignede et sammensurium af dårlig arkitektur. Førstesalen så ud, som om den var klasket ovenpå. Stueetagen havde mursten på den ene side og klinker på den anden. Der var tilsyneladende to hovedindgange, en foran og en på siden. Der var et tredje sæt trapper bagtil samt en kørestolsrampe. En stor veranda, der gik hele vejen rundt om huset, gjorde, hvad den kunne for at give et indtryk af en vis arkitektonisk sammenhæng, men de meget forskellige vinduer var der ingen forklaring på. Nogle af de mere smalle sprækker mindede Will om cellerne i Fulton County Jail.

Neden for trappen ved sideindgangen stod en sportslig, vejrbidt kvinde med det lyse hår stramt bundet i nakken. Hun var iklædt cargoshorts, en hvid skjorte og lavendelfarvede Nikesko. På bordet ved siden af hende stod et bredt udvalg af snacks, kopper med vand og glas med champagne. Will så sig tilbage for at tjekke, at Monica stadig var der. Der kom liv i hende, da hun fik øje på bordet. Hun overhalede Will i slutspurten, greb et glas champagne og tømte det i en enkelt slurk.

"Jeg hedder Mercy McAlpine, jeg er bestyrer af McAlpines familiehytter," sagde kvinden i cargoshortsene. "Der bor tre generationer McAlpine her på ejendommen. Vi vil alle gerne byde jer velkommen til vores hjem. Hvis jeg må bede om jeres opmærksomhed et øjeblik, så vil jeg gerne hurtigt gennemgå et par regler og nogle sikkerhedsforanstaltninger, så skal jeg nok komme til det sjove bagefter."

Forudsigeligt nok stod Sara oppe foran og lyttede opmærksomt, som den smukke nørd hun var. Frank stod som limet til hendes side. Keisha og Drew holdt sig lidt i baggrunden sammen med Will som de uartige børn i klassen. Monica tog endnu et glas champagne og satte sig på nederste trappetrin. En muskuløs kat gned sig mod hendes ene ben. Will fik øje på endnu en kat, der lod sig falde ned på jorden og rullede om på ryggen. Han gættede sig til, at app-udviklerne, Landry og Gordon, allerede havde hørt orienteringen og var saligt alene.

"Hvis det utænkelige skulle ske, at der opstår en nødsituation – en brand eller farligt vejrlig – så vil I høre os ringe med den her klokke." Mercy pegede på en stor klokke, der hang på en stolpe. "Hvis I hører klokken, beder vi jer komme hen på parkeringspladsen på den anden side af huset."

Will forsynede sig skiftevis med browniebidder og chips, mens Mercy gennemgik evakueringsplanen. Så begyndte det at lyde lidt for meget som en briefing på arbejdet, så han zonede ud og så sig omkring. Stedet mindede ham om de universitetsområder, han havde set i fjernsynet. Keramikkrukker fyldt med blomster. Der var parkbænke og græsplæner og brosten, hvor han forestillede sig, at kattene lå og nød solen.

Otte hytter lå med deres egen lille have omkring tæt på hovedhuset. Will gættede på, at de sidste to lå bagest i lassoen. Hvilket betød, at familien sikkert boede sammen i hovedhuset. Ud fra størrelsen gættede Will på, at der var mindst seks soveværelser på øverste etage. Han kunne ikke forestille sig at bo så tæt med andre mennesker. Men på den anden side, Saras søster boede på etagen under dem, så måske tænkte Will lidt for meget Atlanta børnehjem og lidt for lidt the Waltons.

"Og nu," sagde Mercy, "kommer vi til alt det sjove."

Hun begyndte at uddele flyers. Tre par, tre sæt. Sara lukkede ivrigt sin op. Hun elskede konceptet informationspakke. Will mærkede sin opmærksomhed vende tilbage til Mercy, mens hun gennemgik, hvordan aktiviteterne foregik, hvor man skulle møde op, hvilket udstyr der var til rådighed. Hun havde et ret så anonymt ansigt bortset fra det lange ar, der løb fra panden ned over øjenlåget og siden af næsen, hvor det tog et skarpt sving mod kæbelinjen.

Will var velbevandret i ar, der stammede fra vold. En knytnæve eller en sko kunne ikke være så præcis. En kniv kunne ikke være så lige. Et baseballbat kunne forårsage et lineært sår, men så ville arret som regel være takket der, hvor det ramte dybest. Hvis Will skulle gætte, var det et stykke skarpt metal eller glas, der havde forårsaget skaden. Det betød, at det enten var en form for industriel ulykke eller noget, der involverede en bil.

"Hyttefordeling." Mercy så ned på sit clipboard. "Sara og Will, I skal være i den modsatte ende af plænen, i nummer ti. Min søn, Jon, viser jer vej."

Mercy vendte sig mod huset, et varmt smil mildnede hendes ansigtsudtryk. Varmen var rettet mod den knægt, der langsomt kom ned ad verandatrappen. Han så ud til at være omkring seksten og var muskuløs på den måde, teenagedrenge blev ved ganske enkelt bare at eksistere.

Will så godt det oppefra og ned-blik, Jon gav Sara. Så strøg knægten det krøllede hår bagud og viste hende de hvide tænder.

"Hej der." Jon gik lige forbi Frank og fokuserede al sin charme på Sara. "Nød du vandreturen ind?"

"Det gjorde jeg, tak." Sara havde altid været god med børn, men hun overså det faktum, at den her knægt ikke så på hende som en dreng. "Så du er også en McAlpine?"

"Skyldig. Tredje generation, der bor på bjerget." Han kørte igen fingrene gennem håret. Måske han skulle låne en kam. "Kald mig bare Jon. Jeg håber, du nyder opholdet på vores ejendom."

"Jon." Will trådte ind foran Frank. "Jeg hedder Will. Jeg er Saras mand."

Knægten måtte læne nakken godt bagover for at se op på Will, men det vigtige var, at han forstod beskeden. "Denne vej, sir."

Will rakte det håndtegnede kort tilbage til Drew, der nikkede anerkendende. Ikke nogen skidt start på ugen. Will havde giftet sig med en smuk kvinde. Han havde besteget et bjerg. Han havde gjort Sara glad. Han havde intimideret en sulten teenager.

Jon førte dem tværs over plænen. Han havde en kejtet måde at gå på, som om han stadig var i gang med at lære at bruge sin krop. Will kunne godt huske, hvordan det var aldrig rigtigt at vide, hvad man vågnede op til, overskæg den ene dag, en stemme, der knækkede som en tiårig piges, den næste. Den tid ønskede han ikke at gennemleve igen, om så han fik alle verdens penge for det.

De slog ind på den lassoformede ringsti mellem hytte fem og seks. Stien var dækket af ærtesten. En af kattene pilede ind i noget krat, sikkert på jagt efter et jordegern. Will konstaterede med en vis lettelse, at der var dæmpet lys på stien, der kunne hjælpe dem med at finde vej om aftenen. Mørke i en skov var noget helt andet end mørke i en by. Trækronerne hang som et tæt tag over deres hovedet. Han mærkede temperaturen falde, da Jon gik i forvejen. Terrænet skrånede let nedad. Nogen havde trimmet krattet og beskåret træerne rundt om stien, men Will havde følelsen af at gå dybt ind i skoven.

"Det her hedder Ringstien." Sara havde slået op på kortet i informationspakken. Hun havde sat farten ned, så der kom mere afstand mellem dem og Jon. "To cirkler på knap to kilometer. Vi er på den øverste halvdel. Vi kan udforske den nederste halvdel, når vi skal tilbage til aftensmaden. Det tager nok ti-femten minutter at gå hen til spisesalen."

Wills mave rumlede.

Hun bladrede videre til kalenderen. Hun så overrasket op på Will. "Du har meldt os begge til morgenyoga."

"Jeg tænkte, jeg ville give det et skud." Will tænkte også, han ville se latterlig ud. "Din søster sagde, du elsker at fiske."

"Min søster har ret. Og det har jeg ikke gjort, siden jeg flyttede til Atlanta." Hun lod fingrene glide hen over dagene. "White-water-rafting. Mountainbiking. Jeg kan ikke se, hvor du har meldt dig til langpisningskonkurrencen med en teenager."

Will kæmpede mod et bredt grin. "Jeg tror, den første er inkluderet i prisen."

"Godt. For jeg ville hade at skulle se dig betale for en tur mere."

Will forstod beskeden, som Sara mildnede ved at stikke sin arm ind under hans. Hun lænede hovedet mod hans skulder, mens de gik. De blev stille og nød bare hinandens selskab. Will bemærkede ikke rigtigt faldet i terrænet, men det gjorde hans lægge, de mindede ham om, at det her var de ikke vant til. Det var ikke nogen kort tur. De gik nok fem minutter, før terrænet blev stejlere. Træerne trak sig tilbage. Himlen åbnede sig over deres hoveder. Han kunne se bjergene i det fjerne som et endeløst magisk tæppe. Will vidste ikke, om det var ændringen i højden eller den måde, solen bevægede sig op på, men hver gang han betragtede udsigten, havde den ændret karakter. Farverne var en eksplosion af grønt. Luften var så frisk, at hans lunger var rystede.

Jon var standset. Han pegede tyve meter ned ad stien, hvor den delte sig. "Søen er den vej ned. Lad være med at bade efter mørkets frembrud. Hytte ti er den, der ligger længst væk fra hovedhuset, men hvis I går til venstre, hvor stien deler sig, kommer I ad bagvejen til spisesalen."

"Var der ikke en lejrplads her engang?" spurgte Will.

"Awinita-lejren," svarede Jon.

"Er *Awinita* ikke et indfødt amerikansk ord?"

"Det er cherokee og betyder *rålam*, men der var en gæst for et stykke tid tilbage, der fortalte mig, det egentlig burde være i to ord og staves med *d* som *ahwi anida*."

"Ved du, hvor lejren er?" spurgte Will.

"De lukkede den, da jeg var lille." Jon trak på skuldrene og fortsatte videre ad stien. "Hvis I er interesserede i den slags, så spørg min bedste-mor Bitty. Hende møder I til aftensmaden. Hun kender mere til stedet her end nogen anden."

Will så Jon forsvinde rundt i et sving. Han lod Sara gå foran sig. Udsigten var endnu bedre bagfra. Han studerede formen på hendes ben. Rundingen på hendes røv. De veltrænede muskler på de bare skuldre. Håret var sat op i en hestehale. Nakken var skinnende af sved efter vandreturen. Will var også svedig. De burde nok tage et langt bad inden middagen.

"Wow." Sara så op ad en afstikker fra stien.

Will fulgte hendes blik. Jon var på vej op ad en stentrappe, der så ud, som var den mejslet ud i klippen for Glorfindel. Der voksede bregner på begge sider af den. Mos på de tilstødende sten. Og over den lå en lille hytte med rustikke brædder og planker på siderne. Farverige blomster væltede ud af altankasserne. En hængekøje hang og svajede på veran-daen. Will kunne have tilbragt de næste ti år med at prøve at skabe noget, der var lige så perfekt, og aldrig komme i mål.

"Det er som i et eventyr." Der var noget meget charmerende i Saras tonefald. Hun var aldrig smukkere, end når hun smilede. "Jeg elsker det."

"Fra den her bjergkam kan man se de tre stater."

Sara hægtede kompasset af sin rygsæk. Hun åbnede informationsfol-deren og fandt kortet. Hun pegede ud i det fjerne. "Så den vej er det Ten-nessee, ikke?"

"Nemlig." Jon kom ned fra trappen og begyndte selv at pege. "Derovre har vi den østlige side af udkigsbjerget. Der er en bænk på Søstien, hvor man kan se det bedre. Vi er på Cumberland-plateauet."

"Hvilket betyder, at Alabama er den vej." Sara pegede bag Will. "Og North Carolina er helt derovre."

Will vendte sig. Det eneste, han kunne se, var millioner og atter mil-lioner af træer, der bølgede hen over bjergene. Han drejede rundt og så, hvordan eftermiddagssolen gjorde visse dele af søens vandoverflade til et spejl. Heroppefra lignede snemanden nu nærmere en kæmpe amøbe, der forsvandt ud over jordens krumning.

"Det er det lavvandede område," sagde Jon. "Vandet kommer fra bjergtoppene, så det er stadig lidt koldt på den her årstid."

Sara stod med folderen slået op, som var det en bog. Hun læste højt:

"McAlpine-søen dækker et areal på godt 1,6 kvadratkilometer, og visse steder er den tyve meter dyb. Det lavvandede område, der ligger for enden af Søstien, er højst fire en halv meter dybt og derfor det ideelle sted at svømme. Her finder man småmundet ørredaborre, blå sandart, blågællet solaborre og gul aborre. Firs procent af søen ligger i et område, der er underlagt en fredningsservitut, der gør, at det aldrig kan udstykkes. Hytteejendommen grænser op til den 303.000 hektar store Muscogee statsskov mod vest og den 324.000 hektar store Cherokee nationalskov mod øst."

"Cherokee og Muscogee er to af de stammer, der var i dette område. Hytten blev grundlagt efter borgerkrigen for syv generationer af McAlpine-familien siden."

Will gik ud fra, at jorden ganske enkelt var blevet stjålet. De oprindelige indbyggere var blevet fjernet fra deres hjem og tvunget til at vandre vestpå. De fleste af dem var døde på rejsen.

Sara pegede på kortet. "Hvad med området her langs vandløbet, Den forsvundne enkes sti?"

"Det er langt nede ad en stejl bjergside helt omme på bagsiden af søen," sagde Jon. "Historien er, at den første Cecil McAlpine, der grundlagde stedet, fik skåret halsen over af nogle slemme fyre. Hans kone troede, han var død. Hun forsvandt ned ad den sti. Men han døde bare ikke, men det vidste hun ikke. Han søgte i dagevis, men hun var forsvundet for evigt."

"Du ved en del om stedet her," sagde Sara.

"Min bedstemor har opfostret mig med historierne, fra jeg var helt lille. Hun elsker det her sted." Jon trak på skuldrene, men Will så godt, stoltheden gjorde ham varm i kinderne. "Klar?"

Jon ventede ikke på noget svar. Han gik op ad trappen og svingede døren op til hytten. Der var ingen nøgle. Alle vinduerne stod allerede åbne, så brisen kunne gøre gavn.

Sara smilede igen til Will. "Det er meget smukt. Tak."

"Jeres kufferter står allerede inde i soveværelset." Jon begyndte på en tydeligt indøvet remse. "Kaffe kan I lave der. Kapslerne finder I i dåsen der. Der hænger krus på krogene. Der er et lille køleskab under køkkenbordet med de ting, I har bedt om."

Will så sig omkring i hytten, mens Jon udpegede det åbenlyse.

Han havde booket hytten med to værelser, fordi udsigten efter sigende var bedst her. Den ekstra udgift ville sikkert betyde, at han skulle smøre madpakke til frokost det næste år, men efter Saras reaktion at dømme, var det det værd.

Han var selv ret tilfreds med valget. Opholdsrummet i hytten var stort nok til en sofa og to lænestole, læderet så brugt og behageligt ud. Det vævede tæppe under fødderne var blødt på en fjedrende måde. Lamperne havde været højeste mode i halvtredserne. Alting virkede meget omhyggeligt indrettet med ting af en vis kvalitet. Will ræsonnerede, at hvis man skulle slæbe noget op ad et bjerg, så skulle man være sikker på, man kunne bruge det længe.

Han fulgte efter Jon og Sara ind i det store soveværelse. Deres kufferter lå på sengen, der var hævet et godt stykke fra gulvet og var dækket med et mørkeblåt fløjlstæppe. Endnu et blødt gulvtæppe. Matchende lamper. Endnu en behagelig læderstol i hjørnet med et sidebord.

Will stak hovedet ud i badeværelset og blev overrasket over, hvor moderne det var. Hvid marmor, armaturer i industrielt design. Der stod et stort badekar foran et kæmpe vindue med udsigt over dalen. Will kunne ikke finde på flere måder at beskrive den bjergtagende udsigt på, så han tænkte på at sidde i det kar sammen med Sara og besluttede, at det absolut var et års frokoster med peanutbutter & jelly-sandwich værd.

Jon sagde: "En af os går stien rundt klokken otte om morgenen og igen klokken ti om aftenen. Hvis der er noget, I mangler, så læg en besked på trappen under stenen, eller vent på verandaen, så vil I kunne se os gå forbi. Ellers må I en tur op om hovedhuset. Er der ellers andet, jeg kan gøre for jer?"

"Vi klarer os, tak." Will rakte ud efter sin pung.

"Vi må ikke tage imod drikkepenge," sagde Jon.

"Hvad så med, at jeg køber den e-cigaret, du har i baglommen?" spurgte Sara.

Will var lige så overrasket, som Jon så ud. Sara havde en børnelæges afsky for e-cigaretter. Hun havde set alt for mange unge, der ødelagde deres lunger.

"Vil I ikke nok lade være med at sige noget til min mor?" Jon blev omkring fem år yngre med sin desperate anmodning. Hans stemme peb. Han blev forfjamsket. "Jeg har købt den inde i byen i dag."

"Du kan få tyve for den," sagde hun.

"Virkelig?" Jon var allerede i gang med at fiske metalhylstret frem. Den var skinnende blå med sølvspids og kostede måske en tier i 7-eleven. "Der er noget Rød Zeppelin i den, skal du bruge flere væskeflasker?"

"Nej tak." Sara nikkede til Will, at han skulle betale.

Han ville have haft det bedre med at konfiskere et tobaksprodukt fra en mindreårig, men det virkede ikke som noget, en automekaniker ville gøre. Will rakte ham modvilligt kontanterne.

"Tak." Jon foldede omhyggeligt tyveren. Will kunne praktisk taget se knægtens hjerne arbejde på højtryk for at finde ud af, hvordan han fik fingrene i flere. "Vi må egentlig ikke, men, øh, jeg mener, hvis I har brug for det, så har jeg koden til netværket. Der er ikke dækning herude, men det er der i spisesalen, og ..."

"Nej, tak," sagde Sara.

Will åbnede døren for at få knægten ekspederet videre. Jon gjorde honnør på vejen ud. Det var svært ikke at følge efter ham. Det ville ikke være så tosset at have wi-fi-koden.

"Du overvejer ikke at få den kode, vel?" spurgte Sara.

Will lukkede døren og lod, som om han var en mand, der ikke interesserede sig for, hvordan Atlanta United klarede sig mod FC Cincinnati. Han betragtede Sara tage en lynlåspose op af rygsækken. Hun lagde e-cigaretten ned i den og lagde den ned i forlommen igen.

"Jeg har ikke lyst til, at Jon fisker den op af skraldespanden."

"Du ved godt, han bare køber en ny."

"Sikkert," sagde hun. "Men ikke i aften."

Will var ligeglad med, hvad Jon foretog sig. "Kan du lide det?"

"Her er vidunderligt. Tak, fordi du tog mig et så helt særligt sted hen." Hun nikkede, at han skulle følge med hende ind i soveværelset igen. Inden han kom på andre tanker, begyndte hun at dreje sig frem til koden på kufferten. "Hvad mon jeg finder heri?"

"Jeg fik Tessa til at pakke for dig."

"Det var meget lusket." Sara lynede toppen af kufferten. Hun åbnede den og lukkede den så igen. "Hvad skal vi lave først? Gå ned til søen? Gå rundt på stierne? Møde de andre gæster?"

"Vi trænger begge til et bad inden maden."

Sara kiggede på uret. "Vi kunne tage et langt karbad og så afprøve sengen."

"Det er en god plan."

"Fungerer de her puder for dig?"

Will tjekkede puderne ud. Skummet var fast som røven på en sæl. Han foretrak en flad pandekage.

"Den del, du ikke hørte efter før – Jon sagde, at der var andre slags hovedpuder i hovedhuset." Hun smilede igen. "Jeg kunne pakke ud og begynde at fylde karret, mens du henter nye puder."

Will kyssede hende, inden han gik.

Solens stråler dansede hen over den lavvandede del af søen, da han gik ned ad stentrappen. Han skærmede for solen med hånden, til han var nede på stien. I stedet for at følge Ringstien tilbage til hovedhuset, gik Will i retning af søen for at lære vejen at kende. Landskabet forandrede sig, da han kom tættere på vandet. Han kunne mærke fugten i luften. Høre de blide bølger skvulpe. Solen stod lavere på himlen. Han passerede udsigtsbænken, der, som forventet, havde en god udsigt. Will mærkede fredfyldtheden sænke sig over ham. Drew havde haft ret i, at det var som at få trykket på resetknappen at være i naturen. Og Sara havde ret i det med træerne. Alting føltes så anderledes her. Langsommere. Mindre stressende. Det ville blive svært at skulle herfra, når ugen var omme.

Will stirrede ud i det fjerne og tillod sig at slippe alle tanker et par minutter og bare nyde øjeblikket. Det var først, da han slap kroppens spændinger, at det gik op for ham, hvor anspændt han havde været. Han så ned på sin ringfinger. Bortset fra Timexuret om håndleddet, var han ikke rigtig til smykker, men han kunne godt lide den mørke finish, der var på den titaniumring, Sara havde valgt til ham. De havde praktisk taget friet til hinanden samtidigt. Will havde læst, at man skulle bruge tre måneders løn på en forlovelsesring. Saras lægeløn havde gjort, at han havde trukket det lange strå.

Han burde nok finde måder at takke hende for ringen på frem for at stå med tabt underkæbe og stirre ud i det fjerne. Will vendte ryggen til den vej, han var kommet fra. Han kunne se på solnedgangen fra badekarret med Sara. Det var tydeligt, at hun gerne ville have ham ud af hytten et øjeblik. Will gjorde sig umage med at slå sin efterforskerhjerne fra, da han passerede stentrappen. Sara vidste godt, det ville have været nemmere at hente nogle andre puder efter aftensmaden. Hun ville sikkert gerne overraske ham med noget rart. Det fik Will til at grine, mens han drejede skarpt om det sving, stien tog.

"Hej, Skraldebøtte."

Will så op. Der stod en mand godt fem meter fra ham. Rygende på en cigaret, ødelæggende den friske luft. Det var længe siden, Will var blevet kaldt det øgenavn. Han havde fået det på børnehjemmet. Der var ikke nogen intelligent grund til det. Da han var baby, havde politiet fundet ham i en skraldebøtte.

"Helt ærligt, Skralde," sagde manden. "Kan du ikke genkende mig?"

Will granskede den fremmede. Han var iklædt malerbukser og en plettet hvid T-shirt. Lavere end Will. Rundere. Det gule i øjnene og det fine net af sprængte blodkar indikerede et årelangt problem med rusmidler. Alligevel kom han ikke mandens identitet nærmere. De fleste af de børn, Will var vokset op sammen med, kæmpede med forskellige misbrug. Det var svært andet.

"Tager du pis på mig?" Manden pustede røg ud og gik langsomt frem mod Will. "Kan du virkelig ikke genkende mig?"

Will mærkede en rædsel brede sig. Det var den bevidste langsommelighed, der triggede hans hukommelse. Det ene øjeblik stod Will på en bjergsti sammen med en fremmed, og det næste var han tilbage i opholdsrummet på børnehjemmet, mens han så den dreng, de alle sammen kaldte Sjakalen, langsomt bevæge sig ned ad trappen. Et trin. Så et mere. Fingrene slæbte sig langsomt langs gelænderet.

Der var en uskreven regel i adoptionskredse, at man ikke ønskede sig et barn, der var mere end seks år gammel. De var for fortabte derefter. For skadede. Will havde set det udspille sig adskillige gange på børnehjemmene. Ældre børn ville komme i familiepleje eller, i sjældne tilfælde, blive adopteret. Dem, der kom tilbage, havde altid et bestemt blik i øjnene. Nogle gange fortalte de dig deres historie. Andre gange kunne du læse det på arrene på deres kroppe. Cigaretmærker. De sår, krogen på en bøjle laver. Det bølgende ar efter et baseballbat. Forbindingerne om håndleddene der, hvor de havde forsøgt at gøre en ende på elendigheden på egne præmisser.

De prøvede alle at hele sårene på forskellige måder. Nogle fik spiseforstyrrelser. Havde mareridt. Blev opfarende. Andre kunne ikke holde op med at skære i sig selv. Nogle forsvandt ned i en flaske. Andre kunne ikke kontrollere deres raseri. Andre blev mestre i kejtet stilhed. Enkelte lærte at gøre deres skader til våben mod andre. De fik øgenavne som Sjakalen, fordi de var durkdrevne, aggressive rovdyr. De fik ikke venner. De lavede strategiske alliancer, der blev droppet, i samme øjeblik en bedre mulighed viste sig. De løj dig lige op i ansigtet. Stjal dine ting. Spredte ubehagelige rygter om dig. Brød ind på kontoret og læste din journal. Fandt ud af, hvad der var sket med dig, ting, du ikke engang selv vidste. Så fandt de på et øgenavn til dig. Såsom Skraldebøtte. Og det hang du på resten af livet.

"Sådan der," sagde Sjakalen. "Nu kan du huske mig."

Will mærkede al anspændthed fylde sin krop igen. "Hvad vil du, Dave?"

3

Mercy pegede mod tekøkkenet i hytte tre. "Der kan I lave kaffe. Der er kapsler i dåsen. Krusene hænger på ..."

"Vi har styr på det." Keisha smilede vidende. Hun drev en catering-forretning i Atlanta. Hun vidste, hvordan det var at gennemgå den samme rutine dag efter dag. "Tak, Mercy. Vi er ellevilde over at være tilbage."

"Virkelig ellevilde." Drew stod ved de åbne verandadøre i opholdsstuen. Der var udsigt over Cherokee-højderyggen fra hele hytten. "Jeg kan allerede mærke, at mit blodtryk falder."

"Du tager stadig dine piller, kammerat solskin." Keisha vendte sig mod Mercy. "Hvordan går det med din far?"

"Fint," sagde Mercy og forsøgte ikke at bide tænderne sammen. Hun havde ikke set nogen af sine familiemedlemmer, siden hun havde truet med at ødelægge deres liv. "Det er jo jeres tredje gang her. Vi er alle sammen virkelig glade for, at I kom tilbage igen."

"Sørg for, at Bitty ved, at vi stadig gerne vil tale med hende," sagde Keisha.

Mercy bemærkede godt, der var en kant på hendes stemme, men hun havde nok lort på sin tallerken uden at skovle mere på. "Det skal jeg nok."

"Det ser ud til, at det er en god gruppe den her gang," sagde Drew. "Med enkelte undtagelser."

Mercy beholdt det påklistrede smil. Hun havde mødt tandlægen og hendes bjæffende mand. Det var ikke kommet som nogen overraskelse, da Monica havde overdraget hende sit American Express og havde sagt til Mercy, at hun bare skulle sørge for, at der var sprut nok.

Keisha sagde: "Jeg kan virkelig godt lide læreren, Sara. Vi fik snakket lidt på stien."

"Ægtemanden virker også flink," sagde Drew. "Er det okay, at vi teamer op?"

"Ikke noget problem." Mercy holdt tonefaldet let, selvom det betød, hun skulle lave hele skemaet om efter aftensmaden. "Fiskehviskeren har fundet nogle virkelig gode steder til jer. Jeg tror, I bliver rigtig tilfredse."

"Jeg er allerede tilfreds." Drew så ned på Keisha. "Er du tilfreds?"

"Åh, skat, jeg er altid tilfreds."

Det tolkede Mercy som sit stikord til at gå. De var i færd med at omfavne hinanden, da hun lukkede døren. Hun burde have været imponeret over, at de var tyve år ældre end hende og stadig dyrkede hinanden, men hun var misundelig. Og hun var også irriteret. Hun havde hørt deres toilet løbe ude fra badeværelset, hvilket betød, at Dave ikke havde ulejliget sig med at ordne det.

Hun skrev det ned på sin blok, mens hun gik i retning af hytte fem. Mercy kunne mærke Papas misbilligende blik følge hende fra verandaen. Ved siden af ham sad Bitty og strikkede på noget, ingen nogensinde ville gå med. Kattene lå for hendes fødder. Begge hendes forældre opførte sig, som om familiemødet var forløbet, som det plejede. Delilah var stadig ikke at se nogen steder. Dave var forsvundet. Fisk var lusket ned i materielskuret. Han var nok den eneste af dem, der rent faktisk gjorde det, Mercy havde bedt ham om. Han var sikkert også den mest bekymrede.

Hun burde finde sin bror og undskylde. Der måtte være en måde, hvorpå Mercy kunne overbevise Dave om at stemme imod et salg. Hun ville være nødt til at skrabe nogle penge sammen til at bestikke ham med. Dave ville altid tage hundrede dollars i dag frem for fem hundrede dollars om en uge. Og så ville han bruge resten af sit forbandede liv på at klynke over de fire hundrede dollars, han var gået glip af.

"Mercy Mac!" brølede Chuck hen over området. Som altid kom han slæbende på sin enorme vanddunk, som om han var en eller anden eliteatlet, der havde desperat behov for at blive hydreret. Han gik, som om han kastede den ene fod efter den anden, og det var grunden til, at Dave var begyndt at kalde ham Chuck – *fyren kaster fødderne af sted, som om han smider rundt med forhammere.* Mercy kunne ikke engang huske mandens rigtige navn længere. Men det, hun kunne huske, var, at han var ellevild med hende, og at han altid gav hende myrekryb.

"Fisk venter på dig nede ved materielskuret," løj hun.

"Åh." Han blinkede bag de tykke briller. "Tak. Men det var nu dig, jeg ledte efter. Jeg ville lige sikre mig, at du huskede, at jeg er ..."

"Allergisk over for nødder," afbrød Mercy. Hun havde kendt til hans allergi i syv år, men han mindede hende altid om den. "Jeg bad Bitty give beskeden videre til køkkenet. Det kan være, du lige skal tjekke med hende."

"Okay." Han skævede hen mod på Bitty, men blev, hvor han var. "Er der noget, du skal have hjælp til? Jeg er stærkere, end jeg ser ud til."

Mercy så til, mens han fleksede en fedtindpakket muskel. Hun bed sig i læben, så hun ikke kom til at sige: Gider du for himlens skyld ikke bare at fucke af. Han var hendes brors bedste ven. Hans eneste ven, hvis hun nu skulle være ærlig. Det mindste, hun kunne gøre, var at tolerere krybet. "Du må hellere få talt med Bitty. Der går mindst en time, før en ambulance når herop. Vi skulle jo nødig miste dig på grund af en nøddeforgiftning."

Hun vendte sig, så hun ikke var nødt til at se skuffelsen i hans *Moon Pie*-ansigt. Hele Mercys liv havde været fyldt med fyre som Chuck. Velmenende, fjogede fyre med gode jobs og en basal hygiejnestandard. Mercy havde datet nogle af dem. Mødt deres mødre. Sågar gået med i deres kirker. Og hun havde altid fucket det op ved at gå tilbage til Dave.

Måske var Papa ikke helt galt på den, da han sagde, at Mercys største tragedie var, at hun var kvik nok til at vide, hvor dum hun var. Der var intet i hendes fortid, der kunne modbevise det. Det eneste gode, hun nogensinde havde gjort, var at få sin søn tilbage. Og det ville Jon de fleste dage nok være enig med hende i. Hun spekulerede på, hvordan han ville have det, når han fandt ud af, at Mercy blokerede for salget. Men den bro måtte hun hoppe ud fra, når hun nåede til den.

Mercy gik op ad trappen til hytte nummer fem. Hun bankede hårdere på døren, end hun havde tænkt sig.

"Ja?" Døren blev åbnet af Landry Peterson. De havde mødt hinanden ved indskrivningen, men nu var han kun iført et håndklæde om livet. Han var en flot mand. Den højre brystvorte var piercet. Han havde en tatovering over hjertet, en masse farverige blomster og en sommerfugl rundt om et ord i kursiv: *Gabbie*.

Tårerne begyndte at brænde bag Mercys øjne, da hun fokuserede på ordet. Hun blev helt tør i munden. Hun tvang sig til at flytte blikket fra tatoveringen. Så op på Landry.

Hans smil var imødekommende nok. Så sagde han: "Det er ellers noget af et ar, du har dig der."

"Jeg ..." Mercys hånd røg op til ansigtet, men hun kunne umuligt dække hele arret.

"Undskyld, at jeg snagede, men jeg var ansigtskirurg i et tidligere liv." Landry lagde hovedet på sned og granskede hendes ansigt, som var hun et eksemplar under et forstørrelsesglas. "Det har de lavet pænt. Det må have krævet en hel del sting. Hvor længe lå du på operationsbordet?"

Det lykkedes endelig Mercy at synke. Hun trykkede på den McAlpine-kontakt, hun havde i hovedet, der lod hende lade, som om alt var godt. "Det ved jeg ikke helt. Det er længe siden. Nå, men jeg ville bare tjekke, at alt er, som det skal være? Er der noget, I har brug for?"

"Jeg tror, vi klarer os." Han så om bag hende, først til venstre, så til højre. "Sgu et lækkert sted, I har her. Det må være temmelig indbringende. Forsørger hele familien, ikke sandt?"

Det overrumplede Mercy. Mon manden på en eller anden måde havde forbindelse til investorerne? Hun prøvede at trække samtalen tilbage på sikker grund. "I informationsfolderen kan I se jeres skema. Middagen serveres klokken ..."

"Skat?" lød Gordon Wylies stemme inde fra hytten. Mercy genkendte hans dybe baryton. "Kommer du?"

Mercy begyndte at bakke. "Jeg håber, I nyder jeres ophold."

"Lige et øjeblik," sagde Landry til Mercy. "Du var ved at sige noget om middagen?"

"Der er cocktails klokken seks. Maden serveres halv syv."

Mercy tog sin notesblok frem og lod, som om hun skrev, mens hun gik ned ad trappen. Hun hørte ikke døren lukke. Landry betragtede hende, og dermed mærkede hun endnu et sæt øjne på sig i dag ud over Papas hvidglødende, misbilligende blik. Det føltes, som om hendes ryg stod i brand, da hun gik mod Ringstien.

Opførte Landry sig mærkeligt? Var det Mercy, der gjorde situationen akavet? Gabbie kunne være hvad som helst. En sang, et sted, en kvinde. Der var masser af homoseksuelle mænd, der eksperimenterede, før de sprang ud. Eller måske var Landry bi. Måske flirtede han med Mercy. Det var sket før. Eller også var hun bare helt ved siden af sig selv, fordi synet af den forbandede tatovering havde fået hendes hjerte til at føles, som om det skøjtede ned ad bjergsiden som en lavine.

Gabbie.

Mercy rørte ved arret med fingrene. Der fandtes ikke nogen bedre fremstilling af før og efter. Før, hvor Mercy bare havde været et skuffende nossefår. Og efter, da Mercy havde ødelagt den eneste gode ting, der nogensinde var sket hende i livet. Ikke bare en god ting, men hendes mulighed for at blive lykkelig. Finde fred. Give hende en fremtid, der ikke gjorde hende desperat efter at gå tilbage og ændre på fortiden.

Hun tvang McAlpine-kontakten til at blive trykket på igen og tage hende med til *alt er godt*-land. Mercy var stresset nok uden at skulle finde flere ting at stresse over. Hun så ned på sin to-do-liste. Hun skulle tjekke parret, der var på bryllupsrejse. Hun skulle forbi køkkenet, for Bitty havde helt sikkert ikke sagt noget om Chucks allergi. Hun skulle finde Fisk og gøre det godt igen. Hun skulle selv ordne det løbende toilet. Før eller siden ville investorerne dukke op. De var åbenbart for fine til at vandre hertil og ville komme kørende ad vejen. Mercy havde ikke fået tænkt så meget over, hvordan hun ville opføre sig omkring dem. Hun var splittet mellem kølig høflighed og at kradse øjnene ud på dem.

Gabbie.

Kontakten svigtede hende. Hun trådte væk fra stien og fandt et træ, hun kunne læne sig op ad. Sveden trillede ned ad ryggen. Mavesyren boblede. Hun lænede sig forover og kastede galde op. Sjasket bøjede bladene på en venushår-bregne, så de ramte jorden. Sådan havde Mercy det også: som om en tung sygelighed konstant tyngede hende.

"Mercy Mac?"

Forpulede Dave.

"Hvorfor står du og gemmer dig mellem træerne?" Dave skubbede sig vej gennem tilgroningen. Han lugtede af billigt øl og cigaretter.

"Jeg har fundet væskeflasker til e-cigaretter i Jons værelse," sagde hun. "Den er på dig."

"Hvad?" Han så fornærmet på hende. "I guder, kvinde, skal jeg høre for noget, hver gang vi mødes i dag?"

"Hvad vil du, Dave? Jeg har arbejde, der skal gøres."

"Helt ærligt," sagde han. "Jeg ville have fortalt dig noget sjovt, men det er du vist ikke i humør til."

Mercy lænede sig mod træet. Hun vidste udmærket, han ikke ville lade hende gå. "Hvad er det?"

"Ikke med den attitude."

Hun havde lyst til at stikke ham en lussing. Tre timer tidligere baskede han rundt oven på hende som en gispende hval. To timer tidligere havde hun truet med at ødelægge hans liv. Og nu ville han fortælle hende noget sjovt.

Hun lod sig formilde. "Undskyld. Lad mig høre."

"Er du sikker?" Han ventede ikke på mere overtalelse. "Kan du huske den knægt, jeg har fortalt dig om fra børnehjemmet?"

Han havde masser af historier om børnene fra børnehjemmet. "Hvem af dem?"

"Skraldebøtte," sagde han. "Det er ham den høje, der kom i dag. Will Trent. Gutten med hende den rødhårede."

Mercy kunne ikke dy sig. "Er det den pige, der gav dig dit første blowjob?"

"Narh, det var en anden pige, Angie. Hun droppede ham vel langt om længe. Eller også ligger hun død i en grøft et sted. Havde sgu aldrig troet, den klaphat ville ende sammen med en, der var normal."

Normal var Daves ord for folk, der ikke havde taget skade af en fucked up barndom. Det var sjældent, Mercy mødte nogen, der faldt i den kategori, men Sara Linton virkede som en af de heldige få. Hun havde den vibe, som kun andre kvinder kunne opfatte. Hun havde styr på sit lort.

Mercy tørrede sig om munden med bagsiden af hånden. Hendes lort lå spredt ud over hele gulvet som smadrede legoprojekter.

"Det er sgu mærkeligt at se ham heroppe. Jeg siger dig, han læste sgu ret dårligt. Kunne ikke lære et bibelvers udenad. Det er sgu da lidt ynkeligt, at han dukker op her nær lejrpladsen så mange år senere. Som i, helt ærligt, mand, du har haft chancen. Kom nu bare videre."

Mercy lænede sig op ad træet. Hun svedte stadig. Brækbregnen var blot tredive centimeter fra hans fod. Som sædvanlig var Dave for optaget af sit eget til at bemærke det. Og som sædvanlig var hun nødt til at lade, som om hun var interesseret. Eller måske var *lade som om* ikke den rigtige beskrivelse, for Mercy var faktisk interesseret. Skraldebøtte havde altid haft en fremtrædende plads i Daves historier om hans tragiske ungdom. Den ubehændige knægt havde været pointen i næsten alle hans vittigheder.

Det ville ikke være første gang, Dave havde læst nogen forkert. Mercy havde ikke udvekslet så meget som et ord med Will Trent, men hans kone var ikke den type kvinde, der ville være sammen med en omvandrende vittighed. Det var mere Mercys ting.

"Hvad er egentlig historien her?" spurgte hun. "Du opførte dig temmelig mærkværdigt, da du så ham på kameraet ude på stien."

Dave trak på skuldrene. "Vi kan bare ikke udstå hinanden. Hvis det stod til mig, ville jeg sige til ham, at han skulle vende om og tøffe tilbage, hvor han kom fra."

Mercy måtte bide latteren i sig over hans idiotiske udfald. "Hvad har han da gjort dig?"

"Ikke noget. Det er, hvad han tror, *jeg* gjorde mod ham." Dave sukkede overdrevent og flegmatisk. "Fyren blev arrig på mig, fordi han troede, det var mig, der gav ham det øgenavn."

Hun så Dave slå ud med armene og trække på skuldrene i fuldstændig uskyld over at give folk stupide tilnavne som Bitty Mama, Mercy Mac, Chuck eller Fiskehviskeren.

"Jeg mener, uanset hvad der skete dengang på børnehjemmet, så forsøgte jeg at være storsindet i dag. Fyren var alligevel bare et røvhul," sagde han.

"Du har snakket med ham?"

"Jeg var på vej op ad stien for at få ordnet det der toilet. Løb på ham."

Hvor dum tror han egentlig, jeg er? spekulerede Mercy på. Hytte ti lå for enden af Ringstien. Det løbende toilet var i hytte tre, lige bag hende.

Alligevel stak hun til ham. "Og?"

Dave trak igen på skuldrene. "Jeg prøvede at gøre det rigtige. Det var jo ikke min skyld, det, der var sket ham, men jeg tænkte, at en undskyldning måske kunne hjælpe ham med at komme gennem traumet. Jeg ville da ønske, nogen havde været sådan over for mig."

Mercy havde ofte stået i modtagerenden for Daves halvhjertede undskyldninger. De var ikke rare. "Hvad sagde du helt præcis?"

"Det ved jeg ikke, noget med at lade fortiden være fortid." Dave trak igen på skuldrene. "Jeg prøvede at være storsindet."

Mercy bed sig i læben. Det var et stort ord i Daves mund. "Hvad sagde han?"

"Han begyndte at tælle ned fra ti." Dave stak tommelfingrene i lommerne. "Så jeg skulle føle mig truet, eller hvad? Jeg har jo sagt, han ikke er for kvik."

Mercy så ned, så han ikke så hendes reaktion. Will Trent var tredive centimeter højere end Dave og havde større muskler end Jon. Hun ville vædde sin andel af hytterne på, at Dave havde stukket halen mellem benene, før Will var nået til fem. Ellers ville de skulle bære Dave ned fra bjerget i en ligpose.

"Hvad gjorde du så?" spurgte hun ham.

"Jeg gik min vej. Hvad kunne jeg ellers gøre?" Dave kløede sig på maven, en af de mange ting, der afslørede, at han løj. "Som jeg sagde, han er ret ynkelig. Fyren har altid været den tavse type, kunne ikke finde ud af at snakke med folk. Og nu er han heroppe på lejrpladsen så mange år efter? Nogle af de unger, de får aldrig rystet det af sig, de har været igennem. Det er jo ikke min skyld, han stadig er helt kukkuk."

Mercy kunne sige en hel del om folk, der holdt fast i fortiden.

"Nå, men," sukkede Dave tungt. "Det der, du sagde på familiemødet. Det var bare pis og papir, ikke?"

Mercy mærkede sin rygrad stivne. "Nej, det var ikke pis og papir, Dave. Jeg har ikke tænkt mig at lade Papa sælge stedet lige for næsen af mig. For næsen af Jon."

"Så du har tænkt dig at tage næsten en million dollars fra dit eget barn?"

"Jeg tager ikke noget fra nogen," sagde Mercy. "Se dig lige omkring, Dave. Se lige det sted her. Hytterne kan forsørge Jon resten af hans liv. Han kan lade det gå i arv til sine børn og børnebørn. Det er også hans navn, der står på skiltet ude ved vejen. Det eneste, han skal gøre, er at arbejde. Det skylder jeg ham."

"Du skylder ham at give ham valget," sagde Dave. "Spørg Jon, hvad han vil. Han er næsten voksen. Det bør også være hans beslutning."

Mercy mærkede hovedet ryste, allerede inden han var færdig. "Fandeme nej."

"Det tænkte jeg nok." Dave fnøs skuffet. "Du spørger ikke Jon, fordi du er alt for stor en kujon til at ville høre hans svar."

"Jeg spørger ikke Jon, fordi han stadig er et barn," sagde Mercy. "Den form for pres vil jeg ikke lægge på ham. Jon vil vide, at du gerne vil sælge. Og han vil vide, at jeg ikke vil. Det er som at bede ham vælge mellem os. Vil du virkelig bede ham om det?"

"Han kunne komme på college."

Mercy var chokeret over hans forslag. Ikke fordi hun ikke ønskede for Jon, at han fik en uddannelse, men fordi Dave havde trynet Jon i årevis til at tro, at college var det rene spild af tid. Han havde gjort det samme over for Mercy, da hun tog en højere forberedelseseksamen på aftenskole. Han ønskede ikke for nogen, at de gjorde mere, end han havde gjort.

"Merce," sagde Dave. "Overvej lige, hvad det er, du siger nej til. Du har prøvet at komme væk fra det her bjerg så længe, jeg har kendt dig."

"Jeg ville væk fra bjerget sammen med *dig*, Dave. Og det fortalte jeg dig, da jeg var femten år gammel. Jeg er ikke noget barn længere. Jeg kan godt lide at drive stedet her. Du sagde, jeg var god til det."

"Det var jo bare ..." Han gjorde en håndbevægelse og afskrev den kompliment, der havde gjort hende så pokkers stolt. "Du bliver nødt til at komme til fornuft. Vi taler om beløb i en størrelse, der ændrer liv."

"Men ikke til det bedre," sagde hun. "Jeg vil ikke sige, hvad jeg tænker, men vi ved begge to godt, hvor hadefuld du bliver, når det handler om penge."

"Lad det komme an på en prøve."

"Der bliver ingen prøve. Det gør ingen forskel. Vi kan lige så godt diskutere prisen på varmluftsballoner. Du får ikke lov til at tage stedet her fra mig. Ikke efter jeg har lagt al min sjæl i det. Ikke efter alt det, jeg har været igennem."

"Hvad fanden i helvede er det lige, du har været igennem?" ville Dave vide. "Jeg ved godt, det ikke har været let, men du har altid haft et hjem. Du har altid haft mad på bordet. Du har aldrig måttet sove ude i silende regn. Du har aldrig oplevet, at en eller anden pervers stodder har tværet dit ansigt ned i jorden."

Mercy stirrede forbi hans skulder. Første gang, Dave havde fortalt hende om det seksuelle overgreb, han var blevet udsat for som barn, var hun blevet martret af sorg. Den anden og tredje gang, havde hun grædt sammen med ham. Og så den fjerde, femte og hundrede syttende gang, havde hun gjort, hvad hun kunne for at hjælpe ham væk fra det mørke sted, hvad enten det var madlavning, rengøring eller noget i sengen. Noget, der gjorde ondt. Noget, der fik hende til at føle sig lille og beskidt. Hvad som helst, der kunne få ham til at føle sig bedre tilpas.

Og så var det gået op for Mercy, at det ikke betød noget som helst, hvad der var sket med Dave, da han var barn. Det, der betød noget, var det helvede, han trak hende igennem nu, hvor han var voksen.

Hans behov var det bundløse hul i kviksandet.

"Det fører ikke til noget at diskutere det her," sagde hun. "Jeg har truffet min beslutning."

"Seriøst? Du vil ikke engang tale om det? Du har bare tænkt dig at tage røven på dit eget barn?"

"Det er ikke mig, der kommer til at tage røven på ham, Dave!" Mercy var ligeglad med, om gæsterne kunne høre hende. "Det er dig, der bekymrer mig."

"Mig? Hvad fanden skulle jeg kunne gøre?"

"Du kommer til at tage hans penge."

"Gu gør jeg da ej."

"Jeg har set, hvad der sker, hver gang du har lidt penge på lommen. De tusind spir, Papa gav dig, kunne du ikke engang holde på en hel dag."

"Jeg har jo sagt, jeg købte materialer!"

"Hvem er det nu, der er fuld af pis?" spurgte Mercy. "Du kommer aldrig til at blive tilfreds med en million dollars. Du kommer til at ødsle dem bort på biler og fodboldkampe og fester og give omgange på baren og spille med musklerne rundtomkring i byen, og intet af det kommer til at ændre dit liv. Det gør dig ikke til et bedre menneske. Det kommer ikke til at udviske det, der skete med dig, da du var lille. Og du kommer til at ville have mere, for det er det, du gør, Dave. Du tager, og du tager, og du er pisseligeglad med, at den, du tager fra, står udtømt tilbage."

"Det er eddermame en grim ting at sige." Han rystede på hovedet og begyndte at gå derfra, men vendte så om. "Nævn bare en gang, jeg har slået den knægt," krævede han svar på.

"Du behøver ikke at slå ham. Du slider ham bare op. Du kan ikke gøre for det. Det er sådan, du er. Du prøver stadig at gøre det mod den stakkels mand i hytte ti. Hele dit liv har du fået andre til at føle sig så bittelille, for det er den eneste måde, du selv føler dig stor på."

"Nu holder du satanedeme kæft." Hænderne fløj frem og greb hende om struben. Ryggen blev presset op mod træet. Al luft blev presset ud af hendes bryst. Det var det, der skete, når Mercy løb tør for medlidenhed. Så fandt Dave andre måder at stoppe hende i at være ligeglad.

"Nu lytter du til mig, din forpulede møgkælling."

Mercy havde for længe siden lært ikke at sætte mærker på hans ansigt eller hænder. Hun kradsede mod hans bryst, borede fingerneglene ind i kødet, desperat efter at slippe fri.

"Hører du efter?" Han strammede grebet. "Du tror, du er så skide klog. Du tror, du har regnet mig ud, ikke?"

Mercys fødder sparkede udefter. Hun så bogstaveligt talt stjerner.

"Du skal nok lige overveje, hvem der overtager Jons fuldmagt, hvis du dør. Hvordan vil du forhindre salget, hvis du ligger død i graven?"

Mercys lunger begyndte at ryste. Hans vrede, oppustede ansigt flød ud for hendes øjne. Hun ville miste bevidstheden. Måske dø. Et øjeblik ville hun gerne. Det ville være så nemt at give efter denne sidste gang. Lade Dave få sine penge. Lade Jon ødelægge sit liv. Lade Fisk finde sin vej ned fra bjerget. Papa og Bitty vil blive lettede. Delilah ville blive ekstatisk. Ingen ville savne Mercy. Der ville ikke engang komme til at hænge et falmet billede på familievæggen.

"Møgkælling." Dave løsnede grebet, inden hun besvimede. Afskyen, der stod malet i hans ansigt, sagde det hele. Han var allerede i gang med at bebrejde Mercy for, at det gik så vidt. "Jeg har aldrig stjålet fra nogen, jeg elsker. Aldrig. Og fuck dig for at sige det."

Mercy sank ned på jorden, mens han trampede væk gennem skoven. Hun lyttede til hans vrede skvaldren, ventede på, at det tonede bort, før hun turde bevæge sig igen. Hun rørte ved huden under øjnene, men hun mærkede ingen tårer. Hun hvilede hovedet mod træet. Så op på træerne. Sollyset flimrede gennem bladene.

I begyndelsen havde der været gange, hvor Dave havde undskyldt for at øve vold mod hende. Så var han overgået til sit halvhjertede undskyldningsstadie, hvor han godt nok sagde ordene, men på en eller anden måde altid endte uden skyld. Nu vaklede han ikke i sin overbevisning om, at det var Mercy, der fremkaldte ondskaben i ham. Dave, den tilbagelænede. Dave, den fattede. Dave, festens midtpunkt. Ingen anede, at den Dave, de så, bare var en facade. Den virkelige Dave, den ægte Dave, var den, der lige havde prøvet at kvæle livet ud af hende.

Og den virkelige Mercy var hende, der ville have ham til det.

Hun rørte ved halsen, tjekkede efter ømme steder. Hun ville helt sikkert få mærker. Undskyldningerne væltede ind i hendes hjerne. Måske en ulykke med rebindfangning af heste. Faldt ned over styret på cyklen. Faldt ud af en kano. Blev fanget af en fiskeline. Hun havde masser af forklaringer lige på tungen. Hun behøvede blot at se sig i spejlet i morgen tidlig og vælge den, der matchede bedst med de vrede, blå mærker.

Mercy kæmpede sig på benene. Hun hostede ned i hånden. Den blev fyldt med blodigt sprøjt. Dave havde virkelig fået skovlen under hende denne gang. Hun gik i retning af stien igen og legede en form for leg i tankerne, hvor hun tænkte tilbage på alle de gange, hvor han havde gjort hende fortræd. Der var talløse lussinger og slag. Det gik ofte stærkt. Han langede ud og trak sig så tilbage. Det skete sjældnere, at han fortsatte som en bokser, der nægtede at høre klokken ringe. Der havde kun været to tilfælde, hvor han havde kvalt hende, til hun besvimede, det var med en måneds mellemrum, begge gange på grund af skilsmissen.

Hun havde taget Dave i at være hende utro. Så var han hende utro igen. Og så var han hende utro en gang til, for der var det med Dave, at han opfattede det at slippe godt fra noget som en tilladelse til at gøre det igen. Nu hvor hun tænkte tilbage på det, troede Mercy ikke engang på, at han havde været forelsket i nogen af kvinderne. Eller overhovedet tiltrukket af dem. Nogle af dem havde været ældre. Nogle var langtfra i god form eller havde et halvt fodboldhold af unger eller var bare ekstremt ubehagelige personer. Den ene smadrede hans truck. Den truck, Bitty havde betalt for. En anden stjal fra ham. En tredje lod ham holde en pose pot, da politiet bankede på døren til hans beboelsesvogn.

Det var ikke sex-delen, Dave godt kunne lide ved at være utro. Bevares, han stak den da glad og gerne ind. Men det, han elskede, var selve det at være utro. At luske omkring. Sende hemmelige sms'er på sin ekstratelefon med taletidskort. Swipe igennem datingapps. Lyve om, hvor han skulle hen, hvornår han kom tilbage, hvem han var sammen med. Tanken om, at Mercy blev ydmyget. Tanken om, at de kvinder, han havde trukket i land, var dumme nok til at tro, at Dave ville forlade Mercy og gifte sig med dem. Tanken om, at han kunne kneppe alt med en puls og lade alle finde ud af det.

Tanken om, at Mercy stadig ville tage ham tilbage.

Hun lod ham bestemt arbejde for det, men den del fik Dave også lusket sig udenom. Han lod, som om han havde forandret sig. Græd krokodilletårer. Alt dramaet med telefonopkaldene sent om aftenen. Den endeløse strøm af sms'er. Han dukkede op med blomster og en romantisk playliste og et digt, han havde skrevet på bagsiden af en serviet fra et værtshus. Tryglede og bad og bukkede og skrabede og lavede mad og gjorde rent og var pludselig interesseret i at være far for Jon og være sød som sukker, til Mercy tog ham tilbage.

Og så, en måned senere, tævede han hende sønder og sammen for at have smidt nøglerne lidt for højlydt på køkkenbordet.

Strangulering var et kæmpe rødt flag. Det var i hvert fald, hvad Mercy havde læst på nettet. Når en mand først lagde hænderne om en kvindes hals, var det seks gange mere sandsynligt, at hun blev udsat for livsfarlig vold eller blev slået ihjel.

Den første gang, han havde stranguleret hende, var den første gang, hun havde bedt ham om skilsmisse. Bedt ham, ikke meddelt ham det, som om hun havde brug for hans tilladelse. Dave var eksploderet. Han havde trykket så hårdt til om hendes hals, at hun kunne mærke brusken bevæge sig. Hun var besvimet i deres trailer og vågnede i sit eget pis.

Den anden gang var, da hun fortalte ham, at hun havde fundet en lille lejlighed til sig selv og Jon inde i byen. Hvad der skete derefter, kunne Mercy ikke huske, udover hun virkelig havde troet, hun ville dø. Hun havde mistet tid. Hun vidste ikke, hvor hun var. Hvordan hun var kommet derhen. Så gik det op for hende, at hun var i den lille lejlighed. Jon græd i rummet ved siden af. Mercy var styrtet ind til hans tremmeseng. Han var rød i hovedet, helt smurt ind i snot. Bleen var fyldt. Han var rædselsslagen.

Nogle gange kunne Mercy stadig mærke hans små arme desperat klynge sig til hende. Hans lille krop rystede, mens han hylede. Mercy havde trøstet ham, holdt ham tæt ind til sig hele natten, gjort alt godt igen. Jons hjælpeløshed havde motiveret hende til endelig at bryde med Dave. Hun havde søgt skilsmisse næste morgen. Havde forladt lejligheden og var flyttet tilbage til hytten. Hun havde ikke gjort det for sin egen skyld. Det var ikke Daves konstante ydmygelser eller frygten for brækkede lemmer eller for at dø, men fordi det endelig var gået op for hende, at hvis hun døde, havde Jon ingen.

Det var et mønster, Mercy for alvor var nødt til at bryde med denne gang. Hun ville blokere salget. Hun ville gøre alt, der stod i hendes magt, for at forhindre Dave i at nedbryde hendes søn. Papa ville dø før eller siden. Bitty havde forhåbentlig ikke ret langt igen. Mercy ville ikke dømme Jon til et helt liv med at drukne i kviksand.

Som på tælling hørte Mercy Jons fjedrende gang på stien. Han havde armene ud til siden, hænderne fløj over toppen af buskene som vingerne på et fly. Hun betragtede ham tavst. Sådan gik han også, da han var lille. Mercy huskede, hvor begejstret han plejede at blive, når han fik øje på hende på stien. Han ville løbe mod hende og kaste sig i hendes arme, og hun løftede ham op i luften, og nu var hun heldig, hvis bare han anerkendte hendes tilstedeværelse.

Han lod armene falde ned langs siden, da hun trådte ud på stien. "Jeg gik ned til materielskuret for at hjælpe Fisk med kanoerne, men han sagde, han havde styr på det. Hytte ti er tjekket ind."

Mercys hjerne gik straks i gang med at finde en anden opgave, hun kunne give ham, men tog sig selv i det. "Hvordan er de?"

"Kvinden er sød," sagde Jon. "Fyren er lidt skræmmende."

"Så skulle du måske lade være med at flirte med hans kone."

Jon smilede fåret. "Hun havde mange spørgsmål om ejendommen."

"Og du besvarede dem alle sammen?"

"Jep." Jon lagde armene over kors. "Jeg sagde, hun skulle tale med Bitty under aftensmaden, hvis hun gerne ville vide mere."

Mercy nikkede. Der var mange ting, hun havde ændret efter Papa, men hendes søn skulle i hvert fald ikke lyde uvidende om den jord, de gik og stod på.

"Var der ellers noget?" spurgte han.

Mercy tænkte igen på Dave. Han havde et mønster efter deres skænderier. Han ville tage ind på en bar og drikke sin vrede ud. Det var i morgen, hun skulle være bekymret for. Han ville uden tvivl opsøge Jon og fortælle om investorerne. Og Mercy ville uden tvivl være skurken i hans historie.

"Lad os gå ned til udsigtsbænken," sagde hun. "Jeg vil gerne have, vi sætter os lidt."

"Har du ikke arbejde, der skal gøres?"

"Det har vi begge," sagde hun til ham, men hun fortsatte alligevel i retning af bænken. Jon fulgte efter et stykke bag hende. Mercy lod fingrene glide op til halsen. Hun håbede ikke, han kunne se nogen mærker. Hun hadede det blik, Jon gav hende, når det slog klik for Dave. Delvis bebrejdelse, delvis ynk. Bekymringen var ophørt for længe siden. Det var vel som at betragte en løbe direkte ind i en mur med hovedet først, rejse sig for så at gøre det igen.

Det var ikke helt forkert.

"Okay." Mercy satte sig på bænken. Hun klappede på pladsen ved sin side. "Lad os gøre det."

Jon dumpede ned i den modsatte ende, hænderne var stukket dybt ned i lommerne på shortsene. Han var blevet seksten i sidste måned, og han var blevet ramt af puberteten nærmest over natten. Hormonerne opførte sig som et pendul. Det ene øjeblik var han selvtilliden selv og flirtede med en af gæsternes kone, det næste lignede han en fortabt, lille dreng. Han mindede Mercy så meget om Dave, at hun et øjeblik ikke kunne finde ord.

Så stak den sure teenager hovedet frem. "Hvorfor ser du så underligt på mig?"

Mercy åbnede munden, men lukkede den igen. Hun havde brug for mere tid. Det var en skrøbelig fred, der var mellem dem nu. I stedet for at ødelægge det med en forelæsning om e-cigaretter eller om, at han ikke havde ryddet op på sit værelse eller en af de andre ting, hun plejede at være på nakken af ham over, så betragtede hun udsigten. De mange grønne farver, vandets glitrende overflade, der krusedes let af vinden. Om efteråret kunne man sidde præcis samme sted og se bladene blive røde og farven langsomt slippe træerne oppefra. Hun var nødt til at redde dette sted for Jons skyld. Det var ikke bare hans fremtid, der ville blive sikret her. Det var hans liv.

"Jeg glemmer nogle gange, hvor smukt her er," sagde hun.

Jon havde ikke behov for at lufte sin mening. De vidste begge, at han ville være fuldt ud tilfreds med at bo i en skotøjsæske uden vinduer inde i byen. Han havde arvet Daves vane med at bebrejde andre mennesker, at han følte sig isoleret. De kunne begge stå i et rum fyldt med mennesker og alligevel føle sig alene. Hvis Mercy skulle være ærlig, havde hun det selv tit sådan.

"Tante Delilah er i huset," sagde hun til Jon.

"Jeg vil gerne have, at du husker, at uanset hvad der skete, da du var baby, så elsker Delilah dig. Det er derfor, hun gik i retten. Hun ville gerne have dig for sig selv."

Jon stirrede ud i horisonten. Mercy havde aldrig ytret et ondt ord om Delilah. Det var det eneste fornuftige, hun havde lært af Dave, at det sjældent var den, der bralrede op og opførte sig som et røvhul, der fik sympatien. Og det var derfor, Dave kun viste sin monstrøse side over for Mercy.

"Er det hendes Subaru, der holder på parkeringspladsen?" spurgte Jon.

Mercy følte sig som en tåbe. Selvfølgelig havde Jon set Delilahs bil. Det var umuligt at holde noget hemmeligt heroppe. "Jeg tror, Papa og Bitty har talt med hende. Det er derfor, hun er kørt herop."

"Jeg vil ikke bo hos hende." Jon skævede til Mercy, før han igen så væk. "Hvis det er derfor, hun er kommet – jeg skal ingen steder. Ikke med hende, i hvert fald."

Mercy havde grædt sine sidste tårer for længe siden, men hun mærkede en dyb tristhed over beslutsomheden i hans stemme. Han prøvede at passe på sin mor. Det var muligvis sidste gang, han ville komme til det, det næste lange stykke tid. Måske nogensinde.

"Hvad vil hun?" spurgte han.

Det gjorde så ondt i Mercys hals, at det føltes, som om hun sank søm. "Du er nødt til at finde Papa. Han vil fortælle dig, hvad der foregår."

"Hvorfor fortæller du mig det ikke bare?"

"Fordi ..." Mercy kæmpede mod at forklare sig. Det var ikke fejhed. Det ville være det nemmeste i verden at forme Jons syn på sagen efter sit eget. Men Mercy vidste, at gjorde hun det, så var hun ikke et hak bedre end Dave. Og Jon ville være så nem at manipulere. Selv som sekstenårig var han alt for påvirkelig. Han var fyldt med hormoner og godtroende som bare pokker. Hun kunne tale ham til at træde ud over en klippeafsats, hvis det var det, hun ville. Dave ville knuse ham fuldstændigt.

"Mor?" sagde Jon. "Hvorfor vil du ikke selv fortælle mig det?"

"Fordi du har brug for at høre den anden side af sagen fra en, der vil den vej."

Han smilede smørret. "Du taler mærkeligt."

"Sig til, når du gerne vil høre min side, okay? Jeg vil være så ærlig over for dig, som jeg kan. Men du skal høre det fra Papa først. Okay?"

Mercy ventede på hans nik. Hun kiggede ind i hans klare, blå øjne og følte det, som om en havde stukket hænderne ind i hendes brystkasse og flået hendes hjerte midt over.

Det var Daves værk. Han ville tage en anden del af Mercy, den mest dyrebare, og hun ville aldrig få den tilbage.

Jon stirrede på hende. "Er du okay?"

"Jep," sagde hun. "Kvinden i hytte syv vil gerne have en flaske whisky. Vil du hente en til hende?"

"Klart." Jon rejste sig. "Hvilken slags?"

"Den dyreste. Og spørg hende, om hun vil have mere i morgen." Mercy rejste sig også. "Og så synes jeg, du skal holde resten af aftenen fri. Jeg skal nok klare afrydningen efter aftensmaden."

Det brede smil vendte tilbage, og det samme gjorde hendes lille dreng. "Seriøst?"

"Seriøst." Mercy labbede hans begejstring i sig. Hun ville bare fastholde dette øjeblik, så længe hun kunne. "Du gør et virkelig godt stykke arbejde her, skat. Jeg er stolt af dig."

Hans smil var bedre end noget stof, hun nogensinde havde sprøjtet i sig selv. Mercy måtte rose ham mere, give ham bedre muligheder for at være barn. Hun skulle til at knuse hele sin familie. Hun var nødt til også at bryde McAlpine-røvhulsmønstret.

"Uanset hvad der sker, så husk, at jeg elsker dig, skat. Det må du aldrig glemme. Du er det bedste, der nogensinde er sket mig, og jeg elsker dig så fucking meget," sagde hun.

"Mor," stønnede han.

Men så slog han armene om hende, og Mercy følte nærmest, at hun svævede.

Det varede i cirka to sekunder, før Jon slap hende. Hun så ham traske op ad stien og modstod trangen til at kalde på ham igen.

Mercy vendte sig, inden han forsvandt. Hun gav sig selv et par sekunder til at få hold på sig selv, inden hun vendte tilbage til arbejdet. Hun gik til venstre, hvor stien delte sig, og gik langs søen. Hun kunne lugte den friske duft af vand sammen med en skimlet, skovagtig undertone.

Hver lørdag aften lavede de bål nede ved det lavvandede område for at give gæsterne en sidste hurra-oplevelse. Kiks med skumfiduser og varm kakao og Fisk, der klimprede på sin mandolin, for Fisk var åbenlyst den følsomme type, der spillede mandolin. Gæsterne elskede det. Og det gjorde Mercy også, hvis hun skulle være ærlig. Hun kunne lide at se smilene på deres ansigter og vide, at hun havde en stor andel i, at de var glade. Som mor til en teenagesøn, som ekskone til en voldelig alkoholiker, som datter af en ondsindet skiderik og en kold og fjern mor måtte hun sole sig i de små sejre, hun havde.

Mercy så ud over vandet. Hun spekulerede over, hvordan Papa ville forklare det med investorerne til Jon. Ville han tale dårligt om Mercy? Ville han skrige og bande ad hende? Havde hun uden at ville det manipuleret Jon i smug? Det var sjældent den, der var et røvhul, der løb med sympatien. Jon ville få lyst til at beskytte hende, selvom han ikke var enig med hende.

Nu kunne hun ikke gøre andet end at vente på, at han kom til hende. At arbejde ville få tiden til at gå hurtigere. Hun tog sin notesblok frem. Hun ville tjekke op på parret på bryllupsrejse på vej tilbage op ad bjerget. Hun ville selv ordne toilettet. Hun skulle tale med køkkenet. Hun gjorde et notat bagi om den whisky, Jon ville levere til hytte syv. Hun havde på fornemmelse, at tandlægen ville lægge en pæn slat, inden hun tjekkede ud på søndag. Der var ingen grund til, at Monica med platinkortet ikke skulle have flaskerne fra øverste hylde. Papa var afholdsmand. Han havde aldrig fremmet alkoholsalget. Det lille udvalg af whiskyer, Mercy havde taget ind sidste år, var nærmest eneansvarligt for stigningen i profitten.

Mercy stak blokken i baglommen, mens hun gik ned ad stien. Hun kunne se Fisk stå nede ved materielskuret. Han var i gang med at spule kanoerne. Mercys hjerte knugede sig sammen, da hun så sin bror ligge på knæ. Fisk var så flittig og ægte. Han var den ældste, men Papa behandlede ham altid, som var han en efternøler. Så var Dave kommet til, og Bitty havde gjort det helt klart, hvem hun betragtede som sin søn. Det var ikke så sært, han havde valgt nærmest bare at være usynlig.

Hun skulle lige til at kalde på ham, da Chuck kom ud fra materielskuret. Han havde bar overkrop. Ansigt og bryst var så ildrødt, at han så solskoldet ud. Han havde et kvadratisk stykke sølvpapir i den ene hånd og en lighter i den anden. Flammen gnistrede. Der steg røg op fra sølvpapiret. Mercy så til, mens han holdt det op foran Fisk. Fisk viftede røgen i sin retning og tog en dyb indånding.

”Mercy?” lød det fra Chuck.

”Idioter,” hvæsede hun og vendte sig bort.

”Mercy?” råbte Fisk efter hende. ”Mercy, vil du ikke nok lade være med ...”

Lyden af hendes fødder, der løb op ad stien, druknede, hvad det ellers var, han havde at sige. Tænk, at han var så dum! Det var præcis den slags, hun havde advaret ham mod under familiemødet. Han ulejligede sig ikke engang med at gemme det længere. Hvad nu, hvis hun havde været en gæst? Jon havde lige været nede ved skuret. Hvad hvis han var kommet ned ad stien og havde set dem stå og riste på den måde? Hvordan fanden ville de bortforklare det?

Mercy fortsatte ligeud og passerede gaflen ind mod Ringstien. Hun satte ikke farten ned, før hun var på den anden side af bådehuset. Hun tørrede sveden af panden. Kunne denne dag mon *blive* værre? Hun så på uret. Der var en time til, at hun skulle hjælpe med forberedelsen af maden. Hun havde stadig ikke fortalt køkkenet om Chucks forpulede nøddeallergi.

"For fanden da," hviskede hun. Det var for meget. I stedet for at fortsætte op ad skrænten lod hun sig synke ned på den stenede bred. Hun åndede helt ud. Hendes sanser fokuserede på naturen omkring hende. De raslende blade. De blide bølger. Lugten af gårsdagens lejrbål. Solen, der varmede over hende.

Hun trak igen vejret dybt.

Dette var hendes fredfyldte sted. Den lavvandede ende af søen var som et usynligt anker, der holdt hende forankret til jorden her. Hun kunne ikke opgive det. Der ville aldrig være nogen, der kunne elske det, som hun gjorde.

Mercy betragtede badepontonen, der vuggede på vandet. Der var hun flygtet ud så mange gange. Papa hadede vandet, han havde nægtet at lære at svømme. Når han havde et af sine raserianfald, svømmede Mercy ud til badepontonen for at komme væk fra ham. Nogle gange ville hun falde i søvn under stjernerne. Nogle gange kom Fisk også derud. Senere gjorde Dave også, men af andre grunde.

Mercy mærkede hovedet bevæge sig fra side til side. Hun ville ikke tænke på de dårlige ting. Det var her, hendes bror havde lært hende at svømme. Han havde lært Dave at træde vande, fordi Dave var for bange til at få hovedet under vand. Mercy havde vist Jon det bedste sted at dykke fra badepontonen, det sted, hvor vandet var dybest, det sted, hvor man stille kunne slippe væk, hvis der dukkede gæster op. Da Jon var yngre, tog de herned søndag morgener. Han fortalte hende om skolen eller piger eller ting, han gerne ville i sit liv.

Den åbenhed viste han hende ved gud ikke længere, men Jon var en god dreng. Han var ikke den skarpeste kniv i skuffen, hvad skolen angik, og han var heller ikke den populære dreng i klassen, men sammenlignet med sine forældre trivedes han i det store hele. Og det eneste, Mercy ønskede for ham, var, at han var glad.

Det ønskede hun sig mere end noget andet i verden.

Jon skulle med tiden nok finde sine egne mennesker. Det var muligt, det ville tage noget tid, men det ville ske. Han var rar. Mercy havde ingen anelse om, hvor han havde det fra. Jovist havde han Daves temperament. Og han tog dårlige beslutninger som Mercy. Men han forgudede sin bedstemor. Han brokkede sig kun lidt, når Mercy satte ham til at arbejde. Og selvfølgelig kedede han sig heroppe. Alle børn kedede sig heroppe. Tolvårige Mercy var sgu da ikke begyndt at nippe til sprutflaskerne, fordi hendes liv var så allerhelvedes spændende.

"Fuck," sukkede hun. Hendes hjerne ville ikke holde sig fra de dårlige minder. Hun tvang sig selv til at slå kontakten fra og stirrede op i den klare, blå himmel, til solen nåede frem til hende. Hun lukkede øjnene mod det skærende lys. Dets hvide prikker blev siddende på nethinden. Hun betragtede farven blive mørkere, næsten marineblå. Så formede den sig til et ord. Med svungen kursiv. Hen over Landry Petersons hjerte.

Gabbie.

Gæsterne i hytte fem havde booket i navnet Gordon Wylie. De havde modtaget en kopi af Gordons kørekort. Det var Gordons kreditkort, depositummet var trukket fra, og som regningen ville blive betalt fra. Gordons nummerplade stod på Lexus'en for enden af stien. Det var Gordons adresse, der stod på kuffertmærkerne.

Landrys navn optrådte kun en enkelt gang på indskrivningen, som gæst nummer to. Hans arbejdsgiver var den samme som Gordons: Wylie App Co. Set i bakspejlet lød det som noget fra Looney Tunes. Navnet Landry kunne lige så godt være falsk. De verificerede kun navnet på den, der skulle betale regningen. De gik ud fra, at folk ikke løj om deres job, interesser og erfaring med heste, klatring og rafting.

Det betød, at Landry Peterson kunne være hvem som helst. Han kunne være en hemmelig elsker. En mangeårig ven med fryns. En kollega, der gerne ville mere. Eller han kunne være relateret til den unge kvinde, Mercy havde slået ihjel for sytten år siden.

Hendes navn havde være Gabriella, men hendes familie kaldte hende *Gabbie.*

4

Sara sad helt ude på kanten af sengen og gav sig selv lov til at græde. Hun var så overvældet af følelser, at hun ligefrem hulkede. Der havde været så meget stress op til brylluppet. De havde været nødt til at udskyde ceremonien en måned, så hun kunne få gipsen af det brækkede håndled. Hun havde været nødt til at aflyse ordrer og flytte rundt på aftaler og jonglere arbejdsprojekter og udskyde sager. Så var der hele cirkusset med at jonglere kusiner og fætre og tanter og onkler og sikre sig, at alle havde hotelreservationer og en bil og mad, de godt kunne lide, og steder, de kunne tage hen, for nogle af dem havde krydset kontinenter og havde besluttet sig for at blive hele ugen og ville gerne vide, hvad de kunne se og lave, og Sara var åbenbart deres personlige Lonely Planet-guide.

Hendes søster og mor havde hjulpet til, og Will havde bestemt gjort sit, men Sara havde aldrig nogensinde været så lettet over, at noget var overstået.

Hun så ned på ringene på sin finger. Hun tog en dyb, beroligende indånding. Sara fortjente en Oscar for ikke at tabe småkagerne her til morgen, hvor Will havde sagt, at de skulle på vandretur, inden de tog på bryllupsrejse. To timer væk. I bjergene. Selvom lufthavnen lå tyve minutter fra deres hus.

Deres hus.

Hun havde virkelig forsøgt ikke at gøre et nummer ud af det. Da de pakkede deres rygsække. Da de satte sig ind i bilen. Da de kørte ud af byen. Da de parkerede for foden af stien. Will var ansvarlig for bryllupsrejsen. Sara havde været nødt til at lade ham være ansvarlig for den. Men da de var stoppet for at spise frokost på en mark, og hun havde bemærket, at tiden løb fra dem, var hun gået i panik over, at han måske havde tænkt sig at overraske hende med camping.

Sara hadede camping. *Afskyede* var nok mere korrekt. Den eneste grund til, at hun havde holdt ud som pigespejder, var, at hun virkelig gerne ville have alle mærkerne.

Hvilket var Sara i en nøddeskal. Hun ydede altid sit yderste. Hun færdiggjorde highschool et år før tid. Drønede gennem forberedelsesuddannelsen. Kæmpede sig til pladsen som bedste elev på medicinstudiet. Gav den fuld gas i det kliniske videreuddannelsesforløb. Så var der praktikken som børnelæge, omskolingen til at blive retsmediciner på fuld tid. Hun havde altid brugt sin uddannelse til at tjene andre mennesker. Til at tage sig af børn i øde landområder, sidenhen på et offentligt hospital. Til at hjælpe de efterladte efter drab med en form for afslutning. Alt imens hun havde taget sig af sin lillesøster. Og sine forældre. Tilbød sin tante Bella sit selskab. Støttede sin første mand. Sørgede over hans død. Arbejdede så hårdt på at skabe noget meningsfuldt sammen med Will. Overlevede hans giftige ekskones indblanding. Navigerede i hans sære forhold til hans chef. Blevet gode venner med hans makker. Forelskede sig i hans hund.

Når Sara så tilbage på sit liv, så hun en kvinde, der konstant var på vej fremad, som altid sørgede for, at alle havde det godt.

Indtil nu.

Sara så på sin åbne kuffert. Will havde downloadet alle hendes bøger på hendes iPad. Han havde opdateret hendes podcasts på hendes telefon. Hendes søster havde pakket præcis, hvad hun havde brug for, helt ned til de rigtige toiletsager og den rigtige hårbørste. Hendes far havde vedlagt en af sine håndbundne fiskefluer og en liste med virkelig dårlige onkel-vittigheder. Hendes tante havde doneret en stor stråhat, der kunne beskytte Saras ligblege hud mod solen. Hendes mor havde givet hende en lille lommebibel, hvilket virkede en anelse anmassende til at begynde med, men så gik det op for Sara, at der var et bogmærke ved en af siderne. Med en blød blyant havde hendes mor understreget et uddrag fra Ruths bog 1:16:

... hvor du går hen, vil jeg gå, hvor du bor, vil jeg bo; dit folk er mit folk, og din Gud er min Gud.

Da Sara læste de linjer, knækkede filmen for hende. Hendes mor havde på helt perfekt vis indfanget de følelser, Sara havde for Will. Hun ville gå med, hvorhen han tog hende. Hun ville ligge med ham, hvor han end valgte. Hun ville behandle den familie, han havde valgt, som sin egen. Hun ville gå så vidt som at lade, som om hun kunne lide at campere, hvis det var det, der skulle til. Hun var helt og fuldstændigt hengiven.

Og det var på den måde, snøft var blevet til gråd, gråd var blevet til hulken, og hun var sunket sammen på sengen som en overvældet victorianer. Sara kunne ikke gøre for det. Det hele var alt for perfekt. Den vidunderlige vielsesceremoni. Denne smukke hytte. Gaverne fra hendes familie. Den betænksomhed, Will havde lagt i alting. Han havde ovenikøbet bedt om at få hendes yndlingsyoghurt sat i det lille køleskab i køkkenet. Sara havde aldrig følt sig så godt taget af før i hele sit liv.

"Helt ærligt," skændte hun på sig selv. Nu måtte hun være færdig med det knækket film-pjat. Will kunne være tilbage, hvert øjeblik det skulle være.

Hun fandt æsken med lommeletter ude på toilettet, så hun kunne pudse næse. Der var et mindre udvalg af badesalt ved siden af badekarret. For Wills skyld valgte hun den mindst parfumerede, inden hun tændte for hanen. Hun tjekkede sit spejlbillede. Huden var rød og skjoldet. Næsen lyste nærmest rødt. Øjnene var blodskudte. Will ville komme tilbage fra hovedhytten med en forventning om dampende hot badekarssex og finde hende, der lignede en galning på flugt.

Sara pudsede næse. Hun tog elastikken ud af håret og lod det hænge løst, fordi hun vidste, Will godt kunne lide det sådan. Så gik hun ind i soveværelset og pakkede det sidste ud. Hendes lillesøster havde ikke været fuldstændig altruistisk. Tessa havde for sjov pakket noget sexlegetøj i bunden af deres kuffert. Sara var i færd med at lyne det inde i kufferten, da hun hørte en høj stemme uden for vinduet i forstuen.

"Paul!" råbte en mand. "Gider du for fanden lige at vente lidt?"

Sara gik ud i forstuen. Vinduerne stod åbne. Hun blev stående i skyggen, mens hun betragtede de to mænd skændes på stien nedenfor. De var ældre, i god form og tydeligvis frustrerede.

"Gordon, jeg er bedøvende ligeglad med, hvad du synes," sagde Paul. "Det er det rigtige at gøre."

"Det rigtige at gøre?" spurgte Gordon. "Siden hvornår interesserer du dig for at gøre, hvad der er rigtigt?"

"Siden jeg så det liv, hun for fanden har nu!" skreg Paul. "Det er ikke okay!"

"Skat." Gordon tog fat om mandens arme med begge hænder. "Du bliver nødt til at give slip på det."

Paul rev sig løs af hans greb. Han begyndte at løbe ned ad stien mod søen.

"Paul!" råbte Gordon og begyndte at løbe efter ham. Sara trak undergardinerne for. Det var interessant. På vandringen ind havde Keisha sagt, at app-fyrene hed Gordon og Landry. Mon Paul var endnu en gæst eller en, der arbejdede her? Så stoppede hun sine tanker, for hun var her ikke for at regne andre ud. Hun var her for at have dampende hot badekarssex med sin mand.

Ægtemand.

Sara smilede, da hun gik ud i badeværelset igen. Hun havde bemærket Wills ansigtsudtryk, da hun havde kaldt ham sin mand for første gang. Det havde fuldt ud matchet den glæde, hun havde følt, da han havde kaldt hende sin hustru.

Hun så ud gennem det store panoramavindue bag ved badekarret. Paul og Gordon var ikke at se nogen steder. Hytten lå meget højere end stien. Hun kunne ikke engang se søen. Udsigten var af træer og flere træer. Hun tjekkede vandtemperaturen, som var helt rigtig. Karret ville blive fyldt langt hurtigere, end hun havde forventet. Sara var datter af en blikkenslager. Hun vidste godt, hvad der var op og ned på en vandstråle. Og hun vidste også, hvordan hendes mand fungerede. Hun kunne muligvis slippe af sted med at distrahere ham fra det faktum, at hun havde grædt, hvis Will fandt hende nøgen og ventende. Hvilket var præcist, hvad hun var, da han trådte ud i badeværelset fem minutter senere.

Will tabte den pude, han havde i hænderne. "Hvad er der galt?"

Sara lænede sig tilbage i karret. "Hop i."

Han skævede ud ad vinduet. Han var genert omkring sin krop. Det, Sara så, var smidige muskler og sener, omridset af hans vidunderlige mavemuskler, hans smukke, stærke arme, men Will så kun de ar, han havde haft siden barndommen. De rynkede, runde cigaret-ar. Krogen fra en stålbøjle. Hudtransplantationen der, hvor det flænsede væv havde været for skadet til at hele.

Tårerne begyndte igen at brænde bag Saras øjne. Hun havde lyst til at gå tilbage i tiden og slå hver eneste person ihjel, der nogensinde havde gjort ham fortræd.

"Er du okay?" spurgte Will.

Hun nikkede. "Jeg nyder bare udsigten."

Will stoppede ikke op for at tjekke vandtemperaturen. Han satte sig ned i badekarret over for hende. De kunne næsten ikke være der. Hans knæ stak op over kanten på badekarret. Sara vendte sig om, så hun kunne hvile sit hoved mod hans bryst. Will slog armene om hende. De så begge ud på trætoppene. Der hang en tåge over bjergkæden. Hun kunne godt lide tanken om at lytte til regnen mod tintaget.

"Jeg har en tilståelse," sagde hun.

Han pressede læberne sammen mod hendes hovedbund.

"Jeg blev lidt overvældet af det hele."

"På en dårlig måde?"

"På en god måde." Hun så op på ham. "Glad overvældet."

Will nikkede. Hun kyssede ham blidt, inden hun igen hvilede hovedet mod hans bryst. Der var plads i samtalen til, at han kunne tale. Hun kunne mærke, at han også var blevet lidt overvældet. Selvom Will nok hellere ville løbe femten kilometer op ad en bjergskråning end at sætte sig på sengen og tude.

"Har din søster pakket alt, du har brug for?" spurgte han.

"Inklusiv en skrigende lyserød, femogtyve centimeter lang dildo."

Will tav et øjeblik. "Den kan vi da godt prøve, hvis du godt kunne tænke dig noget mindre?"

Sara lo, da han trak hende ind til sig. Der var fuldstændig stille i marmorbadeværelset. Ikke så meget som et dryp fra vandhanen. Sara lyttede til den rolige rytme, Will trak vejret i. Hun lukkede øjnene. Hun lå i hans arme, til vandet begyndte at blive køligere. Det havde ikke været planen, at hun skulle falde i søvn, men det var præcis, hvad der skete. Da hun kom til sig selv, havde regntågen langsomt bevæget sig hen over bjerget.

Hun tog en dyb indånding og slap luften med et suk. "Vi burde stå op og gøre et eller andet, ikke?"

"Måske." Will begyndte langsomt at kærtegne hendes arm. Hun modstod trangen til at spinde som en kat. "Jeg har også en tilståelse," sagde han.

Sara kunne ikke afgøre, om han lavede sjov eller ej. "Hvad?"

"Der er en fyr her i hytterne, der boede på børnehjemmet, da jeg var der."

Det var så uventet en oplysning, at Sara lige havde brug for et øjeblik til at fordøje det. Det var sjældent, Will talte om personer fra dengang. Hun så op på ham og spurgte: "Hvem?"

"Han hedder Dave," sagde Will. "Han var fin nok i begyndelsen. Så skete der et eller andet. Han forandrede sig. De andre børn begyndte at kalde ham Sjakalen. Eller måske var det ham selv, der fandt på navnet, det ved jeg ikke. Det var altid Dave, der gav folk øgenavne."

Sara hvilede igen hovedet mod hans bryst. Hun lyttede til hans rolige hjerteslag.

"Vi var venner i et stykke tid," sagde han. "Dave gik i samme klasse som mig. Hjælpeklassen, du ved. Jeg troede egentlig, vi kom fint ud af det med hinanden."

Hun vidste, at det var på grund af sin ordblindhed, at Will havde været i hjælpeklassen. Det var først på college, han havde fået diagnosen. Han behandlede det stadig som en skamfuld hemmelighed. "Hvad skete der med ham?"

"Han blev sendt hjem til en virkelig dårlig plejefamilie. De udnyttede systemet. Fandt på alt muligt, der var i vejen med Dave, så de fik flere penge for at have ham. Og så begyndte han at få infektioner. Så ..."

Sara hørte ham tøve. Gentagne urinvejsinfektioner hos børn var ofte et tegn på seksuelt misbrug.

"De fjernede ham derfra, men Dave kom ondskabsfuld tilbage. Men det gik ikke op for mig i starten. Han lod stadig, som om vi var venner. Jeg blev ved med at høre alle mulige dårlige ting om ham, men alle talte dårligt om hinanden. Vi var jo alle forskruede."

Sara mærkede hans brystkasse hæve og sænke sig.

"Han begyndte at prøve at mobbe mig. Ville slås. Jeg havde lyst til at slå ham et par gange, men det ville ikke have været fair. Han var mindre og yngre end mig. Jeg kunne virkelig have gjort ham fortræd." Will blev ved med at kærtegne hendes arm. "Så begyndte han at være sammen med Angie, som ... jeg er ikke dum. Jeg ved godt, han ikke ligefrem slæbte hende med ned i den kælder. Hun var sammen med masser af fyre. Det gav hende følelsen af at have en smule kontrol over sit liv. Sådan var det vel også med Dave. Men det ramte mig hårdere, at Angie gjorde det med ham. Som sagt, jeg troede, han var min ven, men så stak han mig i ryggen. Og det vidste hun godt, men hun gjorde det alligevel. Det var ikke nogen rar situation."

Sara kunne på ingen måde forstå den forkvaklede dynamik, der havde været mellem Will og hans ekskone. Det eneste gode, hun havde at sige om den kvinde, var, at hun ikke var i hans liv længere.

"Dave blev ved med at rode rundt med hende. Og han sørgede for, at jeg vidste det, blev ved med at tvære mit ansigt rundt i det. Det var, som om han ønskede, at jeg skulle tæve ham. Som om det ville bevise et eller andet, hvis han kunne knække mig." Will tav længe. "Det var Dave, der begyndte at kalde mig Skraldebøtte."

Saras hjerte sank. Hun kunne næsten ikke forestille sig, hvordan det var for Will at rende ind i denne forfærdelige mand lige efter sit bryllup, at blive konfronteret med alle de voldsomme og ubehagelige barndomsminder. Øgenavnet alene måtte have været som et spark i ansigtet. Gennem de sidste dage havde Will ladet et par morsomme bemærkninger falde om, hvor tom hans side af kirken havde været, men Sara havde set sandheden i hans øjne. Han savnede sin mor. Den sidste kærlighedsgerning, hun gjorde over for sit barn, var at lægge ham i en skraldebøtte, så han var i sikkerhed. Og så havde dette rædderlige røvhul vendt det faktum til et torturmiddel.

"Dave prøvede at undskylde," sagde Will. "På stien, lige før."

Igen så hun overrasket op på ham. "Hvad sagde han?"

"Det var ikke rigtigt en undskyldning." Will lo tørt, selvom der intet morsomt var ved situationen. "Han sagde: 'Helt ærligt, Skraldebøtte. Lad dog være med at se sådan på mig. Jeg kan da godt sige undskyld, hvis det kan hjælpe dig videre.'"

"Sådan en skiderik," hviskede Sara. "Hvad sagde du så?"

"Jeg begyndte at tælle baglæns fra ti." Will trak på skuldrene. "Jeg kan ikke svare på, om jeg rent faktisk havde tænkt mig at slå ham, men han stak halen mellem benene, da jeg nåede til otte, så det finder vi aldrig ud af."

Hun begyndte at ryste på hovedet. Noget i hende ønskede, at han havde slået idioten i jorden.

"Jeg er ked af, at det er sket," sagde Will. "Jeg lover, det ikke kommer til at få indflydelse på vores bryllupsrejse."

"Intet får lov til at komme i vejen for den." Sara tænkte på en tilføjelse til sin mors bibelcitat. Wills fjender var hendes fjender. Dave måtte hellere bede til, at han ikke løb ind i Sara i løbet af ugen. "Er han gæst her?"

"Jeg tror, han arbejder her. Med vedligehold, hvis man skal vurdere ud fra hans påklædning." Will blev ved med at kærtegne hendes arm. "Det er sjovt, for Dave stak af fra hjemmet et par år før, jeg blev for gammel til at blive der. Politiet talte med os alle sammen, og jeg sagde til dem, at han sikkert var taget herop. Dave elskede lejren. Prøvede at komme med hvert eneste år. Jeg plejede at hjælpe ham med bibelcitaterne. Han havde læst dem højt så mange gange, at jeg kunne dem udenad. Han øvede dem med mig i bussen, i gymnastiktimerne. Hvis han havde anstrengt sig bare halvt så meget i skolen, ville han helt sikkert ikke være blevet hængende hos de tungnemme børn som mig."

Sara trykkede en finger mod hans læber. Han var ikke tungnem.

Will tog hendes hånd og kyssede den. "Er vi færdig med tilståelserne?"

"Jeg har en til."

Han lo. "Okay."

Hun satte sig op, så de kunne se på hinanden. "Der er en sti på kortet, der hedder Hjortestien. Det fører om til bagsiden af søen."

"Jon sagde, at *awinita* er cherokee for rålam, som er en hjorteunge."

"Tror du, at sporet fører til lejrpladsen?"

"Det synes jeg, vi skulle finde ud af."

5

SEKS TIMER FØR MORDET

Køkkenpersonalet var i gang med den vanlige slutspurt forud for serveringen af middagen, da Mercy kom ind. Hun sprang til siden og ramlede lige akkurat ikke ind i en stak tallerkener, der ragede op over opvaskerens hoved. Hun fangede Alejandros blik. Han sendte hende et hurtigt nik om, at alt var ok.

Alligevel spurgte hun: "Har du fået beskeden om nøddeallergien?"

Han nikkede igen, denne gang med et kast med hagen, der beordrede hende ud derfra.

Mercy tog det ikke personligt. Hun lod ham glad og gerne passe sit arbejde. Deres forrige kok var en lummer galning med dårlig ånde, der var blevet arresteret for trafficking ugen efter Papas ulykke. Alejandro var en ung puertoricaner, der lige var blevet færdig på kokkeskolen i Atlanta. Mercy havde givet ham frie hænder i køkkenet, hvis han kunne starte dagen efter. Gæsterne elskede ham. De to unge inde fra byen, der arbejdede i køkkenet, var betagede. Hun var bekymret for, hvor meget længere han ville være tilfreds med at lave kedelig ukrydret mad, tilpasset den hvide mands gane, oppe i bjergene.

Hun skubbede døren op til spisesalen. En pludselig bølge af kvalme fik hendes mave til at slå en kolbøtte. Mercy støttede sig med en hånd op ad døren. Hendes hjerne blev ved med at skubbe al stressen fra sig, men hendes krop blev ved med at minde hende om, at den var der. Hun åbnede munden for at tage en dyb indånding og vendte så tilbage til arbejdet.

Mercy gik rundt om bordet, rettede på en ske hist og en kniv pist. I lyset blev en kalkplet synlig på et af glassene. Hun brugte snippen af sin skjorte på at tørre den af, mens hun så rundt i rummet. To lange borde delte rummet. I Papas tid havde der kun været bænkepladser, men Mercy havde spenderet penge på rigtige stole. Folk drak mere, når de kunne sidde tilbagelænet. Hun havde også investeret i højtalere, der kunne spille blid musik, og lys, der kunne dæmpes, så der var en vis stemning, Papa hadede begge dele, men han kunne ikke gøre så meget ved det, for han kunne ikke betjene fjernbetjeningerne.

Hun satte glasset ned igen, rettede på endnu en gaffel og flyttede en lysestage ind midt på bordet. Hun tjekkede antallet af kuverter. Frank og Monica, Sara og Will, Landry og Gordon, Drew og Keisha. Sydney og Max, investorerne, sad sammen med familien. Chuck sad ved siden af Fisk, så de kunne surmule sammen. Delilah var sat ned for enden, som en sidste øjebliks tilføjelse, hvilket virkede passende. Mercy vidste, at Jon ikke ville vise sig. Ikke kun fordi han sikkert allerede havde talt med Papa om investorerne på nuværende tidspunkt, men også fordi Mercy havde været så tåbelig at give ham aftenen fri. Alejandro vaskede ikke op, og medhjælperne, der boede nede i byen, ville gerne være nede fra bjerget allersenest halv ni. Mercy ville ikke være færdig med oprydningen efter maden og forberedelserne til morgenmaden før ved midnat.

Hun så på sit ur. Der ville snart blive serveret cocktails. Hun gik ud på udsigtsverandaen. Endnu en opgradering, hun havde fået lavet efter Papas uheld. Hun havde fået Dave til at forstørre den ud over kløften. Han måtte tilkalde hjælp til understøtningen, han og hans kammesjukker drak øl, mens de hang og dinglede frit svævende fra reb femten meter over bjergkløften. Han havde afsluttet projektet med at sno lyskæder rundt om rækværket. Der var bænkepladser og store flade sten, hvor man kunne sidde og nyde en drink, og det var faktisk helt perfekt, hvis man ikke vidste, at han havde været et halvt år forsinket med projektet og havde forlangt tre gange mere end det oprindelige tilbud.

Mercy lod blikket glide hen over sprutflaskerne i baren. De eksotiske mærkater tog sig godt ud i det tidlige aftenlys. Under Papa havde man kun budt på husets vin, der havde konsistens og smag som fabrikssyltetøj. Nu solgte de whisky sour og gin & tonics til latterligt høje beløb. Mercy havde altid haft på fornemmelsen, at deres klientel gladelig betalte for Tito's og Macallan. Men hun havde ikke forudset, at de kom til at tjene lige så meget på alkoholsalget, som de gjorde på værelsesudlejningen.

Penny, en af byboerne, stod bag baren og gjorde klar. Hun var ældre end de andre ansatte, gammeldags og ikke sådan at løbe om hjørner med. Mercy havde kendt hende i årevis, helt tilbage fra dengang Penny gik i highschool og arbejdede her som stuepige. De havde begge været et par rigtige festaber dengang, for sidenhen at blive ædru på den hårde måde. Heldigvis behøvede Penny ikke at drikke for at vide, hvad der smagte godt. Hun havde en encyklopædisk viden om de særeste cocktails, der overraskede gæsterne og gav dem lyst til at bestille flere.

"Går det godt?" spurgte Mercy hende.

"Det går." Penny så op fra de limefrugter, hun stod og skar ud, da der lød stemmer nede fra stien. Hun kiggede på uret og rynkede panden.

Det var ikke nogen overraskelse for Mercy at se Monica og Frank være tidligt på den til cocktails. I det mindste forstod tandlægen at bære sin brandert. Monica blev hverken højrøstet eller ulidelig, bare uhyggeligt stille. Mercy havde været i selskab med sin andel af fulderikker, og de tavse var oftest de værste. Ikke fordi de pludselig kunne blive ubehagelige eller uforudsigelige, men fordi de havde stillet sig selv den opgave at drikke sig ihjel. Frank var irriterende, men Mercy betragtede ham ikke som 'drik dig selv i døden'-kategorien.

Men okay, det havde hun også tænkt om Dave.

"Velkommen!" Mercy klistrede et smil på, da de kom op på udsigtsverandaen. "Er alt, som det skal være?"

Frank gengældte hendes smil. "Alt er fantastisk. Vi er så glade for, at vi tog herop."

Monica var gået direkte i baren. Hun prikkede på en flaske og sagde: "En dobbelt, uden is," til Penny.

Mercy mærkede tænderne løbe i vand, da Penny åbnede whiskyflasken fra WhistlePig Estate Oak. Hun bildte sig selv ind, at den pludselige trang kun handlede om, at hendes hals stadig var øm efter Daves strangulering. En lille tår ville dulme smerten. Hvilket var præcis det samme, hun havde sagt til sig selv, sidste gang hun var faldet i, dengang havde det bare været en majswhisky.

Monica greb glasset og hældte halvdelen ned. Det var svært for Mercy at begribe, at man kunne have et liv, hvor man kunne drikke sig fuld i drinks til tyve dollars stykket. Efter glas nummer to kunne man jo alligevel ikke smage forskel.

Lyden af hjul, der knasede hen over gruset, annoncerede Papas ankomst. Bitty skubbede ham med det sædvanlige skulende ansigtsudtryk. Der gik en mand og en kvinde på hver side af stolen. Det måtte være investorerne. De var begge nok i slutningen af halvtredserne, men de var rige nok til at være i Atlantas top-40. Mac var iklædt jeans og en sort T-shirt. Snittet i begge fik ham til at ligne en million. Sydney havde det samme på, men hvor han gik med Hoka-sneakers, bar hun et par godt slidte læderridestøvler. Det afblegede lyse hår var sat op i en høj hestehale. Kinderne var æblerunde. Skulderbladene var samlet. Hagen var løftet.

Mercy vurderede, at hun var en vaskeægte rytter. Sådan en holdning fik man ikke af at sjoske rundt i et shoppingcenter. Kvinden havde uden tvivl en stald fyldt med fuldblodsheste og en træner ansat på fuldtid på sin ejendom i Buckhead. Hvis man lagde ti af de store dollarsedler hver måned for at betale en, der skulle lære en staldfuld ponyer til to hundrede tusind dollars stykket at løfte benene rigtigt, så var tolv millioner for en ejendom i bjergene bare et greb i lommen.

Bitty prøvede at få øjenkontakt med Mercy. Hendes mors sammensnerpede ansigt så intenst misbilligende ud. Det var tydeligt, at hun stadig var vred over mødet. Hun foretrak, når tingene forløb glat. Hun havde altid været den, der fiksede tingene for Papa, hun fik alle til at føle skyldfølelse, til de underkastede sig og tilgav.

Mercy kunne ikke håndtere sin mor lige nu. Hun gik ind i spisesalen. Hendes mave trak sig sammen igen. Hun tillod sig selv at føle bare en lillebitte smule sorg. Mercy havde halvt håbet, det var Jon, der kom trillende med Papas stol. At hendes søn ville spørge ind til Mercys bevæggrunde, at de kunne tale det igennem sammen, og at Jon ville forstå, at der var mere fremtid i det for ham at beholde familievirksomheden. At han ikke ville hade hende, at de måske kunne lande på at være enige om, at de var uenige. Men der var ingen Jon. Kun hendes mors hånlige blik.

Mercy havde ikke tænkt sig at miste alle, inden aftenen gik på hæld. Jon var ikke som Dave. Hans temperament sydede, før det eksploderede, og når først der var givet los, tog det dage, af og til uger, før han blev normal igen. Eller i hvert fald en ny version af normal, for Jon samlede på frustrationer, som var det samlekort.

Der lød et blidt klik. Mercy så op. Bitty havde forsigtigt lukket døren i spisesalen. Hendes mor gjorde alt med forsætlig stilhed, uanset om det var at koge et æg eller gå hen over gulvet. Hun kunne snige sig ind på en som et spøgelse. Eller Døden, afhængig af hendes humør.

Lige nu var hendes humør så absolut i sidste kategori. "Papa er her sammen med investorerne," sagde hun til Mercy. "Jeg ved godt, du har nogle følelser at slås med, men du er nødt til at vise dig fra din bedste side."

"Altså mit forpulet grimme fjæs?" Mercy så hende krympe sig, men hun citerede bare sin far. "Hvorfor skulle jeg være venlig over for dem?"

"Fordi du ikke gør alle de ting, du talte om. Det gør du simpelthen ikke."

Mercy så ned på sin mor. Bitty havde hænderne placeret om hvepsetaljen. Der var varme i kinderne. Det engleagtige ansigt og den lille skikkelse gjorde, at man kunne tage hende for at være et teatralsk barn.

"Jeg bluffer ikke, mor," sagde Mercy. "Jeg knuser hver eneste en af jer, hvis I tvinger det her salg igennem."

"Det gør du under ingen omstændigheder." Bitty trampede utålmodigt den ene fod i gulvet, men selv det lød blot som et lille puf. "Nu stopper du det pjat."

Mercy skulle lige til at le hende op i ansigtet, men så kom hun i tanke om noget. "Vil du gerne sælge stedet her?"

"Din far har jo sagt til dig ..."

"Jeg spørger, hvad *du* gerne vil, mor. Jeg ved godt, det ikke sker tit, at du har noget at skulle have sagt." Mercy ventede, men hendes mor svarede ikke. Hun gentog spørgsmålet. "Vil du gerne sælge stedet her?"

Bitty pressede læberne sammen.

"Det er vores hjem." Mercy prøvede at appellere til en form for rimelighed. "Bedstefar sagde altid, at vi ikke er ejere – vi er forvaltere af jorden. Du og Papa har haft jeres tid. Det er ikke rimeligt at træffe beslutninger for den kommende generation, der ikke påvirker jeres liv på nogen måde."

Bitty var stadig tavs, men noget af vreden havde forladt blikket.

"Vi har hældt hele vores liv i det her sted." Mercy slog en hånd ud mod spisesalen. "Jeg hjalp med at sømme disse brædder i, da jeg var ti. Dave har bygget den veranda, folk står derude og nyder en drink på. Jon har ligget på sine knæ og skrubbet køkkenet. Fisk har fanget noget af den mad, de står og tilbereder lige nu. Jeg har indtaget næsten hvert eneste aftensmåltid på det her bjerg. Det samme har Jon. Det samme har Fisk. Vil du virkelig tage alt det fra os?"

"Christopher sagde, han var ligeglad."

"Han sagde, han ikke ville stille sig imellem os," rettede Mercy. "Det er ikke det samme som at være ligeglad. Det er det modsatte af at være ligeglad."

"Du har knust Jon fuldstændigt. Han vil ikke engang komme og spise med."

Mercys hånd søgte op til hjertet. "Er han okay?"

"Nej, det er han ikke," sagde Bitty. "Stakkels lille skat. Jeg kunne ikke gøre andet end at holde om ham, mens han græd."

Mercys hals snørede sig sammen, og den skarpe, spidse smerte, Daves hænder havde fremkaldt, fik hende til at ranke ryggen. "Jeg er Jons mor. Jeg ved, hvad der er bedst for ham."

Bitty lo falsk. Hun havde altid forsøgt at opføre sig som en ven og ikke en bedstemor over for Jon. "Han taler ikke med dig, sådan som han taler med mig. Han har drømme. Han har ting, han gerne vil udrette i sit liv."

"Det havde jeg også," sagde Mercy. "Du sagde til mig, at hvis jeg tog herfra, kunne jeg aldrig komme tilbage."

"Du var gravid," sagde Bitty. "Femten år gammel. Er du overhovedet klar over, hvor flovt det var for Papa og mig?"

"Er du overhovedet klar over, hvor hårdt det var for mig?"

"Så skulle du have ladet være med at sprede benene," bed Bitty. "Du går altid lige et skridt for langt, Mercy. Dave sagde det samme om dig. Du går simpelthen for vidt."

"Har du snakket med Dave?"

"Ja, jeg har talt med Dave. Jeg havde Jon grædende på den ene skulder og Dave på den anden. Han er helt ødelagt over det her, Mercy. Han har brug for de penge. Han skylder folk."

"Det kommer penge ikke til at ændre på," sagde Mercy. "Han ender bare med at skylde en helt anden liga af folk penge."

"Det er anderledes den her gang." Bitty havde læst op fra samme tale i mere end et årti. "Dave vil gerne forandre sig. Pengene vil give ham mulighed for at klare sig bedre."

Mercy rystede på hovedet. Bitty kunne tilgive Dave alt. Han kunne sno hende om en hvilken som helst finger. Mercy, derimod, skulle aflevere en månedlig urinprøve i et helt år i streg, før hendes mor ville lade hende være alene med Jon.

"Dave vil købe et hus længere nede ad bjerget, hvor vi alle sammen kan bo sammen," sagde Bitty.

Mercy lo. Fandeme om ikke Dave havde været så skide snedig også at tilrane sig Bitty og Papas andel af salget. Hun gav det et år, før han også havde snablen nede i deres pensionsopsparinger.

"Han sagde, vi kan finde et stort sted i ét plan, så Papa ikke behøver at sove i spisestuen, med en pool, så Jon kan have venner på besøg. Drengen er ensom heroppe," sagde Bitty. "Dave kan skabe et godt liv for os og Jon. Og også for dig, hvis du ikke var så pokkers stædig."

Mercy lo. "Hvordan kan jeg være selv det mindste overrasket over, at du tager Daves parti? Jeg er åbenbart lige så naiv, som du er."

"Han er stadig mit lille barn, uanset hvor forskruet du har gjort alting i dit hoved. Jeg har aldrig forskelsbehandlet ham i forhold til dig og Christopher."

"Bortset fra at du har givet ham ubetinget kærlighed og hengivenhed."

"Så hold dog op med at have så ondt af dig selv." Bitty stampede igen med foden. "Papa ville fortælle dig det i aften, men uanset hvad der sker med investorerne, så er du fyret."

For anden gang den dag følte Mercy det, som havde hun fået en knytnæve i maven. "I kan ikke fyre mig."

"Du går imod familien," sagde Bitty. "Hvor vil du bo? Ikke under mit tag, unge dame."

"Mor."

"Her hjælper ingen *kære mor*," sagde Bitty. "Jon kan blive, men du skal ud herfra, inden ugen er omme."

"Du beholder ikke min søn."

"Hvordan har du tænkt dig at forsørge ham? Du ejer ikke en klink." Bitty løftede arrogant hagen. "Lad os se, hvor langt ned ad bjerget du kommer med din jobsøgning med en mordanklage hængende over hovedet."

Mercy gik helt hen i fjæset på hende og snerrede: "Lad os se, hvor hurtigt din magre røv kan komme bag tremmer."

Bitty røg lamslået bagover.

"Tror du virkelig ikke, jeg ved, hvad du har gået og lavet?" Der var noget uendeligt tilfredsstillende over at se frygten i sin mors øjne. Mercy ville have mere. "Test mig, gamle heks. Jeg kan ringe til politiet, hvert øjeblik det skal være."

"Hør så efter, pigebarn." Bitty stak en finger helt op i Mercys ansigt. "Hvis du fortsætter disse trusler, så er der en, der stikker en kniv i ryggen på dig."

"Det tror jeg lige, min mor har gjort."

"Når jeg kommer efter nogen, så ser jeg dem i øjnene." Hun nidstirrede Mercy. "Du har til på søndag."

Bitty drejede om på hælen og forsvandt ud gennem døren. Det faktum, at hun forsvandt uden en lyd, var langt værre end trampen og smækken med døren. Der ville ikke være nogen undskyldning eller tagen ord i sig igen. Hendes mor havde ment, hvad hun sagde.

Mercy var fyret. Hun havde en uge til at forlade huset.

Erkendelsen var som et slag i hovedet. Mercy sank ned i en stol. Hun var svimmel. Hænderne rystede. Hendes håndflade efterlod en svedig plet på bordet. Kunne de fyre hende? Papa var bestyrelsesformand, men nærmest alting skulle der stemmes om. Mercy kunne ikke regne med Dave. Fisk ville stikke hovedet i busken. Mercy havde ingen bankkonto, ingen penge ud over de to tiere i lommen, og de var fra kasseapparatet.

"Hård dag?"

Mercy behøvede ikke vende sig om for at vide, hvem der stillede spørgsmålet. Hendes tantes stemme havde ikke ændret sig de sidste tretten år. Det gav på sin egen grusomme måde mening, at det var dette øjeblik, Delilah valgte at træde frem fra skyggerne.

"Hvad vil du, din gamle, indtørrede ..."

"Møgfisse?" Delilah satte sig over for hende. "Jeg har muligvis dybden, men helt sikkert ikke varmen."

Mercy stirrede på sin tante. Tiden havde ikke forandret Papas storesøster det mindste. Hun lignede stadig præcis, hvad hun var: en gammel hippie, der selv lavede sæbe ude i garagen. Det lange, grå hår var samlet i en fletning, der nåede helt ned til røven. Hun bar en enkel bomuldskjole, der lige så godt kunne være lavet af en melsæk. Hænderne var hårdhudede og arrede af sæbefremstillingen. Der var en dyb fure i hendes ene biceps, der var helet som sammenpresset sækkelærred.

Ansigtet var stadig venligt. Det var det sværeste. Mercy kunne ikke forene den Delilah, hun var vokset op med at elske, med det monster, hun var endt med at hade. Det var sådan, hun havde det med stort set alle mennesker i sit liv lige nu.

Bortset fra Jon.

"Det er egentlig ret utroligt, når man tænker på alle de heroiske historier, der er gået i arv om det her gamle sted," sagde Delilah. "Som om hele området ikke var skueplads for et folkemord. Vidste du godt, at den oprindelige fiskelejr blev grundlagt af en soldat fra konføderationens hær, der deserterede efter slaget ved Chickamauga?"

Mercy kendte ikke til det med, at han var deserteret, men hun vidste godt, at stedet var blevet grundlagt efter borgerkrigen. Historien i familien havde været, at den første Cecil McAlpine var en samvittighedsfuld krigsmodstander, der flygtede op i bjergene sammen med en tjenestepige, der var stukket af fra sin plads.

"Glem den der romantiske tirade," sagde Delilah. "Hele historien om den forsvundne enke er det rene øregas. Det var en slavekvinde, kaptajn Cecil tog med sig herop. Idioten troede, de var forelskede. Hun så sådan på det, at det var bortførelse og voldtægt. Hun skar halsen over på ham midt om natten og stak af med arvesølvet. Han døde næsten. Men som du ved, er McAlpinerne ikke sådan at slå ihjel."

Den sidste del vidste Mercy alt om. "Og du regnede med, at du kunne chokere mig til at sælge ved at fortælle mig, at mine forfædre var forfærdelige mennesker? Jeg har mødt min far, det ved du godt, ikke?"

"Åh, det har jeg skam også." Delilah pegede på arret på bicepsen. "Det her stammer ikke fra en rideulykke. Din far svingede en økse mod mig, da jeg sagde til ham, at jeg ville bestyre hytten. Jeg ramte jorden så hårdt, at jeg brækkede kæben."

Mercy bed sig i læben for ikke at reagere. Hun kendte den del af historien alt for godt. Hun havde skjult sig i den gamle lade bag engen, da overfaldet fandt sted. Mercy havde aldrig fortalt nogen, hvad hun havde været vidne til. Ikke engang Dave.

"Cecil sendte mig på hospitalet i en uge. Jeg mistede en del af musklen i armen. De måtte lukke min kæbe med ståltråd. Hartshorne ulejligede sig ikke engang med at forsøge at få en vidneforklaring fra mig. Jeg kunne ikke tale i to måneder." Det var brutale ord, der kom fra Delilah, men smilet var blidt. "Kom bare med vittigheden, Mercy. Jeg ved, den ligger lige på tungen."

Mercy sank klumpen i halsen. "Hvad er pointen med det her? Siger du til mig, som du altid har gjort, at jeg skal gå min vej, inden det går værst ud over mig selv?"

Delilah anerkendte sandheden med endnu et smil. "Det er mange penge."

Mercy mærkede igen syren boble i maven. Hun var så allerhelvedes træt af at kæmpe. "Hvad vil du have, Dee?"

Delilah rørte ved sit ansigt. "Jeg kan se, at dit ar er helet bedre end mit."

Mercy så væk. Hendes eget ar var stadig et åbent sår. Det var mejslet ind i hendes sjæl ligesom det navn, der var mejslet ind i gravstenen på kirkegården.

Gabriella.

"Hvorfor tror du, din far udelukkede mig fra familiemødet?" spurgte Delilah.

Mercy var alt for udmattet til gåder. "Det ved jeg ikke."

"Mercy, overvej lige spørgsmålet. Du har altid været den kvikkeste heroppe. I hvert fald efter jeg rejste."

Det var hendes melodiøse tonefald, der virkelig ramte Mercy – så formildende, så velkendt. De havde været tætte, før alting eksploderede. Da Mercy var barn, tilbragte hun somrene hos Delilah. Når Delilah var ude at rejse, sendte hun breve og postkort til Mercy. Hun var den første, hun fortalte om graviditeten. Hun var den eneste, der var hos hende, da Jon blev født. Mercy havde været lænket med håndjern til hospitalssengen, fordi hun var anholdt. Delilah havde hjulpet Jon op på Mercys nøgne bryst, så hun kunne amme ham.

Og så havde hun prøvet at tage ham fra hende.

"Du prøvede at stjæle min søn fra mig," sagde Mercy.

"Jeg vil ikke undskylde for det, der skete. Jeg gjorde, hvad jeg mente var bedst for Jon."

"At tage ham fra hans mor."

"Du røg ind og ud af fængsel, ind og ud af afvænning, og så skete der det der frygtelige med Gabbie. Det var lige før, de ikke kunne sy dit ansigt sammen igen. Du kunne lige så godt selv være død."

"Dave var ..."

"Uduelig," sluttede Delilah. "Mercy-skat, jeg har aldrig været din fjende."

Mercy fnøs. Hun havde ikke andet end fjender nu om dage.

"Jeg sneg mig ind i stuen, mens Cecil holdt familiemøde." Delilah behøvede ikke at sige, at væggene i huset var tynde. Hun havde hørt det hele, også Mercys trusler. "Det er et farligt spil, du spiller, min pige."

"Det er det eneste spil, jeg kender."

"Og du ville virkelig sende dem i fængsel? Ydmyge dem? Knuse dem?"

"Se på det, de prøver at gøre mod mig."

"Det må jeg give dig. De har aldrig gjort det nemt for dig. Bitty ville vælge Dave over begge sine egne børn."

"Skulle det være et forsøg på at opmuntre mig?"

"Jeg prøver at tale til dig som et voksent menneske."

Mercy blev overvældet af trangen til at gøre noget barnligt. Det var hendes stupide side, den, der bare ville sætte ild til den bro, hun selv var på vej over.

"Er du ikke træt?" spurgte Delilah. "Af at kæmpe mod alle de mennesker. Folk, der aldrig ville give dig, hvad du har brug for."

"Hvad har jeg da brug for?"

"Tryghed."

Mercys brystkasse snørede sig sammen. Hun havde taget imod rigeligt med slag i dag, men ordet ramte hende som en forhammer. Tryghed var den ene ting, hun aldrig havde følt. Der var altid frygten for, at Papa ville eksplodere. At Bitty ville gøre noget ondskabsfuldt. At Fisk ville svigte hende. At Dave ville ... shit, listen var for lang til, at det gav mening at læse den op, for Dave gjorde alt *bortset* fra at få hende til at føle sig tryg. Ikke engang Jon gav hende ro. Mercy var altid rædselsslagen for, at han ville vende sig imod hende, sådan som de andre havde gjort. At hun ville miste ham. At hun altid ville være alene.

Hun havde tilbragt hele sit liv med at vente på det næste slag.

"Skattepige." Uden varsel rakte Delilah hen over bordet og tog Mercys hånd. "Snak med mig."

Mercy så ned på deres hænder. Det var her, Delilah havde ældet. Solpletter. Ar fra lud og olier. Hård hud fra arbejdet med støbeforme af træ. Delilah var alt for skarp. For klog. Det var ikke kviksand, Mercy løb i nu. Det var vand, der var sat over for at koge.

Mercy lagde armene over kors og lænede sig tilbage i stolen. Delilah havde været tilbage i mindre end en dag, og hun havde allerede gjort Mercy sårbar. "Hvorfor ville Papa ikke have dig med til familiemødet?"

"Fordi jeg sagde til ham, at du har min stemme. Jeg støtter det, du vil, uanset hvad."

Mercy rystede igen på hovedet. Det var en fælde af en art. Der var aldrig nogen, der støttede hende, slet ikke Delilah. "Nu er det dig, der spiller spil."

"Der er ikke noget spil herfra, Mercy. Fondsreglerne gør, at jeg stadig får en kopi af regnskaberne. Så vidt jeg kan se, har du holdt stedet her kørende gennem meget vanskelige tider. Og på det personlige plan er det lykkedes dig at få dig selv på ret køl." Delilah trak på skuldrene. "I min alder ville jeg personligt foretrække at tage pengene og gå, men jeg har ikke tænkt mig at straffe dig for at ændre dit liv så radikalt. Du har min støtte. Jeg stemmer imod salget."

Ordet *støtte* borede sig ind i hende som en fakirseng. Delilah var her ikke for at støtte hende. Der var altid bagtanker med det, hun gjorde. Mercy var for træt til at få øje på dem nu, eller også var hun bare så aller-helvedes udmattet på grund af sin løgnagtige, hadefulde familie.

Hun sagde det første, der faldt hende ind. "Jeg har sgu ikke brug for din støtte."

"Virkelig?" Delilah så ud til at more sig, hvilket gjorde Mercy endnu mere rasende.

"Ja, *virkelig*." Mercy snerrede det sidste ord ud. Det trak i hendes hånd efter at slå det selvfede smil af Delilahs ansigt. "Du kan stikke din støtte skråt op."

"Jeg kan se, du ikke har mistet det berygtede Mercy-temperament." Delilah så stadig ud til at more sig. "Er det nu klogt?"

"Nu skal jeg fortælle dig, hvad der er klogt. At du holder dig langt væk fra mine sager."

"Jeg prøver at hjælpe dig, Mercy. Hvorfor opfører du dig så sådan?"

"Det kan du jo tænke lidt over, Dee. Du er jo den kvikkeste heroppe."

Det føltes helt fantastisk at skride gennem spisesalen, som det mest givtige *fuck dig* nogensinde. Varm luft omfavnede Mercy, da hun skub-bede dobbeltdørene op. Hun så på forsamlingen. Udsigtsverandaen var pakket med folk. Chuck stod sammen med Fisk, der undveg hendes blik, da hun prøvede at få øjenkontakt. Papa sad i midten af en gruppe, mens han fodrede dem med en eller anden plattenslagerhistorie om, at syv generationer af McAlpines havde elsket hinanden og jorden. Jon var stadig ikke at se nogen steder. Han sad sikkert på sit værelse og spiste restemad. Eller tænkte på alle de tomme løfter, Dave havde skudt ud af røven om et kæmpe hus i byen med swimmingpool og en stor, lykkelig familie, der ikke indbefattede hans egen forpulede mor.

Med et blev hun utilpas. Hun greb fat i rækværket. Realiteterne ramte hende som en hammer mod hovedet. Hvad fanden var der galt med hende, siden hun var stormet ud af spisesalen på den måde? Delilahs stemme betød, at hun kun skulle trække en stemme mere over til sig. Og her stod Mercy og hoverede over et enkelt øjebliks nydelse. Det var den samme dårlige beslutningstagning, der fik hende til at gå tilbage til Dave igen og igen. Hvor mange gange skulle hun blive ved med at kaste sig selv ind i en mur, før det gik op for hende, at hun for fanden bare kunne lade være med at skade sig selv?

Hun rørte ved den ømme hals. Sank det spyt, der fyldte hendes mund. Ignorerede sveden, der trillede ned ad ryggen. Det berygtede Mercy-temperament. Det var nok rettere det berygtede Mercy-vanvid. Hun tvang sine hænder til at ophøre med at ryste. Hun var nødt til at fordrive samtalen fra sine tanker. Fordrive Delilah. Fordrive Dave. Sin familie. Ingen af dem betød noget lige nu. Nu skulle hun bare helskindet igennem middagen.

Mercy var stadig bestyrer. I hvert fald indtil på søndag. Hun tjekkede gæsterne. Monica sad lidt for sig selv med et glas i hånden. Frank stod tæt op ad Sara, der høfligt smilede ad Papas krønike om en fjern McAl-pine, der havde kæmpet mod en bjørn. Keisha viste Drew en kalkplet på sit glas. Skide catere. De skulle selv prøve at slås med hårdt vand og ste-nede byboere, der kom dryssende en halv time for sent.

Hun spejdede efter de andre gæster. Maven trak sig sammen, da hun så Landry og Gordon komme gående ad stien. De var de sidst ankomne. De havde hovederne bøjet og talte lavmælt sammen. Investorerne så ud over kløften og talte sikkert om, hvor mange timeshareenheder de kunne sælge. Mercy håbede, en eller anden ville vippe dem ud over ræk-værket. Hun spejdede igen, denne gang efter Will Trent. Hun havde ikke bemærket ham i første omgang. Han sad ovre i hjørnet, på knæ, og kælede med en af kattene. Han så stadig ud til at være forelsket op over begge ører, hvilket betød, at Dave var det sidste, han tænkte på.

Hvis bare Mercy var så heldig.

"Hej der, Mercy Mac." Chuck lagde hånden på hendes arm. "Hvis jeg lige må …"

"Lad være med at røre ved mig!" Det var først, da alle kiggede på hende, det gik op for hende, at hun havde råbt det. Hun rystede på hovedet ad Chuck og tvang en latter frem. "Undskyld, undskyld. Du forskrækkede mig bare, tossede mig."

Chuck så forvirret ud, da Mercy strøg ham over armen. Hun rørte aldrig ved ham. Undgik det for enhver pris.

"Sikke nogle muskler, du har dig der, Chuck. Er der nogen, der vil have mere at drikke?" spurgte hun ud til folk.

Monica rakte en finger i vejret. Frank skubbede hånden ned igen.

"Nå, men det var bjørnen, vi kom fra," sagde Papa. "Ifølge legenden endte han med at have en cigarforretning i North Carolina."

Lidt høflig latter brød den akavede stemning. Mercy benyttede lejligheden til at gå hen til baren, der var under fem meter væk, men det føltes som fem kilometer. Hun drejede lidt på flaskerne, så de falmede mærkater vendte samme vej, mens hun mærkede længslen efter en tår af en eller alle af flaskerne brænde bagest i halsen.

"Er du okay, skat?" hviskede Penny.

"Gu er jeg røv," hviskede hun tilbage. "Hold lidt igen med at skænke for damen der. Hun ender med at kollapse hen over bordet."

"Hvis jeg hælder mere vand i hendes glas, kommer det til at ligne en urinprøve."

Mercy så hen på Monica. Blikket var helt tomt. "Det lægger hun ikke mærke til."

"Mercy," kaldte Papa. "Kom og hils på det her rare par fra Atlanta."

Hans joviale tonefald gav hende myrekryb. Dette var den Papa, alle forgudede. Som barn havde hun elsket at se ham sådan. Sidenhen var hun begyndt at undre sig over, hvorfor han ikke kunne være den samme, muntre, charmerende mand over for sin familie.

Cirklen lukkede sig op, mens hun gik hen mod ham. Investorerne stod på hver side af hans stol. Bitty stod bag ham. Lydløst berørte hun sin ene mundvig for at lirke et smil ud af Mercy.

Og Mercy adlød, hun plastrede et falsk smil på ansigtet. "Goddaw dær! Wælkomn' her å a bjerg. Jeg håver da, al ær, som det ska' wær."

Papas næsebor flagrede af hendes parodi på en sydstatsbondeknold. Men han fortsatte præsentationerne. "Sydney Flynn og Max Brouwer, hils på Mercy. Hun har bestyret stedet her midlertidigt, indtil vi finder en mere kvalificeret."

Mercy mærkede smilet falme. Han havde ikke engang sagt, hun var hans datter. "Det er rigtigt. Min far tog noget af en kolbøttetur ned ad bjerget. Det kan være ganske farligt deroppe."

"Nogle gange vinder naturen," sagde Sydney.

Mercy burde have gættet, at en hesteelsker naturligvis gik rundt med et dødsønske. "Jeg gætter ud fra dine støvler, at du har din gang i en stald."

Sydney lyste op. "Rider du også?"

"Åh gud, nej, ikke mig. Min bedstefar sagde altid, at heste enten var morderiske eller suicidale." Da gik det op for Mercy, at hver og en af gæsterne havde booket en eftermiddag på hesteryg. "Medmindre de virkelig er godt tilredet. Vi bruger kun terapiheste. De er vant til at arbejde med børn. Hvad med dig, Max, rider du?"

"Du godeste nej. Jeg er advokat. Jeg rider ikke på heste." Han så op fra sin telefon. Der var åbenbart undtagelser fra Papas 'nul wi-fi'-regel. "Jeg betaler bare for dem."

Sydney slog den perlelatter op, der kendetegner en holdt kvinde. "Mercy, du er nødt til at vise mig rundt på ejendommen Jeg vil virkelig gerne se mere af den jord, der ligger inden for beskyttelsesgrænsen. Vi har nogle luftfotos, men jeg vil gerne se det selv. Få fingrene i mulden. Du ved, hvordan det er. Jorden skal tale til dig."

Mercy holdt mund og nikkede. "Jeg tror, min bror har booket jer til fluefiskeri i morgen tidlig."

"Fiskeri," sagde Max. "Det er mere min stil. Man kan ikke falde ned fra en båd og brække nakken."

"Det kan man faktisk godt." Fisk var dukket op ud af det blå. "Da jeg gik på college ..."

"Okay," sagde Papa. "Kom, folkens, lad os gå ind til middagen. Det dufter, som om kokken endnu en gang har lagt sig i selen."

Mercy tvang sin kæbe til at slippe, så hun ikke knækkede sine tænder. Papa havde ikke bestilt andet end at brokke sig over Alejandros madlavning, fra samme øjeblik manden havde sat sin fod i køkkenet.

Hun holdt sig i baggrunden, mens gæsterne fulgte efter Papa ind i spisesalen. Hun fik et medfølende smil fra Will, da han også sluttede bagtrop. Han vidste vel om nogen, hvordan det var at være prygelknabe. Gad vide, hvilket helvede Dave havde udsat ham for på børnehjemmet.

Hun var glad for at se, at der i det mindste fandtes et menneske, der havde rystet Daves åg af sine skuldre.

"Merce." Fisk lænede sig mod rækværket. Han så ned på glasset med sodavand, som han drejede i hænderne. "Hvad handlede det om?"

Chokket efter at have konfronteret Bitty og pisset Delilah af var aftaget. Nu var det panikken, der satte ind. "De har fyret mig. Jeg har til på søndag til at rejse herfra."

Fisk så ikke overrasket ud, hvilket betød, at det vidste han allerede, og efter hans tavshed og hele den historie, de havde delt gennem deres liv, at dømme, havde han ikke sagt en skid for at forsvare hende.

"Tusind tak, brormand," sagde Mercy.

"Måske er det bedst sådan. Er du ikke træt af det her sted?"

"Er du?"

Han trak på den ene skulder. "Max siger, de gerne vil beholde mig."

Mercy lukkede øjnene et øjeblik. Dagen i dag var bare det ene bedrag efter det andet. Da hun åbnede øjnene, var Fisk gået ned på knæ for at kæle med katten.

"Det er en god løsning for mig, Mercy." Fisk så op på hende, mens han kløede katten bag øret. "Du ved godt, jeg aldrig har haft forstand på forretninger. De lukker hytten. Gør det til et familiested. Udbygger området til heste. Jeg bliver ansvarlig for jorden. Jeg kommer endelig til at kunne bruge min uddannelse."

Mercy mærkede tristheden overvælde hende. Han talte om det, som var det allerede sket. "Så du har det helt fint med, at nogle rige folk beholder alt det her for sig selv? Gør vandløb og åer private? Ret beset ejer søen?"

Fisk trak på skuldrene og så hen på katten. "Det er alligevel kun rige folk, der bruger det nu."

Hun kunne kun komme i tanke om en måde at trænge igennem til ham på. "Jeg beder dig, Christopher. Jeg har brug for, at du er stærk for Jons skyld."

"Jon skal nok klare sig helt fint."

"Tror du virkelig?" spurgte hun. "Du ved, hvordan Dave bliver, når der er penge. Han er som en haj, der lugter blod i vandet. Han har allerede spundet nogle vanvittige luftkasteller om, at han køber et hus, som Papa og Bitty også kan bo i. Og Jon."

Fisk kløede lidt for hårdt på kattens mave og fik et dask som tak.

Han rejste sig, men han så hen over skulderen på Mercy, fordi han ikke kunne se hende i øjnene. "Måske bliver det ikke så slemt. Dave elsker Bitty. Han vil altid passe på hende. Jon har også altid haft et godt bånd til hende. Du ved, hun forguder ham. Papa kan ikke gøre nogen fortræd fra stolen af. Det kunne være en frisk start for dem at bo sammen. Dave har altid ønsket sig en familie. Det var jo grunden til, at han kom herop til at begynde med – for at høre til et sted."

Mercy spekulerede på, hvorfor hendes bror ikke mente, at hun også fortjente netop det. "Dave kan ikke gøre for det. Se bare, hvad han har gjort mod mig. Jeg kan ikke engang få en bankkonto. Han kommer til at svindle alle pengene fra dem og lade dem hænge til tørre."

"De er døde, før det sker."

Sandheden føltes langt mere koldblodig, når den kom fra hendes blide bror. "Hvad så med Jon?"

"Han er ung," sagde Fisk, som om det gjorde det nemmere. "Og jeg har brug for at tænke på mig selv til en forandring. Det ville være rart bare at lave sit arbejde hver dag og ikke have alt det her familiedrama eller forretningen, der tyngede. Desuden kan jeg begynde at give noget igen. Måske lave en velgørenhedsfond."

Hun kunne ikke holde ud at høre på hans højtflyvende vildfarelser længere. "Har du glemt, hvad jeg sagde på familiemødet? Jeg har ikke tænkt mig at lade nogen stjæle det her sted fra mig. Tror du ikke, jeg ville vidne om, hvad du og Chuck foretager jer? Jeg kan få FBI på nakken af dig så hurtigt, at du ikke engang fatter, hvad der er sket, før du sidder i en fængselscelle."

"Det gør du ikke." Fisk så hende lige i øjnene, hvilket var det mest isnende, der var sket hende i dag. Blikket flakkede ikke, munden var en fast streg. Hun havde aldrig før set sin bror se så sikker ud på noget. "Du sagde, at dit beskidte vasketøj allerede var luftet. At du ikke har noget at miste. Vi ved godt begge to, at der er noget, jeg kunne tage fra dig."

"Som hvad?"

"Resten af dit liv."

6

FEM TIMER FØR MORDET

Will hvilede armen mod ryglænet af hendes stol, og Sara lænede sig ind mod ham. Hun så op i hans flotte ansigt og prøvede at lade være med at smelte som en drengegal teenager. Hun kunne stadig lugte den parfumerede badesalt på hans hud. Han havde en skiferblå skjorte på, der stod åben i kraven. Den havde lange ærmer, og der var lidt varmt i lokalet. Hun så en sveddråbe ligge i thoraxåbningen, og det eneste, der gjorde, at hun ikke kun var supernørd lige nu, sådan at tænke på hulningen ved kravebenet ved dens anatomiske betegnelse, var hendes utæmmelige trang til at udforske den med tungen.

Han kærtegnede hendes arm med fingrene. Sara modstod trangen til at lukke øjnene. Hun var træt oven på den lange dag, og de skulle op ved daggry og lave yoga, så på vandring, så paddleboarde. Og det lød alt sammen sjovt, men det havde også været sjovt bare at blive en hel dag i sengen.

Hun lyttede til Drew, der fortalte Will, hvad de kunne forvente sig af vandreturen, madpakken og de panoramiske udsigter. Hun kunne mærke, at Will stadig var skuffet over lejrpladsen. Også selvom de ikke var helt sikre på, de faktisk havde fundet den. Der var ikke rigtig nogen medlemmer af McAlpine-familien, der havde udvist nogen specifik interesse for at be- eller afkræfte beliggenheden. Christopher havde simuleret uvidenhed. Cecil havde kastet sig ud i endnu en krønike. Selv Bitty, der efter sigende var familiens historiker, skyndte sig at skifte emne.

De ville give Hjortestien endnu et forsøg i morgen eftermiddag. Der havde ikke været ret meget tid til at udforske området i dag, fordi de havde spildt en hel time på at gøre præcis, hvad Sara hadede ved camping, som var at svede og trampe gennem krat for så at måtte tjekke hinanden for flåter. Langt om længe havde de fundet en tilvokset lysning med en stor cirkel af sten. Will havde joket med, at det var et heksesamlingssted, de havde fundet. Sara betragtede øldåserne og cigaretskodderne og tænkte, det nok nærmere var et mødested for teenagere.

Det allermest sandsynlige var, at det var en gammel bålplads, de havde fundet. Og det betød, at lejrpladsen måtte være lige i nærheden. Børnene på børnehjemmet havde talt om sovebarakker og en spisesal og at snige sig rundt om natten og kigge ind ad vinduerne til de voksne for at udspionere dem. Det var mange år siden, at Will havde hørt de historier, men der måtte alligevel være rester af bygningerne. Ting, der blev båret op på et bjerg, havde det med ikke at blive båret ned igen.

Sara vendte tilbage til samtalen i det øjeblik, hvor Will spurgte Drew: "Hvad har I to så lavet her i eftermiddag?"

"Åh, du ved. Lidt af hvert." Han gav Keisha en albue i siden, men hun gjorde et stort nummer ud af at være optaget af at kigge på kalkpletterne på sit vandglas. Drew rystede på hovedet og opfordrede hende til at lade det passere, hvorefter han spurgte Will: "Nyder I bryllupsrejsen?"

"Bestemt," sagde Will. "Hvilket år mødte I to hinanden?"

Sara bredte stofservietten ud i skødet og skjulte sit smil, da Drew ikke blot oplyste årstallet, men også den præcise dato og stedet. Will prøvede at blive bedre til smalltalk, men lige meget hvad han sagde, så endte han altid med at lyde som en betjent, der tjekkede et alibi.

"Jeg tog hende med til hjemmekampen mod Tuskegee," sagde Drew.

"Stadium ligger lige ved Joseph Lowery Boulevard, ikke?"

"Du kender campus?" Drew virkede imponeret af de åbne spørgsmål, der var designet til at bekræfte fakta. "De var lige gået i gang med at bygge RAYPAC."

"Koncertstedet?" spurgte Will. "Hvordan så det ud?"

Sara lod øjne og ører vandre mod Gordon, der sad til venstre for hende. Hun prøvede at få fat i samtalen, han førte med manden ved sin side. Desværre talte de for lavmælt. Af alle gæsterne var det de to, Sara fandt mest mystiske. Da de fik cocktails, præsenterede de sig som Gordon og Landry, men Sara havde hørt dem på stien tidligere, og hun var helt sikker på, at hun havde hørt Gordon kalde Landry for Paul. Hun vidste ikke, hvad de havde gang i, men hun så for sig, hvordan Will ville komme til bunds i sagen, når først han begyndte at afhøre dem om, hvorvidt de havde været i nærheden af hytte ti mellem klokken fire og halv fem om eftermiddagen.

Hun vendte igen opmærksomheden mod hans samtale med caterne. "Hvem var I ellers sammen med?" spurgte Will Keisha, et helt normalt spørgsmål om et pars første date.

Sara så ned mod Monica, der sad ved siden af Frank. Sara havde med vilje ikke talt, hvor mange drinks hun havde fået. I hvert fald ikke efter de første to. Kvinden var nærmest bedøvet. Frank var nødt til at støtte hende med sin arm. Han var en irriterende mand, men han så nu ud til at være bekymret for sin kone. Det kunne man ikke sige om de to sidstankomne. Sydney og Max sad nærmest hovedbordet. Manden havde hovedet begravet i sin mobiltelefon, hvilket var interessant, wi-fi-restriktionerne taget i betragtning. Kvinden blev ved med at slå med hestehalen som en hest, der klaskede fluer.

"Tolv i alt," fortalte hun en meget lidt interesseret Gordon. "Fire appaloosaer, en hollandsk varmblod og resten er trakehnere. De er de yngste, men ..."

Sara lukkede hende ude. Hun kunne godt lide heste, men ikke nok til at lade dem blive hele sin personlighed.

Will gav hendes skulder et klem for lige at tjekke ind med hende.

Hun lænede sig over og hviskede ham i øret: "Har du så fundet morderen?"

Han hviskede tilbage: "Det var Chuck i spisesalen med grissinien."

Sara lod blikket vandre over til Chuck, der fortærede en grissini. Foran ham på bordet stod en stor vandkande, for ingen stolede længere på deres nyrer. Christopher, fiskeguiden, var på hans venstre side. De så begge elendige ud. Chuck havde sikkert en glimrende grund. Mercy havde nærmest bidt hovedet af ham. Hun havde prøvet at dække over det, men det var tydeligt, han gjorde hende ubehageligt til mode. Selv Sara havde opfanget hans let skumle vibe, og hun havde ikke sagt andet end hej til manden.

Det var ikke den vibe, hun fik fra Christopher McAlpine, der tilsyneladende var lige så genert, som han var akavet. Han sad ved siden af sin mærkeligt kolde mor, hvis læber var sammensnerpede. Bitty så sin søn række ud efter et stykke brød mere og slog ham over fingrene, som var han et lille barn. Hans reaktion var at lægge hænderne i skødet og se ned i bordet. Det eneste familiemedlem, der tilsyneladende nød middagen, var manden for bordenden. Han havde sikkert tvunget de andre til at deltage. Det var tydeligt, at han elskede at være centrum for opmærksomheden. Gæsterne virkede fascinerede af hans historier, men Sara kunne ikke lade være med at tænke, at han virkede som den selvretfærdige blærerøv, der kunne finde på at aflyse skoleballet og forbyde alle former for dans.

Cecil McAlpine havde en tyk, grå manke og et flot, karakterfast ansigt. Næsten alle kaldte ham Papa. Sara gættede ud fra de nyere ar på ansigt og arme, at han havde været ude for en ret katastrofal ulykke inden for de seneste par år. Og i konteksten 'slemme ulykker' så han ud til at have været heldig. Phrenicusnerven, der styrer diafragma, udspringer fra nerverødderne ved c3-5. Skader i det område ville betyde, du skulle tilbringe resten af dit liv i respirator. Hvis man overlevede de andre skader.

Hun betragtede Cecil løfte ringfingeren på venstre hånd, hvormed han indikerede til sin kone, at han gerne ville have en tår vand. Han havde givet Will og Sara et stærkt håndtryk med højre hånd, da de var ankommet til cocktails, men det havde tydeligvis tappet ham for kræfter.

Cecil drak noget vand og vendte sig så mod Landry/Paul: "Den kilde, der føder søen, har sit udspring oppe i McAlpine-passet. Følg Den forsvundne enkes sti ned til enden af søen. Derfra er der omkring et kvarters gang til bækken. Den følger I så omkring tyve kilometer. Det er en god vandretur op ad bjergsiden. Man kan se toppen fra udsigtsbænken på vejen tilbage til søen."

"Keesh," hviskede Drew hæst. "Drop det nu bare."

Sara kunne se, at det stadig var det kalkplettede glas, de diskuterede. Hun vendte sig høfligt bort og opfangede en anden samtale i den modsatte ende af bordet. Cecils søster, en sprød granola-type med en hjemmefarvet batikkjole på, sagde til Frank: "Folk tror, jeg er lesbisk, fordi jeg går med Birkenstocks, men så plejer jeg at sige til dem, at jeg er lesbisk, fordi jeg elsker at have sex med kvinder."

"Det gør jeg også!" udbrød Frank og slog en skraldlatter op. Han løftede sit vandglas i en skål.

Sara smilede til Will. Der var ikke så meget, de kunne stille op. Tanten virkede som den eneste sjove ved bordet. Ud fra hendes ar på hænder og arme gættede Sara på, at hun arbejdede med kemikalier. Der var et meget større ar på hendes biceps, der lignede et øksehug. Hun arbejdede sikkert på en gård med store maskiner. Sara kunne tydeligt se hende for sig med en majspibe i mundvigen og et kobbel hyrdehunde. "Hey." Will havde igen sænket stemmen. "Hvad er Bitty egentlig for et navn?"

"Det er et kælenavn." Sara vidste, at Wills ordblindhed gjorde det svært for ham at forstå visse ordspil. "Sikkert et spil på lillebitte. Fordi hun ikke er ret stor."

Han nikkede. Hun fornemmede godt, at forklaringen fik ham til at tænke på Dave, hofleverandøren af tilnavne. De havde begge været lettede over, at den ubehagelige skiderik ikke var dukket op til cocktails. Sara havde ikke lyst til, at Dave kastede skygge over deres aften. Hun lagde sin hånd på Wills lår. Mærkede musklen spænde op. Hun håbede ikke, middagen trak i langdrag. Der var mere interessante ting at tage sig til end at spise.

"Så er der serveret!" Mercy kom ud fra køkkenet med et fad i hver hånd. To teenagedrenge fulgte efter hende med flere fade og sovsekander. "Aftenens forret er et udvalg af empanadas, kartoffelkroketter og kokkens berømte tostones, lavet efter den opskrift, hans mor i Puerto Rico har perfektioneret."

Der fulgte masser af 'næh' og 'ih' og 'ah', mens fadene blev sat midt på bordet. Sara forventede, at Will gik i panik, men manden, der mente, at honningsennep var en tand for eksotisk, virkede overraskende rolig.

"Har du fået puertoricansk mad før?"

"Nej, men jeg slog menuen op på hjemmesiden hjemmefra." Han pegede på de forskellige serveringer. "Kød i stegt brød. Kød i stegt kartoffel. Stegte grønne pisanger, der egentlig er en slags bananer, som teknisk set er en frugt, men det tæller ikke, fordi de er dobbeltstegte."

Sara lo, men inderst inde varmede det hende. Han havde virkelig også udvalgt stedet her til hende.

Mercy gik rundt om bordet og fyldte vandglassene. Hun lænede sig ind mellem Chuck og sin bror. Sara så, hvordan Mercys kæbemuskel pulserede, da Chuck mumlede et eller andet. Hun var personificeringen af en kvinde med myrekryb. Der måtte gemme sig en historie i det der.

Sara vendte sig bort. Hun var fast besluttet på ikke at lade sig opsluge af andre menneskers problemer.

"Mercy," sagde Keisha. "Ville du have noget imod at give os nogle andre glas?"

Drew så irriteret ud. "Det er okay, virkelig."

"Ikke noget problem." Mercys kæbemuskel arbejdede endnu mere, men det lykkedes hende at fremtvinge et smil. "Jeg er straks tilbage."

Der skvulpede vand ud på bordet, da hun tog de to glas og gik tilbage til køkkenet. Drew og Keisha udvekslede hårde blikke. Det var Saras gæt, at catere havde lige så svært ved at slukke for deres faglighed som retsmedicinere og efterforskere. Og døtre af en blikkenslager. Glassene var rene nok. Pletterne kom fra den kalk, der var i hårdt vand.

"Monica," sagde Frank lavmælt. Han øste stegt mad op på hendes tallerken i håb om at få noget i hendes mave. "Kan du huske de sorullitos, vi fik i San Juan oppe i den der tagbar med udsigt over havnen?"

Monica formåede at fokusere og se på Frank. "Vi fik is."

"Det gjorde vi." Han kyssede hendes hånd. "Og så prøvede vi at danse salsa."

Monicas ansigtsudtryk mildnedes, da hun så på sin mand. "Du prøvede. Jeg var håbløs."

"Du er aldrig håbløs."

Sara fik en klump i halsen, da de så hinanden dybt i øjnene. Der var noget hjertegribende mellem dem. Måske havde hun taget fejl af dem. Uanset hvad, føltes det påtrængende at kigge på dem. Hun så op på Will. Han havde også bemærket det. Han ventede også på, at hun begyndte at spise, så han kunne gøre det samme.

Sara tog sin gaffel. Hun spiddede en empanada. Maven knurrede, og det gik op for hende, at hun var hundesulten. Hun var nødt til at passe på, hun ikke spiste for meget, for hun ville ikke være kvinden, der gik i madkoma den første aften på sin bryllupsrejse.

"Mor!" Jon kom brasende ind gennem dørene. "Hvor er du?"

Alle vendte sig og så på ham. Jon nærmest vaklede gennem spisesalen. Ansigtet var opsvulmet og svedende. Sara gættede på, at han næsten havde fået lige så meget at drikke her til aften som Monica.

"Mor!" brølede han. "Mor!"

"Jon?" Mercy kom styrtende ud fra køkkenet. Hun havde et glas vand i hver hånd. Hun så godt sin søns tilstand, men bevarede roen. "Lille skat, kom med ud i køkkenet."

"Nej!" råbte han. "Du skal fandeme ikke behandle mig som et lille barn. Fortæl mig hvorfor! Nu!"

Han snøvlede så meget, at Sara næsten ikke kunne forstå ham. Hun så Will trække stolen væk fra bordet, hvis nu Jon mistede balancen. "Jon." Mercy rystede advarende på hovedet. "Den tager vi senere."

"Gu fanden gør vi ej!" Han gik frem mod sin mor og pegede fingeren i vejret. "Du vil bare ødelægge alting. Far har planlagt det, så vi kan være sammen alle sammen. Uden dig. Jeg vil ikke være hos dig længere. Jeg vil bo sammen med Bitty i et hus med swimmingpool."

Sara blev chokeret, da Bitty udstødte en triumferende lyd.

Mercy havde også hørt det. Hun skævede kort hen til sin mor, så sagde hun til sin søn: "Jon, jeg ..."

"Hvorfor skal du ødelægge alting?" Han greb fat om hendes arme og ruskede hende så voldsomt, at et af glassene gled ud af hånden på hende og splintredes mod stengulvet. "Hvorfor skal du altid være sådan en møgkælling?"

"Hey." Will havde rejst sig, da Jon tog fat i sin mor. Han gik hen mod drengen og sagde: "Lad os lige gå udenfor."

Jon snurrede rundt og skreg: "Skrid med dig, Skraldebøtte!"

Will så lamslået ud. Sara havde det på samme måde. Hvorfor kendte drengen det forfærdelige navn? Og hvorfor skreg han det ud nu?

"Jeg sagde skrid med dig!" Jon prøvede at skubbe ham væk, men Will rørte sig ikke ud af stedet. Jon prøvede igen. "Fuck, altså!"

"Jon." Mercys hånd rystede så voldsomt, at vandet skvulpede over i det sidste glas. "Jeg elsker dig, og jeg ..."

"Jeg hader dig," sagde Jon, og det faktum, at han ikke råbte ordene, gjorde udbruddet langt værre end de tidligere. "Jeg ville fandeme ønske, du var død."

Han forlod rummet og knaldede døren i efter sig. Det rungede, så væggene dirrede. Ingen sagde noget. Ingen rørte på sig. Mercy stod som stivnet.

"Se, hvad du er skyld i, Mercy," sagde Cecil så.

Mercy bed sig i læben. Hun så så slagen ud, at Sara fik varme kinder af ren medfølelse.

Bitty tsk'ede. "Mercy, så få dog for guds skyld ryddet det glas op, inden du skader endnu flere."

Will knælede, før Mercy gjorde. Han tog lommetørklædet op af sin baglomme og brugte det til at samle glasskårene i. Mercy kom rystende på knæ ved siden af ham. Arret i hendes ansigt glødede af ydmygelse. Der var så stille i spisestuen, at Sara kunne høre glasskårene klirre i lommetørklædet.

"Det beklager jeg virkelig," sagde Mercy til Will.

"Det skal du ikke. Jeg smadrer selv konstant ting," sagde han.

Mercys latter blev afbrudt af en synkebevægelse.

"Man må da sige," sagde Chuck med morskab i stemmen, "at æblet ikke falder langt fra stammen."

Christopher sagde ikke noget. Han rakte ud efter en grissini. Han tog en knasende bid. Sara kunne slette ikke forestille sig, hvor rasende hun ville blive, hvis nogen havde sagt noget bare halvt så slemt om hendes lillesøster, men manden tyggede bare videre som et udueligt fjog.

Faktisk stirrede de alle sammen på Mercy, som om hun stod i et telt i et misfostercirkus.

"Vi må hellere spise noget af den lækre mad, inden den bliver kold," foreslog Sara til gæsterne.

"Det er en god idé," sagde Frank, der formentlig var vant til at ignorere fuldemandsudbrud. Han tilføjede: "Jeg mindede faktisk lige Monica om en tur, vi var på i Puerto Rico for et par år siden. Der danser man en form for *salsa*, der er anderledes end den brasilianske *samba*."

Sara spillede med. "Hvordan det?"

"Pis!" hvæsede Mercy. Hun havde skåret blommen på tommelfingeren op på et glasskår. Der dryppede blod ned på gulvet. Selv på afstand kunne Sara vurdere, at såret var dybt.

Sara rejste sig automatisk for at hjælpe og spurgte: "Er der en førstehjælpskasse i køkkenet?"

"Det er fint, jeg ..." Mercys usårede hånd fløj op for munden. Hun skulle kaste op.

"For himlens skyld, altså," brummede Cecil.

Sara bandt sin stofserviet stramt om Mercys tommelfinger for at stoppe blødningen. Hun lod Will tage sig af resten af glasskårene og førte Mercy med ud i køkkenet.

En af de unge tjenere så op, men vendte hurtigt tilbage til at anrette mad. Den anden var meget optaget af at fylde opvaskemaskinen. Kokken var tilsyneladende den eneste, der ikke var ligeglad med Mercy. Han så op fra komfuret og fulgte hende med blikket gennem rummet. Han rynkede bekymret panden, men forholdt sig tavs.

"Jeg er okay," sagde Mercy til ham. Hun nikkede til Sara. "Denne vej." Sara fulgte hende hen mod et toilet, der også fungerede som gennemgangsrum til et trangt kontor. Der stod en elektrisk skrivemaskine på metalskrivebordet. Der var papirstakke overalt på gulvet. Der var ikke nogen telefon. Den eneste antydning af noget moderne var en lukket bærbar, der stod oven på en stabel regnskabsbøger.

"Jeg beklager rodet." Mercy rakte ned under en række knager, hvorpå der hang vinterjakker. "Jeg ønsker ikke at ødelægge din aften. Du kan bare give mig førstehjælpskassen og gå tilbage til middagen."

Sara havde ingen som helst intention om at efterlade denne stakkels kvinde blødende i badeværelset. Hun var ved at finde førstehjælpskassen frem, da hun hørte Mercy knække sig. Toiletlåget røg op. Mercy lå på knæ, da galden væltede ud. Hun krængede et par gange mere, inden hun satte sig tilbage på hug.

"Fuck." Mercy tørrede munden med bagsiden af den raske hånd. "Det beklager jeg."

"Må jeg godt se på din tommelfinger?" spurgte Sara.

"Jeg har det fint. Vil du ikke nok bare gå ind og nyde din aften. Jeg kan godt håndtere det her."

Som for at bevise det greb hun førstehjælpskassen og satte sig på toilettet. Sara betragtede Mercy, mens hun prøvede at åbne førstehjælpskassen med en hånd. Det var tydeligt, at hun var vant til at skulle gøre alting selv. Det var også tydeligt, at lige præcis denne situation kunne hun ikke håndtere selv.

"Må jeg?" Sara ventede på Mercys modvillige nik, inden hun tog kassen og klikkede den op på gulvet. Hun fandt det sædvanlige udvalg af forbindinger og diverse væsker, tre sykits og to 'stop blødningen'-kits, en årepresse, sårgaze, blodstandsende forbindinger. Der var også en hætteflaske med lidocain, hvilket teknisk set ikke var lovligt i en køkkenførstehjælpskasse, men hun gik ud fra, man var vant til at klare lidt af hvert selv, når man befandt sig så langt væk fra civilisationen.

"Må jeg se din tommelfinger?" sagde hun til Mercy.

Mercy sad ubevægelig. Hun så ned på førstehjælpsforsyningerne, som var hun fortabt i minder. "Det plejede at være min far, der syede folk, når det var nødvendigt."

Sara kunne høre tristheden i hendes stemme. Cecil McAlpines dage med fingerfærdighed nok til at lappe folk sammen var forbi. Alligevel var det svært at føle medlidenhed med manden. Sara kunne ikke engang forestille sig sin egen far tale sådan til hende. Og da slet ikke foran fremmede. Og hendes mor ville have flået hjertet ud af brystet på enhver, der vovede at sige et ondt ord om en af hendes døtre.

"Jeg er ked af det," sagde hun til Mercy.

"Det har du ingen grund til," sagde Mercy kort for hovedet. "Vil du have noget imod at åbne den rulle forbinding for mig? Jeg ved ikke helt, hvordan den fungerer, men den kan da stoppe blødningen."

"Den er imprægneret med noget blodstandsende, der absorberer vandindholdet i blodet og fremmer koaguleringen."

"Jeg glemte, du var kemilærer."

"Faktisk ..." Sara mærkede kinderne blive varme igen. Hun hadede at udstille sig selv som løgner, men hun havde ikke tænkt sig at overlade det til Mercy at fumle med forbindingen. "Så er jeg læge. Will og jeg blev enige om at holde lav profil med vores professioner."

Mercy så ikke ud til, at uærligheden påvirkede hende. "Hvad er han så? Basketballspiller? I angrebet?"

"Nej, han er efterforsker hos Georgia Bureau of Investigation."

Sara vaskede sine hænder ved vasken, mens Mercy lige fordøjede nyheden. "Jeg beklager, at vi løj. Vi ville ikke ..."

"Det skal du ikke tænke på," sagde Mercy. "Og jeg kan ikke ligefrem lade nogen noget høre, i betragtning af hvad der lige er foregået."

Sara justerede vandets temperatur. I det skarpe lys fra lysstofrøret i loftet kunne hun se tre røde mærker på venstre side af Mercys hals. De var nye, sikkert højst et par timer gamle. Mærkerne ville blive mere fremtrædende om et par dage.

"Vi skyller lige såret, hvis nu der skulle være glassplinter i det."

Mercy stak hånden ind under vandhanen. Hun ikke så meget som krympede sig, selvom smerten måtte have været betydelig. Hun var tydeligvis vant til at blive gjort fortræd.

Sara benyttede lejligheden til at se nærmere på mærkerne på Mercys hals. Der var mærker på begge sider. Sara forestillede sig, at mærkerne ville passe med hendes fingre, hvis hun lagde dem om kvindens hals. Det havde hun gjort mange gange med patienter, der lå på hendes obduktionsbord. Strangulering var noget, hun så tit ved drab, der var foregået i hjemmet.

"Hør," sagde Mercy. "Inden du fortsætter med at hjælpe mig, så bør du vide, at Dave er min eksmand. Han er Jons far. Og han er åbenlyst den båtnakke, der har fortalt Jon, at din mand blev kaldt Skraldebøtte for en million år siden. Det er den slags, Dave konstant excellerer i."

Sara tog oplysningen i stiv arm. "Er det Dave, der har stranguleret dig?"

Mercy lukkede for vandet uden at svare.

"Det kan forklare kvalmen. Besvimede du?"

Mercy rystede på hovedet.

"Har du vejrtrækningsbesvær?" Mercy rystede på hovedet. "Forandringer i synet? Svimmelhed? Svært ved at huske?"

"Der er en del ting, jeg ville ønske, jeg ikke kunne huske."

"Må jeg have lov til at undersøge din hals?" spurgte Sara.

Mercy satte sig på toilettet. Hun lænede hovedet bagover som samtykke. Brusken flugtede, som den skulle. Tungebenet var intakt. De røde mærker var fremtrædende og hævede. Trykket på halspulsåren kombineret med sammenpresningen af luftrøret kunne let have ført til hendes død. Det eneste, der var farligere, var et kvælertag.

Sara gættede på, at Mercy var klar over, hvor tæt hun havde været på at dø, og hun vidste også, at løftede pegefingre til et offer for hustruvold aldrig havde stoppet fremtidige overgreb. Sara kunne ikke gøre andet end at lade kvinden vide, at hun ikke var alene.

"Det ser okay ud," sagde hun. "Du får nogle grimme mærker. Jeg vil gerne bede dig komme til mig, hvis du på noget tidspunkt føler, der er noget galt. Uanset hvornår på døgnet, okay? Jeg er ligeglad med, hvad jeg laver. Det her kan blive alvorligt."

Mercy så skeptisk ud. "Har din mand fortalt dig sandheden om Dave?"

"Det har han."

"Det var Dave, der gav ham det øgenavn."

"Det ved jeg godt."

"Der er sikkert en masse andet lort, som ..."

"Jeg er helt ærligt ligeglad," sagde Sara. "Du er ikke din eksmand."

"Nej," sagde Mercy og så ned i gulvet. "Men jeg er den idiot, der bliver ved med at tage ham tilbage."

Sara gav hende et øjeblik til at få samlet tankerne. Hun åbnede sykittet. Tog gazen frem, lidocainen, en lille sprøjte. Da hun skævede op på Mercy, kunne hun se, at kvinden var klar.

"Hold hånden ind over vasken," sagde Sara.

Mercy krympede sig heller ikke, da Sara kom jod i såret. Det var en dyb flænge. Mercy havde håndteret fødevarer. Glasskårene havde ligget på gulvet. Der var stor risiko for infektion. Normalt ville Sara have givet Mercy en recept på antibiotika for en sikkerheds skyld, men hun måtte nøjes med at advare. "Hvis du føler dig febril eller får røde pletter eller oplever uforklarlige smerter ..."

"Det ved jeg godt," sagde Mercy. "Der er en læge i byen, jeg kan følge op med."

Sara kunne høre på hendes tonefald, at det havde hun ikke tænkt sig at gøre. Igen afstod hun fra at løfte pegefingre. Hvis der var noget, hun havde lært af at arbejde på akutafdelingen på Atlantas eneste offentlige hospital, så var det, at du kunne behandle skaden, men ikke nødvendigvis sygdommen.

"Lad os få det overstået," sagde Mercy.

Hun samarbejdede, da Sara lagde papirhåndklæder på Mercys skød. Oven på dem lagde hun et sterilt klæde fra førstehjælpskassen. Sara vaskede hænder igen. Og brugte håndsprit.

"Han virker rar," sagde Mercy. "Din mand."

Sara rystede hænderne tørre. "Det er han også."

"Er du ..." Mercy tav, mens hun samlede tankerne. "Gør han dig tryg?"

"Fuldstændig." Sara så Mercy i øjnene. Kvinden virkede ikke som typen, der normalt viste følelser, men nu var der en dyb tristhed i hendes udtryk.

"Godt for dig." Mercys tonefald var vemodigt. "Jeg tror aldrig, jeg har følt mig tryg i noget menneskes nærvær nogensinde."

Det vidste Sara ikke, hvad hun skulle sige til, men Mercy ventede ikke på svar.

"Har du giftet dig med din far?"

Sara var lige ved at grine ad spørgsmålet. Det lød som noget neofreudiansk pladder, men det var ikke første gang, hun havde hørt frasen. "Jeg kan huske, hvor sur jeg blev, dengang jeg gik på college, og min tante sagde, at piger altid gifter sig med deres far."

"Havde hun ret?"

Det tænkte Sara over, mens hun trak nitrilhandskerne på. Både hendes far og Will var høje, men hendes far var ikke længere slank. De var begge sparsommelige, hvis det var et udtryk for sparsommelighed at bruge adskillige minutter på at skrabe hver eneste rest af peanutbutter ud af glasset. Will gjorde det ikke så meget i onkelvittigheder, men han havde samme selvironiske humor som hendes far. Han gik hellere selv i gang med at reparere en ødelagt stol eller et hul i væggen frem for at tilkalde en håndværker. Han foretrak også at stå, selvom alle andre sad ned.

"Ja," indrømmede Sara. "Jeg har giftet mig med min far."

"Det har jeg også."

Sara gik ud fra, det ikke var Cecil McAlpines gode sider, hun tænkte på, men det kunne hun umuligt følge op på. Mercy blev tavs, forsvandt ind i sine egne tanker, mens hun stirrede ned på den skadede tommelfinger. Sara trak lidocain op i sprøjten. Hvis Mercy bemærkede smerten fra injektionen, var det ikke noget, hun lod sig mærke med. Men hvis ens hverdag bestod af blå mærker og strangulering, så var et nålestik i tommelfingeren ikke noget at snakke om, tænkte Sara.

Men alligevel skyndte Sara sig at sy såret sammen. Hun syede fire tætsiddende sting. Mercy havde allerede et ar i ansigtet, der formentlig gav hende dårlige minder. Sara ønskede ikke, hun skulle se ned på tommelfingeren og få lignende minder.

Sara reciterede de vanlige forholdsregler, mens hun forbandt fingeren. "Hold det tørt i en uge. Tag paracetamol, hvis du har smerter. Jeg vil gerne lige se på det igen, inden vi tager herfra."

"Der tror jeg ikke, jeg er her. Min mor har lige fyret mig." Mercy udstødte en pludselig, overrasket latter. "Tænk, jeg har brugt så mange år på at hade det her sted, men nu elsker jeg det virkelig. Jeg kan ikke forestille mig at bo noget andet sted. Det er lejret i min sjæl."

Sara var nødt til at minde sig selv om ikke at blande sig i deres private forhold. "Jeg ved godt, det ser slemt ud nu, men man plejer at se lysere på tingene, når man har sovet på det."

"Jeg tvivler nu på, at jeg overlever natten." Mercy smilede, men der var intet morsomt i det, hun sagde. "Der er nærmest ingen på det her bjerg, der ikke ønsker at slå mig ihjel."

7

EN TIME FØR MORDET

Sara vendte sig i sengen og erfarede, at Wills side var tom. Hun kiggede efter uret, men der var ikke andet på natbordet end hans telefon. De havde begge været for foruroligede af det, der var sket under middagen, til at foretage sig andet af underholdende karakter end at falde i søvn til en podcast om Bigfoot i bjergene i North Carolina.

"Will?" Hun lyttede, men der var intet at høre. Hytten var så stille, at hun vidste, han ikke var her.

Sara fandt den lyse bomuldskjole, hun havde haft på til middagen, på gulvet. Hun gik ind i forstuen. Hun stødte knæet mod kanten af sofaen. Hun bandede i mørket. Hun gik hen til det åbne vindue og tjekkede verandaen. Den blidt svajende hængekøje var tom. Temperaturen var faldet. Der var uvejr i luften. Hun strakte hals for at se ned ad stien mod søen. I det blege månelys fik hun øje på Will, der sad på en bænk med udsigt til bjergkæden. Han lænede sig tilbage på strakte arme. Han stirrede ud i det fjerne.

Hun stak i skoene, før hun forsigtigt navigerede ned ad stentrappen. Sandaler var nok en rigtig dårlig idé her midt om natten. Hun kunne træde på noget giftigt eller forstuve sin ankel. Alligevel gik hun ikke tilbage efter vandrestøvlerne. Hun følte sig draget af Will. Han havde været stille efter middagen, reflekterende. De var begge noget chokerede over optrinnet mellem Mercy og hendes familie. Sara blev endnu en gang mindet om, hvor heldig hun var at have en kærlig familie med tætte relationer. Hun var vokset op i den tro, at det var helt normalt, men livet havde sidenhen lært hende, at hun havde trukket det lange strå.

Will så op, da han hørte Sara på stien.

"Vil du gerne være alene?" spurgte hun.

"Nej."

Han lagde armen om hende, da hun satte sig. Sara lænede sig ind mod ham. Hans krop føltes solid og betryggende. Hun tænkte på Mercys spørgsmål: *Gør han dig tryg?* Bortset fra sin far havde Sara aldrig følt sig så sikker på en mand i sit liv. Det generede hende, at Mercy aldrig havde haft det sådan. I Saras øjne faldt det i kategorien af fundamentale menneskelige behov.

"Det bliver vist regnvejr," sagde Will.

"Hvad skal vi dog så stille op med al den tid inde i en hytte?"

Will lo og kildede hende på armen. Men smilet blegnede hurtigt, da han så ud i natten. "Jeg har tænkt en hel del på min mor."

Sara satte sig op, så hun kunne se på ham. Will så væk, men hun kunne se på de sammenbidte kæber, at det var svært for ham.

"Fortæl mig om det," sagde hun.

Han tog en dyb indånding, som skulle han have hovedet under vand.

"Da jeg var lille, tænkte jeg tit over, hvordan mit liv ville være, hvis hun levede."

Hun lagde en hånd på hans skulder.

"Jeg havde den her forestilling om, at vi ville være lykkelige. At livet ville være nemmere. At skolen ville være nemmere. Venner. Kærester. Alt." Hans kæbemuskler spillede igen. "Men nu, hvor jeg ser tilbage ... hun kæmpede med afhængighed. Hun havde sine egne dæmoner. Hun kunne have taget en overdosis eller være røget i fængsel. Hun ville være enlig mor med en voldelig ekskæreste. Så måske var jeg alligevel endt i statens varetægt. Men så havde jeg i det mindste kendt hende."

Det gjorde Sara uendeligt trist, at han ikke havde haft muligheden.

"Det var rart, at Amanda og Faith var med til brylluppet," sagde han med reference til sin chef og makker, som var det nærmeste, han kom på at have familie. "Men jeg kan alligevel ikke lade være med at spekulere."

Sara kunne kun nikke. Hun havde ingen som helst referenceramme for det, han gennemgik. Hun kunne blot lytte og lade ham vide, at hun var der.

"Hun elsker ham," sagde Will. "Mercy og Jon. Det er helt tydeligt, at hun elsker ham."

"Det er det."

"Fanden tage Sjakalen."

"Du fandt aldrig ud af, hvad der skete med ham, da han var stukket af fra børnehjemmet?"

"Næ." Will rystede på hovedet. "Men han har tydeligvis fundet vej herop, formået at overleve, blive gift og få et barn. Og det er det, jeg ikke fatter, forstår du? Det liv, at være far, få en kone og et barn, det var det liv, han længtes sådan efter. Selv da vi var børn, talte han tit og ofte om, hvordan det ville løse alle hans problemer, hvis han var en del af en familie. Og her er han, med alt, han har fået, alt det, han har ønsket sig, og så har han fucket det hele op. Han behandler Mercy helt urimeligt, men Jon har tydeligvis brug for ham. Dave er stadig hans far."

Sara havde aldrig mødt manden, men hun havde ikke høje tanker om Dave. Hun vidste heller ikke, om han stadig var heroppe. Normalt ville Sara aldrig bryde patientfortroligheden, men Mercy var offer for hustruvold, og Will var lovhåndhæver. Det faktum, at Mercy havde talt, som om hendes liv var i fare, havde fået Sara til at tænke, at hun havde indberetningspligt. Hun havde ikke overvejet, hvad det, hun havde fortalt, ville gøre ved Will. Daves voldelige tendenser gjorde ham bogstaveligt talt søvnløs.

"Det, der gør mig virkelig vred," sagde Will, "jeg mener, det, Dave var igennem, det var slemt. Langt værre end det, jeg var udsat for. Men rædslen, den ubønhørlige frygt – de minder er lejret i din krop, uanset hvor meget bedre dit liv bliver. Og at Dave så vender rundt og gør de samme forbandede ting med den, han burde elske ..."

"Mønstre er svære at bryde."

"Men han ved, hvordan det føles. At være bange hele tiden. Ikke at vide, hvornår man bliver gjort fortræd. Ikke at kunne spise. Ikke at kunne sove. Bare at gå rundt med en knude i maven hele tiden. Og det eneste gode ved, at nogen gør en fortræd, er, at så ved man, at man har et par timer, måske et par dage, inden de gør dig fortræd igen."

Sara mærkede tårerne vælde op i sine øjne.

"Generer det dig?" spurgte han.

Sara ville gerne vide, hvad det egentlig var, han spurgte om. "Generer hvad mig?"

"At jeg ikke har en familie."

"Min elskede, du har en familie." Hun drejede hans hoved, så han så på hende. "Jeg går, hvorhen du går. Jeg bliver, hvor du bliver. Dine mennesker er mine mennesker, og mine mennesker er dine."

"Du har en hel del flere mennesker, end jeg har." Han fremtvang et kejtet smil. "Og nogle af dem er virkelig mærkelige."

Sara grinte også. Hun havde oplevet det før. Hans copingmekanisme, de sjældne gange han talte om sin barndom, var altid at ty til humor.

"Hvem er da mærkelige?"

"Kvinden med fjerhatten, for eksempel."

"Tante Clementine," sagde Sara. "Hun er efterlyst for hønsetyveri."

Will klukkede. "Det er jeg glad for, du ikke fortalte Amanda. Hun ville have elsket at kunne arrestere nogen ved mit bryllup."

Sara havde godt set, hvor bevæget Amanda var blevet, da Will havde bedt hende om en dans. Det øjeblik ville hun ikke have ødelagt for noget. "Jeg har fortalt dig, at tante Bellas anden mand begik selvmord, ikke? Han skød sig i hovedet. To gange."

Der var ikke længere noget kejtet over hans smil. "Jeg kan ikke finde ud af, om du laver sjov."

Sara så ham i øjnene. Måneskinnet fik de grå pletter i det blå til at stå frem. "Jeg har en tilståelse."

Han smilede. "Hvad?"

"Jeg har virkelig lyst til at have sex med dig nede i søen."

Han rejste sig. "Søen er den vej."

De holdt hinanden i hånden, mens de gik ned ad stien og stoppede undervejs for at kysse. Sara lænede sig mod hans skulder og holdt trit med hans skridt. Den totale stilhed på bjerget fik hende til at føle, at de var de eneste to mennesker på jorden. Det var præcis det her, Sara havde tænkt, da hun havde forestillet sig deres bryllupsrejse. Fuldmånen, der lyste på himlen. Den friske luft. Trygheden i, at Will var ved hendes side. Den vidunderlige udsigt til bare at kunne være sammen, uforstyrret, uden hast.

Hun hørte søen, inden de nåede derned, den blide, klaskende lyd af bølger mod den klippefyldte søbred. Der var noget bjergtagende over den lavvandede del. Vandet var nærmest neonblåt. Træerne stod i en runding omkring den, nærmest som en beskyttende mur. Sara kunne se en badeponton et stykke ude. Der var en badevippe og en udsigtsplatform, man kunne solbade fra. Hun var vokset op ved en sø. Og hun blev glad af at være nær vand. Hun sparkede sandalerne af. Og trak kjolen af.

"Åh," sagde Will. "Uden undertøj?"

"Det er svært at have sex i en sø, hvis man ikke er nøgen."

Will så sig omkring. Det var tydeligt, han ikke brød sig om tanken om at være nøgen i al offentlighed. "Det virker som en ret dårlig idé at springe ud i noget, man ikke kan se, midt om natten, uden nogen ved, hvor man er."

"Lev livet lidt farligt."

"Måske vi bare skulle ..."

Sara førte hånden ned mellem hans ben og kyssede ham hedt. Så gik hun ud i vandet. Hun undertrykte et kuldegys ved det pludselige temperaturfald. Selvom det var midt på sommeren, var isen smeltet sent i Appalachianbjergene. Der var noget styrkende over kulden, da hun svømmede ud til badepontonen.

Hun vendte sig om på ryggen for at se til Will og spurgte: "Kommer du i?"

Will svarede ikke, men han rullede sokkerne af. Og begyndte at knappe bukserne op.

"Wow," sagde hun. "En lille smule langsommere, tak."

Will gjorde et stort nummer ud af at trække bukserne ned. Og bevægede hofterne, da han knappede skjorten op. Sara jublede opmuntrende. Vandet virkede slet ikke så koldt længere. Hun var vild med hans krop. Musklerne lignede noget, der var hugget i marmor. Han havde de mest sexede ben, nogen mand havde ret til. Inden hun nåede at dvæle ved synet, gjorde han, som hun havde gjort, og gik direkte ud i vandet. Sara kunne se på de sammenbidte tænder, at temperaturen kom bag på ham. Hun ville komme til at skulle arbejde for at varme ham op. Hun trak ham ind til sig og lagde hænderne på de stærke skuldre.

"Hey," sagde han.

"Hey." Hun strøg hans hår tilbage. "Har du nogensinde badet i en sø før?"

"Ikke med min gode vilje. Er du sikker på, det er sikkert at bade her?"

"De giftige hugorme er normalt mest aktive omkring skumringstid."
Hun så hans øjne vokse sig store i forfærdelse. Han var vokset op i
Atlanta, hvor de fleste slanger holdt til under Capitol-kuplen. "Vi er sikkert for langt nordpå til vandmokkasiner."

Han skævede nervøst rundt, som om han ville være i stand til at se en
vandmokkasin, før det var for sent.

"Jeg har en tilståelse," sagde Sara. "Jeg har fortalt Mercy, at vi løj for
hende."

"Det havde jeg på fornemmelsen. Kommer hun over det?"

"Formentlig." Sara var stadig bekymret for, om der ville gå betændelse i Mercys tommelfinger, men der var ikke mere, hun kunne gøre.
"Jon virker god nok. Det er hårdt at være teenager."

"Der er åbenbart visse fordele ved at vokse op på et børnehjem."

Hun lagde en finger mod hans læber og forsøgte at aflede ham. "Se
op."

Will så op. Sara så på Will. Musklerne på hans hals trådte frem. Hun
så hans thoraxåbning. Hvilket igen fik hende til at tænke på middagen.
Hvilket desværre bragte hende tilbage til Mercy.

"Når man er et sted som det her, skal man bare kradse lidt i overfladen, så vælder al galden ud."

Will sendte hende et forsigtigt blik.

"Jeg ved godt, hvad du vil sige: At det var derfor, vi løj."

Will hævede et øjenbryn, men han sparede hende for et: *Hvad sagde
jeg.*

"Hey," sagde hun, for de havde brugt rigeligt af deres aften på at tale
om McAlpine-familien. "Jeg har endnu en tilståelse."

Han begyndte at smile igen. "Og hvad er så det?"

"Jeg kan ikke få nok af dig." Sara stak tungen ned i hulningen ved kravebenet og kyssede sig vej op ad hans hals og lod tænderne strejfe hans
hud. Vandtemperaturen var ikke længere interessant. Will rakte ned
mellem hendes ben. Hun stønnede, da han rørte ved hende. Hun rakte
ned for at gengælde tjenesten.

Så gennemskar et skingert, højt skrig natteluften.

"Will." Sara klyngede sig helt instinktivt til ham. "Hvad var det?"

Han tog hende i hånden og spejdede rundt, mens de vadede tilbage
mod bredden. Ingen af dem sagde noget. Will rakte kjolen til Sara. Hun
vendte den og trak den på. Hun kunne stadig høre skriget give genlyd i

hovedet og forsøgte at afgøre, hvor det kom fra. Mercy virkede som den oplagte kandidat, men hun var ikke den eneste, der havde været oprørt her til aften.

Sara gennemgik dem og begyndte med caterne. "Det par, der skændtes under middagen. Tandlægen var stegt. IT-fyren var ..."

"Hvad med ham singlefyren?" Will trak bukserne op. "Ham, der blev ved med at genere Mercy?"

"Chuck." Sara havde betragtet den klamme fyr glo uhæmmet på Mercy under middagen. Det var, som om han nød hendes ubehag. "Advokaten var ulidelig. Hvordan fik han wi-fi-forbindelse?"

"Hans hestetossede kone irriterede alle." Will stak fødderne i støvlerne. "De løgnagtige app-folk er ude på et eller andet."

Sara havde fortalt ham om Landry/Paul-navneskiftet.

"Hvad med Sjakalen?"

Wills ansigt blev hårdt som sten.

Sara stak fødderne ned i sandalerne. "Skat? Er du ..."

"Klar?"

Will gav hende ikke en chance for at svare. Han gik i forvejen op ad stien. De kom forbi hytten og holdt til venstre ad Ringstien. Hun kunne mærke, at han gjorde sig umage med at tilpasse sin skridtlængde med hendes. Normalt ville Sara være begyndt at løbe, men det var umuligt i sandalerne.

Han standsede endelig og vendte sig mod hende. "Er det okay, hvis ..."

"Bare løb. Jeg indhenter dig." Sara så ham løbe ind i den tætte skov. Han fulgte ikke stien, men løb i lige linje mod hovedhuset, hvilket gav god mening, for det var der, det eneste lys kom fra.

Sara drejede tilbage mod søen. På kortet havde der været tre sektioner, tre lag, som i en bryllupskage. Hun ville have svoret, at skriget kom nede fra det nederste lag, på den modsatte side af den lave ende af søen. Eller måske var det slet ikke noget skrig. Måske var det en ugle, der havde snuppet en kanin i skovbunden. Eller en puma, der havde angrebet en vaskebjørn.

"Stop," skændte Sara på sig selv.

Det her var jo vanvittigt. De var bare styrtet af sted uden nogen plan. Sara kunne jo ikke drøne rundt og vække alle de andre, fordi hun måske havde hørt et skrig. Der havde været rigeligt med drama i aften. Problemet var sikkert Will og Sara. Ingen af dem kunne slukke for fagligheden i deres hjerner. Hun kunne ikke gøre så meget andet end at gå op til hovedhuset. Så ville hun sætte sig på verandaen og vente på Will. Måske en af kattene så ville komme og holde hende med selskab.

Sara var glad for det svage lys, der var tændt langs stien, mens hun gik op mod huset. Det var svært at afgøre, om turen føltes kortere eller længere denne gang. Der var ingen landmærker at udsøge sig. Hun havde ikke noget ur på. Tiden stod nærmest stille. Sara lyttede til skovens lyde. Fårekyllinger, der sang, dyr, der løb. En brise trak i hendes skørt. Regnen hang tungt i luften. Sara satte tempoet op.

Der gik et par minutter mere, før hun fik øje på verandalyset, der glødede fra hovedhuset. Hun var mindre end halvtreds meter derfra, da hun så en skikkelse komme ned ad trappen. Månen var gledet om bag nogle skyer. Den sorte nat duellerede med den svage elpære og skabte en monstrøs skygge. Sara skændte på sig selv over at blive bange. Hun skulle simpelthen ikke lytte til podcasts om Bigfoot, lige inden hun skulle sove. Skyggen viste en mand, der bar en rygsæk.

Hun skulle lige til at kalde på ham, da han væltede forover på jorden, faldt på knæ og kastede op.

Den sure lugt af alkohol bredte sig med brisen. Sara havde et splitsekund, hvor hun overvejede at vende om og finde Will og fortsætte sin aften, men hun kunne ikke få sig selv til bare at se den anden vej. Især fordi hun havde en voksende mistanke om, at den monstrøse skikkelse faktisk var en betrængt teenager.

"Jon?" forsøgte hun.

"Hvad?" Han kom vaklende på benene og greb sin rygsæk. "Gå væk med dig."

"Er du okay?" Sara kunne ikke rigtigt se ham, men det var tydeligt, at han ikke var okay. Han svajede frem og tilbage som en vindpose. "Hvad med, at vi lige sætter os på verandaen?"

"Nej." Han trådte et skridt baglæns. Så et mere. "Fuck af."

"Det skal jeg nok," sagde hun. "Men lad os først finde din mor. Jeg er sikker på, hun gerne vil ..."

"*Hjælp!*"

Sara mærkede hjertet fryse til is i brystet. Hun vendte sig mod lyden. Der var ingen tvivl om, at lyden kom fra modsatte side af søen.

"*Hjælp mig!*"

Hoveddøren var smækket i, da hun vendte sig om mod Jon. Sara havde ikke tid til at tage sig af en fuld unge. Hun var mere bekymret for Will. Hun vidste, han ville løbe direkte mod den skrigende kvinde.

Hun havde ikke andet valg end at tage sandalerne af. Hun trak op i kjolen og begyndte at løbe tværs over grunden. Hjernen arbejdede på højtryk med at finde den bedste rute. Da de drak cocktails, havde Cecil nævnt, at Den forsvundne enkes sti førte om på den anden side af søen. Sara kunne svagt huske at have set den afmærket på kortet. Hun løb ned ad Ringstien og forbi stien til spisesalen. Hun kunne ikke finde nogen afmærkninger af Den forsvundne enkes sti. Hun havde ikke andet valg end at løbe ind gennem skoven.

Grannåle skar sig op i hendes bare fodsåler. Tornegrene trak i hendes kjole. Sara tog af for det værste med armene. Det var ikke noget sprint. Hun var nødt til at tilpasse sit tempo. Ifølge kortet lå bunden af søen et godt stykke fra huset. Hun satte farten ned til let jogging, mens hun tænkte på alle de ting, hun burde have gjort først. Fundet en førstehjælpskasse. Taget vandrestøvler på. Advaret familien, for Jon var fuld og en knægt og ville sikkert besvime inde på sit værelse.

Stakkels Mercy. Hendes familie ville ikke komme løbende. De havde alle behandlet hende helt forfærdeligt under middagen. Den måde, hendes mor havde bidt ad hende på. Hendes fars ansigtsudtryk, fyldt med afsky. Hendes brors ynkelige tavshed. Sara skulle have talt mere med Mercy. Hun skulle have gået til hende, spurgt ind til hendes frygt for, at hun ikke ville overleve natten.

"Sara!"

Wills stemme var som en hånd, der pressede om hendes brystkasse.

"Hent Jon! Skynd dig!"

Hun stoppede brat op. Sara havde aldrig hørt ham så hudløs. Hun så sig tilbage i den retning, hun kom fra. Det var svært at sige, hvor lang tid der var gået, siden hun talte med Jon ude foran huset. Hun vidste, Will var tæt på. Hun vidste også, det sidste, Jon havde brug for var en hæsblæsende løbetur.

Der var sket noget meget alvorligt med Mercy. Will tænkte ikke klart. Mercy ville ikke ønske, at hendes søn så hende i nød. Hvis Dave havde haft fat i hende, hvis han virkelig havde gjort hende fortræd, så ville Sara under ingen omstændigheder lade det være det sidste billede, der brændte sig ind på Jons nethinde.

"Sara!" skreg Will igen.

Hans skrig var så tryglende, at hun satte i løb. Denne gang målrettet. Hun sprintede af sted med armene trykket ind til kroppen. Jo mere hun nærmede sig, jo tykkere blev luften af røg. Terrænet faldt markant. Sara gled kontrolleret ned ad skrænten. Hun mistede balancen til sidst og havde nær væltet resten af vejen. Hun fik trykket luften ud af sig, men hun kunne endelig se en lysning. Hun kom på benene. Begyndte at løbe igen. Så måneskinnet tegne omridset af en savbuk og værktøj, der lå på jorden, en generator, en bordsav, og endelig kunne hun se søen.

Røgen sortnede området foran hende. Sara kravleløb ned over klippeterrænet. Der lå tre rustikke hytter. Den sidste stod så meget i flammer, at hun kunne mærke varmen på sin hud. Røgen vajede som et flag i den skiftende vind. Sara trådte et skridt nærmere. Jorden var våd. Hun kunne lugte blodet, før det gik op for hende, hvad det var, hun stod i. Den velkendte kobberlugt, hun havde været omgivet af det meste af sit voksne liv.

"Jeg beder dig," hørte hun Will sige.

Sara vendte rundt. Blodsporet førte ned til søen. Will lå på knæ hen over en udstrakt krop i vandet. Sara genkendte Mercy på de lavendelfarvede sko.

"Mercy?" hulkede Will.

Sara gik hen mod sin mand. Hun havde aldrig set ham græde på den måde før. Han var mere end presset. Han var fuldstændigt knust.

Hun knælede ned på den anden side af kroppen. Tog blidt fat om Mercys håndled. Der var ingen puls. Huden var næsten stiv af det kolde vand. Sara så på Mercys ansigt. Arret var blot en hvid linje nu. Kvindens øjne stirrede livløst op på stjernerne. Will havde prøvet at dække hende til med sin skjorte, men volden var ikke sådan at skjule. Mercy var blevet dolket adskillige gange, nogle af stikkene var så dybe, at de formentlig havde knust knogler. Der var så meget blod, at Saras kjole sugede den røde farve i vandet til sig.

Hun var nødt til at rømme sig, inden hun kunne tale. "Will?"

Han registrerede tilsyneladende ikke, at Sara var der.

"Mercy?" tryglede Will.

Han flettede fingrene og lagde dem oven på Mercys brystkasse. Sara kunne ikke bære at skulle stoppe ham. Hun havde lavet hjerte-lungeredning på så mange patienter i sin karriere. Hun vidste, hvordan døden så ud. Hun vidste, når en patient var væk. Hun vidste også, at hun var nødt til at lade Will forsøge.

Han lænede sig ind over Mercy. Lagde sin fulde vægt ned i hendes brystkasse.

Hun så til, mens han trykkede hænderne ned.

Det skete så hurtigt, at Sara ikke til at begynde med forstod, hvad det var, hun så. Så gik det op for hende, at et skarpt stykke metal havde skåret sig op gennem Wills hånd.

"Stop!" råbte hun, greb fat om hans hænder og holdt dem stille. "Rør dig ikke. Du skærer nerverne over."

Will så op på Sara med et ansigtsudtryk, som kiggede han på en fremmed.

"Will." Sara holdt godt fast om hans hænder. "Kniven er inde i hendes brystkasse. Du må ikke bevæge din hånd, okay?"

"Er Jon ... kommer han?"

"Han er oppe i huset. Han er okay."

"Mercy ville have, at jeg skulle sige til ham, at ... at hun elsker ham. At hun tilgiver ham skænderiet." Will rystede af sorg. "Hun sagde, at hun ville have, han skulle vide, at det er okay."

"Alt det kan du selv fortælle ham." Sara havde lyst til at tørre hans tårer bort, men hun var bange for, at han ville flå kniven ud, hvis hun slap ham. "Nu skal vi først hjælpe dig, okay? Der er nogle vigtige nerver i den her del af din hånd. De gør, at du kan mærke ting. En basketball. Eller et våben. Eller mig."

Langsomt blev han sig selv igen. Han stirrede ned på det lange blad, der havde spiddet svømmehuden mellem tommel- og pegefinger.

Will gik ikke i panik. "Sig, hvad jeg skal gøre," sagde han.

Sara slap et knap hørbart lettelsens suk. "Nu flytter jeg mine hænder, så jeg kan vurdere situationen, okay?"

Hun så Wills hals arbejde, men han nikkede.

Sara gav forsigtigt slip på ham. Hun studerede skaden. Hun var taknemmelig for måneskinnet, men det var ikke nok. Skygger forvrængede billedet – fra røgen, fra træerne, fra Will, fra kniven. Sara tog fat med to fingre om spidsen af kniven for at tjekke, hvor godt den sad fast inde i Mercys krop. Modstanden fortalt hende, at kniven på en eller anden måde var fastkilet mellem to ryghvirvler eller brystbenet. Den ville kun kunne trækkes ud med stor kraft.

Under andre omstændigheder ville Sara have stabiliseret Wills hånd omkring kniven, så en kirurg kunne fjerne den operativt. Den luksus havde de ikke. Mercy lå delvist i vandet. Trykket fra Will var det eneste, der forhindrede hendes krop i at skvulpe med bølgerne. Guderne måtte vide, hvor langt de var fra et hospital, for ikke at snakke om en veludstyret akutklinik. Selv med al hjælp i verden var det en dårlig idé at prøve at bære både Mercys lig og Will ud af skoven med hans hånd fastnaglet til hendes bryst. For ikke at tale om den risiko, det indebar at have et levende menneske fastnaglet til et lig. Bakterierne i forrådnelsesprocessen kunne give ham en livstruende infektion.

Hun blev nødt til at gøre det på stedet.

Will sad på venstre side af Mercy. Kniven stak ud af højre side af hendes bryst, ellers ville den være gået gennem hendes hjerte, og så havde hjertemassage været udelukket. Wills fingre var stadig flettede, men skaden var begrænset til hans højre hånd. Den vinklede spids af kniven havde trængt gennem svømmehuden mellem tommel- og pegefinger. Knap otte centimeter af det takkede blad var synligt. Morderen havde formentlig taget den fra familiens køkken eller spisesalen. Hun håbede, at de vigtigste strukturer i Wills hånd var blevet skånet – der var ikke så meget at komme efter i selve tommelfingerbalden – men Sara tog ingen chancer.

Hun opremsede anatomien i det lige så meget for sin egen skyld som for Wills. "Thenarmusklerne innerveres af mediannerven her. Radialnerven forsyner håndryggen med følelse fra tommelfingeren til langfingeren, her og her. Jeg nødt til at sikre mig, at de er intakte."

"Okay." Hans ansigtsudtryk var skiftet til stoisk ro. Han ville bare have dette overstået. "Hvordan tjekker man det?"

"Jeg rører ved dine fingre på ydersiden, og så skal du fortælle mig, om følelsen er normal, eller om noget føles uvant."

Hun kunne se bekymringen i hans ansigt, da han nikkede.

Sara lod en finger glide let langs ydersiden af hans tommelfinger. Dernæst gjorde hun det samme med pegefingeren. Will gav ingen form for feedback. Hans tavshed var uudholdelig. "Will?"

"Det er normalt. Tror jeg nok."

Sara mærkede noget af uroen lette. "Jeg kan ikke få kniven ud af kroppen. Jeg bliver nødt til at løfte din hånd op af kniven, men det er vigtigt, at du slipper alle muskler i armen, holder albuen blød og lader mig gøre alt arbejdet. Du må ikke prøve at hjælpe mig, okay?"

Han nikkede. "Okay."

Sara holdt hans tommelfinger i ro, mens hun førte sine fingerspidser ind under hans håndflade. Så langsomt som muligt begyndte hun at løfte opad.

Will hev efter vejret med sammenbidte tænder.

Sara fortsatte med at løfte, til hun endelig havde fået ham fri af bladet.

Will slap en dyb udånding. Selvom han var fri, holdt han hånden i samme stilling, spredte fingre, hånden hængende i luften over liget. Han så på sin håndflade. Chokket var aftaget. Nu kunne han føle det hele, han indså, hvad der var sket. Han bevægede tommelfingeren. Bøjede fingrene. Blodet dryppede fra såret, men det var mere dryp end en stråle, hvilket indikerede, at arterierne var intakte.

"Gudskelov," sagde Sara. "Vi skal ind på et hospital, så de kan se på det. Der kan være skader, vi ikke kan se. Du har en aktiv stivkrampevaccination, men såret skal renses grundigt. Vi kan finde en, der kan føre os ned til tilkørselsvejen og køre tilbage til Atlanta."

"Nej," sagde Will. "Det har jeg ikke tid til. Mercy blev ikke bare dolket. Hun blev nedslagtet. Den, der gjorde det her, var afsindig, rasende, ude af kontrol. Man hader kun nogen så meget, hvis man kender dem."

"Will, du er nødt til at komme på hospitalet."

"Jeg er nødt til at finde Dave."

8

Will fulgte efter Sara ind i spisesalen. Lysene var slukket, men en eller anden havde ladet musikken være tændt. Han rakte hånden frem for at stoppe hende fra at gå ud i køkkenet. Dave kunne gemme sig. Han kunne have en kniv mere. Will gik først ind. Han håbede, Dave havde en kniv mere. Will kunne godt klare den morderiske skiderik med en hånd. Han havde lagt bånd på sig selv i næsten ti år på børnehjemmet, men de var ikke børn længere. Han sparkede døren op til køkkenet. Tændte loftslyset. Han kunne tydeligt se gennem badeværelset og ind i kontoret bagved.

Tomt.

Han skimmede knivblokken og knivmagneten på væggen. "Det ser ikke ud til, at der mangler nogen."

Sara virkede ikke specielt optaget af at identificere mordvåbnet. Hun gik ud mod badeværelset.

"Er der en telefon inde på det kontor?"

"Nej." Hun trak førstehjælpskassen frem. "Vask begge dine hænder i vasken. Du er smurt til med blod."

Will så ned. Han havde glemt, at han havde brugt sin skjorte til at dække Mercy med. Det nøgne bryst var helt rødt. Dybrødt søvand havde plettet de mørkeblå cargobukser, så han lignede en dalmatiner. Han tændte for vandhanen og sagde: "Vi skal have fat i det lokale politi og have iværksat en eftersøgning. Hvis Dave er til fods, kan han være halvvejs nede ad bjerget nu. Vi spilder tiden."

"Vi gør ikke noget som helst, før jeg har fået stoppet blødningen." Sara åbnede førstehjælpskassen på køkkenbordet. Hun trykkede en generøs klat opvaskemiddel ud i hænderne og skrubbede hans underarme for at få dem rene. "Sig mig, hvorfor du er så sikker på, at det er Dave, der har slået Mercy ihjel."

Det var ikke et spørgsmål, Will havde ventet, for det virkede helt åbenlyst, at Dave var skyldig som ind i helvede. "Du har fortalt mig, at han allerede har prøvet at strangulere Mercy en gang i dag."

"Men han var ikke til stede under middagen. Vi har ikke set ham nogen steder i skoven eller på stierne." Sara tog et viskestykke og begyndte at tørre blod af hans mave. "For mindre end to timer siden sagde Mercy ordret: 'Der er nærmest ingen på det her bjerg, der ikke ønsker at slå mig ihjel.'"

"Du sagde, at hun trak i land. At hun prøvede at lade, som om det var for sjov."

"Og så blev hun slået ihjel," sagde Sara. "Du har rigtig gode grunde til at fokusere på Dave, men det kunne have været en anden."

"Hvem, for eksempel?"

"Hvad med ham fyren, der har sagt, han hedder Landry, men som bliver kaldt Paul af sin partner?"

"Hvad har det med Mercy at gøre?"

"Det her kommer til at gøre ondt," sagde hun i stedet for at svare.

Will bed tænderne sammen, mens hun hældte desinfektionsmiddel ned i hans åbne sår.

"Smerten bliver værre, før den bliver bedre," advarede hun. "Hvad med Chuck? Mercy ville tydeligvis ikke have noget med ham at gøre. Og selv efter, hun nærmest direkte havde bedt ham fucke af, blev han ved med at glo på hende som en stalker."

Will skulle til at svare, da hun trykkede noget gaze rundt om svømmehuden mellem tommel- og pegefinger. Det føltes, som havde hun sat en tændstik mod krudt. "Hold da kæft, hvad er det?"

"QuikClot," sagde hun. "Det kan godt lave forbrændinger på huden, men det stopper blødningen. Jeg er nødt til at holde trykket i nogle minutter. Du har højst firetyve timer, før det skal fjernes. Eller du kan tage på hospitalet og få behandlet såret rigtigt."

Will kunne godt høre på hendes studse tonefald, hvilket valg hun ville have, han traf. "Sara, du ved godt, jeg ikke kan slippe det her."

"Det ved jeg."

Hun holdt et fast tryk på bandagen. Ingen af dem sagde noget, men de tænkte begge deres. Hun var sikkert i gang med at gennemgå alle de måder, hans hånd kunne blive inficeret på, eller hans nerver kunne blive skadet på, eller hvad det nu var for en medicinsk tilstand, hun var mest bekymret for. Han tænkte så intenst på Dave, at han var afledt fra det faktum, at det føltes, som om hans hånd var ved at eksplodere indefra.

"Bare et minut mere." Sara holdt øje med viseren på væguret. Will betragtede hende for at få tiden til at gå. Hun var lige så svedig og tilsølet, som han var. Han trak en kvist ud af hendes hår. Hun havde bare fødder. Mercys blod i vandet havde gjort Saras salviefarvede kjole til noget, der mindede ham om den batikkjole, Mercys tante havde haft på under middagen.

Tanken om tanten fik ham til at tænke på resten af Mercys familie. Will havde været så fokuseret på at opspore Dave, at han ikke havde tænkt på det første, der skulle gøres. Lige nu havde han ikke nogen autoritet i efterforskningen. I bedste fald var han et vidne, i værste var han bare stedfortræder, indtil den lokale sherif ankom.

Der kunne godt gå noget tid, før manden kom herop. Will ville være nødt til lave dødsanmeldelsen. Jon var nok nødt til at få den besked, at hans mor var blevet myrdet. Knægten ville sikkert bede om at få lov til at se hende. De havde ikke kunnet efterlade hende flydende i vandet. Det var lykkedes Will og Sara at bære hende ind i hytte to. De havde barrikaderet døren med en af de bjælker, der havde ligget rundtomkring på jorden, så et dyr ikke kunne få fat i hende. Regnen, der var på vej, ville alligevel ødelægge gerningsstedet.

"Cecils invaliditet stryger ham formentlig fra listen." Sara var stadig i gang med at gennemgå alternative mistænkte. "Jon var sammen med mig."

"Hvorfor var Jon sammen med dig?"

"Han var stadig fuld. Jeg tror, han prøvede at stikke af." Sara blev ved med at holde på bandagen, mens hun åbnede en pakke almindelig gaze. "Der var åbenlys anspændthed mellem Mercy og hendes bror. Og hendes mor. Gud, altså, de var bare alle sammen så frygtelige mod hende ved middagen."

Will vidste godt, hun prøvede at hjælpe, men dette var ikke nogen kompliceret sag. "Der var sat ild til hytten, sikkert for at dække over gerningsstedet. Hendes jeans var trukket ned, formentlig fordi der var begået overgreb mod hende. Hun var blevet trukket ud i vandet, sikkert for at hun skulle drukne. Og det gav bonuspoint for at vaske DNA bort. Angrebet var afsindigt. Morderen var vred, ude af kontrol, voldelig. Nogle gange er der en grund til, at det åbenlyse er åbenlyst."

"Og nogle gange kan en efterforsker få tunnelsyn i begyndelsen af en sag, som fører ham i den forkerte retning."

"Jeg ved, det ikke er mine evner, du sætter spørgsmålstegn ved."

"Jeg er altid på din side," sagde hun. "Jeg undersøger bare, hvor vi står her. Du hader Dave, med god grund."

"Fortæl mig, hvorfor han ikke er vores hovedmistænkte."

Det kunne Sara ikke svare på på stående fod. "Se os lige. Se på vores tøj. Den, der slog Mercy ihjel, må have blod over det hele."

"Det er derfor, vi har travlt," sagde Will. "Gerningsstedet er så godt som værdiløst. Vi har knivbladet i Mercys brystkasse, men vi ved ikke, hvor det afbrækkede skaft er. Jeg har ikke lyst til at give Dave så meget som et sekund mere til at ødelægge beviser i, men jeg er nødt til at vente på, at sheriffen kommer. Det er ham, der skal organisere eftersøgningen og officielt indlede efterforskningen. Jeg ville alligevel ikke kunne komme herfra. Jeg har ingen juridisk grund til at beslaglægge et køretøj."

Sara begyndte at vikle en forbinding om gazen. "Vi er nødt til at finde en telefon. Eller wi-fi-koden."

"Vi skal bruge mere end det. Jeg har et SOS-nødkald på min telefon. Vi skal bare finde et stabilt signal. Det anvender satellitter til at sende besked og lokation til alarmcentraler og specifikke kontakter."

"Amanda."

"Hun vil godt kunne snakke sig ind i en efterforskning," sagde Will. GBI kunne ikke bare overtage en sag. De skulle enten inviteres ind af den lokale myndighed eller beordres hertil af guvernøren. "Vi befinder os i Dillon County. Sheriffen har sikkert højst haft et enkelt mord i hele sin karriere. Vi skal bruge brandefterforskere, retsmedicinere, en fuld obduktion. Hvis eftersøgningen trækker ud til i morgen, skal vi koordinere mellem politichefer, hvis nu Dave krydser en statsgrænse. Det har sheriffen ikke budget til. Han vil kun blive glad, når Amanda dukker op."

"Jeg henter din telefon i hytten og sender en sms."

Sara hæftede bandagen. "Ring på klokken ved hovedhuset. Så skal alle nok komme ud."

"Og hvis det ikke er Dave," medgav han, "så vil vi ret hurtigt kunne afgøre, hvem der ellers er involveret. De vil enten være indsmurt i blod eller ikke komme ud. Eller også har de knivskaftet gemt et sted. Vi bliver nødt til at gennemsøge alle hytterne og hovedhuset."

"Må du det?"

"Ekstraordinære omstændigheder. Morderen stak af fra gerningsstedet. Der kunne være andre ofre. Er du klar?"

"Vent lige et øjeblik." Sara gik tilbage ud i badeværelset og kom ud med en hvid jakke, der sikkert tilhørte kokken. "Tag den her på. Jeg tager noget med fra hytten, du kan skifte til."

Hun hjalp ham på med jakken. Den var noget stram over skuldrene, så Sara måtte kæmpe med knapperne. Det tykke stof gabte forneden, men det var der ikke noget at gøre ved. Hun knælede og bandt snørebåndet på hans støvle. Will kom i tanke om, at hun stadig var barfodet. Han tog sine sokker ud af lommen og rakte dem til hende.

"Tak." Sara holdt øjenkontakten med ham, da hun tog dem på. "Lov mig, at du passer på."

Han var ikke bekymret på sine egne vegne. Det slog ham, at han sendte sin hustru tilbage til deres hytte, den mest fjerntliggende i hele området, alene, midt om natten, mens der var en morder på fri fod. "Måske jeg hellere skulle gå med dig."

"Nej, pas dit arbejde." Hun trykkede læberne mod hans kind et par sekunder længere, end hun plejede. "Familien vil sikkert sikre sig, at Mercy ikke er alene hele natten. Sig til dem, at jeg nok skal sidde ved liget, til det kan flyttes."

Will kærtegnede hendes ansigt. Hendes medfølelse var en af de mange ting, han elskede hende for.

"Lad os komme af sted," sagde han.

Deres veje skiltes, da Foderstien mødte Ringstien. Skyerne var drevet ind med den forestående regn og dækkede for fuldmånen. Alle Wills sanser var årvågne. Det var så mørkt, at Dave kunne stå tre meter fra ham, og Will ville ikke ane det. Han satte tempoet op, småløb op mod huset og ignorerede den forvredne ankel. Den brændende smerte i hånden kom længere ned på listen over ting, han skulle bekymre sig om.

Det var rigtigt af Sara at overveje andre mulige mistænkte, men ikke af de grunde, hun havde nævnt. Der ville komme en dag, hvor Will ville blive indkaldt som vidne omkring denne aften foran en jury. Han skulle sikre sig, at han ærligt kunne sige, at han havde overvejet andre mistænkte. Der skulle ikke være nogen fejl i denne efterforskning, som en forsvarsadvokat kunne bruge til at forhindre en dom. Det skyldte Will Mercy.

Og han skyldte i særdeleshed Jon det.

Træstolpen med den antikt udseende klokke i toppen stod blot et par meter fra hovedhuset. Det føltes, som om det var et helt liv siden, Will havde stået ved verandatrappen og spist brownies og kartoffelchips. Dagen passerede revy for hans indre blik, men i stedet for de ting, han troede, han ville huske fra sin bryllupsrejse – Saras smil, vandreturen til hytten, at holde hende i sine arme, mens hun faldt i søvn i badekarret – så huskede han alt det, Mercy McAlpine var blevet udsat for den dag, hun brutalt var blevet myrdet.

Dave havde stranguleret hende. Chuck havde fået hende til at miste fatningen. Keisha havde pisset hende af med vandglasset. Jon havde ydmyget hende foran alle gæsterne. Cecil havde været ondskabsfuld. Bitty havde været iskold. Christopher havde været en kujon. Den hestetossede kvinde havde tydeligvis også pisset Mercy af, da hun havde bedt om at få en rundvisning. Kokken var blevet ude i køkkenet, da Jon lavede en scene. Måske skjulte de løgnagtige app-fyre noget for Mercy. Måske havde tandlægen eller it-fyren eller bartenderen ...

Will havde ikke tid til måske'er. Han greb om rebet og trak til. Lyden, der kom fra klokken, var mere klonk end kimen. Han trak et par gange mere. Lyden var frygtelig i stilheden, men det, der var hændt Mercy ved søen, var selve definitionen på moralsk fordærv.

Han skulle til at trække igen, da der begyndte at blive tændt lys. Først inde i hovedhuset. Gardinet bevægede sig i et af vinduerne på øverste etage. Will så Bitty i sin slåbrok, skulende, da hun kiggede ned. Endnu et lys blev tændt deroppe, denne gang i det fjerneste hjørne. Der lød en kliklyd, da projektørlys oplyste grunden. Will havde ikke bemærket installationerne i træerne i dagslys, men nu var han taknemmelig for dem, for så kunne han se hele området.

Vinduerne i to af hytterne glødede, som om hver eneste lampe var blevet tændt. Han så Gordon komme ud på verandaen. Manden stod i sorte trusser og intet andet. Landry/Paul var ikke at se nogen steder. To hytter væk kom Chuck stavrende ned ad trappen i en gul badekåbe med gummiænder på. Han trak kåben tæt omkring sig, men ikke før Will nåede at se, at han var nøgen indenunder.

Der kom lys i endnu en hytte. Will forventede at se Keisha og Drew, men det var Frank, der åbnede døren i hvid undertrøje og boxershorts. Han rettede på brillerne. Han så forbløffet på Will. "Er der noget galt?" spurgte han.

Will skulle lige til at svare, da han hørte døren til hovedhuset knirkende blive åbnet.

"Hvem er derude?" Cecil McAlpines stol rullede ud på verandaen. Han havde bar overkrop. Der var dybe ar på kryds og tværs af hans brystkasse. De var lige, som havde han ligget hen over skarpt metal. "Bitty? Hvem har ringet med klokken?"

"Det har jeg ingen anelse om." Bitty stod bag sin mand, ansigtet forvredet af nervøsitet, mens hun strammede skærfet om sin mørkerøde slåbrok. "Hvad fanden foregår der?" spurgte hun Will.

Will hævede stemmen. "Jeg har brug for, at alle kommer udenfor."

"Hvorfor?" buldrede Cecil. "Hvem fanden tror du, du er, sådan at kommandere med os?"

"Jeg er efterforsker ved Georgia Bureau of Investigation," meddelte Will. "Jeg skal bede om, at alle kommer udenfor, lige nu."

"Efterforsker, hva'?" Gordon skævede ind i hytten, mens han skødesløst gik ned ad trappen.

Stadig ingen Landry.

"Beklager." Frank var blevet stående på verandaen. "Monica er helt væk. Hun fik lidt for meget at drikke, og ..."

"Få hende herud." Will begyndte at gå hen mod Gordons hytte. "Hvor er Paul?"

"I bad." Gordon rettede ham ikke omkring navnet. "Hvad har du ..."

Will skubbede døren op. Hytten var mindre end hans og Saras, men indretningen var stort set den samme. Will hørte bruseren blive slukket. "Paul?" kaldte han.

"Jah?" svarede en stemme.

Will behøvede ikke mere bekræftelse på, at de to mænd havde løjet om Pauls navn. Han gik ud i badeværelset. Paul rakte ud efter et håndklæde. Han kastede et blik på Will, så et til, sikkert på grund af den for stramme kokkejakke. Han smilede smørret. "Kom du til at kede dig med din vanilje-hustru?" spurgte han.

Will så på sit ur. Klokken var 01.06 om natten. Ikke et helt normalt tidspunkt at gå i bad på. Han så Pauls tøj ligge i en bunke på gulvet. Han brugte støvlesnuden til at sprede det ud. Ikke noget blod. Ikke noget knivskaft.

"Er der en grund til, at du står i mit badeværelse og ligner en, der kommer direkte fra en Taylor Swift-koncert?" Paul tørrede håret med håndklædet. Will kunne se en tatovering på hans bryst, et ornamenteret blomsterdesign omkring en svungen skrift. Paul bemærkede, at han kiggede på den. Han draperede håndklædet over skulderen, så det dækkede ordet. "Jeg er normalt ikke til den stærke, tavse type, men jeg kunne godt gøre en undtagelse."

"Kom i tøjet, og kom udenfor."

Wills dårlige fornemmelse af Paul var lige blevet værre. Han spejdede rundt i soveværelset og i forstuen på vejen ud. Ikke noget blodigt tøj, ikke noget knivskaft.

Der var stimlet flere folk sammen, mens han var inde i hytten. Han gik hen over grunden og så Cecils stol øverst ved trappen. Christopher stod ved siden af Chuck, også i en gul badekåbe, denne med fisk på. De fulgte ham alle med blikket, betragtede de mørke pletter på hans cargobukser, den tætsiddende kokkejakke.

Ingen stillede nogen spørgsmål. Den eneste lyd kom fra Frank, der brummede utilfreds, mens han hjalp Monica til at komme ned og sidde på trappens nederste trin. Hun havde en sort silkeunderkjole på og var så fuld, at hovedet blev ved med at falde til siden. Sydney, hestedamen, stod sammen med sin mand, Max. De havde stadig deres matchende jeans og T-shirts på, som de havde haft på til middagen, men Sydney havde klipklapper på i stedet for sine ridestøvler. Af alle de forsamlede var det rige par dem, der så mest urolige ud. Will vidste ikke, om det var skyldfølelse eller privilegier, der gjorde dem utilpasse over at være blevet hevet ud af sengen midt om natten.

"Har du tænkt dig at give os en forklaring?" Gordon stod lænet mod klokkestolpen, stadig kun i underbukser. Paul kom langsomt over mod dem. Han havde taget et par boxershorts og en hvid T-shirt på. Han grinte ikke længere smørret. Han så bekymret ud.

Will vendte rundt, da han hørte trin på verandatrappen. Jon kom ned ad trappen uden de store armbevægelser, han havde haft tidligere. Hans hår var vådt. Endnu en nattebader, sikkert for at blive ædru. Knægten var i pyjamas, ingen sko. Ansigtet var opsvulmet. Øjnene var svømmende.

"Hvor er Keisha og Drew?" spurgte Will.

"De er i nummer tre." Chuck pegede mod hytten, der lå tættest ved hjørnet af verandaen. Vinduerne var lukkede, gardinerne trukket for. Der var ikke lys.

"Er der en telefon i huset?" spurgte Will Chuck.

"Ja, inde i køkkenet."

"Gå derind, ring til sheriffen. Sig til ham, at en GBI-agent har bedt dig indberette en kode en-tyve-to og har brug for øjeblikkelig assistance." Will forklarede ikke yderligere. Han løb hen til hytte tre. For hvert skridt voksede hans frygt. Han tænkte igen på samtalen med Sara i køkkenet. Havde Will udviklet tunnelsyn? Var overfaldet på Mercy helt tilfældigt? Hytten lå i forlandet til Appalachian-stierne, der strakte sig tre tusind to hundrede kilometer op mod østkysten fra Georgia til Maine. Der var begået mindst ti mord på de stier, siden man var begyndt at registrere dem. Voldtægter og andre forbrydelser var sjældne, men ikke ualmindelige. Will havde kendskab til mindst to seriemordere, der havde udsøgt sig ofre på de stier. OL-bombemanden havde gemt sig i skovene i fire år. Det var præcis, som Sara havde sagt: Kradser man lidt i overfladen, vælter der alt muligt frem.

Will trampede op ad trappen til hytte tre. Som med de andre hytter var der ingen lås på døren. Han smækkede den så hårdt op, at den knaldede mod væggen.

"Hvad sker der?" skreg Keisha. Hun røg op at sidde i sengen og famlede i blinde efter sin mand. Hun skubbede den lyserøde øjenmaske op i panden. "Will! Hvad fanden?"

Drew stønnede. Han lå fastklemt under en apnømaske. Maskinen lavede en høj, mekanisk lyd, der larmede om kap med ventilatoren ved sengen. Han skubbede masken af og spurgte: "Hvad er der galt?"

"Jeg skal have jer begge to udenfor. Nu."

Will gik og lavede en mental opremsning for at finde ud af, hvem der manglede. Gruppen stod stadig rundt om trappen. Chuck var inde i huset for at ringe til politiet. Sara var forhåbentlig på vej tilbage ad stien.

"Hvor er køkkenpersonalet?" spurgte han Christopher.

"De tager hjem om aftenen. De er som regel nede af bjerget 20.30," svarede han.

"Så du dem tage af sted?"

"Hvorfor er det vigtigt?"

Will så hen på parkeringspladsen. Tre køretøjer. "Hvem kører i …"

"Så er det nok med dine spørgsmål," sagde Bitty. "Hvorfor har du ikke fortalt os, du var politimand? På din indregistrering står der, at du er mekaniker. Så hvad er rigtigt?"

Will ignorerede hende og spurgte Christopher: "Hvor er Delilah?"

"Heroppe." Hun lænede sig ud ad vinduet på førstesalen. "Behøver jeg virkelig komme ned?"

"Hvad fanden, mand?" Drew kom trampende hen mod Will med et aggressivt ansigtsudtryk. Han og Keisha havde matchende blå pyjamasser på. Mandens tidligere så venlige ansigt var nu fyldt med sydende vrede. "Hvad bilder du dig ind at skræmme min kone på den måde?"

"Vent," sagde Keisha. "Hvor er Sara? Er hun okay?"

"Hun har det fint," sagde Will. "Der er sket et …"

"Jeg har ringet til sheriffen." Chuck kom sjoskende ned ad trappen. "Han sagde, det ville tage mindst et kvarter at komme herop. Jeg kunne ikke give ham nogen detaljer. Jeg sagde bare, du var politimand og gav ham koden og sagde, han skulle skynde sig."

"Er du politimand?" Drews vrede steg et par grader. "Du sagde til mig, du arbejder med biler. Hvad fuck er det, her foregår?"

Will skulle til at svare, da Delilah kom ud på verandaen. Hun stillede det eneste spørgsmål, der betød noget lige nu: "Hvor er Mercy?"

Will så hen på Jon. Han sad på trappen et par trin over Monica. Bitty stod ved siden af ham. Hun var så lille, at hans skulder nåede op til hendes talje. Hun holdt hans hoved ind mod sin hofte med en stærkt beskyttende arm. Med det krøllede hår glat mod hovedet så Jon så ung og sårbar ud, mere en dreng end en mand. Will ville allerhelst trække ham til side, blidt forklare ham, hvad der var sket, forsikre ham om, at de nok skulle finde det monster, der havde taget hans mor fra ham.

Men hvordan kunne han fortælle det barn, at monsteret formentlig var hans egen far?

"Hvor er Mercy?" gentog Delilah bekymret.

Will undertrykte sine egne følelser. Det bedste for Jon lige nu var, at Will gjorde sit arbejde. "Der er ikke nogen let måde at sige det her på."

"Åh nej." Delilahs hånd for op til munden. Hun havde allerede regnet det ud. "Nej-nej-nej."

"Hvad?" brølede Cecil. "Så spyt dog ud, for himlens skyld!"

"Mercy er død." Will ignorerede gispene fra gæsterne. Han betragtede

Jon, mens han overbragte nyheden. Knægten var fanget et sted mellem chok og vantro. Uanset hvad, var det ikke trængt ind hos ham endnu. Måske om et par år, når Jon tænkte tilbage på dette øjeblik, ville han undre sig over, hvorfor han bare havde siddet der, lammet med hovedet trykket ind mod sin bedstemor. Bebrejdelserne ville stå i kø – han burde have krævet flere svar, skreget og hylet over tabet.

Det eneste, Will kunne give ham lige nu, var detaljerne. "Jeg fandt Mercy nede ved vandet. Der er tre bygninger ..."

"Ungkarlehytterne." Christopher vendte sig mod søen. "Hvad er det for en lugt? Brænder det? Blev hun fanget i en brand?"

"Nej," sagde Will. "Der var en brand, men flammerne døde af sig selv."

"Druknede hun?" Det var svært at tyde Christophers tonefald. Han talte mærkeligt uengageret. "Mercy er en dygtig svømmer. Jeg lærte hende det selv ned i det lavvandede område, da hun var fire år gammel."

"Hun druknede ikke," sagde Will. "Hun blev udsat for adskillige læsioner."

"Læsioner?" Christopher talte stadig tonløst. "Hvilken slags læsioner?"

"Stille," beordrede Bitty. "Lad manden tale."

Will diskuterede med sig selv, hvor meget han skulle sige foran alle gæsterne, men familien havde ret til at få besked. "Jeg så knivstik. Dødsfaldet vil blive efterforsket som manddrab."

"Knivstik ...?" Delilah klamrede sig til rækværket for at holde sig oprejst. "Åh, gud. Stakkels Mercy."

"Manddrab?" gentog Chuck. "Du mener, at hun blev myrdet?"

"Ja, din idiot," svarede Cecil. "Man bliver ikke udsat for adskillige knivstik ved et uheld."

"Stakkels lille skat." Det var ikke Mercy, Bitty talte om. Hun trak Jon tættere ind til sig og trykkede læberne mod toppen af hans hoved. Han klamrede sig lidende til hende. Hans ansigt var forsvundet ind i slåbrokken, men Will kunne høre hans dæmpede hulk. "Du skal nok klare den, min søde dreng. Jeg er her."

Will blev ved med at tale til familien. "Vi har sikret liget inde i en af hytterne. Sara har tilbudt at blive hos hende, til hun kan flyttes."

"Det er jo skrækkeligt." Keisha var begyndt at græde. "Hvordan kunne nogen finde på at gøre Mercy fortræd?"

Drew trak hende ind til sig, men han nidstirrede stadig Will med et gedigent hadsk blik.

Will ignorerede ham. Han var mere interesseret i familien. Han havde forventet en kollektiv stemning af sorg, men som han betragtede dem en efter en, så han intet, der bare mindede om det. Christophers tidligere frakoblede tilstand var stadig synlig i hans nu nedadvendte ansigt. Cecil lignede en, der var blevet uhørt meget ulejliget. Delilah stod med ryggen til Will, så han havde ingen idé om, hvad hun tænkte. Bitty var forståeligt nok fokuseret på Jon, men kvinden havde ikke fældet en eneste tåre for sin datter, selvom hendes barnebarn rystede af sorg ved siden af hende.

Det, der slog Will mest, var, at ingen af dem havde nogen spørgsmål. Han havde meddelt pårørende om dødsfald et utal af gange. Familier ville gerne vide: *Hvem har gjort det? Hvordan skete det? Led hun? Hvornår de kunne se liget? Var han sikker på, at det var hende? Kunne de have taget fejl? Var han fuldstændig sikker? Havde han fanget morderen? Hvorfor var han ikke ude for at fange morderen? Hvad ville der nu ske? Hvor lang tid ville det tage? Ville de gå efter dødsstraf? Hvornår kunne de begrave hende? Hvorfor var det sket? Åh gud, hvorfor?*

"I røvhuller." Delilahs tøfler slog mod brædderne, da hun langsomt gik ned ad trappen. Det var hendes familie, hun talte til. "Hvem af jer var det?"

Will så hende stoppe foran Bitty. Tantens vrede slog gnister. Hendes underlæbe bævede. Tårerne strømmede ned over kinderne.

"Dig!" Hun prikkede med en finger lige foran Bittys ansigt. "Var det dig? Jeg hørte dig godt true Mercy lige inden middagen."

Chuck lo nervøst.

Delilah vendte sig mod ham. "Klap i, din perverse stodder. Jeg så dig godt gramse på Mercy. Hvad handlede det om? Og dig, din uduelige svækling."

Christopher så ikke op, men det var tydeligt, han godt vidste, Delilah talte til ham.

"Du skal ikke tro, jeg ikke har luret dig, *Fiskehvisker*," sagde Delilah.

"For pokker, Dee, så stop det pis der. Vi ved jo alle sammen godt, hvem der gjorde det her," brummede Cecil.

"Det vover du ikke." Bittys stemme var blid, men den var bestemt. "Det ved vi ingenting om."

"For fucks sake." Delilahs hånd hvilede på hoften, mens hun tårnede sig ind over Bitty. "Hvorfor skal du altid beskytte den uduelige skiderik? Hørte du ikke, hvad manden sagde? Din datter er blevet myrdet! Knivstukket adskillige gange! Dit eget kød og blod! Er du fuldstændigt ligeglad?"

"Hvad med dig selv?" gav Bitty igen. "Du har været væk i tretten år, og nu ved du pludselig alting om alle?"

"Jeg kender dig, din forbandede ..."

"Så er det nok." Will var nødt til at adskille dem, inden de flåede hovederne af hinanden. "Gå hver især tilbage til jeres soveværelser. Gæster, I bedes gå tilbage til jeres hytter."

"Hvem har udpeget dig til at bestemme?" spurgte Cecil.

"Staten Georgia. Jeg er stedfortræder, til sheriffen kommer." Will henvendte sig til gruppen. "Jeg skal bruge forklaringer fra jer alle sammen."

"Fuck nej." Drew vendte sig mod Bitty og sagde: "Ma'am, jeg kondolerer for jeres tab, men vi er væk, når solen står op. I kan sende vores bagage hjem. Og glem det andet. I kan gøre, hvad I vil heroppe. Vi er ligeglade."

"Drew," prøvede Will. "Jeg har brug for en vidneforklaring, det er alt."

"Fandeme nej," sagde Drew. "Jeg behøver ikke at svare på dine spørgsmål. Jeg kender mine rettigheder. Faktisk, så siger du ikke et ord til hverken mig eller min kone fra nu af, mr. politimand. Du tror måske ikke, jeg har set det der *Dateline*? Det er folk som os, der ender med at blive fældet for lort, de intet havde at gøre med."

Drew slæbte Keisha tilbage til hytten, før Will kunne komme i tanke om en grund til at standse dem. Døren smækkede så hårdt i, at det lød som et skud.

Ingen sagde noget. Will så ned ad stien, der førte til hytte ti. Det dæmpede lys viste, at stien var øde. Han skulle ikke have ladet Sara gå alene af sted. Det tog for lang tid.

"Undskyld?" Max, den velhavende advokat fra Buckhead ventede på at få Wills opmærksomhed. "Sydney og jeg støtter fuldt og fast ordensmagten, men vi afslår også at blive afhørt."

Will var nødt til at sætte en stopper for dette her. "I er alle sammen vidner. Der er ingen, der er blevet udpeget som mistænkt. Jeg har brug for vidneforklaringer om, hvad der foregik under middagen, og hvor alle var bagefter."

"Hvad mener du med 'hvor alle var'?" Spørgsmålet kom fra Paul. Hans blik flakkede hen til Gordon. "Er det vores alibier, du vil have?"

Will trådte vande for at stoppe alle fra at stikke af. "Jon fortalte os, at der bliver gået runder klokken otte om morgenen og ti om aftenen. Måske så de noget."

"Det var Mercy," sagde Christopher. "Hun havde aftenrunden i denne uge, jeg har den klokken otte."

Will huskede godt, at Jon havde givet dem detaljerne, men han ville gerne holde samtalen i gang. "Hvordan fungerer det egentlig? Banker I på dørene?"

"Nej," sagde Christopher. "Folk stopper os, hvis der er noget, de har brug for. Eller de lægger en seddel på trappen. Der er en sten, man kan sætte oven på den, så papiret ikke flyver væk."

"Se." Monica var midlertidigt vendt tilbage fra de døde. Hun pegede i retning af deres hytte. "Vi lagde en seddel under stenen på vores veranda ved nitiden. Den er væk."

Will gættede, at det var en bekræftelse på liv. "Kom Mercy med de ting, I bad om?"

"Nej." Frank skævede til Monica.

Will konkluderede fra hans blik, at det var mere alkohol, hun havde bedt om. "Har nogen set Mercy efter klokken ti?"

Der var ingen, der svarede.

"Var der nogen, der hørte nogen skrig eller råb om hjælp?"

Igen blev han mødt med tavshed.

"Jeg beklager, jeg er nødt til at afbryde igen," sagde Max, selvom han ikke afbrød noget som helst. "Men Syd og jeg er nødt til at køre tilbage til byen."

"Hestene skal fodres og have vand," sagde Sydney.

Will havde forventet en bedre undskyldning, men der var ingen grund til at udfordre dem. Juridisk set kunne de ikke tvinges til at tale, ikke engang til at blive.

"Cecil, Bitty." Max vendte sig mod McAlpine-familien. "Vi er begge utroligt kede af, hvad der er hændt jeres datter. Det var en dejlig aften, der blev ødelagt af en uhørt tragedie. Vi forstår, at jeres familie har brug for tid til at sørge."

Cecil lignede ikke en, der havde brug for tid til noget som helst. "Vi er stadig klar til at gå videre med sagen. Nu mere end nogensinde."

"Helt sikkert," sagde Max uden at lyde sikker overhovedet.

"Vi tager jeres familie med i vores tanker og bønner," tilføjede Sydney.

Parret gik derfra, skulder ved skulder. Will spekulerede på, hvad det var, Cecil var parat til at gå videre med. Buckhead-parret havde fået særbehandling lige fra begyndelsen af. Wi-fi-koden var det mindste. Will gik ud fra, at den Mercedes Benz G550 til omkring hundrede halvtreds tusind dollars, der var parkeret mellem en ældgammel Chevy og en snavset Subaru, betød, at de var blevet undtaget fra reglen om, at man vandrede frem til hytterne.

"Fuck det her," sagde Gordon. "Jeg har brug for en drink."

Han gik tilbage mod sin hytte. Paul fulgte med ham, men først skævede han til Will. Blikket trykkede på Wills alarmknap. Ude i badeværelset havde Paul tydeligvis set blodet på Wills bukser, men det havde ikke bragt ham ud af fatning. Nu var han synligt nervøs. Det var tydeligt, at nyheden om Mercys død havde ændret hans adfærd. Men Will måtte vente, til området var sikret, før han fandt ud af hvorfor.

Seks af hytterne var udlejede, hvilket betød, at fire stod tomme. Dave kunne gemme sig i en af dem. Will vejede for og imod at tjekke dem over for at give familien tid til at omgruppere sig. Hans mavefornemmelse sagde, han skulle blive. Der var noget grundlæggende galt med deres opførsel. Paul var ikke den eneste, der gjorde ham mistænksom. Måske Sara havde en pointe omkring det med tunnelsynet.

"Undskyld mig, Will?" Frank og Monica var de eneste gæster, der var tilbage. "Jeg er ligeglad med, at du har løjet om, at du var politimand. Det er et held, du er her. Og Monica og jeg har ikke noget at skjule. Hvad vil du gerne vide?"

Will havde ikke tænkt sig at starte med Frank og Monica. "Må jeg bede jer gå tilbage til jeres hytte? Jeg er nødt til at tale med familien først. Der er nogle private detaljer, vi er nødt til at tale om."

"Åh, selvfølgelig." Frank hjalp Monica på benene. Kvinden kunne dårligt nok gå selv. "Bare bank på, når du er klar. Vi vil gerne gøre, hvad vi kan for at hjælpe."

Will så, at ingen af McAlpine-familiens medlemmer havde rørt sig ud af stedet. Ingen af dem ville se på ham. Ingen var begyndt at stille spørgsmål. Udover Delilah havde ingen af dem vist nogen tegn på sorg. Luften var tung af beregninger.

"Will?"

Sara havde langt om længe sluttet sig til dem. Will var lettet over at se, der ikke var sket hende noget, men han var også lettet over at have fået noget hjælp. Han småløb hen mod hende, så de kunne udveksle et par ord under fire øjne. Hun havde skiftet til T-shirt og jeans. Hun havde en af hans skjorter under armen.

Hun rakte ham telefonen og dernæst skjorten. "Det tog lidt tid at få signal, men jeg har sendt beskeden og fået bekræftelse. Alle er blevet orienteret. Hvordan går det med din hånd?"

Hans hånd føltes, som om den sad fast i en bjørnefælde. "Jeg har brug for, at du får familien ind i huset og babysitter dem, mens jeg tjekker de andre hytter. Du må ikke give dem lejlighed til at aftale, hvad de skal sige. Sheriffen må være her snart. Se efter, om der mangler en kniv i køkkenet. Paul har en tatovering på sit bryst. Hvis du får lejlighed til det, vil jeg gerne vide, hvad der står."

"Modtaget." Sara gik foran ham mod huset. Hun adresserede familien med sit professionelle tonefald. "Jeg kondolerer for jeres tab. Jeg ved godt, det er en traumatisk tid for jer alle. Lad os gå indenfor. Måske jeg kan besvare nogle af jeres spørgsmål."

Bitty var den første til at sige noget. "Er du også politibetjent?"

"Jeg er læge og retsmediciner ved Georgia Bureau of Investigation."

"I er et par løgnere, det er, hvad I er." Bitty virkede endnu mere bekymret end Drew over, at de begge tilhørte ordensmagten. Will så hende gribe Jon i armen og trække ham tilbage ind i huset. Christopher overtog opgaven med at skubbe Cecils stol. Chuck fulgte skyndsomt efter. Delilah var den eneste, der holdt sig lidt i baggrunden. Will havde brug for, at hun gik indenfor. Hvis Dave skjulte sig i en af hytterne, kunne han være bevæbnet med en kniv eller et skydevåben. Will ville ikke risikere, at Delilah blev fanget i krydsilden. Eller blev taget som gidsel.

Han lagde skjorten på et af trinnene og stak telefonen i lommen. Han lagde hånden mod brystet for at lindre smerten. Delilah holdt nøje øje med ham. Hun var ikke gået ind sammen med familien.

"Har du noget, du gerne vil fortælle mig?" spurgte han.

Det var tydeligt, hun havde en hel del at sige, men hun trak tiden, fandt en serviet frem fra lommen, snøftede, tørrede øjnene. Han troede ikke, det var for syns skyld. Hun var tydeligvis oprigtigt rystet over Mercys død. Den form for fortvivlelse skulle man være Meryl Streep for at simulere.

"Led hun?" spurgte hun langt om længe.

Will holdt sit svar neutralt. "Jeg ankom lige inden, hun døde."

"Og du er sikker ..." Hendes stemme knækkede. "Du er sikker på, hun er væk?"

Will nikkede. "Sara erklærede hende død på gerningsstedet."

Delilah duppede øjnene med servietten. "Jeg har holdt mig væk fra det her gudsforladte sted i over et årti, og i samme sekund jeg vender tilbage, står jeg igen i til halsen i deres lort."

Han fik en følelse af, at hun hentydede til mere og andet end mordet. Will dobbeltklikkede på knappen på siden af sin iPhone for at starte lydoptageren. "Hvad er det for noget lort?"

"Mere end du har drømt om i din visdom, Horatio."

"Lad os springe Shakespeare over," sagde Will. "Jeg er efterforsker. Jeg skal bruge fakta."

"Her er et faktum," sagde hun. "Hver eneste person inde i det hus kommer til at lyve for dig. Jeg er den eneste, der fortæller dig sandheden."

Wills erfaring var, at de mindst ærlige personer var dem, der gjorde mest ud af at fortælle, at de var ærlige, men han ville meget gerne høre tantens version af sandheden. "Så lad mig høre, Delilah. Hvem har et motiv?"

"Hvem har ikke?" spurgte Delilah. "De der rige røvhuler fra Atlanta – de er her for at købe stedet. Familien skal godkende salget ved afstemning. Tolv millioner dollars delt med syv. Mercy har to stemmer, sin egen og Jons, fordi han stadig er mindreårig. Hun sagde til familien i ret så utvetydige vendinger, at hun ikke ville lade salget ske."

Will mærkede, at der kom et nyt lys på hans beregninger. "Hvornår var det her?"

"Under familiemødet ved middagstid i dag. Jeg gemte mig inde i dagligstuen og lyttede med, fordi jeg er nysgerrig og elsker drama. Endelig gav det noget." Delilah fandt endnu en serviet frem og tørrede næsen. "Cecil prøvede at intimidere Mercy til at stemme for et salg, men hun gik imod ham. Imod dem alle sammen, faktisk. Mercy sagde, at hun ikke havde tænkt sig at lade dem tage hytterne fra hende. Eller fra Jon. At hun ville knuse hver og en af dem, hvis det var det, der skulle til. Hun sagde til dem, at hvis hun mistede det her sted, så ville de alle gå ned sammen med hende. Og hun mente det. Det kunne jeg høre på hendes tonefald."

Will lavede nye beregninger. Penge var det mest almindelige motiv til forbrydelser. Tolv millioner dollars var et ganske stort motiv. "Hvad truede hun med at gøre?"

"Afsløre deres hemmeligheder."

"Kender du de hemmeligheder?"

"Hvis jeg gjorde, ville jeg fortælle dig hver og en. Min bror er et voldeligt og dominerende røvhul. Så meget kan jeg sige, men han kan ikke længere gøre folk fortræd. I hvert fald ikke fysisk." Delilah skævede tilbage mod huset. "Der var mere substans i Mercys trusler, hvis du forstår, hvad jeg mener. Hun sagde, at nogle af dem kunne ende i fængsel. At nogle af dem aldrig ville få et godt ry igen. Jeg ville ønske, jeg kunne huske flere detaljer. I min alder skal jeg være glad, hvis jeg kan huske, hvor jeg bor, men det er de to ting, der hang ved."

Will huskede noget, hun havde sagt tidligere. "Du sagde til Bitty, at du havde hørt hende true Mercy før middagen?"

"Hun fyrede hende, det var, hvad Bitty gjorde." Delilah rystede vredt på hovedet. "Derefter sagde hun til Mercy, at hvis hun ikke stemte for at sælge hytterne, så ville hun ende med en kniv i ryggen."

Det virkede som et ret bemærkelsesværdigt tilfælde. Men Bitty var lille. Hun kunne umuligt have trukket Mercy ned til søen. I hvert fald ikke uden hjælp.

"Hvad med Dave?"

"Det grådige svin." Hendes mund fordrejede sig i afsky. "Han ville også stemme for et salg."

Det var ikke det spørgsmål, Will havde stillet, men nu ville han gerne vide det. "Hvorfor har Dave en stemme?"

"Cecil og Bitty adopterede ham for nogle og tyve år siden, hvilket desværre betyder, han er en del af familiefonden. Er man det, kan man stemme."

Will havde lige brug for et øjeblik til at sunde sig, men det var af personlige grunde. Dave havde ikke bare fået en familie. Han havde fået to. "Hvordan kom adoptionen i stand?"

"De fandt ham strejfende rundt i området som en vild kat. Cecil ville aflevere ham til sheriffen, men Bitty kastede sin kærlighed på ham. Hun er normalt en kold fisk, men Bitty har et meget usundt forhold til den knægt. Hun overfalder Mercy for det mindste og behandler Christopher som et rødhåret stedbarn. Alt imens Dave ikke kan gøre noget som helst forkert. Jeg vover at påstå, at det er det samme med Jon, sikkert fordi han er som snydt ud af næsen på sin far. De opfører sig i øvrigt alle sammen, som om det er helt normalt."

Will spurgte ikke ind til det faktum, at Dave dermed også var halvonkel til sin egen søn. Han var særligt kvalificeret til at forstå de mærkværdige relationer, der kunne komme ud af plejefamiliesystemet.

"Hvad med Christopher?" spurgte han i stedet. "Du kaldte ham noget andet."

"Fiskehvisker. Det er et øgenavn, Dave gav ham. Jeg prøvede at være et røvhul, for han plejede at hade det navn, men han er vel blevet vant til det. Det er det, Dave gør. Han nedbryder dig, til du ender med bare at gøre, som han vil have dig til."

Will prøvede at styre hende væk fra Dave. "Kunne Christopher finde på at gøre Mercy fortræd?"

"Hvem ved?" spurgte hun. "Han har altid været så eneboeragtig. Ikke på den excentriske måde, mere som i *seriemorder, der samler på dametrusser*-eneboertypen. Og Chuck, de to er pot og pande og lusker rundt i skovene og laver guderne må vide hvad."

"Du sagde, du ikke har været her i over ti år. Hvordan ved du, at de lusker rundt?"

"Jeg så, hvordan de stak hovederne sammen ovre ved brændestablen, da jeg kørte herop i morges. De hviskede sammen og sendte stjålne blikke. Da de fik øje på min bil, stak Chuck af som et forskrækket egern, mens Christopher dukkede sig, som om det høje græs kunne gøre ham usynlig. Der var helt sikkert noget i gære." Hun snøftede igen. "Og så, efter familiemødet, så jeg dem samme sted stå med hovederne sammen igen."

Will ville være nødt til at føje brændestablen til områder, der skulle gennemsøges. "Har de et forhold?"

"Du mener, er de ligesom de to ekshibitionister i hytte fem?" Hun lo hult. "Det ville være Christophers held. Han har aldrig været heldig med damerne. Hans highschoolkæreste blev gravid med en anden dreng. Og så er der hele den forfærdelige historie med Gabbie."

"Hvem er Gabbie?"

"Bare en anden pige, han mistede. Det er længe siden. Han datede aldrig rigtig igen efter det. I hvert fald ikke så vidt jeg ved. Men på den anden side, så har jeg ikke ligefrem fået så meget at vide."

Will mærkede en regndråbe ramme sit hoved. Nu kom regnen, men han blev stående og ventede på, at hun talte.

"Hør," sagde hun. "Dave er sikkert dit bedste bud. De havde alle sammen en grund til at ønske hende død, men Dave plejede at tæve Mercy sønder og sammen. Knoglebrud. Blå mærker. Der var aldrig nogen, der sagde eller gjorde noget for at stoppe det. Ikke andre end mig, og se, hvad der kom ud af det. Du kan ikke lave om på folk ved at fortælle dem, at de er forkert på den. Det er de selv nødt til at forstå. Og ja, det kommer hun jo så aldrig til nu."

Will så hende synke. Nye tårer vældede op i øjnene. "Hvad med dig?" spurgte Will. "Havde du en grund til at ønske Mercy død?"

"Spørger du til et motiv?" Hun sukkede tungt. "Jeg var glad for, at Mercy langt om længe havde fået sit liv på rette spor. Jeg tilbød hende ligefrem at blokere salget med min stemme, men Mercy er stolt. *Var* stolt. For pokker, altså, hun var så ung. Jeg ved ikke engang, hvad jeg skal sige til Jon. Han har aldrig haft en far, og nu har han mistet sin mor på den måde ..."

Will testede hendes ærlighed. "Hvad vil folkene inde i huset fortælle mig, når jeg spørger dem, hvorvidt du har et motiv?"

"Åh, de vil helt sikkert kaste mig under bussen." Delilah stak den sammenfoldede serviet tilbage i lommen. "De vil sige, at jeg ville have hævn, fordi Mercy stjal Jon fra mig. Jeg opfostrede ham fra den dag, han blev født, til han var tre, næsten fire år gammel. Mercy søgte om at få forældremyndigheden tilbage i januar 2011. Det var året efter bilulykken."

"Det var der, hun fik arret i ansigtet?" gættede Will.

Delilah nikkede. "Jeg tror, det gav hende lidt gudsfrygt. Fik hende til at genoverveje sit liv, beslutte sig for at blive lidt voksen. Jeg var tvivlende. Heroin er noget af en abe at have siddende på skulderen. Hun var clean, men det virkede meget spinkelt. Forældremyndighedssagen var nærmest et gadeslagsmål. Den trak ud i et halvt år. Vi flåede hinanden i småstykker. Jeg var knust, da hun vandt. Sagde til hende på trappen ind til retsbygningen, at jeg håbede, hun døde. Hun afskar mig fuldstændigt fra Jons liv. Jeg skrev breve, prøvede at ringe. Bitty stoppede mig hver gang, men jeg er sikker på, Mercy godt viste, hun gjorde det. Så det er mit motiv. Hvis du tror på, det tog tretten år at få det til at slå klik for mig."

"Hvor var Dave i alt det her?"

"Mercy var sammen med ham. Så var hun ikke. Så var hun. Så røg hun på hospitalet, så var det forbi mellem dem. Så blev hun udskrevet fra hospitalet, og så var det ikke forbi alligevel." Delilah rullede opgivende med øjnene. "Dave var aldrig med på de overvågede besøg. Han var sikkert for fuld eller høj. Eller for bange for mig. Hvilket han også burde være. Hvis det var Dave, der lå død i den sø lige nu, så kunne du med rette sætte mig øverst på din liste."

"Hvad sker der med Jon nu?"

"Det har jeg ingen anelse om. Han kender mig ikke rigtigt længere. Jeg tror, det måske er bedst, at han bliver hos Cecil og Bitty. De er det mindste af to onder. Han har mistet sin mor. Han mister også sin far, hvis der er nogen retfærdighed til. Jon har brug for, at ting forbliver så velkendte som muligt. Måske jeg en dag kan få et forhold til ham, men det er mit ønske. Lige nu handler det om, hvad Jon har brug for."

Will spekulerede på, om det var det rigtige svar, eller det, hun troede ville stille hende i et godt lys. "Hvor var du her til aften mellem ti og midnat?"

Hun hævede et øjenbryn, men svarede. "Jeg læste på mit værelse til omkring halv ti eller ti. Ikke noget alibi. Jeg lå og sov i min seng, da klokken begyndte at larme. I min alder er fugt et fremmedord. Jeg har en blære som en stålfælde."

Will hørte en bil. Sheriffen var endelig ankommet. Den brune bil trak ind på parkeringspladsen, netop som Sydney og Max kom rullende med kufferterne hen mod Mercedesen. Hvis de bemærkede sheriffen, var det ikke noget, de reagerede på. De havde alt for travlt med at komme væk i en allerhelvedes fart. Will tænkte, at det sagde ret meget om parret, at de ikke havde tilbudt andre et lift til byen.

Delilah stønnede frastødt, da sheriffen steg ud af bilen. De så begge til, mens manden rakte om på bagsædet for at tage en stor paraply.

"Frygt ej, Småkage er på vej," mumlede Delilah.

"Småkage?"

"Øgenavn." Hun så op på Will. "Hør, agent hvad-det-nu-er-du-hedder, nu er vi to jo ikke ligefrem pot og pande, men personligt ville jeg ikke stole på den mand over en dørtærskel. Ikke engang en af de lave, nedslidte af slagsen, det gamle hus her kan byde på."

Will mærkede mere regn på sit hoved, mens han betragtede sheriffen gå hen over grunden. Han var sikkert omkring en halvfjerds, og maven hang lidt nedenunder den brune sherifuniform. Det var ikke en pasform, der var flatterende for nogen, men sheriffen så direkte ukomfortabel ud i de stramme bukser og den stive krave. Han havde heller ikke synderligt travlt. Han stoppede op for at åbne paraplyen, da regnen begyndte at stå ned i stænger. Will tog den sammenfoldede skjorte og skyndte sig op ad trappen. Han lagde den fra sig i gyngestolen. Og ventede på, at Delilah også søgte ly oppe på verandaen.

Sheriffen kom langsomt op ad trappen og stod så oppe på toppen og så ud over grunden, mens han rystede paraplyen fri af vand. Han lænede sig mod huset ved hoveddøren. Han så op på Will.

"Sherif." Will var nødt til at råbe for at overdøve regnens trommen mod metaltaget. "Jeg er Will Trent, GBI."

"Douglas Hartshorne." I stedet for at bede Will om en opdatering skulede han til Delilah. "Du vælger at dukke op efter tretten år på den aften, Mercy bliver stukket ihjel. Hvad sker der for det?"

Will lod ikke Delilah svare. "Hvorfra ved du, hvem der er død og hvordan?"

Han smilede med en vis arrogance. "Bitty ringede til mig undervejs."

"Sikke en overraskelse." Delilah henvendte sig til Will. "De kalder hende Bitty, fordi hun kan sno fjolser som ham der om sin lillefinger."

Sheriffen ignorerede hende og spurgte Will: "Hvor er liget?"

"Nede ved Ungkarlehytterne," svarede Delilah.

"Spurgte jeg måske dig?"

"For himlens skyld, Småkage. Der er jo alligevel ingen, der tror på, du laver en grundig efterforskning."

"Lad så vær' med at kalde mig Småkage!" råbte han. "Og hvis jeg var dig, Delilah, så ville jeg holde min store kæft lukket. Du er den eneste heroppe, der har en historie med at dolke folk."

"Det var en forpulet gaffel." Delilah forklarede sig til Will. "Det var før, Jon blev født. Mercy boede i min garage. Jeg greb hende på fersk gerning i at stjæle min bil."

"Påstår du," gav sheriffen igen.

Will skar tænder, mens de fortsatte deres mundhuggeri. Det der pis spildte tid, de ikke havde. Sheriffen virkede mere optaget af at score points end af den mordsag, han havde i hænderne. Will så på sit ur. Amanda var sikkert på vej, men det ville tage mindst to timer at køre herop fra Atlanta.

"Fuck dig." Delilah gik ned ad trappen, komplet ligeglad med regnen.

"Jeg går ned og sidder hos min niece."

"Lad være med at røre noget!" råbte sheriffen efter hende.

Hun gav ham fingeren og fortalte ham dermed, hvad hun mente om den ordre.

"Det er ikke alt, der bliver bedre med alderen," sagde sheriffen til Will.

Will havde brug for, at manden fokuserede på det vigtige. "Skal jeg kalde dig sherif eller ..."

"Alle kalder mig Småkage."

Will skar tænder igen. Der var virkelig ingen, der blev kaldt, hvad de egentlig hed, heroppe.

Han genfortalte de sidste to timers begivenheder til sheriffen. "Jeg var nede ved søen sammen med min hustru omkring midnat. Vi hørte tre skrig. Det første lød cirka ti minutter før de næste to, der kom tættere på hinanden. Jeg løb gennem skoven og fandt frem til området med de tre Ungkarlehytter. Den sidste af dem stod i flammer. Mercy lå på søbredden. Hendes overkrop lå ude i vandet, men fødderne var oppe på land. Jeg så, at hun var dolket adskillige gange. Hun havde lidt et alvorligt blodtab. Vi talte sammen, men hendes eneste bekymring var Jon, hendes søn. Jeg kunne ikke få nogen oplysninger ud af hende om, hvem der havde overfaldet hende. Jeg prøvede at give hjerte-lungeredning, men knivens blad sad stadig inde i brystkassen. Den gennemborede min hånd. Skaftet må være knækket af under overfaldet. Jeg var ikke i stand til at finde det på gerningsstedet. Tilsyneladende mangler der ikke nogen knive i spisesalens køkken. Vi bør tjekke familiens køkken og alle hytterne. Så snart solen står op, kan vi starte en systematisk eftersøgning. Jeg vil anbefale, at vi begynder heroppe og bevæger os i retning af gerningsstedet. Har du nogen spørgsmål?"

"Næh, det lyder til, du har det hele med. Det var en fandens god briefing. Du kommer nok til at fortælle den en gang mere til den ligsynsansvarlige. Vejene er ved at blive risikable. Der går nok højst en halv time."

Småkage så ned på Wills forbundne hånd. "Jeg spekulerede godt nok på, hvad der var sket med din næve."

Will havde lyst til at ruske lidt situationsfornemmelse ind i manden. Mercy var død. Hendes søn sad og sørgede inde i huset. "Jeg kan føre dig ned til liget."

"Hun er stadig død, når regnen holder op, og solen er stået op." Småkage så sig omkring igen. "Delilah var ikke helt forkert på den omkring det med ikke at efterforske. Mercy har en eksmand. Dave McAlpine. Hvordan de alle sammen er endt med samme navn er en lang historie, men de to har tævet løs på hinanden, siden de var teenagere. Min lillesøster plejede at se dem banke hinanden helt tilbage i high school. Det, der er sket den her gang, er, at de er gået et skridt for vidt, og hun er endt med at dø."

Will var nødt til at tage en dyb indånding, før han svarede. Det lød fandens meget, som om sheriffen bebrejdede Mercy for at være endt som mordoffer. "Min chef ..."

"Wagner? Det er det, hun hedder, ikke?" Han ventede ikke på bekræftelse. "Hun tilbød at sende et par agenter ud for at tage over, men jeg sagde, hun skulle slå koldt vand i blodet. Dave dukker op før eller siden."

Den evne havde Amanda ikke. "Vi bør ransage Mercys værelse."

"Hvem er det lige, 'vi' er her, min gode mand?" Småkage smilede, uden rigtigt at smile. "Mit distrikt, min sag."

Will vidste godt, han havde ret. "Jeg vil gerne melde mig frivilligt til at lede efter Dave."

"Det ville være spild af din tid. Min vicesherif har allerede været forbi hans trailer og på alle de barer, hvor han plejer at hænge ud. Han er her ikke. Han ligger sikkert og sover den ud i en grøft et sted."

Will vendte rundt. "Han skjuler sig muligvis i en af de tomme hytter. Jeg har ikke mit våben på mig, men jeg kan være din backup i eftersøgningen."

"Det er der ingen grund til," sagde Småkage. "Dave er forment adgang heroppe efter seks. Papa forviste ham fra grunden for et stykke tid tilbage. Den eneste grund til, at han har været heroppe den sidste måneds tid, er for at arbejde på Ungkarlehytterne."

Will spekulerede på, om manden forstod de ord, der kom ud af hans egen mund. Dave var mistænkt for mord. Han ville nok ikke overholde et adgangsforbud. Will prøvede med en anden vinkel og spurgte: "Hvilket køretøj kører han i?"

"Han må ikke køre. Spiritusdom. Han har vist nok en dame, der kører ham op og ned ad bjerget. Dave har en særlig evne til at overtale folk til at gøre ting for sig."

Will ventede på, at manden foreslog, at de talte med denne kvinde eller overvejede andre mulige steder, de kunne lede efter ham, eller måske ligefrem den mulighed, at Dave kunne køre uden kørekort, men Småkage virkede tilfreds nok med at betragte regnen sile.

"Jaså." Manden vendte sig mod Will. "Jeg må nok hellere gå ind og se til Bitty. Det har været et par hårde år for den stakkels gamle tøs."

Will holdt munden lukket og tvang sig til at acceptere det åbenlyse. Sheriffen var alt for tæt knyttet til familien. Han var forblændet af samme ligegyldighed med Mercys liv. Han havde ingen interesse i at lede efter den hovedmistænkte eller indsamle beviser eller sågar tale med vidnerne.

Ikke at de mulige vidner havde tænkt sig at hjælpe. To af dem var allerede kørt i deres Mercedes. To andre havde nægtet at udtale sig. To andre opførte sig mistænkeligt, mens de vandrede rundt i deres undertøj. To af de mindst vigtige var ivrige efter at hjælpe. En var en gåde i en morgenkåbe med ænder. Ofrets nærmeste familie opførte sig, som var det en fremmed, der var død. Læg dertil, at noget af mordvåbnet manglede. Den hovedmistænkte blæste i vinden. Liget havde delvist ligget i vand. Hytten var brændt ned til grunden. Resten af gerningsstedet var i fuld gang med at blive skyllet bort.

Måske havde Småkage ret i, at Dave ville dukke op før eller siden. Sheriffen satte tydeligvis sin lid til, at folk herude på landet, der endte i en jury, var af den overbevisning, at betjentene var de gode, og at de kun arresterede folk, der var skyldige, men Dave var ikke den typiske tiltalte. Han ville forstå sig på at manipulere en jury. Han ville forsvare sig ihærdigt. Will havde ikke tænkt sig at lade en mand, der gik under navnet Småkage, være grunden til, at Dave slap af sted med mord. Og han havde heller ikke tænkt sig at blive stående her med en finger i røven og vente på det næste slemme, der skete.

"Will?" Sara havde åbnet døren. "Jon har efterladt en seddel på sin seng. Han er stukket af."

16. januar 2011

Kære Jon

Det er sikkert dumt at skrive et brev til dig, som jeg ikke engang ved, om du nogensinde læser, men her sidder jeg alligevel og gør netop det. Folk i AA siger, det er godt at få sine tanker ned på papir. Jeg begyndte at gøre det, da jeg var tolv, men jeg stoppede, fordi Dave fik fat i min dagbog og gjorde grin med det. Jeg burde ikke have ladet ham tage det fra mig, men folk har taget ting fra mig hele mit liv. Jeg tror måske, jeg begyndte at skrive igen, fordi jeg gerne ville have, der var en form for optegnelse, hvis der nogensinde sker mig noget alvorligt. Og det allerførste, jeg gerne vil fortælle dig, er det her. I dag har jeg bedt retten om hjælp til at få dig tilbage, så jeg kan begynde at være det, jeg skulle have været lige fra start af. Din mor.

Delilah har ikke så mange penge, men hun har sagt lige op i mit åbne ansigt, at hun vil bruge hver en skilling, hun har, til at holde fast på dig. Hun har sine grunde, og dem vil jeg ikke gå ind i. En dag finder du ud af historien bag mit grimme fjæs og forstår, hvorfor hun hader mig så meget. Hvorfor alle hader mig, faktisk. Og nu har du sort på hvidt, at jeg aldrig har sagt, at der ikke er en grund til det.

Jeg har stort set fucked hver eneste dag af mine atten år på denne planet op, bortset fra en, og det var den dag, jeg fødte dig. Jeg prøver at unfucke mit liv lige nu ved at få dig tilbage. Undskyld, jeg bander. Din bedstemor Bitty ville være på nakken af mig over det, men jeg taler til dig som en mand, fordi du kommer ikke til at læse dette, mens du stadig er en dreng.

Jeg opgav dig. Det er sandheden. Jeg havde abstinenser og var lænket til en hospitalsseng, fordi jeg var anholdt for spirituskørsel igen. Delilah var der, og der går ikke noget af mig ved at indrømme, at jeg var glad for at se hende. Lægen ville ikke give mig noget smertestillende, fordi jeg var en junkie. Betjenten ville ikke tage håndjernene af, for sådan et røvhul er han. Som om jeg ville stikke af, mens der var et barn på vej ud af mig, men det er den verden, du er født ind i.

Man kan jo godt sige, jeg selv har skabt den verden, og det ville ikke være forkert. Det er derfor, jeg opgav dig og lod Delilah tage dig den dag. Jeg tænkte ikke over, hvor ensom jeg ville blive uden dig. Jeg tænkte kun på, hvordan jeg kunne skaffe noget alkohol eller nogle piller, der kunne holde mig kørende, til jeg kunne få et fix, og det er den ærlige sandhed. Da jeg var barn, begyndte jeg at drikke for at drukne mine dæmoner, men jeg fik bare skabt et fængsel for mig selv, som jeg var fanget i sammen med dæmonerne.

Men det er helt slut nu. Jeg har været helt uden noget i seks måneder, og det er et faktum. Jeg fester ikke længere, og jeg er ovenikøbet startet i skole igen for at tage min forberedelseseksamen, for når du så selv går i skole, kan du ikke bruge det, at jeg ikke gjorde skolen færdig, som en undskyldning for selv at droppe ud. Din far bebrejder mig konstant, at jeg bruger al den tid på at læse, når jeg i stedet burde tage mig af ham, men jeg prøver at ændre mit liv. Jeg prøver at gøre alting bedre for din skyld, for det er du værd. Det skal han nok indse en dag. Han kender dig bare ikke, som jeg gør.

Det her brev kan godt virke, som om jeg er hård over for din far. Jeg vil ikke sige noget dårligt om ham, udover en ting. Jeg ved i mit hjerte, at han vil tage imod penge fra Delilah mod at vidne mod mig i forældremyndighedssagen. Det er bare sådan, han er, for der er aldrig nok penge eller nok kærlighed i hele verden, der nogensinde ville være nok for ham. Og jeg er ret så sikker på, at resten af min familie også vil vende sig mod mig, men ikke for penge, for at gøre alting lettere for dem selv. De hader mig ikke sådan rigtigt. Det tror jeg i hvert fald ikke. Det er bare sådan, at de alle sammen graver sig ned, når ting bliver noget rod. Ligesom kaniner, der graver et dybt hul. Det er for at overleve, det er ikke af ondskab. Det er i hvert fald det, jeg holder fast i, for hvis jeg tog det personligt, tror jeg ikke, jeg ville være i stand til at stå ud af sengen om morgenen.

Og det er det, jeg gør nu. Står ud af sengen hver morgen. Dukker op nede på hotellet neden for bjerget for at arbejde som stuepige. Det samme, jeg har gjort oppe i hytterne, så længe jeg kan huske, men her er der ingen, der tæver mig, hvis jeg gør det for langsomt.

Og der er ingen, der siger til mig, at tag over hovedet og mad på bordet er det eneste, jeg får for mit hårde arbejde.

Motellet betaler ikke så meget, men hvis jeg sparer op, har jeg en dag nok til at få en lille lejlighed, vi kan bo i. Jeg vil ikke have, du vokser op i din fars trailer ude på bøhlandet, hvor den halve verden kommer forbi hver aften for at feste igennem. Vi to skal bo i en by, og du skal få verden at se. Eller i hvert fald mere af verden, end jeg gjorde.

Det er første gang i mit liv, jeg har haft penge i lommen, der er helt mine egne. Jeg har altid måttet trygle Papa eller Bitty om småpenge, så jeg kunne købe en pakke tyggegummi eller gå i biografen. Efter det var det din far, der fik mig til at trygle. Men nu behøver jeg ikke trygle nogen. Jeg arbejder bare på motellet, og de betaler mig, og det er ærligt arbejde. Det kan ikke engang din far tage fra mig. Men guderne skal ellers vide, at han prøver. Hvis han vidste, hvor meget jeg i virkeligheden tjener, ville jeg ikke have en klink.

Men som sagt, jeg siger ikke, din far er en dårlig mand, men det, jeg gerne vil sige til dig, er, at selvom han ikke er født ind i vores familie, så er han en McAlpine, så meget er sikkert. Måske er han faktisk værre, for han kan skifte ham, afhængig af hvad han har brug for at få ud af nogen. Du må selv, når du vokser op, beslutte dig for, om det er et problem. Du er også en McAlpine, så hvem ved? Det kan være, du ender præcis som dem.

Skat, hvis det er det, der sker, så vil jeg stadig elske dig. Uanset hvad du gør, eller om Delilah vinder, og jeg fortsat skal acceptere, at jeg ikke får mere end to timer om ugen under opsyn sammen med dig, så vil jeg altid være der. Jeg er også ligeglad med, om du ender med at blive den værste McAlpine, der nogensinde har levet. Endnu værre end mig, en person med blod på hænderne. Jeg vil altid tilgive dig, jeg vil altid have din ryg. Jeg kommer aldrig til at være en kanin, der gemmer mig i hullet. I hvert fald ikke når det gælder dig. Den ham, du ser mig i, selv de grimmeste dele af den, måske især de grimmeste dele, er lavet af samme væv, kød og blod, som går hele vejen ind til mit hjerte.

Jeg elsker dig for evigt

Mor

9

Sara læste højt af den korte besked, Jon havde efterladt på sin seng. "Jeg har brug for lidt tid. I skal ikke lede efter mig."

"Der kan man bare se," sagde sheriffen. "Det kan være, han finder Dave og sparer os besværet."

Hun så musklen i Wills kæbe arbejde. Sara gik ud fra, det havde været lige så bizart for ham at være ude på verandaen med sheriffen, som det havde været for hende at være inde i huset med Mercys kolde, beregnende familie.

"Tror du, Jon kan være gået hen for at se sin mor?" spurgte Sara sheriffen.

"Det skriver han jo ikke noget om," sagde manden, som om man kunne regne med, at en sekstenårig ville uddybe sine hensigter i en note. "Den gamle truck står stadig derovre. Jon ville være kommet her forbi, hvis han var til fods. Stien til Ungkarlehytterne er ned ad den vej der."

"Har han en kæreste?" prøvede Sara. "En i byen, han måske ..."

"Knægten er omtrent så populær som en slange i en sovepose. Vi skal nok høre om det, hvis nogen ser ham i byen. Turen ned vil tage ham et par timer, og det er efter, regnen er ophørt. I det her vejr kan han umuligt have fundet på at tage en cykel. Så vil han ende med at styrte ud over en klippe ligesom Papa."

Der var ikke meget lettelse at hente i det, han sagde, men Sara følte, hun lige så godt kunne råbe ad regnen som at prøve at få sheriffen til at udvise bekymring for et savnet barn.

Hun vendte sig mod Will. "Hvis han er gået ned for at se Mercy, er Delilah der. Hun gik hen for at sidde ved liget."

Sara mærkede tårerne brænde bag øjnene. I det mindste var der en, der ikke var ligeglad.

"I øvrigt, ma'am, jeg hedder Douglas Hartshorne." Sheriffen stak hånden frem. "Du kan kalde mig Småkage."

"Sara Linton." Hånden var slap og fugtig, da Sara trykkede den. Hun skævede til Will, der så ud, som om han havde lyst til at kaste manden ud over rækværket. Det gav ingen form for mening, at de to repræsentanter for ordensmagten stod på verandaen og snakkede, mens Mercy lå brutalt myrdet nede ved søen. De burde være i gang med at lede efter Dave, afhøre vidnerne, arrangere transport af Mercys lig. Hun kunne se på den måde, Will knugede sin venstre hånd sammen på, at initiativløsheden gjorde mere ondt end såret i højre hånd.

Hun kunne ikke bare give op. "Er der en risiko for, at Jon vil prøve at hævne sig mod Dave?" spurgte hun sheriffen.

Småkage trak på skuldrene. "Der står ikke noget på sedlen om hævn."

Sara prøvede igen. "Han er stadig en mindreårig, hvis mor lige er blevet brutalt myrdet. Vi bør lede efter ham."

"Jeg hjælper gerne," sagde Will.

"Narh, knægten er vokset op i disse skove. Han skal nok klare sig. Men tak, det er pænt af jer at tilbyde. Jeg tager den herfra." Småkage begyndte at gå mod døren, men så kom han vist i tanke om Sara. Han lettede på hatten mod hende. "Ma'am."

Will og Sara stod målløse tilbage, mens Småkage roligt lukkede døren efter sig. Will nikkede Sara hen mod hjørnet af verandaen. De kunne kun stirre på hinanden. Ingen af dem kunne sætte ord på deres følelser.

"Kom her," sagde Will til sidst.

Sara begravede ansigtet mod hans bryst, og han lagde armene om hende. Hun mærkede kroppen slippe en lille smule af den smerte, hun havde båret med sig, siden de forlod søen. Hun havde lyst til at græde for Mercy, råbe ad hendes familie, finde Dave, hente Jon tilbage, føle, at hun rent faktisk havde gjort noget på vegne af den døde kvinde, der lå inde i en forladt, gammel hytte.

"Det er jeg ked af," sagde Will. "Sikke en bryllupsrejse, du har."

"Vi har," sagde hun, for det skulle også have været en helt særlig uge for ham. "Hvad kan vi gøre nu? Sig, hvordan jeg kan hjælpe."

Will slap hende modvilligt. Sara lænede sig op ad en af stolperne. Hun mærkede pludselig, hvor sent på natten det var. De stirrede igen på hinanden. Den eneste lyd var regnen, der sejlede ned ad taget og plaskede mod den hårde jord.

"Hvad skete der derinde?" spurgte Will.

"Jeg tilbød at lave kaffe, så jeg kunne gennemsøge køkkenet. Hvis der mangler en kniv, var det ikke noget, jeg kunne se. Det ser ud, som om de har samlet køkkentøj siden tidernes morgen. Vi er nødt til at finde det afbrækkede skaft, før vi kan finde et match."

"Det er jeg sikker på, Småkage straks kaster sig over." Han hvilede den tilskadekomne hånd mod brystet. Nu hvor adrenalinen havde fortaget sig, kunne han sikkert mærke smerten tydeligt.

"Hvornår talte Bitty med sheriffen?" spurgte han.

Sara så tydeligt overrasket ud. "Jeg har ikke set hende tale i telefon. Det har nok været, mens jeg var i køkkenet."

"Der var alligevel ikke noget, du havde kunnet gøre ved det." Will flyttede hånden højere op ad brystet, som om han kunne flytte smerten hen, hvor den var uden for rækkevidde. "Jeg er nødt til at finde Dave. Han kunne stadig være i området." Tanken om, at han gik på jagt efter Dave, såret og alene, fik det til at løbe hende koldt ned ad ryggen. "Han har muligvis endnu et våben."

"Hvis han stadig er i nærheden, er det, fordi han gerne vil fanges."

"Ikke af dig."

"Hvad er det, du plejer at sige? At livet giver dig regningen for din personlighed?"

Sara mærkede sin hals snøre sig sammen. "Sheriffen ..."

"Har ikke tænkt sig at hjælpe," sagde Will. "Han sagde til mig, at den ligsynsansvarlige ville være her inden for en halv time. Måske han har tænkt sig at tage mordet alvorligt. Fik du noget som helst ud af familien?"

"De var bekymrede for de gæster, der tager af sted, og for dem, der kommer torsdag. Om de kunne beholde deres depositum? Om folk stadig ville komme? Hvem skulle nu bestille mad og tage sig af personalet og booke guider?" Sara kunne stadig ikke tro, at ingen havde sagt noget om Mercy. "Så begyndte de at tale om investorerne, og så gik bølgerne for alvor højt."

"Du har hørt om salget?"

"Jeg stykkede det sammen af detaljerne fra den skrigekamp, der udspillede sig om, hvem der ville få Jons stemme, især hvis Dave blev anholdt." Hun lagde armene over kors. Hun følte en underlig form for sårbarhed på Mercys vegne. "Og midt i det hele forsvandt Jon ovenpå. Jeg ville gå efter ham, men Bitty sagde, jeg skulle give ham lidt tid."

"Det var det, der stod på sedlen – at han havde brug for tid."

Så kom Sara i tanke om noget. "Jeg fandt wi-fi-koden. Åbn din telefon, så deler jeg forbindelsen med dig."

Will trykkede koden med tommelfingeren. Han var heldigvis venstrehåndet, så han havde stadig sin fingerfærdighed. Sara sørgede for, at han kom på, inden hun hentede hans skjorte på gyngestolen. Hun begyndte at knappe den latterligt stramme kokkejakke op.

"Det ved du godt, jeg selv kan," sagde Will.

"Det ved jeg." Sara hjalp ham ud af jakken. Han gjorde det tydeligt, at han bare føjede hende, da hun bredte armene ud, så han kunne få tøj på. Hendes fingre fumlede med knapperne. Aftenens begivenheder havde rystet hende. Hun knappede den sidste knap og trykkede derefter hånden mod hans hjerte. Der var masser af ting, hun kunne have sagt, så han blev, men Sara vidste, at han mere end noget andet ønskede at komme i gang med arbejdet.

Og det ønskede Sara også.

Der var ikke mange mennesker, der havde været andet end ligeglade med Mercy, da hun var i live, men der var mindst to personer, der på ingen måde var ligeglad med, at hun var død.

"Du får brug for dem her." Hun tog hans earbuds op af sin bukselomme og smuttede dem ned i hans. Will kunne godt læse, men det gik langsomt. Det var nemmere for ham at bruge tekst til tale-appen på sin telefon. "Jeg har sendt en sms til dig med navnene på køkkenpersonalet samt deres telefonnumre. Jeg fandt dem alle sammen på en liste, der var tapet fast på køkkendøren. Så snart dine beskeder bliver indlæst, får du den."

Han så ud på parkeringspladsen. Han var klar til at gå. "Jeg begynder med hytterne, så vil jeg tjekke brændestablen. Delilah fortalte mig, at Christopher og Chuck holdt til der tidligere. Der kan være et gemmested."

"Så kan jeg tale med Gordon og Landry imens og prøve at finde ud af, hvad tatoveringen betyder."

"Landry reagerede på navnet Paul, så kald ham det, til han kommer med en bedre forklaring." Will pegede mod en af hytterne. Lyset var tændt derinde. "Fyrene bor der. Drew og Keisha er derovre, men de nægter at sige noget. Ikke at jeg tror, de har så meget at sige. Jeg tvivler på, de har kunnet høre noget som helst. Det var praktisk talt en vindtunnel derinde. De er meget vrede over, at vi løj om vores identiteter."

Sara mærkede et stik af sorg over den uge, de nu havde mistet. Hun vidste, Will havde syntes om Drew, og hun havde glædet sig til at tilbringe tid sammen med Keisha.

"Drew sagde noget mærkeligt til Bitty, inden de stormede af sted," sagde Will. "Noget i retning af, at hun kunne glemme alt om 'det andet'. At de kunne gøre, hvad de ville heroppe."

"Måske havde de klaget over deres hytte?"

"Måske." Han fortsatte gennemgangen af hytterne. "Monica og Frank bor der. Chuck kom ud derfra. Max og Sydney boede der. De er allerede taget af sted."

"Skønt," sagde Sara. Gerningsstedet var skyllet bort, og vidnerne forsvandt i samme takt. "Sikke et cirkus. Er der overhovedet nogen, der er berørte af, at Mercy er død?"

"Det er Delilah. Det tror jeg i hvert fald." Han så ned på sin telefon. Hans beskeder var begyndt at tikke ind. "Ifølge hende havde Christopher et par kuldsejlede forhold bag sig. En kvinde blev gravid med en anden og forlod ham, en anden kvinde mistede han. Jeg ved ikke engang, om det betød, hun døde eller forsvandt, eller om det overhovedet betyder noget. Folk har deres egne grunde til at skjule ting."

Der gik et lys op for Sara, men det handlede ikke om Christophers kærlighedsliv. "Det skænderi, app-fyrene havde på stien ude foran vores hytte."

"Hvad med det?"

"Paul sagde: 'Jeg er bedøvende ligeglad med, hvad du synes. Det er det rigtige at gøre.' Og til det svarede Gordon: 'Siden hvornår interesserer du dig for at gøre, hvad der er rigtigt?' og Paul svarede: 'Siden jeg så det liv, hun for fanden har nu!'"

Will havde al sin opmærksomhed rettet mod hende. "Og med 'hun' mente han Mercy?"

"Der bor kun to kvinder heroppe, og den anden er Bitty."

Han kløede sin hage. "Svarede Gordon noget på det?"

Sara lukkede øjnene og prøvede at huske tilbage. Skænderiet på stien havde måske varet i femten sekunder i alt, før de var fortsat ad stien. "Jeg tror, at Gordon svarede: 'Du bliver nødt til at give slip på det.' Derefter gik Paul ned mod søen, og jeg kunne ikke høre mere."

"Hvorfor skulle Paul interessere sig for, hvordan Mercy lever?"

"Det lød, som om det frastødte ham."

Skærmen på Wills telefon lyste op. Han så ned. "Faith har sendt mig sin lokation for en halv time siden. Hun var på femoghalvfjerdseren, tæt på at flette ind på fem-femoghalvfjerds."

Sara kunne slet ikke mærke forbindelsen til den glade bryllupsrejsende, der havde kørt samme rute dagen før, og så den kvinde, der nu stod midt i en mordefterforskning. "Så er hun her nok først om to timer."

"Min plan er, at jeg på det tidspunkt har varetægtsfængslet Dave, så hun kan afhøre ham."

"Du er stadig sikker på, at det er ham?"

"Vi kan snakke om, hvem det ellers kunne være, eller jeg kan finde Dave og få det afklaret en gang for alle."

Sara fik på fornemmelsen, at der var flere ting, han gerne ville have afklaret, end han lod sig mærke med. "Hvad med sheriffen? Han gjorde det meget tydeligt, at han ikke ønskede vores hjælp."

"Amanda ville ikke have sendt Faith af sted, hvis hun ikke havde en plan." Will stak telefonen i lommen igen. "Jeg har brug for, at du er i huset, mens jeg tjekker de ubeboede hytter."

Sara kunne ikke gå ind i det deprimerende hus igen. "Jeg går hen og snakker med Gordon og Paul. Måske kan jeg finde ud af, hvad der foregår med dem. Kan du huske noget som helst om tatoveringen?"

"Masser af blomster, en sommerfugl, en svungen håndskrift, helt sikkert et ord. På brystet, lige her." Han lagde hånden over hjertet. "Han trak en T-shirt på, inden han kom ud. Jeg ved ikke, om det betød, at han ikke ville have, nogen så den, eller om han bare tog en T-shirt på, fordi det er det, man gør, når man kommer ud af badet."

Det var det frustrerende ved en efterforskning. Folk løj. De skjulte ting. De holdt på deres hemmeligheder. De delte andre. Og nogle gange havde intet af det noget som helst at gøre med den forbrydelse, du prøvede at opklare.

"Jeg ser, hvad jeg kan finde ud af," sagde Sara.

Will nikkede, men han rørte sig ikke ud af stedet. Han havde virkelig tænkt sig at vente, til hun var i sikkerhed inde i hytte fem.

Sara lånte den store paraply, der stod og lænede sig op ad huset.

Hendes vandrestøvler var vandtætte, men de kunne ikke forhindre regnen i at ramme hendes ben. Da hun nåede den lille, overdækkede veranda, var hendes bukser gennemblødte fra knæene og ned. Vandtæt, ha. Hun lukkede paraplyen sammen og bankede på døren.

Det var svært at afgøre, om der kom lyde inde fra hytten, så meget som regnen larmede. Heldigvis kom Sara ikke til at vente længe, før Gordon åbnede døren. Han var iklædt sorte trusser og lodne hjemmesko.

I stedet for at spørge Sara, hvorfor hun var her, eller hvad hun ville, så slog han døren op på vid gab og sagde: "Elendighed elsker selskab."

"Velkommen til vores triste, lille selskab," kaldte Paul fra sin plads på sofaen. Han havde boxershorts og en hvid T-shirt på. Han havde de bare fødder oppe på sofabordet. "Vi sidder bare i vores undertøj og drikker os i hegnet."

Sara prøvede at spille med. "Det minder mig om college."

Gordon lo, mens han gik ud i køkkenet. "Slå dig ned."

Sara valgte en af de dybe klubstole. Hytten var mindre end hendes, møblerne var i samme stil. Hun kunne se ind i soveværelset. Der lå ingen kufferter fremme på sengen, det tog hun som et tegn på, at de ikke havde planer om at rejse. Eller måske havde de forskellige prioriteter. Der stod en åben flaske bourbon på sofabordet. To tomme glas stod ved siden af. Flasken var halvfuld.

Gordon satte et tredje glas på bordet. "Sikke en forpulet nat. Morgen. Fuck, solen står op lige om lidt."

Sara mærkede, at Paul studerede hende.

"Gift med en strisser, hva'?" spurgt han.

"Ja." Sara havde ikke tænkt sig at lyve længere. "Jeg arbejder også for staten. Jeg er retsmediciner."

"Jeg kunne simpelthen ikke røre ved et lig." Gordon snuppede flasken fra bordet. "Det her smager som terpentin, men det skulle man ikke tro til prisen."

Sara genkendte det dyre mærke. Hun kunne ikke huske, hvornår hun sidst havde drukket ren spiritus. Will havde en aversion mod alkohol, der gik helt tilbage til hans barndom. Og dermed var Sara blevet afholdskvinde.

"Det er de høje luftlag, ikke?" sagde Paul. "Det ændrer ens smagsløg."

"Skat, det er på fly." Gordon hældte dobbelte drinks op i alle tre glas. "Vi kan da ikke være ti kilometer over vandoverfladen nu."

"Hvor højt oppe er vi?" spurgte Paul.

Han kiggede på Sara, da han stillede spørgsmålet, så hun svarede: "Vi er 700 meter over havoverfladen."

"Gudskelov, så bliver vi ikke ramt af et fly. Det kunne da ellers lige være prikken over lorte-i'et." Gordon rakte Sara hendes glas. "Hvad laver en retsmediciner egentlig? Er det ligesom hende der i den der tv-serie?"

"Hvaffor en tv-serie?" spurgte Paul.

"Hende med håret. Vi hørte hende i *Mountain Stage*. Og så var hun med i *Madam Secretary*."

Paul knipsede med fingrene. "*Crossing Jordan*."

"Ja, den." Gordon tømte halvdelen af glasset. "Den var Kathryn Hahn med i. Hende elsker vi."

Sara gik ud fra, deres oprindelige spørgsmål var gået tabt. Hun tog en tår af bourbonen og prøvede at lade være med at blegne. At kalde det terpentin var en kompliment.

"Ikke også?" Paul havde bemærket hendes reaktion. "Man er nødt til at holde det inde i munden for at få det forbi brækrefleksen."

Gordon fnøs af dobbeltbetydningen. "Det bliver der vist ikke noget af for de nygifte i nat."

"Så hvad har Agent Sexy gang i?" spurgte Paul. "Det ser ikke rigtigt ud til, der er nogen, der gider afgive vidneforklaringer."

Det løb Sara koldt ned ad ryggen, da hun tænkte på Will, der var alene ude at lede efter Dave. "Var der nogen af jer, der så Mercy efter middagen i aften?"

"Oh, strisserspørgsmål," sagde Gordon. "Skal du ikke først oplyse os om vores rettigheder?"

Sara var ikke forpligtet til at oplyse om noget som helst. "Jeg er ikke politibetjent. Jeg kan ikke arrestere jer."

Hun udelod den del med, at hun kunne aflægge forklaring som vidne om alt, de sagde.

"Paul så hende," sagde Gordon.

Sara gættede på, at Landry-finten dermed definitivt var overstået. "Hvor var hun?"

"Lige ude foran hytten her. Klokken var omkring halv elleve. Jeg så tilfældigvis bare ud ad vinduet." Paul løftede glasset til munden, men han drak ikke. "Mercy gik lidt rundt, så gik hun op ad trappen til Frank og Monicas hytte."

"Monica ville sikkert have mere sprut," tilføjede Gordon. "Frank sagde, hun havde lagt en seddel på verandaen."

"Ikke at jeg fatter, hvordan hun kunne holde på en kuglepen. Damen var stangbacardi."

"Skål for Monicas lever," sagde Gordon og løftede glasset.

Sara foregav at drikke igen. Det var interessant, at Paul vidste, hvor Mercy var gået hen. Man kunne ikke se Frank og Monicas hytte fra deres vinduer. Man skulle helt ud på verandaen, og det betød, han havde fulgt med i, hvad Mercy foretog sig.

"Nå men," sagde Gordon. "Hvordan så hun så ud?"

Sara rystede på hovedet. "Hvem?"

"Mercy," sagde Gordon. "Hun var stukket ihjel, ikke?"

"Det er ret så grusomt," sagde Paul. "Hun må have været rædselsslagen."

Sara så ned på sit glas. De to mænd opførte sig, som var det et reality-show.

"Ved du, om vores vandretur i morgen stadig bliver til noget?" spurgte Paul.

"Skat," sagde Gordon. "Det er altså lidt hensynsløst."

"Det er sgu da også et rimeligt spørgsmål. Vi har betalt det blå ned fra himlen for at komme herop." Han så på Sara. "Ved du det?"

"Det bliver du nødt til at spørge familien om." Hun satte glasset tilbage på bordet. "Paul, Will sagde, han så tatoveringen på dit bryst."

Pauls latter lød pludselig forceret. "Bare rolig, skattepige. Det er dig, han er vild med."

Sara var ikke bekymret. "I mit job lærer man, at der er en historie bag enhver tatovering. Hvad er din?"

"Åh, den er tåbelig," sagde han. "Lidt for meget tequila. Og lidt for meget melankoli."

Sara så på Gordon. Han trak på skuldrene. "Jeg er ikke tusch-typen. Jeg hader nåle. Hvad med dig? Nogen røvgevirer, du har lyst til at fortælle om?"

"Ingen." Hun prøvede at gå til det fra en anden vinkel. "Har I to været heroppe før?"

"Første gang," sagde Gordon. "Og er ikke så sikker på, vi bliver gengangere."

"Jeg ved nu ikke, skat. Vi kan sikkert få et godt tilbud, hvis vi booker lige nu." Paul rakte ud efter bourbonen, da han satte sig op i sofaen. Han skænkede endnu en dobbelt og spurgte så Sara: "Vil du have mere?"

"Hun har knap nok rørt den første." Gordon rakte hånden frem. "Må jeg?"

Sara så til, mens Gordon hældte indholdet af hendes glas over i sit eget.

"Hvad med Mercy?" spurgte hun.

Paul lænede sig langsomt tilbage.

"Hvad med hende?" spurgte Gordon.

"Det virkede, som om I kendte hende. Eller i hvert fald kendte til hende." Hun henvendte sig direkte til Paul. "Og som om du ikke var spor glad for at finde ud af, at hun levede et rart liv heroppe."

Sara så et glimt af noget i Pauls øjne, men hun kunne ikke afgøre, om det var vrede eller frygt.

"Hun var lidt en sær snegl, synes du ikke? Lidt kras i kanten."

"Og hvad lige med det ar, hun havde i ansigtet?" spurgte Paul. "Jeg vil vædde på, det også kunne fortælle en historie."

"Den ville jeg ikke have lyst til at høre," sagde Gordon. "Hele familien er lidt suspekt, hvis du spørger mig. Moren minder mig om hende pigen i den der film, men hun havde mørkt hår, ikke kridhvidt som heksekønshår."

"Samara fra *The Ring*?" spurgte Paul.

"Ja, men med en stemme som et ondt barns." Gordon så på Sara. "Har du set den?"

Sara havde ikke tænkt sig at lade dem afspore hende. "Så du har aldrig mødt Mercy, før I tjekkede ind?"

Det var Gordon, der svarede. "Jeg kan helt ærligt sige, at i dag var første gang, jeg nogensinde så den stakkels kvinde."

"Det var i går," sagde Paul. "Det er allerede i morgen."

Sara pressede lidt mere på. "Hvorfor løj du om dit navn?"

"Vi lavede bare lidt sjov," sagde Gordon. "Ligesom du og Will, ikke? I løj også."

Det var en logik, Sara ikke kunne argumentere imod. Det var en af mange grunde til, at hun hadede at lyve.

"Lad os skåle." Paul hævede sit glas. "Skål for alle løgnerne på bjerget. Måtte de ikke alle lide samme skæbne."

Sara vidste, det var nyttesløst at spørge, om han inkluderede Mercy i deres løgnerklub. Hun betragtede Pauls hals arbejde, mens han tømte glasset helt. Han knaldede det ovenikøbet ned i sofabordet bagefter. Lyden ekkoede i stilheden. Ingen sagde noget. Sara kunne høre en dryppende lyd udefra. Regnen var passeret for nu. Hun håbede, at Will havde holdt sin forbinding tør. Hun håbede ikke, han lå på ryggen et sted med en kniv stikkende ud fra brystet.

Hun skulle lige til at gå, da Gordon brød anspændtheden med et højlydt gab.

"Jeg må hellere komme i seng, inden jeg bliver forvandlet til et græskar," sagde han.

Sara rejste sig. "Tak for skænken."

Der var ingen hjertevarm afsked, bare demonstrativ stilhed, da Sara forlod hytten. Hun så op i himlen. Fuldmånen var flyttet over mod bjergkammen. Der var kun enkelte skyer tilbage. Sara lod paraplyen stå på verandaen og gik ned ad trappen. Hun spejdede efter Will. Projektørlyset var stadig tændt, men rækkevidden var ikke stor.

Hendes blik blev fanget af en bevægelse henne ved parkeringspladsen. Denne gang var det ikke en falsk Bigfoot. Hun genkendte Wills skikkelse. Han havde ryggen til hende. Begge hænder hang langs siderne. Hun gik ud fra, hans forbinding var gennemblødt. Dave var ikke at se nogen steder, hvilket hun ikke burde være lettet over, men det var hun. Hun gik ud fra, at Will måtte have gennemsøgt den brændestabel, Delilah havde nævnt, men så skar lyset fra et par forlygter gennem mørket.

Sara skærmede med en hånd mod lyset. Det var ikke en bil, men en mørk varevogn. Det måtte være den ligsynsansvarlige, der var ankommet. Hun håbede, manden ville blive glad for, at der allerede var en statslig retsmediciner på stedet, men de uventede reaktioner taget i betragtning, som Sara havde været vidne til her i nat, så tog hun ikke længere noget for givet. Om ikke andet håbede hun, at den ligsynsansvarlige kendte begrænsningerne i sine beføjelser.

Folk forvekslede tit, hvad en retsmediciner og en ligsynsansvarlig havde af roller. Det var kun den første stilling, hvor det var nødvendigt at være uddannet læge. Sidstnævnte kunne, og havde det med at være, alt muligt andet. Hvilket var uheldigt, fordi de lokale ligsynsmænd var dødens portnere. De havde ansvaret for, hvad der måtte være af beviser, og det var officielt dem, der besluttede, hvorvidt et dødsfald var mistænkeligt nok til at bede retsmedicineren lave en obduktion.

Staten Georgia var den første til at anerkende den ligsynsansvarliges embede i sin forfatning i 1777. Det var et embede, man blev valgt til, og der var kun få krav til at opstille: Kandidaterne skulle være mindst femogtyve år gamle, have stemmeret i det county, de opstillede i, have en ren straffeattest og have en high school-eksamen.

I statens 159 countyer var der en enkelt, der var læge. Resten var ejere af begravelsesforretninger, landmænd, pensionister, præster og, i et enkelt tilfælde, en motorbådsreparatør. Stillingen gav 1200 dollars om året, og man skulle stå til rådighed døgnet rundt. Og nogle gange fik man bare, hvad man betalte for. Og derfor kunne et selvmord blive vurderet til at være et mord, og et partnerdrab kunne opfattes, som at hun gled og faldt.

Saras vandrestøvler klikkede i mudderet, mens hun gik mod parkeringspladsen. Døren i førersiden blev åbnet. Det kom bag på hende, at det var en kvinde, der steg ud. Og det var endnu mere overraskende, at hun var klædt i kedeldragt og truckerhat. Sara havde ventet en bedemand på grund af bilen. Projektørlyset fangede logoet på bagklappen. Moushey Heating & Air. Sara mærkede maven knuge sig sammen.

"Jah," sagde kvinden til Will. "Småkage har sagt, at I prøver at møve jer ind i sagen."

Sara var nødt til at bide sig i læben for ikke at sige noget.

"Bare rolig," sagde kvinden sammenbidt. "Flere knivstik, ikke? Det er ikke svært at afgøre, at der er tale om mord. Staten får alligevel liget. Så gør det ingen skade, at I allerede er her. Jeg er Nadine Moushey, ligsynsansvarlig i Dillon County. Du er dr. Linton?"

"Sara." Kvindens håndtryk var ubehageligt hårdt. "Hvad har du fået at vide?"

"Mercy blev stukket ihjel, formentlig af Dave. Jeg har også hørt, at I er på bryllupsrejse?"

Sara mærkede Wills overraskelse. Han vidste stadig ikke, hvordan det var med små byer. Der var sikkert ikke en eneste inden for hundrede kilometers afstand, der ikke havde hørt om mordet på nuværende tidspunkt.

"Det er fandeme surt," sagde Nadine. "På den anden side, hvis jeg ser tilbage på min bryllupsrejse, så havde det nok været mit held, hvis nogen havde myrdet skiderikken."

"Det lyder, som om du er bekendt med ofret og den hovedmistænkte," sagde Will.

"Min lillebror gik i skole med Mercy. Dave kender jeg fra Tastee Freeze, hvor jeg hang ud engang. Han har altid været et voldeligt røvhul. Mercy havde sine problemer, men hun var okay. Ikke ondsindet som resten af dem. Hvilket ikke kom hende til gode, kan man sige. Hvis man skal være i en slangerede, er det bedst selv at have de største gifttænder."

"Er der andre end Dave, der kunne ønske Mercy død?" spurgte Will.

"Det har jeg tænkt over på køreturen herop," sagde Nadine. "Jeg er ikke stødt på Mercy siden Papas ulykke for halvandet år siden, og der så jeg hende kun en enkelt gang på hospitalet. Byen er et hårdt sted for hende. Hun bliver helst oppe på bjerget. Der er ret isoleret heroppe. Der er ikke så meget for folk at sladre om, hvis man ikke skejer lidt ud i byen."

"Hvad er historien om arret i hendes ansigt?" spurgte Sara.

"Bilulykke. Spirituskørsel. Ramte et autoværn. Metal skar sig gennem midten og skar nærmest en side af hendes ansigt. Det ligger der en lang, trist historie bag, men den kan Småkage danse for jer. Det var hans far, sherif Hartshorne, der havde sagen, men Småkage assisterede. Familierne har altid været tætte."

Det var ikke overraskende nyt for Sara. Og det var med til at forklare, hvorfor Småkage ikke havde travlt.

"Sheriffen sagde, at Dave har mistet sit kørekort på grund af spirituskørsel," sagde Will. "Han nævnte også, at Dave har en kvindelig chauffør, der kører ham op og ned, så han kan arbejde."

Nadine lo, så maven hoppede. "Den kvindelige chauffør må så være Bitty. Dave har brændt broerne til alle kvinder i de tre nærmeste countyer. Der er ingen, der gider stå ud af sengen for hans skyld. Eller hoppe ned i sengen, hvis du spørger mig. Jeg har allerede opdraget to drenge. Gider ikke en tredje. Hvad er der sket med din hånd, hvis jeg må spørge?"

Will så ned på sin forbundne hånd. "Du har ikke hørt det om mordvåbnet?"

"Will forsøgte at give hjerte-lungeredning," supplerede Sara. "Han var ikke klar over, at knivbladet var knækket af inde i Mercys brystkasse."

"At finde knivskaftet burde blive en prioriteret," sagde Will. "Jeg stødte ikke på det, da jeg ledte hytterne igennem for at finde Dave, men det er en grundigere gennemsøgning værd."

"Fuck, det var en grimmer en. Lad os gå dernedad, mens vi snakker." Nadine stak hovedet ind i bilen og tog en lommelygte og en værktøjskasse. "Det bliver først lyst om tre timers tid. Hen på formiddagen kommer der mere regn, men jeg har ikke tænkt mig at få hende op, før solen er stået op. Men lad os nu lige se, hvad der er op og ned i det her."

Nadine gik forrest med lommelygten. Hun pegede lygten mod jorden og oplyste et par meter ad gangen. Will ventede, til de var i bunden af Ringstien med at begynde at opdatere den ligsynsansvarlige om aftenens begivenheder. Skænderiet under middagen. Skrigene i natten. At han fandt Mercy i de sidste sekunder af hendes liv på søbredden.

Sara følte, hun var der igen, da hun hørte fortællingen. Hun tilføjede sit eget perspektiv i sit eget stille sind. Hvordan hun løb gennem skoven. Var desperat efter at finde Will. Fandt ham på knæ ind over Mercy. Hans forpinte ansigtsudtryk. Han havde været så overvældet af sorg, at han ikke havde bemærket Sara og heller ikke engang kniven, der stak op gennem hans hånd.

Mindet fik tårerne til at presse sig på. Da de to havde stået alene på McAlpine-familiens veranda, havde Sara været så lettet over at mærke hans arme om sig, men nu forstod hun, at Will sikkert også havde haft brug for trøst.

Hun rakte ned og tog hans venstre hånd, mens de begyndte at gå ned ad den snoede sti. Sara havde set Den forsvundne enkes sti tydeligt afmærket på kortet, men hendes logiske hjerne havde svigtet hende, da hun var styrtet af sted gennem skoven, barfodet og panikslagen ved lyden af Wills råb om hjælp.

Terrænet faldt brat. Stien snoede sig frem og tilbage, mens de gik nedad. Stien var ikke nær så velholdt som Ringstien. Nadine bandede lavmælt, da en lavthængende gren slog hendes hat bagud. Hun pegede lommelygten mere opad, så det ikke skete igen. De gik en ad gangen ned i slugten under spisesalen. Lysene på rækværket var slukkede. Sara gættede på, at personalet var taget hjem umiddelbart efter middagen.

Hun prøvede at lade være med at tænke på at stå derude på udsigtsverandaen sammen med Will. Det føltes som et helt liv siden.

Will satte farten ned, da stien blev bredere. Sara sakkede også lidt agter. Hun vidste, han gerne ville vide, hvordan det var gået med app-fyrene. Hvis de overhovedet var app-fyre. Begge mænd havde vist sig at være mesterlige løgnere.

Men så igen, det havde Sara og Will også.

Hun sænkede stemmen og sagde: "Paul så Mercy gå hen til Frank og Monicas veranda omkring halv elleve."

"Og det syntes han ikke, han skulle have sagt tidligere?"

"Der er mange ting, han ikke har sagt," sagde Sara. "Jeg fik intet ud af ham, hverken om tatoveringen, hvorfor han løj om sit navn, om de kendte Mercy eller ej, hvad skænderiet på stien handlede om. Jeg tror ikke kun, det skyldtes alkoholen. De virkede ualmindeligt ligeglade med alting."

"Det passer fint til aftenens tema." Will holdt om hendes albue, da de gik ned ad et ret stejlt stykke. "Jeg fandt ikke noget i brændestablen. Der var intet spor af Dave i hytterne. Ikke noget afbrækket knivskaft. Ikke noget blodigt tøj. Der er allerede gået tre timer. Dave er sikkert på vej ud af staten nu."

"Har du talt med Amanda?"

"Hun tog ikke telefonen."

Sara så op på ham. Amanda tog altid telefonen, når Will ringede. "Hvad med Faith?"

"Hun er havnet i en motorvejskø. Der er sket en ulykke, og der går mindst en time, før vejen bliver åbnet igen."

Sara bed sig så hårdt i læben, at hun smagte blod. Nu ville hun umuligt kunne overtale Will til at vente på Faith. Når først de havde overgivet Mercys lig i Nadines varetægt, ville han finde en måde at skaffe en bil på og køre ned ad bjerget for at finde Dave.

"Nadine," kaldte Sara. Hun kunne ikke få Will til at ændre mening, men hun kunne i det mindste gøre sit arbejde. "Hvor længe har du været ligsynsansvarlig her i countyet?"

"Tre år," sagde Nadine. "Min far plejede at være det, men han blev indhentet af gammelmandsproblemer. Hjertesvigt, nyresvigt, KOL."

Sara var godt bekendt med den morbide trio. "Det er jeg ked af at høre."

"Det skal du ikke være. Han har haft en fest med at gøre sig fortjent til dem." Nadine stoppede op og så på dem. "I to er sikkert vant til at være anonyme dernede i Atlanta, men heroppe ved alle alt om alle, bare så I er klar over det."

Hverken Will eller Sara fortalte hende, at mindst en af dem var yderst bekendt med at bo i en lille by.

"Ser I, her er bare røvkedeligt heroppe, og når man er ung, så ryger man ud i ting." Nadine støttede en hånd mod et træ. Det var tydeligt, at det var noget, hun havde tænkt en del over på vandreturen herned. "Der er bare det med Mercy, at hun var vildere end os alle sammen tilsammen. Hældte sprut indenbords. Tog piller. Skød sig i armen. Stjal fra købmanden. Smadrede bilruder. Indbrud i huse. Kastede æg på skolen. Hver eneste småforbrydelse, du faldt over, så var hun involveret."

Sara prøvede at forbinde den forpinte kvinde, hun havde talt med på toilettet ved køkkenet, med det vilde billede, Nadine var ved at tegne. Det var ikke svært.

"I ved godt, hvordan forældre har det med at sige, at deres børn er gode nok, men at de bare er kommet i dårligt selskab? Det var Mercy. Hun var dårligt selskab for hver eneste unge i byen." Nadine trak på skuldrene. "Måske havde de ret dengang, men sådan er det ikke nu. Problemet med små byer er, at man praktisk talt fødes med lim under fødderne. Uanset hvilket rygte du har som barn, så er det sådan, folk ser dig resten af dit liv. Så selvom Mercy blev stoffri, begyndte at tage sig ordentligt af Jon og fik stedet her på fode, efter hendes far rullede ud over en klippekant, så sad Mercy stadig fast i sin lim. Kan I følge mig?"

Sara nikkede. Hun vidste præcis, hvad kvinden talte om. Hendes egen lillesøster havde nydt et aktivt sexliv i high school, der stadig fik folk til at sende hende blikke, selv efter Tessa var blevet gift, havde født den smukkeste datter og havde været oversøisk missionær.

"Nå, men jeg tænker, det var noget, I undrede jer over, hvorfor folk ikke var mere oprevne over hendes død," afsluttede Nadine. "De synes, hun ligger, som hun har redt."

"Det er præcis den oplevelse, jeg havde med sheriffen," sagde Will.

"Tja, tjo, man skulle jo tro, at en mand, der er blevet kaldt Småkage i næsten tyve år af sit sørgelige liv, ville have en forståelse for, at folk kan forandre sig." Nadine lød ikke, som om hun var fan af sheriffen. "Det var Dave, der gav ham øgenavnet i high school. Den stakkels gut var lille og buttet. Dave sagde, at hans mave stak ud over bæltet som en pose små-kager."

Nadine fortsatte ned ad stien. Sara så lommelygten danse hen over træerne. De fortsatte i tavshed i endnu fem minutter, til de nåede et terrasseret område. Nadine gik først og vendte sig så, så hun kunne lyse for dem.

"Pas på, det er ikke nemt at gå her," sagde hun.

Sara mærkede Wills hånd mod sin lænd, mens hun forsigtigt gik ned. Vindretningen havde skiftet, så nu kunne de lugte røg fra den udbrændte hytte. Hun mærkede dug på sin hud. Temperaturen var faldet efter uvejret. Den køligere luft trak kondens med sig fra søens overflade.

"Jeg hørte, at Dave var ved at sætte de gamle hytter i stand," sagde Nadine. "Det ser ud, som om han lavede sit vanlige venstrehåndsarbejde."

Sara så Nadines lommelygte hoppe hen over en savbuk og værktøj, der lå på jorden, tomme øldåser, skodder efter joints og cigaretter. Efter det, hun havde fået at vide om Dave McAlpine, kom det ikke bag på hende, at han havde misligholdt sin egen byggeplads. Mænd som ham forstod sig kun på at tage. De overvejede aldrig, hvad de efterlod til andre.

"Hallo?" lød en anspændt stemme. "Hvem der?"

"Delilah," sagde Will. "Det er agent Trent. Jeg er her sammen med den ligsynsansvarlige og ..."

"Nadine." Delilah havde siddet på trappen til hytte to. Hun rejste sig, da de nærmede sig, og tørrede snavs af sine pyjamasbukser. "Du har taget over efter Bubba."

"Jeg er alligevel ude på alle tider af døgnet og ordne ødelagte kompressorer," sagde Nadine. "Det gør mig virkelig ondt med Mercy."

"Også mig." Delilah tørrede næsen med en serviet. "Har du fundet Dave?" spurgte hun Will.

"Jeg har gennemsøgt de tomme hytter. Der er han ikke." Will spejdede ud i mørket. "Har du set Jon? Han er stukket af."

"Gud," sukkede Delilah. "Kan det blive værre? Hvorfor er han stukket af? Har han efterladt en besked?"

"Ja," svarede Sara. "Han skrev, at han havde brug for lidt tid, og at vi ikke skulle lede efter ham."

Delilah rystede på hovedet. "Jeg har ingen anelse om, hvor han kunne finde på at tage hen. Bor Dave stadig i samme trailerpark?"

"Jep," svarede Nadine. "Min bedstemor bor lige på den anden side af vejen. Jeg har bedt hende holde udkig efter Dave. Jeg vil vædde på, hun sidder klar ved vinduet nu. Hun holder øje med stedet, som var det en tv-serie. Hvis hun ser Jon, ringer hun til mig."

"Tak." Delilah pillede ved kraven på pyjamassen. "Jeg håbede, Dave ville dukke op her. Jeg havde med glæde druknet ham i vandet."

"Det ville ikke være noget stort tab, men du får nok ikke chancen," sagde Nadine. "Den der voldelige, dominerende type, de slår deres koner ihjel, og så begår de som regel selvmord. Er det ikke korrekt, doktor?"

Sara kunne ikke hævde, hun var helt gal på den. "Det sker."

Will virkede ikke tilfreds med udsigten til, at Dave ville begå selvmord. Han ville tydeligvis hjertens gerne slæbe ham af sted herfra i håndjern. Måske havde han ret. Alle opførte sig, som var det hugget i sten, at det var Dave, der havde slået Mercy ihjel.

"Og måske," sagde Nadine, "er det ikke så smart at ævle løs om, at man gerne vil slå en ihjel, der kan ende med at dukke op død, når der står en politimand lige her. Skal vi komme i gang?"

Will tog hende med ned til bredden. Sara blev tilbage sammen med Delilah, fordi der ikke var grund til at sætte flere fodaftryk end højst nødvendigt på det i forvejen kompromitterede gerningssted. Hun prøvede at se for sig, hvordan jorden havde set ud, da hun var kommet derned første gang. Månen havde været delvist dækket af skyer, men der havde været en smule lys.

Der havde været en stor blodpøl for foden af trappen. Mere blod havde været at finde i det slæbespor, der førte direkte ned til søbredden. Blod havde gjort vandet rødt, mens Mercys liv sivede bort. Hendes jeans havde været trukket ned. Der var sikkert blevet begået overgreb mod hende, inden hun blev stukket. Der havde været flere sår, end hun kunne tælle.

Sara forberedte sig mentalt på obduktionen. Mercy var blevet stranguleret af Dave tidligere på dagen. Hun havde været uheldig at skære tommelfingerens blomme op på et stykke glas under middagen. Sara forestillede sig, at der ville være masser af tegn på tidligere og aktuelle skader. Mercy fortalte Sara, at hun havde giftet sig med sin far. Sara tolkede det således, at det betød, at Dave ikke var den første mand, der havde begået overgreb mod hende.

Hun vendte sig og så på den lukkede dør til hytten. Liget var allerede begyndt at forrådne. Der var den velkendte lugt af bakterier, der nedbrød kødet. Døren var stadig barrikaderet af den bjælke, Will havde taget fra byggepladsen. De havde lagt Mercys lig midt i rummet. Der havde ikke været andet at dække hende til med end Wills blodige skjorte. Sara havde modstået trangen til at gøre hende mere præsentabel – glatte det uglede, våde hår. Lukke hendes øjne. Rette på hendes tøj. Trække jeansene op. Mercy McAlpine havde været en kompliceret, forpint og livlig kvinde. Hun fortjente respekt, også selvom det kun var i døden. Men hver eneste centimeter på hendes krop kunne potentielt bevidne, hvem det var, der havde myrdet hende.

"Jeg skulle have kæmpet hårdere for at blive i hendes liv," sagde Delilah.

Sara vendte sig og så på kvinden. Delilah knugede servietten i sin hånd. Tårerne trillede uhæmmet.

"Da jeg mistede forældremyndigheden over Jon, bildte jeg mig selv ind, at jeg slap ham, fordi han havde brug for stabilitet. Jeg ønskede ikke, at han følte sig trukket i af både Mercy og mig." Delilah så ud i retning af søen. "I virkeligheden var det min stolthed. Forældremyndighedsslagsmålet blev meget personligt. Det holdt op med at handle om Jon og begyndte at handle om at vinde. Mit ego kunne ikke acceptere at tabe. Ikke til Mercy. Jeg betragtede hende som en værdiløs junkie. Hvis jeg bare havde givet hende tid til at bevise, at hun var langt mere end det, så kunne jeg have været en tryg havn i stormvejret. Det havde Mercy brug for. Det har hun altid haft brug for."

"Jeg er ked af at høre, at det endte så skidt," prøvede Sara forsigtigt, for hun havde ikke lyst til at pille i et åbent sår. "Det er en stor opgave at tage på sig, at opfostre en andens barn. Du må have været meget tæt på Mercy, da Jon blev født."

"Jeg var den første, der holdt ham," sagde hun. "Mercy blev rullet direkte i fængsel, dagen efter han var født. Jordemoderen gav mig ham i armene, og jeg ... jeg anede ikke, hvad jeg skulle stille op."

Sara hørte ingen form for bitterhed i den tørre latter.

"Jeg var nødt til at køre forbi Walmart på vejen hjem. Jeg havde en nyfødt i den ene hånd og en kurv i den anden. Gudskelov var der en kvinde, der så mig se helt fortabt ud og hjalp mig med at finde ud af, hvad jeg havde brug for. Jeg tilbragte hele den første aften med at læse opslag i internetfora om, hvordan man passer en baby. Jeg havde aldrig haft planer om at få børn. Jeg havde ikke lyst. Jon var ... han var en gave. Jeg har aldrig elsket nogen så højt, som jeg elskede den dreng. Det gør jeg faktisk stadig. Jeg har ikke set ham i tretten år, men der er et kæmpestort hul i mit hjerte, der hvor han har sin plads."

Sara kunne godt se, Delilah var tynget af sit tab, men hun havde stadig nogle spørgsmål. "Jons bedsteforældre ønskede ikke at tage ham?"

Delilah lo skarpt. "Bitty sagde til mig, jeg skulle efterlade ham foran brandstationen. Hvilket alligevel er voldsomt, eftersom Dave blev efterladt af sin mor ved en brandstation."

Sara havde set, hvor koldblodig Bitty havde været over for sin egen datter, men dette var en helt samvittighedsløs ting at sige om et spædbarn.

"Det er sært, ikke?" spurgte Delilah. "Man hører altid om, hvor helligt moderskabet er, men Bitty har altid hadet småbørn. Især sine egne. Hun lod både Mercy og Christopher sidde dagen lang i deres eget pis og lort. Jeg prøvede at gøre noget, men Cecil gjorde det helt klart, at jeg ikke skulle blande mig."

Sara havde ikke troet, det var muligt at afsky Mercys familie mere. "Boede du her, da Christopher og Mercy var små?"

"Indtil Cecil jagede mig på porten," sagde Delilah. "En af de mange ting, jeg fortryder, er, at jeg ikke tog Mercy med mig, da jeg havde chancen. Bitty ville gladelig have givet hende fra sig. Hun er en af de kvinder, der siger, hun befinder sig bedst sammen med mænd, fordi hun ikke bryder sig om andre kvinder, men sandheden er, at andre kvinder ikke kan udstå at være sammen med hende."

Sara kendte så udmærket 'tag mig'-typen. "Du virker meget overbevist om, at Dave er den skyldige?"

"Hvad var det, Drew sagde? Jeg har set *Dateline* før? Det er altid manden. Eller eksmanden. Eller kæresten. Og i Daves tilfælde overrasker det mig kun, at det har taget ham så lang tid at komme hertil. Han har altid været en vred, voldelig undermåler. Han bebrejdede Mercy for alt, der gik galt i hans liv, selvom det i virkeligheden forholdt sig sådan, at hun var det eneste gode." Hun foldede servietten, inden hun tørrede næsen igen. "Desuden, hvem skulle det ellers være?"

Det vidste Sara ikke, men hun var nødt til at spørge: "Er der nogen af gæsterne, du synes, virker bekendte?"

"Nej, men jeg har heller ikke været heroppe virkelig, virkelig længe," sagde Delilah. "Hvis du spørger om, hvad mit indtryk af dem var, så ville jeg sige, at caterne var flinke, men ikke så afslappede, som jeg kunne ønske. Jeg talte ikke ret meget med de to app-fyre. De er ikke min type homoer. Investorerne, tja, de er ikke min type røvhuller. Monica og Frank, derimod, var skønne. Vi talte om at rejse, om musik, om vin."

Sara må have set overrasket ud, for Delilah lo.

"Monica bør blive tilgivet for at kigge så dybt i flasken. De mistede et barn sidste år."

Sara mærkede et stik af skyld over sine meget lidt generøse tanker. "Hvor frygteligt."

"Ja, det er hjerteskærende at miste et barn," sagde Delilah. "Det var ikke det samme, da jeg mistede Jon, men at få taget noget fra dig, der er så dyrebart ..."

Sara hørte hendes stemme fortone sig. Will og Nadine kom hen mod den udbrændte hytte. De var dybt optagede af en samtale. Det var en lettelse for Sara at se, at den ligsynsansvarlige i det mindste tog efterforskningen alvorligt.

Delilah fortsatte, hvor hun havde sluppet. "Der sker det, når man mister et barn, at det enten ødelægger parret eller bringer dem tættere på hinanden. Jeg ødelagde et seksogtyve år langt forhold, da Jon blev taget fra mig. Hun var mit livs kærlighed. Det var min egen forbandede fejl, men jeg ville virkelig gerne have haft chancen for at gå tilbage og gøre tingene anderledes."

"Sara?" kaldte Will. "Kom lige og se det her."

Sara kunne ikke finde ud af, hvordan hun skulle forhindre Delilah i at gå med, men kvinden holdt sig i det mindste på afstand. Nadine lyste med lommelygten på de forkullede rester af hytte tre. Den ene væg stod stadig, men det meste af taget var væk. Røgen stod op fra forkullede træstykker, der var faldet ned gennem det, der var tilbage af gulvet. Trods syndfloden af vand kunne Sara stadig mærke varmen fra brokkerne.

Will pegede mod den bunke brokker, der lå i bageste hjørne, og som Nadine lyste på. "Kan du se det?"

Sara kunne godt se det.

Der var mange former for rygsække på markedet, lige fra den slags, ethvert barn havde på ryggen i skolen, til dem, der var specialdesignede til seriøse vandrere. Sidstnævnte kategori havde det med at byde på særlige egenskaber til udendørs brug. Nogle var ultralette til dagsture eller klatreture. Andre havde en ramme, der kunne klare tunge byrder. Andre igen havde yderrammer, der kunne foldes ud, så man kunne bære større ting som telte og liggeunderlag.

Uanset variation, så var materialet nylon, et materiale, der blev målt i denier, en tæthedsenhed baseret på længden og vægten af fibrene. Største tæthed var trådtallet i lagener. Jo højere denier, jo mere holdbart materiale. Læg dertil de forskellige slags coating, der skulle gøre stoffet vandskyende, vandtæt og nogle gange, hvis der var brugt en blanding af silikone og glasfiber, brandhæmmende.

Hvilket var tilfældet med den rygsæk, der stod i hjørnet af den udbrændte hytte.

10

Will brugte kameraet i sin telefon til at dokumentere rygsækkens placering og type. Den så funktionel og dyr ud, den slags, en rigtig vandrer ville gå med. Der var tre lynlåse, alle var lukkede: en til hovedrummet, en til et mindre rum fortil og en til en lomme i bunden. Materialet så ud til at være strakt til det yderste. Han kunne se to skarpe hjørner, der pressede mod nylonen og indikerede, at der var en æske eller en tung bog indeni. Regnen havde skyllet noget af ildens sorte sod bort. Nylonen var lavendelfarvet, næsten samme nuance som Mercys Nikesko.

Delilah kom nærmere. "Den taske så jeg oppe i huset tidligere."

"Hvorhenne?" spurgte Will.

"Ovenpå," sagde hun. "Døren til Mercys soveværelse stod åben. Jeg så den stå op ad kommoden. Men den så ikke så fyldt ud. Alle lynlåsene var åbne."

Will så på Sara. De vidste godt, hvad de *burde* gøre. Rygsækken var et vigtigt bevismateriale, men den stod blandt andet bevismateriale. Brandteknikerne ville ønske at tage billeder, gennemsøge de forkullede rester, indsamle prøver, søge efter brandbare agenter, for der var tydeligvis blevet brugt noget, der sikrede, at hytten brændte ned. Will havde været derinde, mens ilden brølede. Ild bredte sig ikke på den måde af sig selv.

Nadine rakte Will sin lommelygte og spurgte: "Vil du holde den for mig?"

Han pegede lyset nedad, mens Nadine åbnede den tungt udseende værktøjskasse, hun havde båret med ned til gerningsstedet. Hun tog et par handsker frem. Stak hånden i baglommen på kedeldragten og fandt en spidstang.

Han fulgte hendes bevægelser med lommelygten. Gudskelov trampede hun ikke rundt i efterladenskaberne efter branden. Hun gik rundt bagom. Hun rakte indover og ned mod rygsækken. Med udsøgt præcision greb hun med tangen om metalmærket i lynlåsen og trak forsigtigt. Tasken blev åbnet omkring fem centimeter, før tænderne sad fast.

Will ændrede vinklen på lygten, så hun bedre kunne se ind i den.

"Det ser ud, som om der er en notesbog, noget tøj, toiletsager til en kvinde," sagde Nadine. "Hun skulle et sted hen."

"Hvilken form for notesbog?" spurgte Sara.

"Et skrivehæfte med stofryg og fast bind, ligesom dem i skolen." Hun drejede hovedet. "Omslaget ser ud til at være af plastic. Det er smeltet i varmen. Bunden har trukket vand. Der må være kommet regn ind gennem lynlåsen. Siderne er klæbet sammen som lim."

"Kan du læse noget?" spurgte Will.

"Niks," sagde hun. "Og jeg har heller ikke tænkt mig at prøve. Vi skal bruge en, der er en hel del kvikkere end mig til at håndtere det her uden at ødelægge siderne."

Will havde håndteret den form for bevismateriale før. Laboratoriet ville skulle bruge flere dage på at få skilt notesbogen ad. For at gøre galt værre, havde lommelygten nu fået ram på en brændt plastic- og metalramme ved siden af rygsækken.

Nadine havde også fået øje på den. "Det ligner en ældre iPhone. Den er fuldstændigt ristet. Lys lige derunder."

Will lyste mod det sted, hun pegede. Han så resterne af en forkullet metalgasflaske. Dave havde sikkert brugt den til at fylde generatoren med, hvorefter han havde brugt den til at brænde gerningsstedet ned, efter han havde myrdet sin kone.

"Ved du, om Mercy havde sagt noget om at skulle rejse?"

"Bitty havde givet hende til søndag eftermiddag til at forlade bjerget. Jeg ved ikke, hvor hun ville gå hen, slet ikke midt om natten. Mercy er en erfaren vandrer. På den her tid af året har vi unge hanbjørne, der er i færd med at skabe deres territorium. Sådan en har man ikke lyst til at gå i vejen for."

"Ikke for noget, Delilah," sagde Nadine, "men Mercy var ikke ligefrem kendt for sit kølige overblik. Halvdelen af de gange, det brændte under hende, var, fordi hun mistede besindelsen og gjorde et eller andet dumt."

Sara blandede sig. "Mercy var ikke vred efter skænderiet med Jon. Hun var bekymret. Ifølge Paul gik hun runden klokken toogtyve og hentede sedlen på Monicas veranda omkring halv elleve. Han sagde ikke noget om, at hun opførte sig mærkeligt. Selv uden det tror jeg ikke på, at Mercy ville stikke af midt om natten og efterlade Jon med tingene usagt mellem dem."

"Nej," sagde Delilah. "Det tror jeg heller ikke, hun ville. Men hvorfor komme her? Der er hverken sanitet eller elektricitet. Hun kunne lige så godt være blevet i huset. Der er ingen som helst tvivl om, at de folk forstår sig på at nidstirre hinanden i vred tavshed."

De så alle sammen hen på rygsækken, som om den kunne komme med en forklaring.

Det var Nadine, der sagde det åbenlyse. "Det her er et hotel, folkens. Hvis Mercy var dødtræt af sin familie, ville hun overnatte i en af gæstehytterne."

"Nogle af sengene var ikke redt, da jeg gennemsøgte de tomme hytter. Jeg tænkte bare, de ikke var blevet gjort rene efter de forrige gæster."

"Det er Penny, der gør rent. Hende, der også er bartender. Det kan være et spørgsmål, der er værd at stille hende." Nadine så op på Will. "Var det Dave, du ledte efter i de hytter?"

"Det kunne jeg godt have fortalt dig var spild af tid," sagde Delilah. "Dave ville være alt for bange til at blive i en af hytterne. Min bror ville rulle ham i tjære og fjer," sagde Delilah.

Will undlod at påpege, at hendes bror ikke kunne forlade sit eget hus uden hjælp. "Hvis Dave ville hurtigt væk herfra uden at blive set, ville han ikke gå tilbage til hyttekomplekset. Han kunne følge vandløbet og ville før eller siden ramme McAlpine-stien, ikke?"

"Teoretisk set," sagde Delilah. "Den forsvundne enkes vandløb er for dybt til at krydse ved søen. Man ville skulle forbi det store vandfald, og der er det stadig lidt af en udfordring. Så hellere gå et par hundrede meter videre og krydse stenbroen ved minivandfaldet. Vandet er mere turbulent der end ved Niagara Falls. Derfra kan man komme lige gennem skoven og fange McAlpine-stien der. Så er man nede af bjerget på tre eller fire timer. Hvis en bjørn ikke stopper dig først."

"Jeg ved sgu ikke," sagde Nadine. "Jeg kan ikke rigtigt se for mig, at Dave tager på vandretur, når familiens truck står lige ved huset. Han har ikke været bleg for at negle et køretøj eller to, når det passer ham."

Will havde været så sikker på, at han vidste, hvem Dave var som barn, at han helt havde glemt at spørge ind til hans straffeattest som voksen. "Har han nogensinde siddet inde?"

"Tit og ofte," sagde Nadine. "Dave har været ind og ud af den lokale arrest for spirituskørsel, tyveri, den slags, men så vidt jeg ved, er han aldrig havnet bag tremmer med de store drenge."

Will kunne godt gætte på, hvorfor Dave aldrig var blevet dømt til afsoning i et statsfængsel, men han forsøgte at være forsigtig. "McAlpine-familien har et godt forhold til sheriffens familie."

"Bingo," sagde Nadine. "Hvis du vil vide, hvad du burde bekymre dig mest om, så er Daves speciale værtshusslagsmål. Han drikker sig i hegnet, begynder at provokere folk, og når de tænder af, står han klar med springkniven."

"En springkniv?" Sara hævede alarmeret stemmen. "Har han stukket nogen før?"

"Dolket et ben en enkelt gang, snittet et par arme. Åbnet en fyrs brystkasse ind til benet," sagde Nadine. "Folk heromkring tager ikke et værtshusslagsmål så alvorligt. Nogle gange fik Dave nogen på hovedet. Andre gange delte han tæv ud. Ingen døde. Ingen lagde sag an. Det er bare lørdag aften."

"Jeg troede kun, Dave tævede kvinder," sagde Delilah.

"Du betragter ham stadig som den omstrejfende hundehvalp, der prøvede at finde sig et hjem," sagde Nadine. "Dave har forandret sig til det værre. Alle de dæmoner, han havde med sig fra Atlanta, er blevet ældre og ondere. Hvis det er nogen trøst, kan jeg ikke se, hvordan han skulle kunne charmere sig ud af denne her. Mord er mord. Det bliver livstid. Det burde give dødsstraf, men han spiller *stakkels mishandlede børnehjemsbarn*-kortet bedre end de fleste."

"Jeg vil se ham bag tremmer, før jeg tror på det," sagde Delilah. "Han har altid været glat som en ål. Lige siden han gled op ad bjerget. Cecil burde have ladet ham blive og rådne op ved den gamle lejrplads."

Will vidste godt, at alt, de sagde om Dave, var sandt, men han kunne ikke lade være med at ryge i forsvar, når han hørte dem tale om at efterlade en trettenårig dreng. Han prøvede at fange Saras blik, men hun så nærmere på rygsækken.

"Gud, ja, det er sgu da der, han gemmer sig!" udbrød Delilah. "Awinita-lejren. Når bølgerne gik lidt for højt i huset, var det der, han plejede at overnatte."

Will følte sig som en idiot for ikke at have tænkt på lejrpladsen før.

"Hvor lang tid tager det at komme derhen?"

"Du ligner en robust mand. Det vil tage halvtreds minutter, en time højst. Du skal forbi det lavvandede område og så følge runden rundt om bageste sektion af midterste del af søen. Lejren ligger i en femogfyrre graders vinkel fra badevippen på badepontonen, plus/minus."

"Vi var i det område inden middagen," sagde Will. "Vi fandt en cirkel af sten, en gammel bålplads, tror jeg."

"Det er pigespejdernes bålplads. Den ligger cirka fire hundrede meter fra lejrpladsen. Der var alt for mange drengespejdere, der sneg sig derover midt om natten, så de flyttede den længere væk. Men du skal bare blive i vinklen på femogfyrre grader fra badepontonen. Der finder du nogle sovebarakker, der har stået der siden 1920'erne. Jeg er sikker på, de stadig står der. Du finder helt sikkert Dave i en af dem." Delilah havde hænderne på hofterne. "Hvis du giver mig et øjeblik til at skifte, så skal jeg føre dig direkte dertil."

"Det kommer ikke til at ske," sagde Will.

"Jeg er enig," tilføjede Nadine. "Vi har allerede en knivdræbt kvinde."

"Faktisk," sagde Delilah, "nu jeg tænker over det, så vil det være hurtigere at tage en kano."

Will kunne godt lide tanken om at snige sig ind på Dave fra søen. "Der er en sti hen til materielskuret, ikke?"

"Du følger bare Ungkarlestien på den anden side af savbukkene. Drej til venstre, når du når Ringstien, og så tilbage ad gaflen mod søen. Skuret ligger bag nogle fyrretræer."

"Jeg tager med dig," sagde Sara.

Will skulle til at nægte, men kom så i tanke om, at han kun havde en god hånd. "Men du skal blive i båden," sagde han til Sara.

"Forstået."

De begyndte at gå, men pludselig stillede Nadine sig i vejen.

"Lige et øjeblik, mester. Jeg har gladelig ladet jer to turtelduer følge med indtil nu, men Småkage gjorde det ret så klart, at han ikke afgiver efterforskningen. I kan få liget, men GBI har ingen myndighed til at gå på jagt efter en mordmistænkt i Dillon County."

"Det har du ret i," sagde Will. "Sig til sheriffen, at min hustru og jeg er klar til at afgive vidneforklaring, når som helst han har tid. Nu går vi tilbage til vores hytte og venter der."

Nadine vidste, han var fuld af lort, men hun var kløgtig nok til at flytte sig, så han kunne passere. Hun tog et skridt til siden med et tungt suk.

"Held og lykke," sagde Delilah.

Will fulgte efter Sara. Hun brugte lommelygten til at supplere det omskiftelige måneskin med. I stedet for at følge Delilahs anvisninger mod stien, gik hun ned mod søbredden, sikkert fordi det var en mere direkte vej til skuret. Will prøvede at regne ud, hvordan de skulle manøvrere kanoen. Han kunne sikkert godt bruge håndroden på den tilskadekomne hånd som støttepunkt og så trække med den gode hånd, hvilket betød, at hovedparten af arbejdet måtte komme fra biceps og skuldre. Han afprøvede den forbundne hånd. Nu kunne han bevæge fingrene, hvis han ignorerede den skarpe smerte.

"Vil du høre, hvad jeg synes?" spurgte Sara.

Will havde ikke forestillet sig, at hun syntes noget andet, end han gjorde. "Hvad er der i vejen?"

"Der er ikke noget i vejen," sagde hun og lød, som om der var en hel del i vejen. "Jeg synes, hvis det altså er noget, du er interesseret i at høre, at du skulle vente på Faith."

Will havde ventet rigeligt. "Jeg har jo fortalt dig, at hun sidder fast i en trafikprop. Hvis Dave er på lejrpladsen ..."

"Du er ubevæbnet. Du er såret. Du er gennemblødt af regnen. Din forbinding er snavset. Du får sikkert en infektion af en art. Du har voldsomme smerter. Du har ikke nogen bemyndigelse, og du har aldrig før prøvet at sejle en kano."

Will gik efter den lavthængende frugt. "Jeg kan godt regne ud, hvordan man sejler en kano."

Sara brugte lyset til at finde en vej forbi den stenede kyst. Han fik et glimt af hendes sammenbidte ansigtsudtryk. Hun var mere vred, end han havde troet.

"Sara, hvad vil du have, jeg skal gøre?"

Hun begyndte at ryste på hovedet, mens hun trampede ud i det lave vand. "Ingenting."

Will havde ikke noget argument imod *ingenting*. Hvad han vidste, var, at Sara var utroligt konsistent logisk. Hun blev ikke vred uden grund. Han spolede tilbage gennem samtalen på gerningsstedet. Sara var blevet tavs, da Nadine havde fortalt, at Dave gik med springkniv. Og at han havde brugt den mod andre mænd.

Han betragtede hendes stivnede ryg, mens hun omhyggeligt trådte sig vej hen over en stenet skråning. Hendes bevægelser var rykvise, som om anspændtheden forsøgte at slå sig vej ud af hendes krop.

"Sara," sagde han.

"Man er nødt til at bruge begge hænder for at udføre et fremadrettet tag i en kano," belærte hun ham. "Din dominerende hånd er kontrolhånden. Den har man øverst på padleårens håndtag. Den anden hånd holder man om skaftet med. Man skal kunne lave et tag med padleåren gennem vandet, mens man skubber ned og drejer kontrolhånden for at holde kanoen på ret kurs. Kan du dreje og tage et fast tag med begge dine hænder?"

"Jeg kan bedre lide, når du gør det."

Sara vendte på en tallerken. "Det kan jeg også, skat. Lad os gå tilbage til hytten og give den gas."

Han grinte. "Er det et trick?"

Hun bandede beskidt og lavmælt og fortsatte så fremefter.

Will var ikke den, der brød en larmende tavshed. Han havde heller ikke tænkt sig at skændes med hende. Han holdt munden lukket, mens de masede sig gennem et tæt krat. Saras pludselige vredesudbrud var ikke det eneste, der gjorde vandringen ubehagelig. Han svedte. Vablen på hans fod gnavede. Hånden dunkede stadig for hvert hjerteslag. Han prøvede at stramme forbindingen. Der dryppede vand fra gazen.

"Du er nødt til at lytte til mig," sagde Sara.

"Jeg lytter, men jeg ved ikke, hvad det er, du prøver at sige."

"Jeg siger, at jeg bliver nødt til at padle kanoen alene til den anden side af søen, så vi ikke sejler rundt i cirkler, til vi dør af alderdom."

"I det mindste vil vi være sammen."

Hun stoppede igen og vendte sig og så på ham. Der var end ikke antydningen af et smil på hendes læber. "Han går med springkniv. Han skar en anden mands bryst op. Skal jeg virkelig fortælle dig, hvilke organer der er i brystkassen?"

Han vidste bedre end at lave sjov denne gang. "Nej."

"Det, du tænker om ham, at Dave er ynkelig, at han er en taber. Alt det er formentlig sandt. Men han er også en voldelig kriminel. Han vil ikke have lyst til at ende i fængsel igen. Ifølge dig og alle andre heroppe, så har han allerede et mord på samvittigheden. Han lader sig ikke intimidere af udsigten til et til."

Will hørte den hudløse frygt i hendes stemme. Nu forstod han. Hendes første ægtemand havde været politimand. Manden havde undervurderet en mistænkt og var endt død på grund af det. Der var ingen god måde, hvorpå Will kunne fortælle hende, at han ikke ville lide samme skæbne. Han var bygget anderledes. Han havde tilbragt de første atten år af sit liv med at gå ud fra, at folk gjorde brutale og voldelige ting, og alle årene derefter på at gøre, hvad han kunne for at forhindre dem i det. Hun greb hans raske hånd og klemte den så hårdt, at han kunne mærke knoglerne rykke sig.

"Min elskede," sagde hun. "Jeg ved godt, hvad det er for et job, du har, at du træffer disse liv eller død-valg hver eneste dag, men du er nødt til at forstå, at det ikke længere kun er dit liv, og det er ikke kun din død. Det er *mit* liv. Det er *min* død."

Will lod fingeren kærtegne hendes vielsesring. Der måtte være en måde, hvorpå de begge fik, hvad de ville have. "Sara ..."

"Jeg prøver ikke at lave om på dig. Jeg fortæller dig bare, at jeg er bange."

Will prøvede at dele sol og vind lige. "Hvad siger du til det her: når først jeg har varetægtsfængslet Dave, tager jeg på hospitalet med dig. Et sted heroppe, ikke nede i Atlanta. Og du kan tage dig af min hånd, og Faith kan få en tilståelse ud af Dave, og så er det overstået."

"Hvad siger du til, at vi gør alt det, og at du bagefter hjælper mig med at finde Jon?"

"Det lyder rimeligt nok." Den handel tog Will gerne imod. Han havde ikke glemt det løfte, han havde givet Mercy. Der var nogle ting, Jon havde brug for at høre. "Hvad så nu?"

Sara så ud over vandet. Will fulgte hendes blik. De var tæt på materielskuret. Badevippen på badepontonen var badet i måneskin.

"Jeg er ikke sikker på, hvor lang tid det vil tage mig at få os over," sagde hun. "Tyve minutter? En halv time? Jeg har ikke padlet kano siden pigespejderne."

Og Will regnede ikke med, at hun dengang havde en voksen mand, der ikke kunne holde på en paddel, med som dødvægt. På turen tilbage ville det forhåbentlig være to voksne mænd. Hvilket skabte sine egne problemer. Wills forestilling om angrebet fra vandsiden havde ikke inkluderet, hvad der skete, når Dave var pågrebet. Han ville nødvendigvis skulle vandre med morderen fra lejrpladsen frem for at føre ham tilbage over vandet. Han havde under ingen omstændigheder tænkt sig, at Sara skulle sidde i en kano med Dave.

"Jeg skal tjekke skuret for, om der er noget reb," sagde han.

Sara spurgte ham ikke, hvad rebet skulle bruges til. Hun blev tavs, mens de fortsatte deres vandring, hvilket på sin vis var værre, end når hun råbte ad ham. Han prøvede at komme i tanke om noget, der kunne gøre hende mindre bekymret, men Will havde lært på den hårde måde, at det at fortælle en kvinde, at hun skulle holde op med at føle noget bestemt, ikke var den bedste måde at få hende til at holde op med at føle lige netop det. Faktisk plejede det bare at gøre hende rasende ud over at have den følelse.

Heldigvis var de der snart. Saras lommelygte ramte først kanoerne, der alle stod i stativet med bunden i vejret. Materielskuret var omtrent på størrelse med en dobbeltgarage. Dobbeltdørenes lås var meget kraftig, når man tog i betragtning, hvor isoleret skuret lå. Det var en fjederlås med et tredive centimeter langt metalstykke, der skulle trækkes op for at udløse klinken. For enden af metalstykket sad endnu en klinke, som gjorde, at man kun kunne åbne døren med begge hænder.

"Bjørne kan også åbne døre," forklarede Sara.

Will lod hende dreje haspen, han skubbede metalstykket. Mekanismen var stram. Han var nødt til at skubbe til med skulderen, men endelig gik dørene op. Der lugtede af en sær blanding af brændt træ og fisk.

Lugten fik Sara til at hoste, hun viftede med hånden foran sig, da hun gik ind i skuret. Hun fandt lyskontakten på væggen. De fluorescerende pærer afslørede et nydeligt og velordnet værksted. Værktøjets omrids var markeret med blå tape på et bræt. Fiskestænger hang på kroge. Net og kurve fyldte hele den ene væg. Der var et køkkenbord med stenplade, vask og et godt brugt skærebræt. To sakse og fire knive af forskellige længder hang fra en magnetstribe. Alle bortset fra en enkelt havde smalle og ikketakkede blade.

Will havde forstand på skydevåben, ikke knive. "Mangler der en?" spurgte han Sara.

"Ikke så vidt jeg kan se. Det er et standardsæt til at rense fisk med." Sara udpegede dem en efter en. "Agnkniv. Udbeningskniv, Fileteringskniv, Feltkniv. Førstehjælpssaks, saks til fiskeliner."

Will kunne ikke se reb nogen steder. Han begyndte at åbne skuffer. Alt var ordnet i sektioner. Intet lå tilfældigt. Han genkendte nogle af tingene, der lignede noget fra hans egen garage, men han gik ikke ud fra, tingene her blev brugt til biler. Han fandt, hvad han havde brug for, i den sidste skuffe. Hvem end det var, der var ansvarlig for skuret, var for grundig til ikke at have det basale: en rulle gaffertape og nogle kraftige kabelstrips. Stripsene var nydeligt bundet sammen med en bagagerem. Will kunne ikke binde dem igen med én hånd. Han havde dårlig samvittighed over at lade dem ligge løst i skuffen, men der var vigtigere ting at bekymre sig om. Han stak seks af de store strips i baglommen. Taperullen puttede han i den dybere lomme, der var i hans cargobukser.

Han var ved at lukke skuffen, da han tænkte på knivene på væggen. Will tog den mindste, agnkniven, og stak den ned i støvleskaftet. Han vidste ikke, hvor skarpt bladet var, men hvad som helst kunne punktere en lunge, hvis man hamrede den hårdt nok ind i en mands bryst.

"Hvad er det her?" spurgte Sara. Hun havde hænderne om det ene øje og så ind gennem lamellerne i bagvæggen. "Ser mekanisk ud. En generator, måske?"

"Det tjekker vi med familien." Will fandt en hængelås under nogle metalkurve, der hang ned fra loftet. Han trak i haspen, men den sad fast. "Bjørne?"

"Gæster, vil jeg tro. Der er hverken internet eller fjernsyn. Der bliver sikkert drukket en del om aftenen. Hjælp mig med dem her." Sara havde fundet padleårerne. De hang under loftet som geværer på et stativ. "Den blå ser ud til at være den rette størrelse."

Det overraskede Will, hvor let den var, da han løftede den af krogen.

"Tag to med, hvis nu vi mister den ene i vandet. Jeg henter redningsvestene."

Will tænkte ikke, det var så god en idé at være iklædt en skinnende orange vest, når de nærmede sig lejrpladsen, men det var ikke en kamp, han ville tage.

Ude foran skuret fulgte han Saras anvisninger til at få vippet en af kanoerne med fra stativet. Will kunne ikke gøre så meget andet end at se til, da hun fik årerne og vestene ned i kanoen. Hun udpegede håndtagene ved rælingen, fortalte ham, hvor han skulle stå, hvordan han skulle løfte. Hun blev igen tavs, mens de bar kanoen ned til søen. Will forsøgte ikke at lade sig påvirke af hendes uro. Han var nødt til at fokusere på en eneste opgave: at få pågrebet Dave.

Sara plaskede så lidt som muligt, da hun trådte ud i det lave vand. Will sænkede kanoen, da hun gav ham besked på det. Hun trak bagenden rundt, så den sad fast i mudderet. Han skulle lige til at stige ned i den, da hun standsede ham.

"Stå stille." Hun hjalp ham i en redningsvest og sikrede sig, den var ordentligt spændt. Hun bukkede sig ned og holdt kanoen stille, så han kunne stige ned.

Will følte sig unødvendigt pylret om, men at komme ned i kanoen med kun en hånd var sværere, end han havde forventet. Han satte sig på bænken i bagenden af den. Hans vægt fik forenden til at løfte sig op af vandet. Saras vægt fik den kun delvist ned igen, da hun satte sig. Hun satte sig ikke på den anden bænk. Hun lagde sig på knæ og brugte padleåren til at skubbe dem ud på vandet. Hun begyndte at padle let, da der var kommet lidt afstand mellem dem og bredden.

Da de nåede ude på åbent vand, havde Sara fundet en jævn rytme. Da de forlod den lavvandede del af søen og kom ud i den større del, skiftede hun fra side til side for at dreje. Will prøvede at få en fornemmelse af, hvor badepontonen var, alt imens kanoen gled hen over det åbne vand. Skuret forsvandt af syne. Dernæst kystlinjen. Snart kunne han ikke se andet omkring sig end mørke, og han kunne ikke høre andet end årens padlen og lyden af Saras åndedræt.

Månen tittede ud fra bag skyerne, da de nåede ud midt på søen. Will benyttede lejligheden til at tjekke forbindingen om sin hånd. Sara havde ret, den var snavset, og hun havde sikkert også ret i det med infektionen. Hvis nogen havde fortalt Will, at der var en klump hvidglødende kul i svømmehuden mellem hans pege- og tommelfinger, ville han tro dem. Den brændende følelse lettede en smule, når han løftede hånden op til brystet og hvilede den mod kanten af redningsvesten.

Han rakte ned mod støvlen og tjekkede agnkniven. Skaftet var tykt nok til, at kniven ikke gled ned mod anklen. Han trak kniven frem og testede dens bevægelser. Han håbede ved gud ikke, at Dave holdt øje med deres fremskridt hen over vandet. Will ville gerne have at kniven var en overraskelse, hvis tingene ikke gik glat. Han følte, de lyste op i de orange veste. Han skimmede horisonten og spejdede efter bredden. Langsomt kom den til syne. Først kunne han skelne nogle lysere områder i alt det mørke, så kunne han skimte klipper og dernæst noget, der lignede en sandstrand.

Sara skævede tilbage mod ham. Hun behøvede ikke at sige det. En sandstrand betød, at det var lejren, de havde fundet. Den var i dårlig stand. Will så resterne af en rådden bådebro og et delvist sunket slæbested. Der hang et reb og dinglede fra et knejsende egetræ, men det træsæde, der havde gjort det til en gynge, var røget i vandet for mange år siden. Der var noget hjemsøgt over stedet. Will troede ikke på spøgelser, men han havde altid stolet på sin mavefornemmelse, og den fortalte ham, at her var foregået ubehagelige ting.

Kanoen sænkede farten. Sara bremsede med padleåren, da de nærmede sig stranden. Nu kunne han se tang, der voksede op gennem sandet. Knuste flasker. Cigaretskodder. Kanoens bund lavede en skurrende lyd, da den ramte bredden. Will klipsede redningsvesten af og lod den falde ned i bunden. Igen tænkte han på agnkniven i sin støvle, men denne gang handlede hans tanker om at efterlade Sara ubeskyttet tilbage. Det bedste ville være at sende hende tilbage til skuret. Han kunne vandre tilbage til hytterne med eller uden Dave.

"Nej." Hun havde en irriterende vane med at kunne læse hans tanker. "Jeg venter på dig ti meter ude."

Will steg ud af kanoen, inden hun også fortalte ham, hun ville overvåge eftersøgningen. Der var nok ingen, der ville beskrive hans udstigning som yndefuld. Han prøvede at plaske mindst muligt, mens han fik fodfæste. Dernæst brugte han stålsnuden på sin støvle til at give Sara et kraftigt skub udad.

Han ventede, til hun var begyndt at padle, før han skimmede skoven. Det var endnu ikke begyndt at lysne, men terrænet var nemmere at skelne nu, end da de havde forladt skuret. Han vendte sig for at se Sara igen. Hun padlede baglæns og holdt sit trænede blik fast på Will. Han tænkte på, da han havde betragtet hende svømme ud til badepontonen, da de badede, for ganske få timer siden. Hun havde svømmet på ryggen og havde inviteret ham til at komme ud til hende. Will havde følt sig så opløftet, at hans hjerte havde flakset som en sommerfugl.

Alt imens Dave var i færd med at voldtage og dolke sin søns mor på den anden side af vandet.

Will vendte sig bort fra kanoen og begyndte at gå ind mellem træerne. Han prøvede at orientere sig. Der var intet bekendt fra tidligere, hvor de havde ledt efter lejrpladsen. Det var ikke kun, fordi det var mørkt. Tidligere var de kommet fra bagenden af det lavvandede område. De var stoppet, da de var nået til stencirklen. Will tog sin telefon frem og åbnede kompas-appen, mens han gik i det, han håbede var den rigtige retning.

Skoven var tæt og tilvokset, endnu mere end de ikke ryddede områder omkring hytterne. At tænde lommelygten i telefonen ville blot afsløre ham. Han skruede ned for lysstyrken på skærmen, mens han fulgte kompasset. Efter et stykke tid indså Will, at han ikke havde brug for det. Der var en støvet lugt af røg i luften. Frisk, som et bål, men med en frastødende undertone af cigaretter.

Dave.

Will bevægede sig ikke i retning af målet med det samme. Han stod fuldstændigt stille og fokuserede på at få kontrol over sit åndedrag og få ro på tankerne. Han skubbede alle tanker bort, der handlede om bekymring for Sara, smerte i hånden, ja selv om Dave. Det eneste, han tænkte på, var den ene person, der virkelig betød noget.

Mercy McAlpine.

For et par timer siden havde Will fundet kvinden klamrende sig til de sidste øjeblikke af sit liv. Hun havde vidst, det var slut. Havde nægtet, at Will gik efter hjælp. Han lå på knæ i vandet og tryglede Mercy om at fortælle ham, hvem der havde overfaldet hende, men hun havde rystet på hovedet, som om det var lige meget. Og hun havde ret. I de sidste få øjeblikke betød det egentlig ikke rigtig noget. Det eneste menneske, hun bekymrede sig om, var det menneske, hun selv havde sat i verden.

Will gentog indvendigt den besked, han skulle give Jon:

Din mor vil have, du kommer væk herfra. Hun sagde, du ikke kan blive her. Hun ville have, du skulle vide, at det er okay. At hun elsker dig så meget. At hun tilgiver dig jeres skænderi. Jeg lover dig, at du nok skal klare dig.

Will fortsatte i et sindigt tempo, han var omhyggelig med ikke at træde på nedfaldne grene eller bladbunker, der kunne advare Dave om hans tilstedeværelse. Da han nærmede sig, blev skovens stilhed brudt af den lette rytme fra nummeret "1979" af Smashing Pumpkins. Musikken var skruet helt ned, men den gjorde, at Will kunne bevæge sig lidt mere utvungent i retning af kilden.

Han ændrede kurs, så han nærmede sig Dave fra siden. Han så omridset af et par sovebarakker. Hver af dem var i en etage, groft tilhuggede og hævet en halv meter over jorden på det, der lignede telefonpæle. Der var fire barakker, der stod i en halvcirkel. Will smugkiggede ind ad vinduerne for at sikre sig, at Dave var alene. I den sidste barak så han en sovepose, nogle pakker morgenmadsprodukt, kartoner med cigaretter og pakninger med dåseøl. Dave havde tænkt sig at blive her et stykke tid. Will spekulerede på, om det kunne hjælpe ham med at bevise forsætlighed i sagen. Der var forskel på et mord begået i affekt og så et, der var nøje planlagt på forhånd.

Will dukkede sig, mens han forsigtigt nærmede sig sit mål. Det bål, Dave havde bygget, stod ikke flammende højt, men der var liv nok i det til at oplyse de nærmeste omgivelser. Han havde også været så venlig at medbringe en campinglanterne, der udsendte otte hundrede lumen, der omtrent svarede til en treswattspære.

Dave havde altid været mørkeræd.

Den store, runde lysning var ikke tilgroet som resten af området. Store sten omringede et kogehul. Der var en bålrist over hullet. Will vidste, at der var flere klynger af sovebarakker og flere kogehuller rundtomkring på lejrpladsen. Tilbage på børnehjemmet havde han hørt historier om aftener, hvor man ristede skumfiduser, sang fællessang og fortalte uhyggelige historier. Den tid var for længst forbi. Der var en uhyggelig stemning over cirklen, det føltes nærmere som et offersted end som et sted fyldt med glæde.

Will fandt et sted bag et stort egetræ, hvor han kunne sætte sig på hug. Dave sad op ad en fældet træstamme, der var omkring en meter lang og måske en halv meter i diameter. Will debatterede strategier. Overraske Dave bagfra? Springe på ham, inden han nåede at reagere? Will var nødt til at være lidt sikrere i sin sag.

Han bevægede sig forsigtigt fremad, nede i knæene, spændte muskler, hvis nu Dave skulle finde på at vende sig om. Lugten af røg var kraftigere. Den nylige regn havde gjort træet vådt. Som Will nærmede sig, kunne han høre en velkendt metallisk kliklyd. En tommelfinger, der hurtigt roterede et friktionshjul, et hjul, der skulle skabe en gnist, der tænder gassen i butan, den gas, der skal fodre en flamme, der tænder enden af en cigaret. Han hørte det metalliske klik igen, så igen, så igen.

Det var typisk Dave at blive ved med at prøve at tænde en lighter, der tydeligvis var tom. Han blev ved med at rotere hjulet i håb om at kunne lokke en enkelt gnist mere ud.

Endelig opgav Dave og mumlede: "Fuck, mand." Det faktum, at han havde et bål godt en halv meter væk, gav tilsyneladende ikke Dave nogen ud af boksen-idéer. Ikke engang efter han havde kastet plasticlighteren ind i ilden. Den efterfølgende stikflamme fik Dave til at løfte hænderne op for at beskytte sit ansigt. Will udnyttede afledningen til at komme tættere på. Dave slog den smeltede plastic af underarmene. Han bemærkede tilsyneladende ikke smerten. Man skulle ikke være Sherlock Holmes for at regne ud hvorfor.

Der lå sammentrykkede øldåser spredt rundt over det hele. Will holdt op med at tælle efter de første ti. Han ulejligede sig ikke med at katalogisere skodderne efter joints og cigaretter, der alle var røget helt ned til filteret. Der stod en fiskestang lænet op ad en væltet træstamme. Grillen var drejet væk fra bålet. Forkullede rester af fiskekød var brændt fast til risten. Dave havde brugt et stykke træ til at klargøre fiskene på. Afhuggede hoveder, haler og ben lå og rådnede i en pøl af mørkt blod. En lang, slank udbeningskniv lå ved siden af en sixpack øl. Will regnede sig frem til, at det krumme, godt femten centimeter lange knivblad nemt var inden for Daves rækkevidde. Hvis manden hørte en kvist knække, nogle raslende blade eller bare fik en dårlig fornemmelse af, at der kom nogen bagfra, behøvede han kun række ud mod træstumpen, så var han bevæbnet med et dødbringende våben.

Spørgsmålet var, om Will nåede frem med sin egen kniv først? Will havde overraskelsesmomentet på sin side. Han var hverken fuld eller skæv. Under normale omstændigheder ville Will med stor sikkerhed forudse, at han kunne overmande Dave og lægge ham ned, inden manden nåede at opdage, hvad der ramte ham.

Under normale omstændigheder havde Will to brugbare hænder.

"1979" gav pladsen til den forvrængede guitar i "Tales of a Scorched Earth." Will benyttede lejligheden til at flytte plads. Han havde ikke tænkt sig at snige sig ind på Dave. Han ville komme mod ham forfra, som om han havde fulgt stien rundt om den lavvandede del af søen og var endt her. Forhåbentlig var Dave for påvirket til at indse, at det ikke var noget tilfældigt møde.

Det var slut med at luske rundt. Will fik øje på en gren i skovbunden. Han løftede foden og trådte på den. Den stålsnudede støvle larmede, som var det et aluminiumsbat, der slog hul på et græskar. For en god ordens skyld bandede Will højlydt. Så tændte han lommelygten på sin telefon.

Da Will så op igen, havde Dave allerede udbeningskniven i hånden. Han satte musikken på pause på telefonen. Han havde rejst sig og lod langsomt blikket scanne skoven med små stikkende øjne.

Will tog et par trampende skridt mere og svingede telefonen rundt, som var han en hulemand, der ikke forstod konceptet lys.

"Hvem der?" Dave svingede kniven. Han havde skiftet tøj, siden Will havde set ham på Ringstien. Hans jeans var falmede og iturevne. En blodig hånd havde tørret hen over den gule T-shirt. Han skar det skarpe knivblad gennem luften og råbte: "Kom frem!"

"Pis." Wills udbrud var fyldt med afsky. "Hvad fuck laver du herude, Dave?"

Dave smilede selvtilfredst, men han havde stadig kniven løftet. "Hvad laver *du* her, Skraldebøtte?"

"Leder efter lejrpladsen. Ikke at det rager dig."

Dave udstødte en kort latter. Endelig sænkede han kniven. "Du er eddermame ynkelig, mand."

Will trådte frem i lysningen, så Dave kunne se ham. "Bare sig mig, hvordan jeg kommer væk herfra, så er jeg den, der er skredet."

"Gå tilbage samme vej, som du kom, tumpe."

"Og det tror du ikke, jeg har prøvet?" Will blev ved med at komme mod ham. "Jeg har trampet rundt i den her gudsforladte skov i mere end en time."

"Ja, jeg havde sgu ikke frivilligt efterladt hende den sexede lille rødtop."

Daves våde læber fordrejedes til et smil. "Hvad var det nu, hun hed?"

"Hvis jeg nogensinde hører dig sige hendes navn højt, så slår jeg det ud af munden på dig gennem dit baghoved."

"Shit," sagde han, men han trak sig hurtigt nok. "Du skal bare gå til venstre op til stencirklen, så tage den højre om søen, derefter til venstre tilbage op til Ringstien."

Will var et sekund for længe om at gennemskue, at Dave overhovedet ikke havde trukket sig. At sige til en ordblind, at han skulle gå til venstre og så til højre var det samme som at sige, han kunne rende ham et vist sted.

Dave begyndte at grine, mens han satte sig ved bålet igen. Han lænede sig igen op ad træstammen og lagde kniven fra sig på træstykket. Will kunne se, han regnede med, at så var det det. Dave havde brugt hele sit liv på at misforstå ting. Spørgsmålet var bare, hvornår var det det rette tidspunkt for Will at fortælle manden, at han var efterforsker hos GBI? Teknisk set var der intet, Dave sagde før det øjeblik, også selv hvis han ligeud tilstod at have dræbt Mercy, der kunne bruges mod ham i retten. Hvis Will skulle gøre det her rigtigt, var han nødt til at komme på bølgelængde med manden og så langsomt føre Dave frem til sandheden.

"Har du flere øl?" spurgte han.

Dave hævede forbavset et øjenbryn. Den Will, han kendte som barn, var ikke typen, der drak. "Siden hvornår har du fået hår på nosserne?"

Will vidste godt, hvordan det spil blev spillet. "Siden din mor suttede dem tørre."

Dave lo og rakte bagud for at trække en øl fri af sixpacken. "Snup en stol."

Will ville gerne holde noget afstand mellem dem. I stedet for at sætte sig foran bålet ved siden af Dave, lænede han ryggen op ad en af de store sten. Telefonen lagde han ved den dårlige hånd. Han bøjede modsatte knæ for at have kniven i støvlen så tæt på den raske hånd som muligt, hvis Dave besluttede sig for at ville slås.

Dave lignede ikke en, der havde nogen planer om at slås. Han havde alt for travlt med at finde måder, hvorpå han kunne være et røvhul. Han kunne have kastet øllen lige hen til Will, i stedet skruede han den op i luften.

Will greb den med den ene hånd. Han åbnede den også med den ene hånd og sørgede for, at den sprøjtede ind over ilden.

Dave nikkede, tydeligvis imponeret. "Hvad er der sket med din hånd? Gik det lidt for hårdt for sig med damen? Hun ligner en, der kan bide."

Will bed det svar i sig, der lå på tungen. Han var nødt til at skubbe det hele væk – følelsen af forræderi og raseri, der stadig sydede fra deres barndom. Foragten over den mand, Dave var blevet. Den brutale måde, han havde myrdet sin kone på. Det faktum, at han havde ladet sin søn sejle sin egen sø.

I stedet holdt Will den forbundne hånd op og sagde: "Skar den på et stykke glas under middagen."

"Hvem lappede dig sammen? Var det Papa?" Dave nød tydeligvis ondskabsfuldheden i den joke. Han stirrede ind i ilden med et selvtilfreds smil på læben. Hånden gled op under T-shirten, da han kløede sig på maven. Will kunne se dybe rifter efter nogen, der havde kradset ham. Der var også kradsemærker på hans hals. Alt tydede på, at han for nylig havde været i et voldsomt håndgemæng.

Will satte øldåsen ved siden af sin støvle. Han hvilede hånden ved siden af den og sørgede for, at agkniven var inden for rækkevidde. Det bedste, der kunne ske, var, at kniven blev nede i sokken. Der var mange betjente, der mente, at vold skulle mødes med vold. Will var ikke en af den slags betjente. Han var her ikke for at straffe Dave. Han ville gøre noget, der var langt værre. Han ville arrestere ham. Sende ham bag tremmer. Få ham til at lide gennem den stress og hjælpeløshed, det var at være den tiltalte i en strafferetssag. At lade ham have den grænseløse følelse af håb om, at han muligvis ville slippe af sted med det. At se det lamslåede udtryk i hans ansigt, når det gik op for ham, at det gjorde han ikke. At vide, at han måtte bukke og skrabe sig gennem hver eneste dag i resten af sit liv, for inde bag fængslets mure var mænd som Dave altid nederst i hierarkiet.

For slet ikke at tale om muligheden for dødsstraf.

Dave sukkede forpint mest for at bryde stilheden. Han greb om en pind. Prikkede lidt til ilden. Blev ved med at skæve over til Will, som ventede han på, at han sagde noget.

Will havde ikke tænkt sig at sige noget.

Dave holdt mindre end et minut, så sukkede han forpint endnu en gang. "Nå. Men, har du kontakt med nogen fra dengang?"

Will rystede på hovedet, selvom han godt vidste, at en del af deres forhenværende husfæller enten var i fængsel eller i jorden.

"Hvad skete der med Angie?"

"Det ved jeg ikke." Wills hænder havde lyst til at knytte sig, men han tvang dem til at hvile afslappet mod jorden. "Vi var gift i et par år. Det holdt ikke."

"Hun bollede udenom?"

Will vidste, at Dave allerede kendte svaret. "Hvad med dig og Mercy?"

"Hold da kæft." Dave prikkede til ilden, så den gnistrede. "Hun gik sgu aldrig bag om ryggen på mig. Havde det for godt derhjemme."

Will tvang en latter frem. "Klart."

"Tro, hvad du vil, Skraldebøtte. Det var mig, der gik fra hende. Blev træt af alt hendes pis. Hun bestiller aldrig andet end at brokke sig over stedet her, så får hun chancen for at komme væk, og så ..."

Will ventede på, at han fortsatte, men Dave slap pinden og tog en øl mere. Han sagde ikke mere, før dåsen var tom og lå sammenkrøllet på jorden.

"De var nødt til at lukke det her. Alt for mange lejrledere, der pillede ved ungerne."

Det burde ikke være nogen overraskelse for Will. Det var ikke første gang, et idyllisk sted, han forestillede sig som barn, blev ødelagt af et udyr.

"Hvorfor kom du herop, Skraldebøtte? Du ville aldrig på lejr, da vi var små. Du var bedre til at lære bibelvers udenad, end jeg nogensinde har været."

Will trak på skuldrene. Han havde ikke tænkt sig at fortælle Dave sandheden, men han havde brug for at finde på en troværdig historie. Han kom i tanke om, hvad Delilah havde sagt om stencirklen. "Min hustru kom herop, da hun var pigespejder. Hun ville gerne se det igen."

"Har du giftet dig med en pigespejder? Har hun stadig uniformen?" Han fnøs en latter ud. "Kæft. Altså. Hvordan fanden er det gået til, at Skraldebøtte lever i en pornofilm, mens jeg skal være glad, hvis jeg får noget fisse, der ikke føles som at kaste en cocktailpølse ind i en opgang."

Will styrede samtalen tilbage til Mercy. "Din eks gav dig en søn. Det er da stort."

Dave åbnede endnu en øl.

"Jon virker som en god knægt. Mercy har gjort det godt med ham."

"Det var ikke kun hendes værk." Dave slubrede skummet af dåsen. Han bundede den ikke som den tidligere. Han satte tempoet ned. "Jon ved altid, hvor han kan finde mig. Han skal nok blive en rigtig mand en dag. Og flot, ovenikøbet. Han får sikkert lejlighed til at køre vognen i andre mænds garager, ligesom hans den gamle, da han var på den alder."

Will ignorerede det, der tydeligvis var endnu en henvisning til Angie. "Havde du nogensinde forestillet dig, du skulle blive gift?"

"Nej, sgu!" Der var en bitter klang i Daves latter. "Hvis jeg skal være ærlig, så troede jeg, jeg ville være død nu. Det var mere held end forstand, at jeg nåede helt herop fra Atlanta, uden der var en eller anden pervers stodder, der samlede mig op og solgte mig i Florida."

Will vidste, han prøvede at prale med, at han var stukket af. "Du tomlede?"

"Nemlig."

"Det er ikke noget dårligt sted at skjule sig." Will gjorde et nummer ud af at se sig omkring på lejrpladsen. "Da du forsvandt, sagde jeg til dem, at du ville tage herhen."

"Tja ..." Dave lagde albuen tilbage på stammen.

Will prøvede at undlade at reagere. Dave havde formået at rykke sin hånd nærmere kniven. Om det var med vilje eller ej, havde han til gode at finde ud af.

"Jeg vidste, hvem jeg var, da jeg første gang kom herop med kirkebussen, ikke? Altså, jeg kunne fiske og gå på jagt og skaffe mig selv mad. Jeg behøvede ikke nogen, der passede på mig. Jeg var ikke bygget til livet i byen. Jeg var en kloakrotte dernede. Heroppe er jeg en bjergløve. Gør, hvad jeg lyster. Siger, hvad jeg lyster. Ryger, hvad jeg lyster. Drikker, hvad jeg lyster. Mig er der ingen, der tager røven på her."

Det lød flot, indtil man forstod, at hans frihed kom med en pris, som Mercy havde betalt. "Du var heldig, at McAlpine-familien tog dig til sig."

"Der var gode dage og dårlige dage," sagde Dave, der altid kunne vende hvad som helst til en skidt historie. "Bitty? Hun er en engel. Men Papa? Kæft, en led satan. Han plejede at tæve mig sønder og sammen med sit læderbælte."

Det kom ikke bag på Will at høre, at Cecil McAlpine havde begået fysiske overgreb.

"Han var ligeglad med, om bæltet gled, så det var spændet, der ramte. Jeg plejede at have de her store striber overalt på røven og ned ad benene. Jeg kunne ikke gå med shorts, for jeg ville ikke have, at mine lærere så det. Det sidste, jeg havde brug for, var, at de trak mig tilbage til Atlanta."

"De kunne have givet dig en plejefamilie heroppe."

"Det ville jeg ikke," sagde han. "Bitty havde brug for pengene fra staten for at kunne sætte mad på bordet. Jeg kunne ikke forlade hende, slet ikke efterlade hende sammen med ham."

Will var godt bekendt med et misbrugt barns behov for at hjælpe alle andre end sig selv.

"Nå, men." Dave trak indøvet på skuldrene. "Hvad med dig, Skralde? Hvad skete der med dig, da jeg forlod din ynkelige røv?"

"Jeg voksede mig ud af systemet. Blev atten, fik hundrede dollars og en busbillet. Endte i Frelsens Hær."

Dave hev luft ind mellem tænderne, så det hvæsede. Han troede sikkert, han vidste, hvor slemt det kunne være for en uledsaget teenager at sove på et herberg for hjemløse.

Det vidste han ikke.

"Og hvad så?" spurgte Dave.

Will gled behændigt uden om sandheden, som var, at han endte med at sove på gaden, for sidenhen at sove i en fængselscelle. "Det lykkedes mig at få styr på det. Kom gennem college. Fik et job."

"College?" Han lo tørt. "Hvordan fanden bar du dig ad med det, når du dårligt nok kan læse?"

"Hårdt arbejde," sagde Will. "Synk eller svøm, ikke?"

"Det har du fandeme ret i. Alt det lort, vi gik igennem, da vi var små, det gjorde os til overlevere."

Will brød sig ikke om hans tonefald, der antydede, at de var i samme båd, men Dave var mordmistænkt. Han kunne bruge præcis det tonefald, han havde lyst til, så længe han endte med at tilstå. "Og McAlpine-familien havde ikke noget problem med, at du slog pjalterne sammen med Mercy?" spurgte Will.

"Gu fanden havde de da det. Papa gav mig med en jernkæde, da hun blev gravid. Smed mig af bjerget. Også hende." Daves raspende kluklatter gik over i et host. "Men jeg tog mig af Mercy. Sørgede for, at hun var clean, da Jon blev født. Hjalp Delilah med få ham på plads. Gav hende, hvad jeg kunne undvære af penge, for at hjælpe til."

Will vidste, at det var løgn. "Du ville ikke gerne opfostre ham selv?"

"Shit, jeg anede da ikke, hvordan jeg skulle tage mig af en baby?"

Will tænkte, at hvis man var mand nok til at lave et barn, burde man være mand nok til at finde ud af, hvordan man tager sig af et.

"Har du børn?" spurgte Dave.

"Nej." Sara kunne ikke få børn, og Will kendte til alt for mange forfærdelige ting, der kunne ske et barn. "Det virker, som om der stadig er gnidninger mellem Mercy og hendes familie?"

"Virkelig?" Dave tømte øllen. Han krøllede dåsen sammen og smed den hen til de andre. "Det er hårdt, helt heroppe på bjerget. Du er isoleret. Der er ikke meget at lave. Der er rige, snobbede kællinger, der forventer, du bukker og skraber for deres magre, stramme røv. Papa, der hundser rundt med dig. Tager dig med ud i laden for at banke ild i røven på dig, fordi du ikke lagde håndklæderne det rigtige sted."

Will vidste godt, Dave ikke bare prøvede at få luft. Han var ude efter guldmedaljen i Misbrugte Børns Olympiade. "Det lyder ret slemt."

"Det var det fandeme også," sagde Dave. "Vi to, vi lærte det på den hårde måde, at man bare skal tælle minutterne, til det er overstået, ikke? At de bliver trætte før eller siden."

Will så ind i ilden. Han kom lidt for tæt på.

"Det er derfor, vi lyver," sagde Dave. "Du kan ikke fortælle den slags pis til normale mennesker. De kan ikke håndtere det."

Will holdt blikket i flammerne. Han kunne ikke finde ordene til at få skiftet emne.

"Fortæller du din kone om alt det lort, du har været igennem?"

Will rystede på hovedet, men det var ikke helt sandt. Han havde fortalt nogle ting, men han ville aldrig fortælle hende det hele.

"Hvordan er det?" Dave ventede, til Will så op. "Din kone, hun er normal, ikke? Hvordan er det?"

Will kunne ikke bringe Sara ind i dette øjeblik.

"Du skal ikke tro, jeg ville kunne være sammen med en normal kvinde," indrømmede Dave. "Mercy, hun var ødelagt, da hun kom til mig. Det vidste jeg, hvad jeg skulle stille op med. Men fuck, en pigespejder? Og en skolelærer? Hvordan helvede kan du overhovedet få det til at fungere?"

Will rystede igen på hovedet, men sandheden var, at det havde været svært med Sara i begyndelsen. Han blev ved med at vente på spillene, den følelsesmæssige manipulation. Han kunne ikke acceptere, at hun lyttede til ham og prøvede at forstå i stedet for at samle på hans hemmeligheder, som var det barberblade, hun kunne bruge til at snitte ham op med senere.

"Hun er eddermame lækker. Det må jeg give dig. Men fuck, jeg kunne ikke være sammen med en, der er så perfekt. Prutter hun overhovedet?"

Will kunne ikke lade være med at grine, men han svarede ikke.

"Den sande gentleman, hm?" Dave rakte ud efter cigaretterne. "Det er den anden del af det, jeg ikke ville kunne. Jeg skal sgu have mig et pigebarn, der ved, hvordan hun skal skrige, når jeg tager fat i hendes hår."

Will lod, som om han drak af sin øl. Hans ord havde bragt Will tilbage til søbredden ved Ungkarlehytterne. Den måde, Mercys hår spredte sig ud i vandet. Blodet flød rundt om hendes krop som farve. Hun havde klamret sig til Wills skjortekrave, holdt ham ved sin side, i stedet for at lade ham hente hjælp.

Jon.

Will stemte begge hænder mod jorden for at få hold på sig selv. "Hvorfor kom du ud for at finde mig på stien i går?"

Dave trak på skuldrene, mens han rodede i lommerne efter en anden lighter. "Det ved jeg ikke, mand. Jeg laver lort i den, og når jeg ser tilbage på det, kan jeg ikke sige hvorfor."

"Du spurgte mig, om jeg stadig bar nag mod dig."

"Og?"

"Hvis jeg skal være ærlig, så har jeg ikke skænket dig en tanke, efter du stak af."

"Det er godt, Skralde, for jeg har heller aldrig tænkt på dig."

"Hvis jeg skal være ærlig, så ville jeg nok fuldstændigt glemme alt om dig igen." Will tjekkede farvandet. "Hvis ikke det var for det, du gjorde ved Mercy."

Først reagerede Dave ikke. Han rystede lighteren. Der kom en flamme. Han satte den til spidsen af cigaretten. Han pustede røg i retning af Will.

"Fulgte du efter mig?" spurgte han.

Will havde kun set Dave en gang før Mercys død. Da han ventede på Will på Ringstien. Will havde givet ham til ti til at gå. "Du mener, om jeg fulgte efter dig, efter du stak af med halen mellem benene?"

"Jeg stak ikke af, tumpe. Jeg valgte at gå min vej."

Will sagde ikke noget, men det gav god mening, at Dave ville luske væk fra Will for så at finde Mercy at lade sin vrede gå ud over.

"Shit, du fulgte sgu efter mig, dit ynkelige røvhul," sagde Dave. "For det er fandeme ikke Mercy, der har sagt noget. Meget kan man sige om hende, men en stikker er hun ikke."

Will bemærkede, at han stadig talte om Mercy i nutid. "Og det er du sikker på?"

"Ja, gu fanden er jeg sikker." Dave tog et drag af cigaretten. Han var nervøs. "Hvad er det, du tror, du så?"

Will gik ud fra, at han var bekymret for stranguleringen. "Jeg så, at du kvalte hende."

"Hun besvimede ikke," sagde han, som om det var et forsvar. "Hun faldt ind mod træet, så ramte hendes røv jorden. Det havde jeg ikke noget med at gøre. Hendes ben bukker sammen under hende. Det er det hele."

Will stirrede sin godtroenhed ind i ham.

"Hør, fister, uanset hvad du tror, du så, så er det mellem hende og mig." Dave smed hænderne i vejret og lod dem lande i skødet. Han knipsede asken af cigaretten. "Hvorfor spørger du overhovedet? Du lyder sgu som en strisser."

Will tænkte, at det var så godt et tidspunkt som noget at overbringe ham nyheden på. "Det er jeg faktisk også."

"Du er hvaffor noget?"

"Jeg er efterforsker hos Georgia Bureau of Investigation."

Røgen stod i en sky ud af munden på ham, da han grinte. Så holdt han op med at grine. "Seriøst?"

"Jep," sagde Will. "Det var det, der fik mig gennem college. Jeg ville gerne hjælpe mennesker. Børn som os. Kvinder som Mercy."

"Sikke noget pis at sige." Dave pegede på ham med cigaretten. "Der er sgu aldrig nogen strisser, der nogensinde har hjulpet børn som os. Se bare, hvad du gør nu, sidder og spørger mig om noget privat pis, der er sket for flere timer siden. Mercy har fandeme ikke anmeldt det. Du er bare helt oppe i røven på mig, fordi det er, hvad I skiderikker gør."

Will flyttede langsomt sin tilskadekomne hånd hen over jorden, til han mærkede kanten af sin telefon. "Du har ret. Mercy har ikke anmeldt det. Jeg kan ikke anholde dig for at strangulere hende."

"Nej, det kan du fandeme ikke."

"Men hvis du gerne vil tilstå mishandling af din kone, så tager jeg gerne imod din tilståelse."

Dave lo igen. "Klart, du giver den bare gas."

Will tvang sin tommelfinger til at dobbeltklikke på knappen på siden af telefonen, så der blev tændt for optage-appen. "Dave McAlpine, du har ret til ikke at udtale dig. Alt, du siger eller gør, kan blive brugt mod dig i en retssag."

Dave lo igen. "Ja, jeg skal nok være tavs."

"Du har ret til en advokat."

"Sådan en har jeg sgu ikke råd til."

"Hvis du ikke har råd til en advokat, vil du blive beskikket en via domstolene."

"Eller også kan domstolene sutte min fede pik."

"Med disse rettigheder in mente, er du så villig til at tale med mig?"

"Klart, fister, lad os tale om vejret. Regnen forsvandt hurtigt igen, men der er mere på vej. Lad os tale om de go'e gamle dage på børnehjemmet. Lad os tale om den lille stramme fisse, du har oppe i din hytte. Hvorfor pisser du rundt hernede med go'e gamle Dave, når du kunne ligge og stikke den dybt ned i halsen på hende?"

"Jeg ved, du strangulerede Mercy på stien her i eftermiddags."

"Og hvad så? Mercy kan godt lide det hårdt indimellem. Og det er fandeme ikke noget, hun anmelder mig for." Dave lød yderst selvsikker. "Så hold snuden ude af mit privatliv, ellers skal du fandeme snart finde ud af, hvilken slags mand jeg er gået hen og blevet."

Will var ikke tilfreds med at få Dave til at indrømme hustruvold. Han ville have mere. "Fortæl mig, hvad der skete her i aften."

"Hvad med i aften?"

"Hvor var du?"

Dave røg sin cigaret, men noget var forandret. Han havde talt med nok betjente til at vide, når en spurgte ind til hans alibi.

"Hvor var du, Dave?" sagde Will.

"Hvorfor? Hvad er der sket i aften?"

"Det kan du fortælle mig."

"Pis." Han tog et drag af cigaretten. "Der er sket noget rigtigt lort, er der ikke? Du vandrede ikke bare rundt herude som en anden idiot. Hvad taler vi om? Statsforbrydelse, ikke? En narkohandel, der ikke gik glat? Er du på sporet af nogle narkohandlere?"

Will sagde stadig ikke noget.

"Hvad så nu?" sagde Dave. "Du tror, du skal tage mig med, ikke, bror lort? Med din ene hånd og din pis og papir-historie om, at du har set mig strangulere min kone?"

"Mercy er ikke din kone længere."

"Hun er fandeme min, din forpulede lille lort. Mercy tilhører mig. Jeg kan gøre, hvad fuck jeg lyster med hende."

"Hvad har du gjort mod hende, Dave?"

"Det rager eddermame ikke dig. Det er noget pis det her." Han knipsede cigaretten ind i ilden. Han flåede endnu en øl ud af pakken. Han lagde ikke hånden tilbage i skødet. Han lænede sig tilbage på albuen igen, så udbeningskniven var nemt inden for rækkevidde.

Denne gang var bevægelsen tydeligvis med overlæg.

Dave prøvede at lade, som om det ikke var. "Skrid med dig og dit pis."
"Hvorfor kommer du ikke med mig?"

Dave fnøs igen. Han tørrede næsen med armen, men det var kun en undskyldning for at komme tættere på kniven.

Will ignorerede den brændende smerte i den tilskadekomne hånd, da han knyttede den. Han brugte den raske hånd til at skubbe buksebenet op, så skæftet på hans kniv var synligt.

Dave sagde ikke noget. Han slikkede sig bare om læberne, ivrig efter at komme i gang. Det var dette, han havde ønsket sig, fra det øjeblik han havde fået øje på Will på Ringstien. Hvis sandheden skulle frem, havde Will måske også ønsket det.

De rejste sig samtidigt.

Den første fejltagelse, folk begår i en knivkamp, er, at de er alt for bekymrede for kniven. Hvilket er rimeligt nok. Det gør sindssygt ondt at blive stukket med en kniv. Stiksår i maven kan gøre det til et spørgsmål om tid, før du ligger i graven. En stik direkte i hjertet kan sende dig i den meget hurtigere.

Den anden fejltagelse, folk begår i en knivkamp, er den samme fejl, de begår i en hvilken som helst form for kamp. De går ud fra, den er fair. Eller i hvert fald at den anden person kæmper fair.

Dave havde været i knivkamp mange gange. Han kendte tydeligvis godt til de to fejltagelser. Han holdt udbeningskniven frem foran sig, mens han rakte om efter springkniven i baglommen. Hans plan var snedig nok. Distrahere Will med den ene kniv, mens han stak med den anden.

Heldigvis havde Will sin egen snedige plan. Han vidste, at Daves primære bekymring var agnkniven. Han tænkte ikke på Wills tilskadekomne hånd. Han havde ikke bemærket, at Will havde samlet en håndfuld jord op. Derfor blev han meget overrasket, da Will smed den i hovedet på ham.

"Fuck!" Dave stavrede baglæns. Han tabte udbeningskniven, men muskelhukommelse holdt hans dominerende hånd inde i spillet.

Nadine havde taget fejl omkring springkniven, som kun kræver et tryk på en knap for at udløse bladet. Det var en butterfly-kniv, Dave gik med. Den er både et dødbringende våben og en afledning. To metalskafter folder sammen om det skarpe, smalle blad som muslingeskaller. At åbne den med en hånd kræver en lynhurtig ottetalsbevægelse med håndleddet. Man trykker på sikkerhedsskaftet med tommel- og pege-finger, mens man knipser det lukkede skaft hen over knoerne. Så rote-rer man sikkerhedsskaftet, svinger det andet skaft hen over knoerne igen, knipser det tilbage, og så står man med en 22 centimeter lang kniv.

Will var bedøvende ligeglad med kniven.

Han svingede benet bagud og sparkede stålsnuden på støvlen direkte op i skridtet på Dave.

16. januar 2014

Kære Jon

Du har nu været tilbage hos mig i tre år, det vil sige, at der er flere år, hvor vi har været sammen, end hvor vi har været fra hinanden. Jeg ved godt, det er længe siden, jeg har skrevet et brev til dig, men måske er det lettere, hvis jeg siger til mig selv, at det kun skal være en gang om året, især fordi januar åbenbart er den måned, hvor mit liv bliver vendt på hovedet. Jeg vælger den 16. januar, fordi det er den dag, jeg tænker på som din fik dig-dag. Jeg skal være ærlig og fortælle dig, at det er et udtryk, jeg har fra tante Delilah. Hun har tonsvis af hunde, og ingen aner, hvad deres fødselsdag er, så hun kalder den dag, de kom for at bo hos hende, for deres fik dig-dag. Så for tre år siden var det din fik dig-dag, den dag, jeg tog dig med tilbage til bjerget for at bo sammen med mig, så jeg kunne være din fuldtidsmor.

Ikke at du er en herreløs hund, men jeg kom bare til at tænke på det, fordi jeg savnede hende her til morgen. Jeg ved godt, det er tåbeligt at sige, eftersom det var Delilah, der tog dig fra mig til at begynde med, og jeg måtte virkelig kæmpe for at få dig tilbage, men det var altid Delilah, jeg kom rendende til, når ting var slemme. Og ting er virkelig slemme nu.

Sandheden er, at der går ikke en dag, uden jeg tænker på sprut og stoffer, men så tænker jeg på dig og vores liv sammen, og så lader jeg være. Ser du, der skete noget slemt med din far hen over julen, og inden jeg nåede at tænke, stod jeg i spiritusforretningen og købte en flaske Jack. Jeg kunne ikke engang vente, til jeg kom hjem. Jeg trak bare proppen op på parkeringspladsen og tømte næsten flasken i en omgang. Det er sjovt, at man efter lidt tid ikke engang kan smage det længere. Man mærker bare, at det brænder, og så flyder alting sammen i hovedet, og jeg skammer mig ikke over at sige, at det er så længe siden, at

jeg har fået noget at drikke, at jeg kastede det hele op igen på ste-
det.

Der har nok været tidspunkter, hvor ting var så slemme, at jeg nok skulle
få alkoholen tilbage ind i mig på den ene eller anden måde, men det var ikke
sådan et tidspunkt. Jeg smed flasken i skraldespanden. Så satte jeg mig
ind i bilen og blev siddende der længe, mens jeg tænkte over, hvordan jeg
var kommet hertil.

Den direkte måde at sige det på er, at din far næsten slog mig ihjel. Det
var nytårsaften, og han holdt en stor fest for sig selv og røg en masse
meth, hvilket han har gjort før, men det her må have været et dårligt
stof. Han blev som besat, og det skræmte mig ad helvede til. Han væltede
rundt og smadrede alting inde i traileren, og jeg råbte ad ham, hvilket jeg
nok ikke skulle have gjort, men skat, jeg er så fandens træt.

Din far er ikke nogen ond mand, men han kan gøre onde ting. Han får lidt
penge på lommen, spiller dem væk eller fester igennem en hel uge, og så er
de væk. Så bebrejder han mig for, at jeg ikke stoppede ham i at brænde
alle pengene af. Så plager han mig, til jeg til sidst giver ham, hvad jeg har
lagt til side af kontanter, også selvom det betyder, vi ikke kan købe mad
eller betale elregningen, og det er slet ikke det værste, for oven i alt det
har han også været mig utro.

Jeg mener, han har været utro før, men denne gang har han valgt en
pige, jeg arbejder sammen med. En, jeg troede var min ven. Ikke en ven
som Gabbie, men alligevel en ven, jeg kunne tale med og få tiden til at gå
med. De troede begge, de var så skide snu at luske rundt lige for næsen
af mig, men jeg kunne mærke, der foregik et eller andet. Den eneste grund
til, at jeg ikke sagde noget, var, fordi din far kun gjorde det for at såre
mig, og her har vi ved gud været før, men jeg gad ikke skulle igennem alt
det igen, hvor han er utro og så trygler mig om at komme tilbage, og når
jeg så gør det, er han utro igen.

Det, han gjorde denne gang, var, at han sørgede for at kneppe hende
i et af de motelværelser, jeg skulle gøre rent. Skemaet hænger på køle-
skabet, han ser det, hver gang han henter en øl, så jeg ved, han vidste
det. Hun vidste det også, for hendes navn står også på det forbistrede
skema. Og de kneppede som kaniner i præcis det værelse, da jeg kom ind
med håndklæder og lagener i hænderne. Jeg ved godt, din far forventede,
jeg ville eksplodere, men det gjorde jeg ikke. Jeg orkede bare ikke at
sige noget. Jeg har aldrig set ham så chokeret, som da jeg bare forlod

værelset igen og lukkede døren efter mig, som om det ikke betød noget som helst.

Og skal jeg være ærlig, så gjorde det heller ikke.

Jeg har fortalt dig, at det er sket før, det med at være utro, men det var kun denne gang, jeg så, at noget var anderledes. Og når jeg siger anderledes, så mener jeg inde i mig. Du vil selv se, at når man bliver ældre, så kan man nogle gange se tilbage og se et mønster. Mønstret med din far var, han er utro, jeg finder ud af det, der er et skænderi, der er tæv, og så bliver han meget sød, hvis nu jeg skulle få den idé at gå. Denne gang sprang vi skænderiet og tævene over og gik direkte til, at han blev sød. Gik ud med skraldet, samlede sit tøj op fra gulvet, han gik ovenikøbet ud og startede min bil om morgenen, så den var varm til mig. En dag tog jeg ham i at synge for dig, og det var virkelig sødt, men han stoppede, da jeg gik ud af værelset.

Ser du, jeg gav ham ikke den reaktion, han ville have, hvilket var at kaste mig for hans fødder og trygle ham om at blive. Jeg ved ikke, hvad det er med din far, der er så ødelagt indeni, og det er svært at forklare, men det, han ønsker sig allermest i verden, er, at folk bliver så desperate, at de ikke har andet tilbage end at klamre sig til ham.

Og når de klamrer sig til ham, hader han dem for det.

Det, der holdt mig kørende denne gang, var, at jeg lovede mig selv, at du og jeg ville være ude af den gudsforladte trailer inden udgangen af januar. Men jeg havde ikke tænkt mig at luske med det. Lusk er din fars territorie. Jeg har tænkt meget over det, og jeg havde besluttet mig for, at det rigtige at gøre var at fortælle ham, at vi flyttede, i stedet for bare at pakke alle vores ting, mens han var væk. I øvrigt kan jeg jo ikke rigtigt komme væk fra ham, eftersom vi bor i samme forbandede by. Og der er også dig. Jeg kan ikke holde ud at være i nærheden af ham længere, men Dave er stadig din far, og jeg har ikke tænkt mig at tage ham fra dig, uanset hvad han gør af frygtelige ting mod mig.

Nå, men han vil fortælle dig, at jeg var en møgkælling, der forlod ham, men jeg vil gerne have, at du ved, at jeg ikke havde planlagt at være en kælling. Jeg ville gerne gøre det ordentligt. Så jeg hentede en øl til ham og satte ham ned på sofaen og sagde til ham, at han var nødt til at lytte til mig, for jeg havde noget vigtigt at sige.

Han var helt stille, indtil jeg sagde det om lejligheden inde i byen. Det var nok der, det blev virkeligt for ham, og når jeg ser tilbage, var det nok også der, det gik op for ham, at jeg ikke havde fortalt ham om alle pengene. Han spurgte mig, hvor stort depositummet var, om den var møbleret, hvor jeg parkerede, om du fik dit eget værelse, den slags. Hvilket jeg, dum som jeg var, på det tidspunkt tolkede, som om han ville sikre sig, det var et trygt sted for dig og mig. Jeg gjorde meget ud af at love ham, at han kunne komme og besøge dig, når som helst han ville. Jeg sagde til ham to eller tre gange, hvor vigtig han er for dig, at jeg gerne vil have, at du altid har din far i dit liv. Hvilket er sandt, for det siger jeg også til dig i dette brev.

Han ville så vide, hvordan med børnepenge og den slags, hvilket jeg ved gud ikke engang havde tænkt på. Og den dommer er endnu ikke født, der kan få penge op af lommen på Dave. Han vil hellere i fængsel eller i graven, end han vil slippe så meget som en penny, selv til nogen, han elsker. Også selvom den nogen er dig. Nå, men han var helt rolig gennem det hele, han røg og nikkede og drak og sagde ikke ret meget mere end de spørgsmål, så, da jeg tav, spurgte han mig, om jeg var færdig med at snakke. Jeg sagde ja. Han slukkede sin cigaret. Og så gik han fuldstændigt amok.

Jeg har ikke tænkt mig at lyve. Jeg havde forventet, at han ville straffe mig, så jeg var forberedt på de tæv, der ville komme. Din far er ikke kreativ, hvad angår at straffe mig, men der er et par ting, han aldrig har gjort før, som han gjorde den aften. Den ene var, at han trak sin kniv. Den anden var, at han kvalte mig.

Når jeg læser det igen, lyder det, som om han ville bruge kniven på mig. Det er ikke sandt. Han ville bruge den mod sig selv. Og selvom jeg var aller- helvedes sikker på, jeg ikke ville være gift med ham længere, så ville jeg heller ikke have, at din far døde, især ikke for egen hånd. Herren vendte mig ryggen for længe siden, men jeg ved med sikkerhed, at han ikke tilgiver folk, der tager deres eget liv, og jeg ville aldrig ønske evigt helvede for din far.

Derfor gik jeg helt i panik, da jeg så bladet trække blod fra hans hals. Jeg faldt på knæ på gulvet og tryglede ham om ikke at gøre det. Han blev ved med at sige, at han elskede mig, at jeg var det eneste menneske i verden, der gav ham en følelse af at høre til, at han havde mistet så meget på børnehjemmet, og at jeg var den eneste, der kunne gøre det godt igen for ham.

Jeg ved ikke, om noget af det er sandt, men jeg ved, at vi begge stortu- dede, da han endelig lagde kniven fra sig på sofabordet. Vi kunne ikke gøre andet end bare holde om hinanden. Jeg ville have sagt hvad som helst for at forhindre ham i at slå sig selv ihjel. Jeg blev ved med at sige til ham, at jeg elskede ham, at jeg aldrig ville forlade ham, at vi altid ville være en familie.

Da den del af det var overstået, sad vi begge bare på sofaen og stirrede ind i væggen, så udmattede af følelser, men så sagde han til mig: "Jeg er glad for, at du ikke går," og den del af det kunne jeg ikke gå med til, for efter den følelsesmæssige opvisning var jeg endnu mere sikker på, at jeg var nødt til at gå. Det, jeg sagde, var, at jeg altid ville være der for ham. At jeg altid ville elske ham, og at jeg bare ville have, at han var glad.

Så var det nok, at jeg begik den fejl ikke at lade det være ved det, men jeg skulle absolut åbne min tåbelige kæft og sige til ham, at jeg også gerne ville være glad, og at det ikke var muligt for nogen af os nogensinde at blive glade, hvis vi stadig var sammen.

Jeg har aldrig nogensinde set din far bevæge sig så hurtigt, som han gjorde der. Begge hans hænder lukkede sig om min hals. Det skræmmende var, at han ikke engang råbte. Jeg har aldrig hørt ham være så stille. Han betragtede mig bare, hans øjne bulede ud, mens han kvalte mig. Det føltes, som om han ville slå mig ihjel. Og måske troede han, at han havde slået mig ihjel. Jeg skal nok lade være med at være helt heksedoktoragtig, for jeg er ikke synsk eller noget, men jeg sværger gerne på en hel stak bibler, at efter jeg besvimede, så vidste jeg, hvad der foregik.

Jeg kan ikke rigtigt beskrive det på anden måde, end at jeg svævede oppe under loftet og så ned og så mig selv ligge der på det grimme, grønne tæppe, jeg aldrig kunne få rent. Jeg kan huske, jeg blev flov, fordi mine bukser var våde, som havde jeg pisset i bukserne, hvilket ikke er sket længe, ikke siden jeg opgav alkohol og stoffer. Nå, men din far kvalte mig stadig, mens jeg så til fra loftet. Så gav han mig et sidste skub og rejste sig. I stedet for at gå ud ad døren, stod han bare og stirrede ned på mig.

Og stirrede og stirrede.

Det var udtrykket i hans ansigt, der ramte mig mest, for der var ikke noget udtryk. Få minutter tidligere havde han hulket og væltet følelser ud, mens han truede med at begå selvmord, og nu, ingenting. Absolut ingenting. Og det var der, det slog mig, at dette måske var første gang, jeg virkelig så ham, som han var. At grædende Dave, grinende Dave, skæve Dave eller vrede Dave, selv den Dave, der lader, som om han elsker mig, slet ikke er den Dave, han virkelig er.

Den rigtige Dave er tom indeni.

Jeg ved ikke, hvad alle de plejeforældre tog fra ham, eller den gymna-
stiklærer, der misbrugte ham, men de gravede så dybt i hans sjæl, at der
ikke var noget tilbage. Der var sgu helt sikkert ikke noget tilbage til mig.
Og hvis jeg skal være ærlig, ved jeg ikke, om han har noget derinde til dig.

Jeg vil være ærlig over for dig, det rystede mig at se ham sådan. Det
rystede mig mere end ikke at kunne få vejret, hvilket er noget, jeg har
været rædselsslagen for, siden jeg var lille. Og det fik mig til at tænke
over, hvad mere Dave holder hemmeligt.

Han elsker ved gud helt oprigtigt din bedstemor Bitty, men har han
nogensinde elsket mig? Betød jeg noget overhovedet? På hans egen måde
gav han mig tid til at regne det ud. Han er i fængsel nu, fordi han røg i
endnu et værtshusslagsmål, efter han var færdig med mig. Hvilket han i
den grad fortjener, men jeg er alligevel bekymret for ham. Fængslet er
et hårdt sted for en mand som din far. Han har det med at pisse folk af.
Og hvis du vil vide hele sandheden, så er jeg virkelig bange for, når han
kommer ud igen. Jeg er bange for den tomme mand, der så ned på mig, som
var jeg en flue, han lige havde trukket vingerne af.

Og alt det gør mig bange på dine vegne, min skat. Du ved, du ikke ville
kunne gøre noget, jeg ikke ville tilgive, men din far er ikke glad ved at
være, som han er. Det kunne ingen være glad ved. Han er så tom, at det
eneste, der kan fylde ham, er andre menneskers følelser. Og det er godt
nogle gange, når han giver omgange og er den store mand i byen. Og nogle
gange er det skidt, når han ryger meth og smadrer sin trailer. Og nogle
gange er det rigtig slemt, når han kvæler mig så længe, at jeg tror, jeg
skal dø. Og så ser jeg på hans ansigt og ser, at det eneste, han nogensinde
har nydt i hele sit liv, er at flytte sin elendighed over i andre mennesker.

Hold op, det er en mørk fortælling om en mand. Måske får du aldrig den
side af ham at se. Det håber jeg aldrig, at du gør, for det er som at stirre
ind i helvedes åbne gab. Din far kan gøre, hvad han har lyst til, ved mig,
men han skal aldrig, aldrig løfte en hånd over for dig. Men jeg vil heller
ikke være den slags ekskone, der vender sit barn mod dets far. Hvis du
ender med at synes, han er et dårligt menneske, så skal det være, fordi
du selv har set det med dine egne øjne.

Så jeg vil slutte dette brev med at fortælle dig tre gode ting om din
far.

For det første, og jeg ved, det er klamt, og jeg har sagt hele tiden at det ikke passer, men din far er familie for mig. Han er ikke som onkel Fisk på den måde, at han er som en bror, men han er tæt på, og det vil jeg ikke benægte over for dig af alle mennesker.

For det andet så kan han stadig få mig til at grine. Det lyder måske ikke af så meget, men der har ikke været meget glæde i mit liv, og derfor er det så svært for mig at give slip på ham. Dave og jeg startede ikke på denne måde. Der var engang, hvor din far betød alt for mig. Det var ham, jeg løb til, når Papa var efter mig. Det var ham, jeg betroede mig til. Ham, jeg gerne ville behage. Han var så meget ældre end mig, og han havde været gennem så meget lort selv, at jeg troede, han forstod mig. Det var egentlig aldrig ham, jeg gerne ville have. Jeg ville have, han ville have mig. Men nu skal du ikke få ondt af din far. Han vidste, hvordan det hang sammen, og det var fint med ham. Han var ligefrem glad for det. Jeg håber aldrig, at du selv kommer til at have det sådan, at du er i en situation, hvor du hellere vil tolereres end elskes.

Nå, men nok om det.

Den tredje ting er, at din far reddede mit liv, dengang jeg var i biluheldet. Jeg ved godt, det lyder dramatisk, men han reddede mig virkelig. Besøgte mig på hospitalet. Holdt mig i hånden. Sagde til mig, at jeg stadig var køn, selvom vi begge vidste, det aldrig ville blive sandt. Sagde, at det ikke var min skyld, selvom vi begge vidste, at det heller ikke passede. Jeg har kun set ham behandle et eneste andet menneske så omsorgsfuldt, og det er Bitty. Hvis jeg skal være ærlig, så tror jeg, jeg har jagtet den version af Dave lige siden. Nå, men jeg vil ikke grave dybere i den del af min egen elendighed, lad os bare sige, at din far trådte i karakter.

Så det vil jeg have, du skal vide om ham, især det med den tredje ting. Og det er sikkert grunden til, at en del af mig altid vil elske ham, selvom jeg er temmelig sikker på, at han en eller anden dag slår mig ihjel.

Jeg vil for altid elske dig.

Mor

11

Faith Mitchell stirrede på uret på væggen.

05.54 om morgenen.

Udmattelsen havde ramt hendes krop som en tankvogn i brand. Hele vejen herop gennem den horrible trafik havde hun kørt på følelsen af, hvor presserende situationen måtte være, men alt det var stoppet brat, da hun trådte ind i venteværelset hos sheriffen i Dillon County.

Hoveddøren havde ikke været låst, men der var ingen i receptionen. Ingen havde reageret, da hun bankede på det aflåste glasbur, eller var dukket op, da hun ringede på klokken. Der var ingen patruljevogne på parkeringspladsen. Ingen tog telefonen.

For 117. gang så hun på sit ur, der var toogtyve sekunder foran uret på væggen. Faith stillede sig op på stolen for at rykke sekundviseren. Hvis nogen betragtede hende gennem overvågningskameraet i hjørnet, håbede hun, de ville ringe efter politiet.

Så heldig var hun ikke.

Douglas 'Småkage' Hartshorne havde bedt Faith møde ham på stationen, men det var treogtyve minutter siden. Han havde ikke besvaret hendes mange opringninger eller sms'er. Wills telefon var enten uden for rækkevidde, eller også var batteriet dødt. Saras gik direkte på svarer. Der var ingen, der tog telefonen i McAlpines familiehytter. Ifølge deres hjemmeside var den eneste måde at komme frem til dem på at vandre op ad bjerget, hvilket lød som en straf, der var tilsigtet Von Trapp-børnene, før Maria dukkede op med sin guitar.

Faith kunne ikke gøre andet end at vandre frem og tilbage i lokalet. Hun var ikke helt sikker på, hvad hendes opgave egentlig var. Hendes ene telefonsamtale med Will havde været knitrende på grund af styrtregnen, men han havde givet hende nok oplysninger til, at hun vidste, at der var sket noget slemt på grund af en slem mand. Faith havde lyttet til de lydfiler, han havde sendt hende, under den ulideligt lange køretur op i bjergene, og ud fra hvad Faith kunne høre, så havde Will så godt som løst sagen.

Den første optagelse var baggrundshistorien for det værste afsnit af *Hænderne fulde* nogensinde. Delilah havde givet den korte version af Mercy McAlpines forfærdelige relationer fra den voldelige far til den kolde mor, den mærkelige bror til brorens endnu mere mærkelige ven. Så var der de absurde ting om Dave og Mercy, som ikke rigtigt var incest, men heller ikke rigtigt *ikke* var incest. Så var sherif Småkage kommet ind efter reklamepausen og havde udtrykt nul fucks om en brutalt myrdet kvinde og hendes forsvundne teenagesøn. Den eneste relevante oplysning, Faith havde fået ud af hele samtalen, var Wills meget grundige gennemgang af, hvordan han helt præcis havde fundet Mercy McAlpines lig. Og var endt med en kniv i hånden for besværet.

Den anden optagelse var som en episode af 24 *timer*, bare hvor Jack Bauer faktisk var nødt til at følge den forfatning, han havde svoret at beskytte. Den begyndte med Will, der opremsede Dave McAlpines rettigheder for ham, så Dave, der indrømmede at have strangleret sin ekskone tidligere den dag, efterfulgt af langpisning, der førte til håndgemæng, hvori – hvis Faith kendte sin makker ret – Will havde sparket Dave så hårdt i nosserne, at manden havde raket-ørlet.

En advarsel om den sidste del havde været rart. Faith havde hørt det over højtalerne i Minien på sit Dolby digital surround-anlæg. Hun havde siddet fast i trafikken midt ude i ingenting i bælgravende mørke i styrtende regn og havde været nødt til at åbne døren, så hun kunne kaste ingenting op på asfalten.

Hun så igen på uret.

05.55.

Endnu et minut. Der kunne ikke være mange flere tilbage. Hun rodede i tasken efter nogle nødder. Hovedet dunkede, som havde hun en snert af tømmermænd, hvilket gav god mening, eftersom hun for en håndfuld timer siden lyksaligt havde udlevet livet som en kvinde, der ikke forventedes at deltage i nogen form for voksenadfærd.

Faktisk havde Faith nydt en kold øl i brusebadet, da hendes telefon havde udstødt en mærkelig lyd. Den kvidrede, som sad der en fugl på håndvasken i badeværelset. Hendes første tanke havde været, at hendes toogtyve år gamle søn var for gammel til at lave rod i hendes ringetoner.

Hendes anden tanke fik hende til at kampsvede, selvom hun stod under rindende vand. Hendes toårige datter havde fundet ud af, hvordan man lavede rod i ringetoner. Faiths digitale liv ville aldrig blive sikkert igen. En virtuel walk of shame passerede for hendes indre blik: selfierne, sexms'erne, de sporadiske pikbilleder, hun så absolut havde udbedt sig. Faith havde nær tabt sin brusebadsøl, da hun sprang ud fra bag badeforhænget.

Sms'en var så fremmedartet, at hun bare havde stirret på skærmen, som om hun aldrig havde set ordene før.

SOS NØDBESKED
Forbrydelse
INFORMATION SENDT
Spørgeskema til nødsituationer
Aktuelle lokation

Sæb ind, skyl, gentag: Hendes første tanke var Jeremy, der var på en hasarderet roadtrip til Washington DC, hvis altså *hasarderet* betød, at hans mor ikke ville have, at han gjorde det. Den anden tanke var Emma, der for første gang sov ude hos en god ven. Det var derfor, Faiths hjerte sad oppe i halsen, da hun scrollede ned over svaret fra satellittransmissionen. Af alle de ting, hun havde forventet at læse, fra et masseskyderi til en katastrofal ulykke til et terrorangreb, så var det, hun læste, så uventet, at hun overvejede, om det var en eller anden form for phishingfup.

GBI-efterforsker Will Trent anmoder om øjeblikkelig assistance til mordefterforskning.

Faith havde rent faktisk kigget sig i spejlet for at tjekke, om hun var midt i endnu en vanvittig arbejdsdrøm. To dage tidligere havde hun danset sin røv i laser til Will og Saras bryllup. Det var meningen, de skulle være på bryllupsrejse. Der burde ikke være noget mord, og ikke nogen efterforskning, og slet ikke en satellit-sms med anmodning om assistance. Faith var så ude af den, at hun bogstaveligt talt hoppede, da telefonen begyndte at ringe. Så var hun blevet bestyrtet over at se, at det var hendes chef, der ringede, for det er lige den, man har lyst til at tale med, når man står og stirrer på sig selv i badeværelsesspejlet, nøgen, klokken kvart over et om natten med en øl i hånden.

Amanda havde ikke ulejliget sig med et: *Jeg beklager, jeg forstyrrer dig i din ferieuge* som et normalt menneske, der interesserede sig for andre menneskers velbefindende. Hun havde bare givet Faith en ordre.

"Du skal være ude ad døren om ti minutter."

Faith havde åbnet munden for at svare, men Amanda havde allerede lagt på. Der var ikke så meget andet at gøre end at vaske sæben af kroppen og lede efter noget arbejdstøj i Mount Everest-bunken af vasketøj, der havde hobet sig op foran vaskemaskinen.

Og her stod hun, fem timer senere og lavede ikke en skid.

Faith så igen på uret. Hun havde barberet endnu et minut af.

Hun tænkte på alle de ting, hun kunne lave lige nu. Vaske tøj, for at nævne en ting, for hendes skjorte lugtede af gnu. Drikke endnu en øl i badet. Rydde op i krydderiskabet, mens hun hørte NSYNC lige så højt, det passede hende. Spille Grand Theft Auto uden at skulle forklare de vilkårlige mord, hun begik. Ikke bekymre sig om, om Emma var bange, fordi hun sov i en fremmed seng. Ikke bekymre sig om, om Emma elskede at sove i en fremmed seng. Ikke bekymre sig om, at Jeremy var på roadtrip for at få en rundvisning på Quantico-basen, fordi han gerne ville ind i FBI. Ikke bekymre sig om, at den mand, der kørte ham dertil, tilfældigvis var den mand, Faith knaldede med, og at de havde gjort det dybt og inderligt i otte måneder nu, og at Faith stadig ikke kunne få sig selv til at kalde ham andet end den mand, hun knaldede med.

Og det var bare de aktuelle problemer. Faith havde tænkt sig at bruge sin ugelange ferie til at give sin velsignede mor en pause fra at passe Emma. Og minde sin datter om, at hun rent faktisk havde en mor. Faith havde pakket kalenderen så hårdt, som skulle hun bestå en prøve. Der var eftermiddagste på Four Seasons, timer i ansigtsmaling, timer i keramikmaling, billetter til museet for dukketeater, en audio-rundtur for børn i botanisk have, hun havde googlet trapez-undervisning for at finde ...

Hendes telefon ringede.

"Gudskelov!" råbte Faith ud i det tomme lokale. Det var et skidt tidspunkt at være fanget alene med sine egne tanker. "Mitchell."

"Hvad laver du på sheriffens kontor?" ville Amanda have svar på.

Faith undertrykte en banden. Hun brød sig ikke det mindste om, at

Amanda kunne spore hendes telefon. "Sheriffen bad mig møde ham på stationen."

"Han er på hospitalet med den mistænkte." Amandas tonefald indikerede, at det vel var almen viden. "Det ligger lige på den anden side af gaden. Hvad nøler du for?"

Igen åbnede Faith munden for at svare, mens Amanda lagde på.

Hun nuppede sin taske og forlod det indelukkede venteværelse. Lyserøde skyer prydede himlen. Endelig var det ved at blive daggry. Gadelamperne begyndte at slukke. Hun tog en dyb indånding morgenluft, mens hun gik hen over togsporene, der delte den lille bys centrum i to. Byen Ridgeville var ikke noget at skrive hjem om. En indkøbsgade fra 1950'erne i en etage strakte sig fra enden af en blok til den anden og var fyldt med turistfælder som antikvitetsforretninger og stearinlysbutikker.

Ridgeville sygehus var to etagers stål og glas og den højeste bygning, så langt øjet kunne se. Parkeringspladsen var fyldt med pickuptrucks og biler, der var ældre end Faiths søn. Hun fik øje på sheriffens patruljevogn foran hovedindgangen.

"Faith!"

"Fuck!" Faith fór så voldsomt sammen, at hun nær havde tabt sin taske. Amanda var dukket op ud af det blå.

"Tal ordentligt," sagde Amanda. "Det der er ikke professionelt."

Faith tænkte, at det var hendes argument for at sige *fuck* resten af sit liv.

"Hvorfor var du så længe om det?"

"Jeg var fanget bag et biluheld i to timer. Hvordan kom du forbi det?"

"Hvordan gjorde du ikke?"

Amandas telefon brummede. Hun så ned på skærmen, så Faith havde udsigt til hendes hovedbund. Det perfekt friserede salt og peber-hår var snoet i den vanlige hjelm. Nederdelen og den matchende blazer var ikke det mindste krøllet. Hendes tommelfingre fór hen over telefonen, idet hun besvarede en sms, der ville være en af flere tusind, hun modtog i dag. Amanda var vicedirektør i GBI, ansvarlig for flere hundrede ansatte, femten regionskontorer, seks narkobekæmpelsesenheder samt en god håndfuld specialenheder, der var aktive i alle Georgias 159 countyer.

Hvilket fik Faith til at spørge: "Hvad laver du her? Du ved, jeg kan håndtere situationen."

Amandas telefon røg ned i lommen. "Sheriffen hedder Douglas Hartshorne. Hans far sad i stillingen i halvtreds år, til en hjerneblødning tvang ham på pension for fire år siden. Junior blev valgt til embedet uden kampvalg. Han har tilsyneladende arvet sin fars modvilje mod GBI. Jeg fik et indiskutabelt nej, da jeg tilbød at overtage sagen."

"Han bliver kaldt Småkage," supplerede Faith. "Hvilket er godt, for jeg bliver ved med at ville sige Douglath ligesom mr. Dink."

"Ligner jeg en person, der ville værdsætte den reference?"

Amanda lignede en person, der var på vej ind på hospitalet. Faith fulgte med ind i venteværelset, der var proppet med elendighed. Alle stolene var optaget. Folk sad og lænede sig op ad væggen, mens de tavst bad til, at deres navn ville blive råbt op. Faith fik flashbacks til sine egne tidlige morgenbesøg på skadestuen med sine børn. Jeremy havde været et barn, der kunne skrige sig til høj feber. Heldigvis havde Emma meldt sin ankomst omtrent samtidigt med, at Will havde mødt Sara. Det havde sine fordele at være nær ven med en børnelæge.

Hvilket fik Faith til at spørge: "Hvor er Sara?"

"I gåsegang med Will som sædvanligt."

Hvilket egentlig ikke var et svar, men Faith gad ikke prikke til bjørnen længere. Desuden var Amanda allerede i færd med at åbne en bagdør, trods skiltet, hvorpå der stod KUN FOR PERSONALE.

Her blev de mødt med endnu mere elendighed. Patienter lå på bårer på gangen, men Faith kunne hverken se læger eller sygeplejersker. De var sikkert omme bag de forhæng, der gjorde det ud for stuer. Hun kunne høre Amandas kittenhæle smælde mod laminatfliserne hen over staccatolyden fra hjertemonitorerne og respiratorerne. Faith prøvede i det stille at regne ud, hvorfor Amanda var kørt to timer midt om natten hele vejen til Snolderød på grund af et så godt som opklaret mord langt under hendes løntrin. Det var sågar under Faiths usle løntrin. GBI trådte kun til, når en efterforskning var kørt af sporet, og selv da skulle de lokale myndigheder selv anmode om hjælp. Småkage havde gjort det helt klart, at han ikke var interesseret.

Amanda stoppede op ved det tomme sygeplejerskekontor og ringede på klokken. Den kunne dårligt høres hen over lyden af stønnen og maskiners brummen.

"Hvorfor er du her egentlig?" spurgte Faith.

Amanda var igen på telefonen. "Det er meningen, Will skal være på bryllupsrejse. Jeg har ikke tænkt mig at lade dette job suge alt liv ud af ham."

Hvad med mig? var Faith lige ved at klynke. Amanda havde altid haft en skjult forbindelse med Will. Hun havde været på patrulje for Atlanta Politi, da hun fandt baby Will i en skraldebøtte. Indtil for nylig havde han ikke anet, at Amandas usynlige hånd havde guidet ham gennem hele hans liv. Faith var vanvittigt nysgerrig efter at høre mere end bare overskrifterne, men det lå ikke til nogen af dem at dele dybe, mørke hemmeligheder, og Sara var irriterende loyal over for sin mand.

Amanda så op fra sin telefon. "Tænker du, det er Dave, der er morderen?"

Faith havde ikke overvejet spørgsmålet, for det virkede så åbenlyst. "Han indrømmede at have stranguleret Mercy. Han har ikke givet os noget alibi. Tanten har dokumenteret en lang historie med hustrumishandling. Han gemte sig i skoven. Han modsatte sig anholdelse. Hvis man altså kan kalde ti sekunders macho-aggression og tredive sekunders opkastning for at modsætte sig."

"Familien virkede sært upåvirket af tabet."

Faith gættede på, at det betød, at Amanda også havde lyttet til Wills lydoptagelser. Faith havde haft så god tid i bilen til at lytte til dem, at hun nærmest kunne nogle af Delilahs beskrivelser ordret. "Tanten siger, at der er en substantiel pengemotivation. Hun beskrev Mercys bror som *seriemorder, der samler på dametrusser*-eneboertypen. Hun beskrev sin egen bror som et voldeligt og dominerende røvhul. Hun sagde, hendes svigerinde var en kold fisk. Og at Bitty truede med at stikke en kniv i ryggen på Mercy, et par timer inden hun fik en kniv knækket af i sin ryg."

"Delilah sagde også noget om ekshibitionisterne i hytte fem."

Den del ville Faith også gerne vide mere om, men kun fordi hun var lige så nysgerrig som Delilah. "Chuck lyder også interessant at tale med. Han er en nær ven af broren. Det kan være, han kender et par hemmeligheder. Så er der de rige røvhuller, der prøvede at købe hytterne."

"Dem får vi aldrig fat i. De gemmer sig bag en mur af advokater," sagde Amanda. "Hvor mange gæster er der i hytterne?"

"Det er jeg ikke helt sikker på. Hjemmesiden siger, at der aldrig er mere end tyve gæster ad gangen. Hvis man er til at være udendørs og svede, så ser stedet fantastisk ud. Jeg kunne ikke finde ud af, hvad det koster, men jeg gætter på en fantasillion. Will må have brugt en hel årsløn på det sted."

"Endnu en grund til at holde ham ude af det her," sagde Amanda. "Jeg vil bede dig om at afhøre Dave. Han blev kørt hertil i ambulance. Sara ville gerne udelukke testikulær torsion."

Faith vidste godt, det ikke var sjovt, men det var alligevel lidt sjovt. "Hvilken kode skal jeg bruge for det i rapporten? 88?"

Amanda gik lige forbi Faith. Hun havde spottet Sara for enden af gangen. Endnu en gang måtte Faith småløbe for at følge med. Sara var iklædt en kortærmet T-shirt og cargobukser. Hendes hår var samlet på toppen af hovedet. Hun så udmattet ud, da hun gav Faiths arm et klem.

"Faith, jeg er ked af, du er blevet trukket ind i det her. Jeg ved godt, du havde planlagt hele ugen med Emma."

"Det skal hun nok klare fint," sagde Amanda, for småbørn var jo super omstillingsparate, når det gjaldt uforudsete ændringer. "Hvor er Will?"

"Han er ude på badeværelset. Jeg fik ham til at lægge hånden i blød i en betadineopløsning, inden han blev syet. Kniven ramte ikke nerverne, men jeg er stadig bekymret for infektion."

"Og Dave?" spurgte Amanda.

"Hans bitekstikler tog af for stødet. Det er nogle snoede rør, der hæfter på den posteriore side af testiklerne, som spermen vandrer op igennem under ejakulationsprocessen."

Amanda så irriteret ud. Hun hadede lægesprog. "Dr. Linton, tal, så jeg forstår."

"Hans kugler er forslåede bagtil. Han skal hvile sig, ligge løftet og have is på, men han skulle være på benene inden for en uge."

Eftersom Faith skulle afhøre Dave, spurgte hun: "Får han noget smertestillende?"

"Hans læge har givet ham Panodil. Det er ikke min beslutning, men jeg ville have udskrevet Tramadol, Ibuprofen for hævelsen og noget for kvalmen. Sædstrengen går i en løkke fra testiklerne gennem lyskekanalen og op i underlivet, så bag ved blæren, hvor den har forbindelse til urinrøret ved prostatakirtlen, og til sidst går urinrøret ud til penis.

Hvilket er en lang måde at forklare på, at Dave har gennemgået et forfærdende traume. Men så igen ..." Hun trak på skuldrene. "Det er, hvad man får, når man truer Will med en butterfly-kniv."

Faith kunne lugte endnu et anklagepunkt. "Hvor er kniven?"

"Will gav den til sheriffen." Sara vidste godt, hvad hun tænkte. "Bladet er under tolv centimeter, så den er lovlig."

"Ikke hvis han har den skjult med den hensigt at angribe med den," sagde Amanda.

"Det er en mindre forseelse, men hvis vi kan forbinde den med mordet ..."

"Dr. Linton," afbrød Amanda. "Hvor er Dave nu?"

"Han blev indlagt natten over til observation. Sheriffen er derinde sammen med ham. Jeg skal nok tilføje, at Dave havde en skjorte på, der havde et blodigt håndaftryk fortil. Sheriffen har beslaglagt tøjet og personlige ejendele som bevismateriale. Han bør også tage billeder af de kradsemærker, der er på Daves krop og hals. Den lokale ligsynsansvarlige hedder Nadine Moushey. Hun har allerede anmodet officielt om, at GBI håndterer Mercys obduktion." Sara så på sit ur. "Nadine burde snart komme med Mercys lig fra hytten. Hun bad mig møde hende nedenunder i lighuset klokken otte."

"Jeg har underrettet den del af SAC, der overvåger region otte, om, at hun skal stå for transporten af liget tilbage til hovedkvarteret."

"Siger du, at jeg skal træde tilbage?"

"Er dit input afgørende nødvendigt?"

"Spørger du, om en certificeret retsmediciner, der så ofret *in situ*, bør tilbyde sin ekspertvurdering under den indledende fysiske undersøgelse?"

"Du har udviklet en vane med at stille spørgsmål i stedet for at give svar."

"Har jeg det?"

Det var ikke til at læse Amandas ansigtsudtryk. Teknisk set var hun Saras chef, men Sara havde altid behandlet hende mere som en kollega. Og nu, på grund af Will, var Amanda på en måde også Saras svigermor, og så alligevel ikke.

Faith afbrød magtkampen. "Er der noget andet, vi bør vide?"

"Der var en vandrerygsæk på gerningsstedet," sagde Sara. "Delilah identificerede den som tilhørende Mercy. Heldigvis var nylonen præget med et brandhæmmende kemikalie. Indholdet kan godt være interessant. Mercy havde pakket toiletsager og tøj samt en notesbog."

Faith fik pludselig fornyet energi. "Hvilken slags notesbog?"

"Et skrivehæfte, den slags, et barn ville have med i skole."

"Læste du i den?"

"Siderne var gennemblødte, så vi er nødt til at få den omkring laboratoriet. Og jeg er også mere optaget af, hvor Mercy skulle hen. Det var midt om natten. Hun havde haft et meget offentligt sammenstød med sin søn tidligere på aftenen. Hvorfor tog hun af sted? Hvor skulle hun hen? Hvordan endte hun ved søen? Som Nadine påpegede, så var der masser af ledige hytter, hvis hun havde brug for et pusterum fra familien."

"Hvor mange?" spurgte Faith.

"Antallet er irrelevant," sagde Amanda. "Vores fokus er at få en tilståelse fra Dave. Det er sådan, vi får lukket den hurtigt. Korrekt, dr. Linton?"

"I hvert fald Dave-delen." Sara så igen på sit ur. "Delilah må være udenfor nu. Vi skal ud og lede efter Jon."

"Er det nu en god måde at tilbringe sin bryllupsrejse på?" spurgte Amanda.

"Ja."

Amanda fastholdt blikket på Sara et øjeblik længere, så vendte hun sig og gik. "Faith?"

Faith gættede på, at det var hendes stikord til, at nu gik de. Hun stødte næver med Sara i solidaritet, inden hun småløb af sted for at indhente Amanda igen. "Du må da vide, at Sara ikke har tænkt sig at lade en teenager, der lige har mistet sin mor, forsvinde," sagde hun til Amanda.

"Jeremy var selvkørende, da han var seksten."

Da Jeremy var seksten, havde han spist så meget ost, at Faith havde været nødt til at lave en lægelig intervention. "Teenagedrenge er ikke så modstandsdygtige, som du tror."

Amanda gik forbi elevatorerne og tog trappen. Munden var en stram, lige linje. Faith spekulerede på, om hun tænkte på Will i den alder, men så mindede hun sig selv om, at det ikke nyttede noget at prøve at komme ind i hovedet på Amanda. Hun prøvede i stedet at fokusere på den forestående afhøring af Dave.

I løbet af de to timer, hun havde parkeret på motorvejen, havde Faith brugt tiden på at se nærmere på David Harold McAlpines straffeattest. Hans ungdomsfil var lukket, men der var rigeligt at tage af på hans voksne straffeattest, alt sammen forbrydelser, man kunne forvente af en misbruger, der tæver sin kone. Dave havde været ind og ud af fængsel for diverse foreteelser, lige fra værtshusslagsmål til biltyveri, til fusk med modermælkserstatning, spirituskørsel og hustruvold. Ganske få af anklagerne havde holdt, hvilket var besynderligt, men ikke overraskende.

Som Amanda, og som Faiths egen mor, havde Faith begyndt sin karriere som fodtusse i Atlantas politi. Hun vidste godt, hvordan man læste mellem linjerne på en straffeattest. Forklaringen på de gentagne mislykkedes forsøg på at få ham dømt for hustruvold var åbenlys – Mercy havde nægtet at vidne. Den bemærkelsesværdige mangel på alvorlige konsekvenser af de andre overtrædelser pegede på en mand, der uden hæmninger stak sine medfanger for at holde sin egen røv ude af fængsel eller forhindre, at han kom ind at sone sammen med de tunge drenge.

Og det var der, det ikke så overraskende kom ind. Mange af de mænd, der tævede deres koner, var bemærkelsesværdigt ynkelige kujoner.

Amanda skubbede døren op oven for trappen. Faith fulgte efter et par sekunder efter. Lysene på gangen var afdæmpede. Der var intet personale på sygeplejerskekontoret lige over for elevatoren. Faith så en tavle på væggen, hvorpå patienternes navne og deres tildelte sygeplejerskes navn fremgik. Der var ti stuer, alle var fyldte, men der var kun en sygeplejerske.

"Dave McAlpine," læste Faith. "Stue otte. Hvad er lige sandsynligheden?"

De vendte sig begge om, da elevatordørene gik op. Will var iklædt en skjorte og et par operationsbukser, der var for korte til de lange ben. Faith kunne se hans sorte sokker stikke op over støvlerne. Han holdt den forbundne hånd ind mod brystet. Der var små kradsemærker på hans hals og ansigt.

Amanda gav ham sin vanlige varme velkomst. "Hvorfor er du klædt som en kirurg i et ska-band?"

"Dave kastede op ud over mine bukser," sagde Will.

"Ja, det gjorde han." Faith gemte highfiven til senere. "Sara fortalte os, du sparkede hans boller op i blæren på ham."

Amanda sukkede kort. "Jeg går ind og meddeler sheriffen, at han med glæde tager imod vores assistance i efterforskningen."

"Held og lykke," sagde Will. "Han er ret hårdnakket omkring at beholde sagen."

"Jeg forestiller mig, at han også er ret hårdnakket omkring ikke at ville have hver eneste virksomhed i sit county set efter i sømmene for arbejdere uden papirer og overtrædelser af reglerne om børnearbejde."

Faith så Amanda gå sin vej, hvilket var morgenens tema. "Jeg skal afhøre ham," sagde hun til Will. "Er der noget, jeg skal vide?"

"Jeg arresterede ham for overfald og for at modsætte sig anholdelse. Småkage er gået med til ikke at sige noget om mordet, så så vidt jeg ved, er Dave ikke klar over, at vi har fundet liget. Hans største bekymring er, at han tror, jeg så ham strangulere Mercy på stien i går."

"Fjolset tror, at du bare ville stå og se på, mens han strangulerede en kvinde?" Faith holdt meget af godtroende mistænkte. "Det lyder søreme, som om jeg er tidsnok hjemme til at køre Emma i klovnelejr."

"Det ville jeg ikke regne med," sagde Will. "Du skal ikke undervurdere Dave. Han lader, som om han er en torskedum bondeknold, men han er manipulerende, snu og ondskabsfuld."

Faith havde svært ved at finde ud af, hvad det var, Will prøvede at fortælle hende. "Hans straffeattest myldrer med idiot-forbrydelser. Den strengeste straf, han fik, var et par år i arresten for biltyveri. Dommeren lod ham arbejde straffen af."

"Han er stikker."

"Præcis. Stikkere er sjældent de store forbryderhjerner, og han er blevet taget ret så mange gange for en, du kalder snu. Hvad er det, jeg overser?"

"At jeg kender ham." Will så ned på den forbundne hånd. "Dave var på børnehjemmet, samtidig med at jeg var der. Han stak af, da han var tretten. Han kom herop. Der er en gammel lejrplads. Det er en lang historie, men Dave vil helt sikkert nævne, at vi har en fælles historie, så det skal du være forberedt på."

Det føltes, som om Faiths øjenbryn forsvandt helt op i hovedbunden. Nu gav det mening. "Hvad mere?"

"Han plejede at mobbe mig," sagde Will. "Ikke noget fysisk, men han var et røvhul. Vi kaldte ham Sjakalen."

Faith kunne slet ikke forestille sig Will som mobbeudsat. Udover at han var kæmpestor, så var der også aldersforskellen. "Dave er fire år yngre end dig. Hvordan fungerede det?"

"Han er ikke fire år yngre end mig. Hvor har du det fra?"

"Hans straffeattest. Hans fødselsdag står alle steder."

Will rystede på hovedet med foragt. "Han er to år yngre end mig. McAlpine-familien må have nedsat hans alder."

"Hvad betyder det?"

"Det er ikke nemt at gøre nu, fordi alting er digitalt, men dengang var det ikke alle børn, der kom sammen med en gyldig fødselsattest. Plejeforældre kunne anmode retten om at ændre et barns alder. Hvis ungen var besværlig, gjorde de ham ældre, så han kom hurtigere ud af systemet. Hvis han var nem, eller hvis han fik mange tillæg, ville de få ham gjort yngre, så pengene blev ved med at strømme ind."

Faith fik kvalme. "Hvad mener du med tillæg?"

"Flere problemer, flere penge. Måske havde barnet følelsesmæssige udfordringer, eller han var blevet udsat for seksuelle overgreb og havde brug for terapi, hvilket betyder, du var nødt til at køre ham til aftaler, og måske er han en større opgave derhjemme, så staten betaler mere for ulejligheden."

"Hold da kæft." Faith kunne ikke skjule, hun var berørt. Hun anede ikke, om noget af dette var overgået Will. Bare tanken om det gjorde hende enormt trist. "Så Dave var et plaget barn?"

"Han blev misbrugt seksuelt af en idrætslærer i indskolingen. Det stod på i et par år." Will rystede det af sig, men krænkelsen var forfærdende. "Det vil han forsøge at bruge til at få medlidenhed. Lad ham snakke, du skal bare vide, at han ved, hvad det vil sige at være hjælpeløs, og han blev alligevel en mand, der tævede sin kone i årevis og til syvende og sidst voldtog og myrdede hende."

Faith kunne høre vreden i hans stemme. Han hadede virkelig den fyr. "Ved Amanda godt, at du kender Dave?"

Wills kæbemuskel begyndte at spille, hvilket var hans måde at sige ja på. Det forklarede også, hvorfor Amanda havde kørt i to timer for at komme herop. Og hvorfor hun ville have Will så langt væk fra denne sag som muligt.

Men Faith havde flere spørgsmål. "Dave er en voksen mand. Hvorfor blev han heroppe sammen med McAlpine-familien, hvis de udnyttede hans udfordrede barndom til at få flere penge?"

Will trak igen på skuldrene. "Inden han stak af, prøvede Dave at begå selvmord, og derfor blev han tvangsindlagt på psykiatrisk afdeling. Når først man er blevet indlagt, er det svært at slippe ud igen. Fra institutionens side er der et pengeincitament til at beholde barnet i behandling. Fra barnets side kan man føle sig virkelig vred og selvmordstruet, fordi man er låst inde på en psykiatrisk afdeling, og så har vi halen, der logrer med hunden. De holdt Dave indespærret i et halvt år. Han var tilbage på børnehjemmet i mindre end en uge, før han stak af. McAlpine-familien har deres egne udfordringer, men jeg kan godt se, hvad der har fået ham til at føle, at de reddede ham. Han var uden tvivl blevet sendt tilbage til Atlanta, hvis det ikke havde været for adoptionen."

Faith gemte alt det væk i sit hjerte, så hun kunne græde over det senere. "En trettenårig dreng ved godt, at han ikke er elleve. Dommeren ville have spurgt ham."

"Jeg sagde jo til dig, at han er snu," sagde Will. "Dave lyver altid om de tåbeligste ting. Han stjal folks ting eller ødelagde dem, fordi han var jaloux over, at du havde noget, han ikke havde. Han var et af de børn, der altid holdt regnskab. Du ved, hvis du havde fået en ekstra håndfuld kartoffelkroketter til frokost, så skal jeg have en ekstra håndfuld til aftensmaden."

Faith kendte godt typen. Hun vidste også, hvor hårdt det var for Will at tale om sin barndom. "Jeg kan virkelig godt lide kartoffelkroketter."

"Jeg er virkelig sulten."

Faith rodede i sin taske efter en chokoladebar. "Jeg går ud fra, du gerne vil have den med nødderne?"

Will grinte, da hun rakte ham en Snickers. "I øvrigt, Sara var ikke hundrede procent sikker på, at det er Dave, der er morderen."

Det var nyt. "Okay. Men det er du?"

"Det er jeg helt sikkert. Men Saras mavefornemmelse plejer at være ret pålidelig. Så ..." Will flåede papiret op med tænderne. "Det sidste vidne, der så Mercy, inden hun døde, placerer hende ude foran hytte syv omkring halv elleve om aftenen."

Faith fandt sin notesbog og kuglepen frem. "Gennemgå lige tidslinjen for mig."

Will havde allerede proppet halvdelen af Snickers-baren ind i munden. Han tyggede to gange og sank, inden han sagde: "Sara og jeg var nede ved søen. Jeg så på uret, inden jeg gik i vandet. Den var 23.06. Mit gæt er, at den var omkring 23.30, da vi hørte det første skrig."

"Som nærmest var et hyl?"

"Korrekt," sagde Will. "Det var svært at sige, hvilken retning det kom fra, men vi tænkte, det var i retning af huset og hytterne. Sara og jeg fulgtes et stykke af vejen, så delte vi os, så jeg kunne tage den direkte vej. Jeg løb gennem skoven. Men så stoppede jeg, fordi jeg syntes, det var dumt, ikke? Vi hørte et hyl i bjergene, og så løb vi ind i skoven. Jeg besluttede mig for at finde Sara. Da var det, jeg hørte skrig nummer to. Jeg vil skyde på, at der var cirka ti minutter mellem første og andet skrig."

Faith skrev igen. "Mercy skreg et ord – *hjælp*."

"Det er rigtigt. Så skreg hun igen: *Hjælp mig*! Der var meget kortere mellem andet og tredje skrig, måske et sekund eller to. Men det var tydeligt, at de begge kom fra den retning, hvor Ungkarlehytterne ligger, nede ved søen."

"Ungkarlehytterne." Faith skrev navnet ned. "Var det der, I svømmede?"

"Nej, vi var i den modsatte ende. Den, de kalder Det lavvandede. Det er en temmelig stor sø. Du skal bruge et kort. Det lavvandede er i den ene ende, og Ungkarlehytterne er i den anden. Hytteområdet ligger højt over begge dele, så basalt set gik jeg op ad den ene bjergside og ned ad den næste."

Faith havde virkelig brug for at se det kort. "Hvor lang tid gik der fra andet og tredje skrig, til du nåede frem til Mercy?"

Will rystede på hovedet og trak på skuldrene. "Det er svært at sige. Jeg var ret oppe at køre, omgivet af træer midt om natten, prøvede at undgå at stå på snotten. Jeg lagde ikke mærke til tiden. Måske ti minutter mere?"

"Hvor lang tid tager det at komme fra hytteområdet og ned til Ungkarlehytterne?"

"Vi gik ad en af stierne ned, da vi skulle vise den ligsynsansvarlige gerningsstedet. Det tog omkring tyve minutter, men vi gik sammen i en gruppe og holdt os til stien." Han trak igen på skuldrene. "Ti minutter, måske?"

"Har du bare tænkt dig at sige ti minutter til alt?"

Will trak en tredje gang på skuldrene, men sagde: "Sara kiggede på mit ur, da hun erklærede Mercy død. Da var den præcis midnat."

Det skrev Faith ned. "Så rundt regnet var der tyve minutter mellem hylet i hytteområdet, og da du fandt Mercy i vandet, men Mercy skulle bruge ti af de minutter til at komme fra stedet med hylet til stedet med skriget, hvor hun døde."

"Ti minutter er rigeligt med tid til at myrde en kvinde og sætte ild til en hytte. Især hvis du havde planlagt det hele på forhånd," sagde Will. "Så slentrer man tilbage rundt om søen til den gamle lejrplads og venter på, at sheriffen kommer og forkludrer efterforskningen."

"Er du sikker på, at den, der hylede, er den samme, som skreg?"

Will tænkte over det. "Ja. Samme toneleje. Og hvem skulle det ellers være?"

"Vi ender med at løbe op og ned over hele området med stopure, gør vi ikke?"

"Uden tvivl."

Han så en hel del gladere ud ved tanken, end Faith gjorde. "Så hvorfor er det, at Sara ikke tror, Dave er vores mand?"

"Sidste gang jeg så Dave, var ved tretiden om eftermiddagen. Sara talte med Mercy cirka fire timer efter. Hun så mærkerne på Mercys hals. Mercy fortalte, at det var Dave, der havde stranguleret hende. Men hun virkede mere bekymret for, at familien ville komme efter hende, sikkert fordi hun ville blokere for salget. Mercy var ikke bekymret for Dave. Faktisk sagde hun, at alle på bjerget ønskede hende død."

"Inklusive gæsterne?"

Will trak på skuldrene.

"Jeg mener ..." Faith prøvede at undgå at lade sig blive revet med. Hun havde altid ønsket sig at prøve at løse et virkeligt lukket rum-mysterium. "Man har et begrænset antal mistænkte på en afsidesliggende lokation. Det er jo ren *Scooby Doo, hvor er du!*"

"Der var seks familiemedlemmer ved middagen – Papa og Bitty, Mercy og Christopher, Delilah og, ja vi kan vist godt tælle Chuck med. Jon dukkede op lige inden forretten, døddrukken, og begyndte at råbe ad Mercy. Så var der gæsterne, Sara og jeg, Paul og Gordon, Drew og Keisha, Frank og Monica. Og så var der investorerne – Sydney og Max. Vi sad alle sammen om et langt spisebord."

Faith så op fra sin notesbog. "Var der lysestager på bordet?"

Han nikkede. "Og en kok, en bartender og to tjenere."

"Og *En af os er morderen.*"

Han proppede resten af sin Snickers ind i munden. "Bag dig."

Amanda kom tilbage mod dem med sheriffen sjoskende efter sig. Småkage så fuldstændigt ud, som Faith havde forestillet sig det, da hun havde hørt ham på optagelserne. Lidt rund i det, mindst ti år ældre end hende og adskillige IQ-point under. Hun kunne se på udtrykket i det blegfede ansigt, at han var nået til fase tre i at deale med Amanda, han var forbi vrede og accept og var gået direkte til at surmule.

"Efterforsker Faith Mitchell," præsenterede Amanda. "Dette er sherif Douglas Hartshorne. Han er elskværdigt gået med til at lade os overtage efterforskningen."

Småkage så ikke elskværdig ud. Han så pisserasende ud. "Jeg kommer til at være til stede, når du taler med Dave," sagde han til Faith.

Faith ønskede ham ikke der, men eftersom Amanda ikke sagde noget, gik hun ikke ud fra, hun havde et valg. "Sherif, har den mistænkte sagt noget om forbrydelsen?"

Småkage rystede på hovedet. "Han siger ingenting."

"Har han bedt om en advokat?"

"Niks, og han kommer ikke til at give dig noget, og vi har jo heller ikke brug for det. Vi har allerede beviser nok til at bure ham inde. Blod på T-shirten. Kradsemærker. Historik med vold. Dave kan godt lide at bruge knive. Han har altid en i baglommen."

"Har han normalt andet på sig end butterfly-kniven?" spurgte Faith.

Det var tydeligt, at Småkage ikke brød sig om spørgsmålet. "Dette er et lokalt anliggende, der bør håndteres lokalt."

Faith smilede. "Vil du gøre mig selskab på stue otte?"

Småkage slog ud med den ene arm i en *efter dig*-gestik. Han fulgte lige bagved Faith ned ad gangen, så tæt på, at hun kunne lugte hans sved og aftershave.

"Hør her, sveske," sagde han, "jeg ved godt, du bare parerer ordrer, men der er en ting, du er nødt til at forstå."

Faith stoppede og vendte sig og så på ham. "Og hvad er det?"

"I GBI-agenter, I går direkte fra skolebænken til mødelokalet. I ved ikke, hvad det vil sige at lave politiarbejde på gadeplan. Et mord som det her, det er en rigtig betjents smør på brødet. Jeg ku' ha' sagt dig for tyve år siden, at en af de to ville ende død, mens den anden endte på bagsædet af en patruljevogn."

Faith lod, som om hun ikke havde tilbragt ti år af sit liv med at patruljere, før hun fik sin plads i drabsafdelingen i Atlanta. "Sig noget mere."

"McAlpine-folkene, de er en god familie, men Mercy har altid været noget af en mundfuld. Røg altid ud i ballade. Sprut og stoffer. Gik i seng med hvem som helst. Pigen blev gravid, inden hun blev femten."

Faith havde også været gravid som femtenårig, men hun sagde: "Wow."

"Wow er det helt rigtige ord. Hun ødelagde stort set Daves liv," sagde Småkage. "Den stakkels fyr kom aldrig rigtigt på rette køl, efter Jon blev født. Ind og ud af fængslet. Altid i knibe. Dave havde sine egne dæmoner at slås med, selv inden Mercy blev bollet tyk. En hård barndom med plejefamilier. Blev seksuelt misbrugt af en lærer. Det er fandeme et mirakel, han ikke har skudt sig en kugle for panden."

"Det lyder sådan," sagde Faith. "Skal vi gå ind og tale med ham om mordet?"

Hun ventede ikke på hans svar. Faith skubbede døren op til en lille gang. Badeværelset på højre hånd. Vask og garderobeskab til venstre. Lyset var dæmpet. Hun kunne hørte lavmælte stemmer fra fjernsynet. Luften stank, som den gør, når der er en storryger til stede. Der lå noget tøj i en bunke i vasken. Hun så en tom papirspose med påskriften BEVISMATERIALE på bordet. Sheriffen var nået så langt som til at tage et par handsker frem, men han havde ikke lagt den mistænktes personlige ejendele i en pose eller mærket dem: en pakke cigaretter, en bugnende velcropung, en læbepomade og en Android-telefon.

Dave McAlpine slukkede for lyden på fjernsynet, da Faith skruede op for lyset. Han så ikke bekymret ud over at være anholdt, eller over at der befandt sig to betjente i hans hospitalsstue. Han lå i sengen med den ene hånd over hovedet. Venstre håndled var fæstnet til sengegærdet med håndjern. Hospitalsskjorten var gledet ned over skulderen. Hans nederste halvdel var tildækket med et lagen, men han måtte have en pude under sig, for bækkenet var roteret opad, som var det Magic Mike, der havde indtaget scenen.

Hvis Småkage havde set fuldstændigt ud, som hun havde forestillet sig fra Wills optagelser, så gjorde det modsatte sig gældende med Dave McAlpine. Faith havde på en eller anden måde set ham for sig som en mellemting mellem Moriarty fra Sherlock Holmes og Wyle E. Coyote. I virkeligheden var Dave en flot mand, men på en tilsølet måde, en forsumpet udgave af en high school prom-konge. Han havde garanteret været i seng med stort set hver eneste kvinde i hele byen og havde et gaming setup til tyve tusind dollars inde i sin lejede trailer. Med andre ord, lige Faiths type.

"Hvem er det?" spurgte Dave Småkage.

"Efterforsker Faith Mitchell." Faith vippede sin pung op og viste ham sit skilt. "Jeg arbejder for Georgia Bureau of Investigation. Jeg er her for at ..."

"Du er meget kønnere i virkeligheden." Han nikkede mod Faiths billede. "Jeg kan godt lide, at dit hår er længere."

"Han har ret." Småkage havde strakt hals for at se på billedet. Faith slog pungen sammen igen og modstod trangen til at barbere sig skaldet.

"Mr. McAlpine, jeg ved, at min makker allerede har oplyst dig om dine rettigheder."

"Shit, har Skraldebøtte fortalt dig, at vi kender hinanden fra gamle dage?"

Faith bed sig i tungen. Hun havde hørt Will blive kaldt det før. Gentagelsen gjorde det ikke mindre ubehageligt.

"Efterforsker Will Trent har informeret mig om, at I begge var på børnehjemmet samtidigt."

Dave stak tungen i kinden og betragtede hende. "Hvorfor interesserer GBI sig overhovedet for det her?"

Faith spillede spørgsmålet tilbage til ham. "Fortæl mig, hvad *det her* er."

Han lo rygerhæst. "Har du talt med Mercy? For hun har eddermame ikke sladret om mig."

Faith lod ham føre samtalen. "Du indrømmede, at du har stranguleret hende."

"Bevis det," sagde han. "Skraldebøtte er ikke en skid værd som vidne. Han har altid været ude efter mig. Bare vent, til min advokat får ham i vidneskranken."

Faith lænede sig op ad væggen. "Fortæl mig om Mercy."

"Hvad med hende?"

"Hun var gravid som femtenårig. Hvor gammel var du?"

Dave skævede hen til Småkage, så faldt blikket tilbage på Faith. "Atten. Du kan tjekke min fødselsattest."

"Hvilken en af dem?" spurgte Faith, for regnestykket gik ikke op. Dave havde været tyve år gammel, da han gjorde en fjortenårig gravid, hvilket betød, at han ifølge loven havde begået voldtægt. "Du ved godt, at alt er digitalt nu om dage, ikke? Alle de gamle journaler ligger i skyen."

Dave kradsede sig nervøst på brystet. Skjorten gled endnu længere ned over hans skulder. Faith kunne se dybe mærker der, hvor han var blevet kradset.

"Småkage, gå lige ud og hent sygeplejersken," sagde Dave. "Sig til hende, at jeg sgu da skal have noget smertestillende. Mine kugler brænder sgu, som var der ild i dem."

Småkage virkede forvirret. "Jeg troede, du gerne ville have, jeg blev."

"Nå, men det vil jeg ikke nu."

Småkage sukkede opgivende, inden han gik.

Faith ventede, til døren var lukket. "Det må da være dejligt sådan at have den lokale sherif i snor."

"Bestemt," svarede Dave. Og rakte ned under lagenet. Han hev efter vejret, da han trak en ispose ud og smed den på natbordet. "Hvad er du ude efter, skattepige?"

"Det kan du fortælle mig."

"Jeg har ingen anelse om, hvad der skete i aftes." Han trak skjorten op over skulderen. "Hvis du lukker mig ud herfra, så kan jeg spørge mig for. Jeg kender mange mennesker. Hvad end det er, der er sket, er det stort nok til, at GBI er interesseret – det tænker jeg nok er noget værd."

"Hvad ville det være værd?"

"Tja, til at begynde med kan du tage det håndjern af." Han raslede med kæden mod sengegærdet. "Og dernæst skal du nok have nogle moneter op af lommen. Jeg tænker tusind til at begynde med. Flere, hvis jeg kan komme med en stor fisk til dig."

"Hvad med Mercy?" spurgte Faith.

"Altså, Mercy ved ikke en skid om noget, medmindre det foregår oppe i de hytter, og hun har alligevel ikke tænkt sig at tale med jer."

Faith bemærkede, at hans grammatik var blevet bedre. Den dumme bondeknold var væk. "Det er svært for en kvinde at tale, når hun er blevet stranguleret."

"Er det det, det her handler om?" spurgte han. "Er Mercy på hospitalet?"

"Hvorfor skulle hun være på hospitalet?"

Han sugede luft ind mellem tænderne. "Det er derfor, du er her?

Skraldebøtte blev gal i skralden efter at have set mig på stien? For det, der skete, var, at jeg lod Mercy ligge, præcis hvor hun faldt om. Det var ved tretiden om eftermiddagen. Spørg Skraldebøtte. Han kan bekræfte det."

"Hvad skete der, efter du havde stranguleret Mercy?"

"Ingenting," sagde han. "Hun havde det fint. Hun sagde ligefrem, jeg kunne rende hende et vist sted. Det er sådan, hun taler til mig. Hun prøver altid at trykke på mine knapper. Men jeg lod hende være. Jeg gik ikke tilbage. Så hvad end der er sket med Mercy derefter, har hun selv gjort."

"Hvad tror du, der skete med hende?"

"Det ved jeg sgu da ikke. Måske faldt hun, da hun gik tilbage til stien. Det har hun gjort før. Snublet og faldet med næsen lige i skovbunden. Ramte en træstamme med så stor kraft, at hun beskadigede sit spiserør. Der gik et par timer, før det hævede, men hun endte med selv at køre på skadestuen, fordi hun ikke kunne få vejret. Spørg lægerne. Det står i journalerne."

Det eneste, der overraskede Faith, var, at han ikke kunne finde på en bedre historie. "Hvornår skete det?"

"Det er noget siden. Jon var stadig lille. Det var lige inden, jeg blev skilt fra hende. Mercy vil selv fortælle dig, at hun overreagerede. Hun kunne sagtens få vejret. Hun hidsede bare sig selv op til et panikanfald. Lægerne sagde, der var en hævelse i halsen. Som sagt, så faldt hun ret hårdt ned på den træstamme. Det var et uheld. Det havde intet med mig at gøre." Dave trak på skuldrene. "Hvis det samme er sket igen, så er det Mercys egen skyld. Snak med hende. Jeg er sikker på, hun vil fortælle dig det samme."

Faith var forvirret. Will havde advaret hende om, at hun ikke skulle undervurdere Dave, men det her var hverken snedigt eller klogt. "Fortæl mig, hvor du var, efter du forlod Mercy på stien."

"Bitty havde ikke tid til at køre mig tilbage til byen. Jeg vandrede ned til den gamle lejrplads og begyndte at drikke."

Faith overvejede sine muligheder. De kom ingen vegne. Hun var nødt til at ændre taktik. "Mercy er død."

"Shit," lo han. "Helt sikkert."

"Jeg lyver ikke," forsikrede Faith ham.

Han fastholdt hendes blik et langt øjeblik, inden han så væk. Faith så tårerne vælde op i hans øjne. Hans hånd røg op til munden.

"Dave?"

"Hv …" Ordet blev siddende i halsen. "Hvornår?"

"Omkring midnat i aftes."

"Blev hun …" Dave sank. "Blev hun kvalt?"

Faith betragtede hans profil. Det var nu, snedigheden kom ind. Han var virkelig god til det her.

"Vidste hun, at det skete? At hun døde?" spurgte Dave.

"Ja," sagde Faith. "Hvad gjorde du ved hende, Dave?"

"Jeg …" Han rømmede sig. "Jeg strangulerede hende. Det var min skyld. Jeg tog for hårdt kvælertag på hende. Hun var lige ved at besvime, og jeg troede, jeg slap tids nok, men … for pokker, altså. Hold da kæft."

Faith trak nogle papirlommetørklæder ud af æsken og rakte ham dem.

Dave pudsede næse. "Var det … led hun?"

Faith lagde armene over kors. "Hun vidste godt, hvad der foregik."

"Åh, fuck! Fuck! Hvad fanden er der galt med mig?" Dave lagde hovedet i sin hånd. Håndjernet raslede mod sengegærdet, mens han græd. "Mercy Mac. Hvad har jeg gjort mod dig? Hun var rædselsslagen for at blive kvalt. Lige siden vi var børn, har hun altid haft de her drømme om, at hun ikke kunne få vejret."

Faith prøvede at regne ud, hvad vej hun nu skulle gå. Hun var vant til lange forhandlinger med mistænkte, der udstykkede sandheden. Nogle gange placerede de sig selv i umiddelbar nærhed af og ikke på det faktiske sted, eller de tilstod en del af forbrydelsen, men ikke en anden.

Dette var noget helt andet.

"Jon." Dave så op på Faith. "Ved han, hvad jeg har gjort?"

Faith nikkede.

"Fuck. Han tilgiver mig aldrig." Daves ansigt røg tilbage ned i hånden. "Hun prøvede at ringe til mig. Jeg så ikke opkaldet, for jeg havde ikke signal oppe på bjerget. Jeg kunne have reddet hende. Ved Bitty det? Jeg er nødt til at se Bitty. Jeg er nødt til at forklare …"

"Vent," sagde Faith. "Gå lige tilbage. Hvornår ringede Mercy til dig?"

"Det ved jeg ikke. Jeg så beskederne, da Småkage tog min telefon. De må være kommet ind, da vi kom ned fra bjerget."

Faith fandt Daves Android henne ved vasken ved døren. Hun vækkede skærmen til live ved at skubbe til telefonen med kanten af notesbogen. Der var en god håndfuld notifikationer, alle tidsmærkede, alle, bortset fra en, med samme besked:

UBESVARET OPKALD 22.47 – Mercy Mac

UBESVARET OPKALD 23.10 – Mercy Mac

UBESVARET OPKALD 23.12 – Mercy Mac

UBESVARET OPKALD 23.14 – Mercy Mac

UBESVARET OPKALD 23.19 – Mercy Mac

UBESVARET OPKALD 23.22 – Mercy Mac

Faith scrollede ned til den sidste.

TELEFONSVARER 23.28 – Mercy Mac

Faith slog op i sin notesbog. Hun så på tidslinjen.

Efter Wills estimat havde Mercy skreget klokken 23.30, to minutter efter, hun havde indtalt en besked til Dave. Faith stak notesbogen tilbage i lommen. Hun trak sheriffens handsker på, inden hun tog Daves telefon og gik hen til hans seng igen.

"Du kunne ikke få signal på telefonen, men Mercy kunne godt?" spurgte hun ham.

"Der er wi-fi ved huset og spisesalen, men der er ikke mobildækning, før du er halvvejs nede ad bjerget." Han tørrede sine øjne. "Må jeg lytte til den? Jeg vil gerne høre hendes stemme."

Faith var gået ud fra, at hun havde været nødt til at få en dommerkendelse for at hacke telefonen. "Hvad er dit password?"

"Min *fik dig*-dag," sagde han. "Nul-otte-nul-fire, tooghalvfems."

Faith tastede tallene. Telefonen blev åbnet. Hun mærkede en uvelkommen rysten på fingeren, da den svævede hen over telefonsvarerikonet. Inden hun afspillede den, tog hun sin egen telefon frem for at optage, hvad end der blev sagt i beskeden. Hånden svedte i handsken, da hun endelig trykkede på *play.*

"*Dave!*" græd Mercy, nærmest hysterisk. "*Dave! Åh gud, hvor er du? Ring til mig, vil du ikke nok? Jeg kan ikke tro – åh gud, jeg kan ikke ... ring til mig. Jeg beder dig. Jeg har brug for dig. Jeg ved godt, du aldrig har været der*

for mig før, men jeg har virkelig brug for dig nu. Jeg har brug for din hjælp,
skat. R-ring til mig ..."

Der lød en dæmpet lyd, som om Mercy havde trykket telefonen mod
sit bryst. Hendes stemme var hjerteskærende. Faith fik en klump i halsen. Kvinde lød så desperat alene.

"Jeg svigtede hende," hviskede Dave. "Hun havde brug for mig, og jeg
svigtede hende."

Faith så på tælleren under beskeden. Der var syv sekunder tilbage.
Hun lyttede til Mercy, mens sekunderne på tælleren blev færre og færre.

"Hvad laver du her?"

Mercys stemme lød anderledes – vred, bange.

"Nej!" råbte hun. *"Dave er her lige straks. Jeg har fortalt ham, hvad der er*
sket. Han er på ..."

Så var der ikke mere. Der var ikke flere sekunder på tælleren.

"Hvad skete der?" spurgte Dave. "Sagde Mercy, hvad der skete? Er der
flere beskeder? En sms?"

Faith stirrede på telefonen. Der var ikke flere beskeder. Der var ikke
flere sms'er. Der var kun de tidsmærkede notifikationer og Mercys
sidste optagede ord.

"Hvad betød det?" tryglede Dave. "Sig mig, hvad det betyder."

Faith tænkte på det, Delilah havde fortalt Will. Pengemotivet. Hendes røvhul af en bror. Den ubehagelige svigerinde. Mercys bror med
seriemorder-viben. Hans klamme ven. Gæsterne. Kokken. Bartenderen. De to tjenere. Mysteriet om det lukkede rum.

"Det betyder," sagde hun til Dave, "at det ikke var dig, der slog hende
ihjel."

12

Sara stod på kanten af læsserampen i hospitalets indergård, mens hun så ud på den silende regn. Eftersøgningen efter Jon havde ikke givet noget. De havde tjekket hans skole, trailerparken, hvor Dave boede, og et par tilholdssteder, Delilah huskede fra sine dage som teenager. De var på vej tilbage op ad bjerget for at tjekke hytterne og de gamle sovebarakker, da sorte skyer var trukket ind over dem. Sara håbede bare, at Jon havde fundet et varmt, tørt sted at søge ly, inden himlen havde åbnet sig. Både hun og Delilah havde holdt stejlt på, at de ikke ville lade vejret afbryde deres eftersøgning, men så var sigtbarheden faldet væsentligt, og torden havde rusket i luften, og de havde besluttet at tage tilbage til byen, for det ville ikke hjælpe Jon, at en af dem blev ramt af lynet.

Vejr-appen på Saras telefon forudsagde, at regnen ville fortsætte et par timer endnu. Oversvømmelsen var ubønhørlig, vandløbene gik over deres bredder, rendestenene sejlede, og centrum af byen lignede snart en flod. Delilah var taget hjem for at fodre sine dyr, og det var ikke til at sige, hvornår hun ville kunne komme tilbage til byen.

Sara så på uret. De ville snart have Mercy klar til hende. Hospitalets røntgentekniker havde sagt til hende, at der ville gå mindst en time, før de var igennem de levende patienter. Nadine var taget af sted for at fikse et airconditionanlæg, mens Småkage blev ved liget. Sara var blevet lettet, da han afslog hendes tilbud om at blive der sammen med ham. Tanken om at se Mercy McAlpine liggende på et bord fyldte hende med en velkendt følelse af rædsel.

I sit tidligere liv havde Sara været countyets ligsynsansvarlige i sin egen hjemby. Lighuset havde ligget i kælderen på det lokale hospital, ret meget ligesom det, Dillon Countys ligsynsansvarlige brugte. Da Sara havde tjansen, havde ofrene været bekendte eller ligefrem personlige bekendtskaber. Det var sådan, små byer fungerede. Alle kendte alle eller kendte nogen, der gjorde. Det var et stort ansvar at være ligsynsperson, men det var ofte også meget trist. Nu hvor Sara arbejdede for staten, havde hun glemt følelsen af, hvordan det var at være personligt forbundet til et offer.

Få timer tidligere havde hun siddet og syet Mercys sårede tommelfinger sammen på toilettet bag køkkenet. Kvinden havde været udmattet og nedslået. Hun havde været bekymret på grund af optrinnet med sin søn. Hun var plaget af det, der foregik i familien. Det sidste, hun havde været optaget af, var sin eksmand. Hvilket gav god mening efter det, Faith havde opdaget. Sara spekulerede på, hvad Mercy ville have tænkt om, at en af hendes sidste gerninger på jorden var at give hendes voldelige eksmand et alibi.

"Du havde ret."

"Det havde jeg." Sara vendte sig og så på Will. Hun kunne se på ham, at han allerede punkede sig selv over sin fejltagelse. Hun havde ikke tænkt sig at bidrage. "Det havde ikke ændret noget. Du var stadig nødt til at finde Dave. Han var den mest åbenlyse mistænkte. Der kunne sættes kryds i langt de fleste bokse."

"Det tager du meget pænere, end Amanda gjorde," sagde han. "Adgangsvejen til hytterne er skyllet bort. Vi får hverken biler frem eller tilbage, før vandstanden er normaliseret. Vi skal bruge et offroadkøretøj for at komme igennem mudderet."

Sara hørte godt irritationen i hans stemme. Will hadede at vente. Hun så kæbemusklen arbejde omkring de sammenbidte tænder. Han rykkede den nyforbundne hånd op til brystkassen. Den holdt op med at dunke, når han holdt den over hjertet, men smerten gnavede stadig, fordi Will nægtede at tage noget stærkere end Panodil.

"Hvordan går det med hånden?" spurgte hun.

"Bedre," svarede han, selvom de spændte skuldre sagde noget andet. "Faith gav mig en Snickers."

Sara stak sin arm ind under hans. Hendes hånd strejfede det våben, han havde under blusen. Han var i den grad tilbage på jobbet. Hun vidste godt, hvad der nu ville ske. "Hvordan vil du komme tilbage til hytterne?"

"Vi venter på, at den nordlige filial sender nogle UTV'er hertil. Det er den eneste måde, vi kan komme derop på."

Sara forsøgte at lade være med at tænke på alle de patienter, hun havde set med traumeskader i hjernen, efter deres UTV var væltet. "Virker telefonerne og internettet stadig i huset?"

"Indtil videre," sagde han. "Vi får satellittelefoner med derop for en sikkerheds skyld. Men det er godt, at ingen kan komme væk deroppefra. Ingen ved, at Dave har et alibi. Den, der slog Mercy ihjel, tror, vedkommende slap godt fra det."

"Hvem er stadig deroppe?"

"Frank, som den første. Jeg ved ikke hvorfor, men han har påtaget sig at tage telefonen i spisesalens køkken. Drew og Keisha kom ikke af sted, før uvejret ramte. Det er de tilsyneladende ikke tilfredse med. App-fyrene virker ikke særligt interesserede i at tage af sted. Det lyder, som om Monica bare sover den ud. Chuck og familien er der stadig. Bortset fra Delilah. Kokken og de to tjenere ankom klokken fem i morges, hvilket er, som det plejer. Bartenderen kommer først ved middagstid. Det er også hende, der gør rent i hytterne, så jeg vil gerne tale med hende om de uredte senge i de ledige hytter. Faith er taget ud for at finde hende, mens vi venter på UTV'erne. Hun bor i udkanten af byen."

Det kom ikke bag på Sara, at Faith var smuttet. Hun hadede obduktioner. "Du gik ikke med hende?"

"Amanda bad mig blive og lave baggrundstjek."

"Hvordan har du det med det?"

"Cirka lige sådan, som du tror." Han trak på skuldrene, men han var tydeligvis irriteret. Will var ikke typen, der brød sig om at sidde med hænderne i skødet, mens andre folk gjorde ting. "Hvad havde teknisk afdeling at sige om Dave?"

"Sandsynlighedstesten af pletten på hans T-shirt viser, at blodet ikke var fra et menneske. Ud fra lugten gætter jeg på, at Dave tørrede sin hånd i den, da han rensede fisk. Kradsemærkerne på brystet kunne stamme fra det tidligere angreb på Mercy. Han har indrømmet, at han strangulerede hende. Hun må have kæmpet imod. Han hævder, at mærkerne på halsen er nogen, han selv har påført sig. Myggestik. Det er umuligt at afgøre, om han lyver, så myggestikskradsningen vinder. Har du overhovedet noget, du kan tilbageholde ham på?"

"Jeg kunne tiltale ham for at modsætte sig anholdelse og for at true mig med en kniv. Han kunne anklage mig for unødvendig magtanvendelse og for, at jeg gik efter ham på grund af vores fælles fortid.

Gensidigt sikret ødelæggelse. Han kan gå herfra som en fri mand, når som helst han lyster." Will rystede det af sig, men hun kunne godt fornemme, han ikke var tilfreds med situationen. "Det er bare endnu en bunke lort, det lykkes Dave at skøjte uhindret igennem."

"Hvis det er nogen trøst, så er det ekstremt svært for ham bare at gå i det hele taget lige nu."

Will virkede ikke trøstet. Han stirrede ud i regnen. Hun behøvede ikke vente længe, før han fortalte hende, hvad der i virkeligheden generede ham. "Amanda er ikke spor tilfreds med, at vi er blandet ind i det her."

"Det er jeg heller ikke," indrømmede Sara. "Men vi havde ikke rigtigt noget valg."

"Vi kunne tage hjem."

Hun mærkede, at Will granskede hendes ansigt, ledte efter et tegn på, at hun vaklede.

"Jon er stadig savnet," sagde hun. "Og du lovede Mercy, at du ville fortælle hendes søn, at hun tilgiver ham."

"Det gjorde jeg, men det er ret sandsynligt, at Jon dukker op før eller siden, og Faith har allerede hænderne godt begravet i sagen."

"Hun har altid gerne villet opklare et lukket-rum-mysterium."

Will nikkede, men han sagde ikke mere. Han ventede på, at Sara tog en beslutning.

Hun kunne mærke helt ind i knoglerne, at dette var et ægteskabs-definerende øjeblik. Hendes ægtemand lagde en enorm stor magt i hendes hænder. Sara havde ikke tænkt sig at være den type hustru, der misbrugte det. "Lad os først komme igennem den her dag, så kan vi sammen beslutte, hvad vi gør med i morgen."

Han nikkede og spurgte så: "Fortæl mig, hvorfor du ikke troede på, at det var Dave."

Sara var ikke sikker på, at der var en enkelt bestemt ting. "Jeg så bare, hvordan Mercys familie behandlede hende under middagen. Jeg ved det ikke. Når jeg tænker tilbage, virker det, som om de alle sammen var ude efter hende. De virkede i hvert fald ikke specielt oprørte over, at hun var blevet myrdet. Og så er der det, Mercy sagde om, at nogle af gæsterne måske også var ude efter hende."

"Hvilke gæster tror du, hun talte om?"

"Det er mærkeligt, at Paul indskrev sig under et falsk navn, men det er jo ikke sikkert, der var en lyssky grund. Du og jeg løj om vores jobs. Nogle gange lyver folk, fordi de ønsker at lyve."

"Du fik ikke fat i Chucks efternavn, vel?"

Hun rystede på hovedet. Sara havde forsøgt at tale mindst muligt med Chuck.

"Der var også noget, Drew sagde, inden han og Keisha trak advokatkortet," sagde Will til hende. "Han talte med Bitty og Cecil og sagde noget i retning af: 'Bare glem det andet. I kan gøre, hvad I vil heroppe.'"

"Hvad for noget 'andet'?"

"Ingen anelse, og han gjorde det ret klart, at han ikke vil tale med mig."

Sara havde svært ved at se Keisha eller Drew myrde nogen som helst. Men det var jo det, der var med mordere. De viste det ikke rigtigt. "Mercy blev ikke bare stukket en enkelt gang. Hun havde adskillige knivstik. Hendes lig er et klassisk eksempel på et overkill. Overfaldsmanden må have kendt hende rigtig godt."

"Drew og Keisha har boet i hytterne to gange før." Will trak på skuldrene. "Keisha pissede Mercy af under middagen, da hun ville have et nyt glas."

"Det er næppe noget, man slår ihjel over," bemærkede Sara og tilføjede: "men så igen, der er adskillige krimidokumentarer om kvinder, det pludselig slår klik for."

"Det tager jeg som en advarsel," sagde Will for sjov, men blev hurtigt alvorlig igen. "Dave gav mest mening. Der må have været et eller andet, der fik dig til at se i en anden retning."

"Jeg kan ikke forklare det med andet, end at det var en mavefornemmelse. Min erfaring siger mig, at en, der er blevet mishandlet igennem længere tid, godt ved, hvornår personens liv er mest i fare. Da Mercy og jeg talte sammen, var Dave nærmest ikke på hendes radar."

"Det kredittjek, jeg lavede på ham, var ikke så overraskende. Hans bankkonto er overtrukket med tres dollars, han har to kreditkort i samlingen, hans truck er blevet beslaglagt, og han drukner i ubetalte medicin- og lægeregninger."

"Mon ikke alle heroppe har gæld til sundhedssektoren."

"Ikke Mercy," sagde han. "Så vidt jeg kan se, har hun aldrig haft et kreditkort, et billån, en bankkonto. Hun har aldrig indsendt en selvangivelse. Hun har ikke noget kørekort. Hun har aldrig stemt. Hun har ikke et mobilabonnement eller et telefonnummer i sit navn. Ingen Facebook, Insta, TikTok eller andre konti på sociale medier. Hun står ikke engang på hytternes hjemmeside. Jeg har set nogle sære baggrundstjek i min tid, men intet som hende. Hun er et digitalt spøgelse."

"Delilah sagde, hun har været indblandet i et alvorligt trafikuheld. At det var sådan, hun fik sit ar."

"Hendes straffeattest er ren. Men det hjælper sikkert, hvis ens familie er gode venner med den lokale sherif," sagde Will. "Hvilket bringer os til Mercys forældre. Cecil og Imogene McAlpine. De fik en kæmpe udbetaling fra forsikringsselskabet efter Cecils ulykke. De får begge understøttelse. De har omkring en million dollars på en privat pensionsopsparing og endnu en halv million på det finansielle marked, en kvart i aktiefonde. Kreditkortregningerne betales hver måned. Ingen udestående gæld. Broderen har også sit på det tørre. Christopher betalte sin studiegæld ud for et år siden. Han har fiskekort, kørekort, to kreditkort og en bankkonto med over to hundrede tusind stående."

"Du godeste. Han er kun et par år ældre end Mercy."

"Det er vel nemt at spare op, når man ikke skal betale kost og logi, men Mercy er i samme båd som ham. Hvorfor har hun ingenting?"

"Det lyder forsætligt. Måske brugte de penge til at kontrollere hende med." Sara brød sig ikke om at tænke på, hvor hjælpeløs Mercy havde måttet føle sig. "Var der kontanter i hendes oppakning?"

"Kun tøj og notesbogen," sagde Will. "Brandteknikeren er ved at tjekke den for bevismateriale, dernæst bliver den overdraget til laboratoriet. Plasticomslaget på notesbogen smeltede, og siderne er gennemblødte af regnen. Det hele kan gå tabt, hvis ikke de passer godt på. Vi er nødt til at vente, men jeg kunne virkelig godt tænke mig at vide, hvad Mercy har skrevet."

Sara delte hans ivrighed. Der var en grund til, at Mercy havde taget notesbogen med. "Hvad med hendes telefon?"

"Den blev ødelagt i branden, men vi sporede nummeret gennem Daves opkalds-id. Hun brugte en VoIP-udbyder. Vi venter på en kendelse til at få adgang til kontoen. Hun har sikkert betalt den med et forudbetalt debetkort. Hvis vi kan få fat i det kortnummer, kan vi finde ud af, om hun har brugt det til andre ting."

Sara følte sig endnu mere urolig med de nye detaljer, hun havde fået om Mercys klaustrofobiske liv. "Fandt du ud af noget om Delilah?"

"Hun ejer sit eget hus, men det ser ud, som om hendes hovedindkomst er en online stearinlysbutik samt det, hun får af familiefonden. Kreditbalancen ser fornuftig ud. Bilen er næsten betalt ud. Hun har omkring tredive tusind på en opsparingskonto, hvilket er pænt, men hun er ikke ved muffen som resten af familien."

"Hun er bedre stillet, end Mercy var."

"Jah." Will gned sig om hagen, mens han betragtede en bil, der langsomt kørte gennem fem centimeter dybt mudder. Hans krop var anspændt, nærmest helt sammenkrøllet. Hvis den UTV ikke kom snart, ville han sikkert klatre op ad bjergvejen på egen hånd. "Kokken var der ikke noget på. Tjenerne er teenagere."

"Så hvad er planen?" spurgte Sara.

"Vi er nødt til at finde det knækkede knivskaft, men det er en nål i en høstak. Eller i en skov. Jeg vil tale med hver eneste mand, der var i hytterne i aftes. Mercy blev voldtaget, inden hun blev myrdet."

"Det ved vi ikke med sikkerhed. Hendes bukser kan være blevet trukket ned i kamp." Sara havde også sit job at udføre. Hun kunne kun følge videnskaben. "Jeg vil notere ethvert tegn på seksuelt traume og lave de nødvendige skrab, og jeg er sikker på, at hvem end der laver obduktionen, undersøger hendes vagina omhyggeligt, men du ved godt, at overgreb ikke altid er synlige post-mortem."

"Det skal du ikke sige til Amanda. Hun hader, når du taler som en læge."

"Hvorfor tror du, at jeg gør det?" Det vidste Sara godt kunne lokke et smil ud af ham.

Desværre varede det heller ikke længe denne gang.

"Hvor bliver han af?" Will så på sit ur. "Jeg er nødt til at komme op til de hytter og komme i gang med at afhøre folk. De har allerede haft alt for lang tid til at afstemme deres historier. Jeg har brug for Faiths hjælp til at pille dem fra hinanden. Jeg skal også bruge gæsteoptegnelsen, så jeg kan tjekke dem."

"Tror du, at McAlpine-familien vil kræve, du har en kendelse?"

Han smilede selvtilfredst. "Jeg nævnte for Frank, at det kunne være en god idé at snuse lidt rundt på kontoret."

"Han forventer at få et praktikant-politiskilt, inden vi er færdige," sagde Sara. "Stakkels Mercy. Hun var basalt set i fængsel deroppe. Ingen bil. Ingen penge. Ingen opbakning. Fuldstændig alene."

"Kokken er så absolut i toppen af min liste. Han havde den mest jævnlige interaktion med Mercy."

Sara havde lagt mærke til den måde, kokkens blik havde fulgt Mercy rundt i køkkenet på. "Så det, du siger, er, at hun måske ikke var så alene endda?"

"Måske," sagde Will. "Jeg taler med tjenerne først og hører, om de har bemærket noget. Bartenderen har tre domme for spirituskørsel, men de er fra halvfemserne. Hvad sker der for alle de spritbilister heroppe?"

"Lille by. Der er ikke så meget andet at lave end at drikke sig fuld og lave ballade."

"Du er vokset op i en lille by."

"Det er jeg så absolut."

Wills opmærksomhed blev igen draget mod parkeringspladsen. Denne gang så han lettet ud.

En F-350'ers dieselmotor overdøvede regnen. Trucken trak to Kawasaki Mule firesæders med terrængående dæk og GBI-logoer. Saras mave knugede sig sammen ved tanken om, at Will skulle op på det bjerg igen. Nogen fra de hytter havde brutalt myrdet Mercy McAlpine. De følte sig sikkert trygge lige nu. Det ville Will komme og lave om på.

Sara havde brug for noget andet at tage sig til end at bekymre sig. Hun strakte sig på tå og kyssede ham på kinden. "Jeg går ind. Nadine er sikkert klar til mig."

"Ring, hvis der dukker noget op."

Hun så Will springe ned fra læsserampen og småløbe hen mod trucken. Gennem kaskader af regn. Med den tilskadekomne hånd hængende langs siden. Med en forbinding, der blev våd igen.

Sara noterede sig, at hun skulle huske at finde noget antibiotika, når hun kom ind i bygningen igen. Den tunge metaldør holdt uvejret ude. Den pludselige stilhed fik det til at ringe for hendes ører. Hun gik ned ad den lange gang, der førte til lighuset. Lysstofrørene blinkede. Der var sivet vand ind under laminatfliserne. Der stod udstyr fra den nyligt lukkede barselsgang langs væggene.

Hun antog, at hospitalet ville blive et af de mange landlige lægecentre, der ville lukke inden årets udgang. Der var personalemangel. Der var kun en læge og to sygeplejersker til hele akutafdelingen. Det dobbelte antal havde stadig været for lidt. Efter lægestudiet havde Sara følt en enorm stolthed ved at tjene sit lokalsamfund. Nu kunne landsbyhospitaler ikke skaffe personale, og da slet ikke holde på dem. For meget politik og for lidt sund fornuft fik dem til at flygte i stimevis.

"Dr. Linton?" Amanda stod og ventede på hende ude foran den lukkede dør til lighuset. Hun havde telefonen i hånden og en rynke i panden. "Vi skal lige tale sammen."

Sara forberedte sig på endnu et sværdslag. "Hvis du er på udkig efter en allieret, der kan hjælpe dig med at trække Will af sagen, så spilder du din tid."

"At være velafbalanceret er ikke at have en abe på hver skulder."

Sara lod sin tavshed svare for sig.

"Udmærket," sagde Amanda. "Fortæl mig om ofret."

Sara skulle lige bruge et øjeblik til at få hjernen i gear. "Mercy McAlpine, toogtredive år gammel kaukasisk kvinde. Blev fundet på familiens ejendom med adskillige knivstik i brystet, ryggen, arme og hals. Hendes bukser var trukket ned, hvilket kunne indikere et seksuelt overgreb. Mordvåbnet blev knækket af i øvre del af torsoen. Hun blev fundet i live, men identificerede ikke gerningsmanden. Hun udåndede omkring midnat."

"Havde hun det samme tøj på, som hun havde haft på til middagen?"

Det havde Sara ikke tænkt over før nu, men hun svarede: "Ja."

"Hvad med alle andre? Hvordan var de påklædt, da du så dem, efter Mercy var blevet fundet?"

Sara følte sig langsom i optrækket. Amanda var tydeligvis i færd med at afhøre hende som vidne. "Cecil havde bar overkrop og boxershorts på. Bitty var i en mørkerød frottéslåbrok. Christopher var klædt i en badekåbe med fisk på. Chuck havde noget lignende på, men med gummiænder. Delilah var klædt i en grøn pyjamas – bukser og skjorte. Frank var i boxershorts og en undertrøje. Monica i sort, knælangt neglige. Jeg så hverken Drew og Keisha eller Sydney og Max. App-fyrene var begge i undertøj. Will fangede Paul på vej ud af badet."

"Det var Paul, der gik i bad klokken et om natten?"

"Ja," svarede Sara. "Men de slår mig nu ikke som typerne, der går tidligt i seng."

"Og der var ikke noget, der virkede mistænkeligt på dig? Ingen, der skilte sig ud?"

"Jeg ville ikke kalde familiens reaktion normal, men nej."

"Fortæl."

"Kold er den beskrivelse, der bliver ved med at dukke op, men jeg kan heller ikke påstå, jeg havde et godt indtryk af dem før, de fik at vide, at Mercy var død." Sara prøvede at tænke tilbage på middagen. "Moderen er meget petit og oppasser sin mand. Hun føjede blot spot til skade, da hendes datter blev offentligt ydmyget. Broderen er underlig på den måde, nogle mænd bare ikke kan lade være med at være underlige på. Faren spillede tydeligt med musklerne over for gæsterne, men jeg tænker, han ville have behandlet mig meget anderledes, hvis han havde vidst, jeg var læge og ikke kemilærer på en high school. Han slår mig som typen, der kun bryder sig om kvinder i traditionelle roller fra forrige århundrede."

"Sådan var min far," sagde Amanda. "Han var så stolt af mig, da jeg gik ind i styrken, men i samme sekund jeg fik højere rang end ham, begyndte han at pille mig ned."

Hvis Sara ikke havde set direkte på Amanda, havde hun overset det strejf af tristhed, der gled over ansigtet. "Det er jeg ked af at høre. Det må have været hårdt."

"Tja, han er død nu," sagde Amanda. "Jeg skal bruge alle dine observationer dokumenteret på skrift og sendt på e-mail. Hvad er din plan med liget?"

"Øh ..." Sara var vant til pludselige emneskift fra Will, men Amanda var mesteren. "Nadine hjælper med den fysiske undersøgelse. Vi indsamler skrab fra fingerneglene, fibre eller hår, blod, urin, eventuel sæd. Det sendes til laboratoriet til øjeblikkelig analyse. Den fulde obduktion finder sted på hovedkvarteret i morgen eftermiddag. Den blev rykket frem, da jeg fortalte dem, at vi ikke længere har en mistænkt i varetægt."

"Find mig de beviser, der kan lave om på det, dr. Linton." Amanda åbnede døren.

Saras øjne begyndte at løbe i vand af det klare fluorescerende lys. Lighuset lignede ethvert andet lille bys-lighus, der var blevet bygget efter anden verdenskrig. Lavloftet. Gule og brune fliser på gulv og vægge. Lyspaneler på væggene. Justerbare undersøgelseslamper hen over obduktionsbordet, der var af porcelæn. En vask af rustfrit stål og et langt ditto bord. En computer og et tastatur på et skolebord af træ. En taburet på hjul og en operationsvogn, hvorpå der var lagt diverse undersøgelsesinstrumenter frem. Et kølerum med tolv ligkabinetter, fire side om side, tre i højden. Sara tjekkede for at sikre sig, at hun havde alt, hun skulle bruge til undersøgelsen: sikkerhedsudstyr, kamera, prøveglas, indsamlingsposer, negleskrabere, pincetter, saks, skalpeller, slisker, voldtægtskit.

"Og I fandt ikke sønnen?" spurgte Amanda.

Sara rystede på hovedet. "Jon har sikkert tømmermænd og sover den ud. Efter undersøgelsen går jeg ud med tanten for at lede efter ham igen."

"Sig til ham, at han før eller siden er nødt til at aflægge vidneforklaring. Han kan være ret værdifuld til at få lavet en tidslinje, så vi kan finde ud af, hvem der var den sidste, der så Mercy i live," sagde Amanda.

"Jon var sammen med dig, da du hørte det andet og tredje skrig, ikke?"

"Jo," sagde Sara. "Jeg så ham komme ud af huset med en rygsæk. Jeg tænker, han planlagde at stikke af. Skænderiet med Mercy under middagen var intenst."

"Se, hvad du kan få ud af tanten, mens I leder," sagde Amanda. "Delilah ved et eller andet."

"Om mordet?"

"Om familien," sagde Amanda. "Du er ikke den eneste i teamet, der får mavefornemmelser."

Inden Sara kunne presse mere ud af hende, begyndte godselevatoren at lave en enerverende, skurrende lyd. Vand sivede ud under skydedørene.

"Hvis du skulle gætte lige nu," sagde Amanda, "hvem ville så være din hovedmistænkte?"

Det behøvede Sara ikke at tænke længe over. "En i familien. Mercy stod i vejen for deres lønningspose fra salget."

"Du lyder som Will," sagde Amanda. "Han elsker pengemotiver."

"Af gode grunde. Udover familien ville jeg sige Chuck. Han er dybt foruroligende. Det samme med broren, for den sags skyld."

Amanda nikkede, inden hun så ned på sin telefon.

Det gik op for Sara, at hun igen havde været langsom i optrækket. Først nu slog det hende, hvor mærkeligt det var, at vicedirektøren var til stede under en indledende fysisk undersøgelse. Den rigtige obduktion, hvor liget blev åbnet og undersøgt, ville blive udført af en anden fra teamet. Der ville formentlig ikke blive fundet noget beviskraftigt under Saras indledende undersøgelse. Hun gjorde det kun, for at de hurtigt kunne få taget prøver af blod, urin og andre spor, så de kunne blive sendt til laboratoriet. Mercys lig havde delvist ligget i vand. Sandsynligheden for, at Sara ville finde noget her til morgen, der krævede øjeblikkelig handling, var så godt som nul.

Så hvad lavede chefen her?

Inden hun nåede at stille spørgsmålet, gled elevatordørene op. Mere vand silede ud. Nadine stod på den ene side af en hospitalsbåre på hjul. Småkage stod på den anden. Saras blik landede på ligposen. Hvid vinyl, varmeforseglede kanter, en forstærket lynlås med tykke plastictænder. Konturen af Mercys lig var beskeden, som havde hun formået at gøre i døden, hvad folk tilsyneladende havde forsøgt at få hende til hele hendes liv: forsvinde.

Sara lukkede alt andet ude. Hun tænkte på den sidste gang, hun så Mercy i live. Kvinden havde været pinligt berørt, men stolt. Hun var vant til at gøre alt selv. Mercy havde ladet Sara behandle den tilskadekomne tommelfinger. Nu ville Sara hjælpe hende ved at tage sig af hendes lig.

"Det er pænt af dig at gøre os med selskab, sherif Hartshorne," sagde Amanda.

Hendes pseudo-imødekommende tonefald afvæbnede ham ikke helt. "Jeg har ret til at være her."

"Og den ret er du velkommen til at holde fast på."

Sara ignorerede det forbløffede udtryk i sheriffens ansigt. Hun tog fat for enden af båren og hjalp Nadine med at styre liget ind i lighuset. De arbejdede sammen i tavshed, trak ligposen over på porcelænsbordet, rullede båren væk. Dernæst tog de kitler, åndedrætsværn, ansigtsvisir, sikkerhedsbriller og undersøgelseshandsker på. Selvom det ikke var en fuld obduktion, Sara skulle udføre, så havde Mercy ligget i varmen og fugtigheden i timevis. Hendes krop var forvandlet til et giftigt bryg af patogener.

"Måske vi også skal tage masker på," sagde Småkage. "Masser af fentanyl i luften. Mercy har været misbruger i årevis. Vi kunne dø bare af at indånde dampene."

Sara så på ham. "Sådan fungerer fentanyl ikke."

Han kneb øjnene sammen. "Jeg har set voksne mænd blive lagt ned af det lort."

"Jeg har set sygeplejersker komme til at spilde det på deres hænder og bare grine ad det." Sara så hen på Nadine. "Klar?"

Nadine nikkede, inden hun begyndte at trække ned i lynlåsen.

I de første år, Sara arbejdede som ligsynsansvarlig, havde ligposer lignet soveposer i designet med en kile i bunden. De havde altid været af sort plastic, og lynlåsen havde været af metal. Nu var poserne hvide og var lavet af forskelligt materiale, afhængigt af brugen. I modsætning til tidligere versioner sikrede de nye lynlåse en fuldstændig forsegling. Opgraderingen var bestemt den ekstra udgift værd. Den hvide farve gjorde det nemmere visuelt at identificere bevismateriale. Det, at den var vandtæt, forhindrede væsker i at gå tabt. Begge dele var nødvendige i tilfældet Mercy McAlpines lig. Hun var blevet dolket adskillige gange. Hendes tarme var stukket i stykker. Nogle af hendes hule organer var der hul på. Liget var gået ind i det stadie af forrådnelse, hvor der begyndte at flyde væsker ud ad alle åbninger.

"Fuck!" Småkage slog begge hænder over næse og mund for at blokere for lugten. "Hold da kæft."

Sara hjalp Nadine med at frigøre den øverste halvdel af posen. Småkage åbnede døren og stod med fødderne på dørtærsklen. Amanda havde ikke rørt på sig, men hun begyndte at skrive på sin telefon.

Sara fik hold på sig selv, inden hun vendte sin opmærksomhed mod liget.

Mercy havde ligget i posen fuldt påklædt til røntgenundersøgelsen. Det kunne være farligt at håndtere et lig. Tøj kunne skjule våben, nåle og andre skarpe objekter. Eller, i Mercys tilfælde sad der en kniv fast i hendes brystkasse.

Wills skjorte var stadig draperet hen over overkroppen. Stoffet var samlet rundt om spidsen af kniven, der stak ud gennem Mercys brystkasse som en hajfinne. Blod og sener lå indtørrede rundt om den takkede kant. Sara forestillede sig, at røntgenbilledet ville vise, at bladet var vinklet mellem sternum og scapula. Morderen havde formentlig været højrehåndet. Forhåbentlig ville de finde fingeraftryk på det forsvundne skaft.

Sara lod blikket vandre op og ned ad kroppen. Mercys øjne var blot sprækker, hornhinderne var mælkehvide. Tørret blod og efterladenskaber plettede den blege hud. Adskillige overfladiske stiksår var at se på hendes hals. Hendes højre kraveben var blottet der, hvor bladet havde flænset huden op. Sårene på lænd og lår væskede ud i ligposen. Hver eneste centimeter blotlagt hud bevidnede den brutale død, hun havde lidt.

"Gud velsigne hendes sjæl," hviskede Nadine. "Det her er der ingen, der har fortjent."

"Nej, det er der ikke." Sara havde ikke tænkt sig at tillade sig at føle sig hjælpeløs. "Optager eller transskriberer du?" spurgte hun Nadine.

"Jeg har altid haft det lidt underligt med at tale til en båndoptager," sagde Nadine. "Jeg plejer bare at skrive ned."

Sara plejede at optage, men hun var bevidst om, at hun var på Nadines hjemmebane. "Må jeg bede dig tage noter?"

"Ikke noget problem." Nadine fandt notesbog og kuglepen frem. Hun ventede ikke på Saras instruktioner, før hun begyndte at skrive. Sara læste hendes håndskrift, der var blokbogstaver, på hovedet. Nadine havde noteret dato, tidspunkt og sted, dernæst Saras navn såvel som Hartshornes og sit eget. Hun spurgte Amanda: "Undskyld, søde, men vil du gentage, hvad det er, du hedder?"

Sara registrerede knap nok Amandas svar, idet hun så ned på Mercys mishandlede lig. Hendes jeans var stadig trukket ned om anklerne, men de mørklilla bikinitrusser var trukket op om hofterne. Der sad kager af snavs ved linningen. Striber af snavs løb ned over benene og sad i kager om hendes jeans. Der var en klynge af runde ar øverst på venstre lår. Sara genkendte dem som brandmærker efter cigaretter. Will havde nogle lignende på brystet.

Hun fik en klump i halsen ved tanken om sin mand. Et minde flimrede frem, hende og Will siddende på udkigsbænken, mens hun puttede sig ind mod hans skulder. Dengang havde Sara troet, at det værste, der kunne ske på deres bryllupsrejse, var at se Will kæmpe med tanker om den mor, han havde mistet.

Mercy var også en mor, nogen havde mistet. Hun havde en sekstenårig søn, der fortjente svar på, hvem der havde taget hende fra ham.

"Okay," sagde Nadine og bladrede om på en ny side i notesbogen. "Jeg er klar."

Sara fortsatte den udvendige undersøgelse og sagde højt, hvad hun fandt.

Rigor mortis i Mercys lig havde toppet, men lemmerne var stadig stive. Musklerne i ansigtet havde trukket sig sammen, så hun lignede en, der havde stærke smerter. Overkroppen havde ikke ligget ret længe i vandet, men huden i nakken og på skuldrene var løs og skjoldet af vandet. Håret var filtret. Den blege hud havde et lyserødt skær fra blodet i vandet.

En blitz lynede. Nadine var begyndt at tage billeder. Sara hjalp hende med at lægge linealer ud, så størrelsesforhold blev dokumenteret. Der var efterladenskaber under Mercys fingernegle. Der var et langt kradsemærke bag på hendes højre arm. Den højre tommelfinger, som Sara havde syet sammen efter flængen fra vandglasset, var stadig forbundet. Mørke blodpletter indikerede, at stingene var revet op, formentlig under overfaldet. De røde stranguleringsmærker, som Sara havde set på Mercys hals ude på badeværelset, var mere udtalte, men der var ikke gået lang nok tid, inden hun døde, til at der var kommet blå mærker.

Sara drejede Mercys højre arm og tjekkede undersiden. Derefter tjekkede hun den venstre. Fingrene var lukket sammen, men ikke mere end Sara kunne se håndfladerne. Der var ingen flænger efter kniven. Ingen blodansamlinger. Ikke så meget som en rift. "Hun har tilsyneladende ikke nogen forsvarsskrammer."

"Det lyder ikke rigtigt," sagde Nadine. "Mercy var en fighter. Hun ville helt sikkert ikke bare have stået og taget imod."

Sara havde ikke tænkt sig at fratage hende det narrativ. Men faktum var, at der ikke var nogen, der vidste, hvordan de ville reagere på et angreb, før de var under angreb. "Hendes sko fortæller os noget af historien. Mercy stod op under en del af angrebet. Sprøjtet er arterielt blod. Det kan være fra kniven, der huggede ind og ud. Der er kager af snavs på toppen omkring tæerne. Vi så slæbemærker fra hytten til søen. Mercy havde ansigtet nedad, da det skete. Der er også snavs i elastikken i hendes trusser, på knæene og i folderne i hendes jeans."

"Det ligner snavs fra søbredden," sagde Nadine. "Jeg tager tilbage senere og indsamler prøver til sammenligning."

Sara nikkede, mens Nadine fortsatte med at affotografere deres fund. I flere minutter var de eneste lyde, Sara kunne høre over kompressorerne i de nedkølede skabe, kameraets blitz og Amandas tasten på telefonen.

Da Nadine langt om længe var færdig, hjalp Sara hende med at lægge hvidt slagterpapir under bordet. Hun tog forstørrelsesglasset fra bakken. De arbejdede sammen om at gennemgå hver en centimeter af Mercys krop i søgen efter bevismateriale. Sara fandt hårfibre, stykker af snavs og diverse efterladenskaber, der alle kom i indsamlingsposer. Nadine var tavst effektiv og mærkede hvert eneste bevismateriale, hvorefter hun noterede i bevisloggen, hvor det var fundet.

Det næste skridt var eksponentielt mere besværligt end de tidligere. De skulle have fjernet Mercys tøj. Nadine lagde rent papir på gulvet. Dernæst lagde hun mere papir på det lange bord ved vasken, så de kunne gennemse tøjet igen, efter det var taget af hende.

At klæde et lig af var både tidskrævende og langtrukkent, især når liget stadig var i rigor. Et menneske havde typisk lige så mange bakterier som celler. De fleste bakterier var at finde i tarmene, hvor de blev brugt til at nedbryde fødeemner i næringsstoffer. Når man var i live, holdt immunsystemet væksten i skak. Når man var død, overtog bakterierne og fortærede vævet og udledte metan og ammoniak. Disse gasser oppustede liget, så huden udvidede sig.

Stoffet i Mercys T-shirt sad så stramt om kroppen, at de ikke havde andet valg end at klippe den af. Metalbøjlen i hendes bh måtte lirkes af kroppen og efterlod en halv centimeter dyb kile under hendes bryster. Sara fulgte sømmen i undertøjet for at klippe det af. Elastikken havde efterladt et aftryk. Det tynde materiale måtte plukkes af. Der kom små stykker hud med. Sara lagde forsigtigt hvert stykke på slagterpapiret, som var det brikker i et puslespil.

De kunne ikke tage bukserne af hende uden først at fjerne skoene. Nadine bandt snørebåndene op. Mercys bomuldssokker var slappe i elastikkerne, hvilket gjorde dem nemme at tage af. Alligevel efterlod stoffet et dybt aftryk på huden. At tage hendes jeans af var en noget større opgave. Materialet var tykt og stift af blod og andre væsker, der var indtørret. Sara klippede forsigtigt først den ene side, så den anden op, så hun kunne løfte bukserne af som muslingeskaller. Nadine bar bukserne hen til bordet. Hun pakkede begge halvdele ind i papir, så der ikke skete nogen form for krydsforurening.

De stod alle stille, mens Nadine arbejdede. Ingen kiggede på liget. Sara kunne se Amandas alvorsfulde ansigtsudtryk, mens hun betragtede sin telefon. Småkage stod stadig ovre i døråbningen, men han havde drejet hovedet, som havde han hørt noget for enden af gangen.

Sara fik en klump i halsen, da hun betragtede liget. Der var mindst tyve synlige knivstik. Størstedelen af dem var på kroppen, men der var også en flænge i venstre lår og en på ydersiden af højre arm. Bladet var sunket helt i nogle steder, på huden var der aftryk af omridset af det forsvundne skaft.

De nylige sår var ikke de eneste mærker.

Mercys krop vidnede om et helt liv med mishandling. Arret i hendes ansigt havde ikke længere nogen farve, men det var ingenting i forhold til de andre ar på hendes hud. Der var dybe, mørke mærker på maven, hvor hun var blevet pisket med noget tungt og tekstureret, sikkert et reb. Sara genkendte let mærket efter et bæltespænde på Mercys hofte. Venstre lår var brændt med et strygejern. Der var adskillige cigaretmærker rundt om højre brystvorte. Der var et tyndt, lige ar hen over venstre håndled.

"Har du kendskab til nogen selvmordsforsøg?" spurgte hun Nadine.

"Mindst et par stykker." Det var Småkage, der svarede. "Hun havde et par overdoser. Det ar, du ser på, er fra high school. Hun og Dave var endnu en gang røget i totterne på hinanden. Hun skar sit håndled op i redskabsrummet ved gymnastiksalen. Træneren fandt hende, ellers var hun forblødt."

Sara så hen på Nadine for bekræftelse. Kvinden havde tårer i øjnene. Hun nikkede en enkelt gang, hvorefter hun tog kameraet for at dokumentere skaden.

Igen lagde Sara linealen ved siden af for at dokumentere størrelsesforholdet. Hun spekulerede på, hvor lang tid det tog at dolke en kvinde så mange gange. Tyve sekunder? Tredive? Der var flere stiksår på ryggen og benene. Hvem det så end var, der havde myrdet Mercy McAlpine, så havde vedkommende virkelig ønsket hende død.

At han så ikke var lykkedes helt, at Mercy stadig havde været i live, efter der var sat ild til hytten, efter Will var løbet gennem skoven for at finde hende, vidnede om hendes karakterfasthed.

Endelig lagde Nadine kameraet fra sig. Hun tog endnu en dyb indånding for at få hold på sig selv. Hun vidste godt, hvad der nu skulle ske.

Voldtægtskittet.

Nadine åbnede den æske, der indeholdt alt, der skulle bruges til at indsamle bevismateriale fra et seksuelt overgreb: sterile beholdere, vatpinde, sprøjter, objektglas, selvklæbende kuverter, negleskrabere, mærkater, sterilt vand og saltvand, et plasticspejl, en kam. Sara så, at hendes hænder rystede, da hun lagde tingene frem på bakken. Nadine brugte bagsiden af armen til at tørre tårer væk under sikkerhedsbrillerne. Sara følte med kvinden. Hun havde selv været i Nadines situation mange gange.

"Skal vi holde en pause?" spurgte Sara.

Nadine rystede på hovedet. "Denne gang svigter jeg hende ikke."

Sara bar på sin egen skyldfølelse over for Mercy. Hun blev ved med at vende tilbage til det øjeblik i badeværelset bag køkkenet. Mercy havde fortalt Sara, at stort set alle på bjerget ønskede hende død. Sara havde prøvet at presse på, men da Mercy havde øvet modstand, havde Sara let givet slip.

"Lad os komme i gang," sagde Sara til Nadine.

Fordi Mercy stadig var i rigor, måtte de tvinge lårene fra hinanden. Sara tog fat om det ene ben. Nadine tog fat om det andet. De trak, til hofterne slap med en frygtelig svuppende lyd.

Ovre i døråbningen rømmede Småkage sig.

Sara holdt en hvid firkant karton under Mercys kønsben. Først brugte hun kammen, omhyggeligt trak hun tænderne gennem kønshårene. Løse hår, snavs og andre efterladenskaber faldt ned på kartonen. Til Saras tilfredshed var der rødder på nogle af hårene. Rødder var ensbetydende med DNA.

Hun rakte karton og kam til Nadine, så hun kunne forsegle begge dele i en pose.

Dernæst brugte Sara forskellige længder vatpinde til at tjekke for sæd mellem Mercys lår. Hendes endetarm. Hendes læber. Nadine hjalp med at tvinge munden åben. Igen lød der et højt smæld, da leddet knækkede op. Sara rettede på lampen over dem. Der var ikke synlige kvæstelser i munden. Hun kørte en vatpind rundt inde i kinderne, over tungen, bagest i halsen.

Plasticspejlet var forseglet i et etui. Nadine trak enderne fra hinanden og rakte instrumentet til Sara. Igen rettede Sara på lampen. Hun var nødt til at tvinge spejlet ind i skeden. Nadine rakte hende vatpinde.

"Det ser ud, som om der er spor af sæd," sagde Sara.

Småkage rømmede sig igen. "Så hun blev altså voldtaget."

"Væsken indikerer seksuelt samvær. Jeg ser ingen tegn på ødemer eller kvæstelser."

Sara rakte Nadine de sidste vatpinde. I mellemtiden tog Sara et par rene handsker på. Hun tænkte på alle de mænd, der havde været i hytterne i aftes. Kokken. De to unge tjenere. Chuck. Frank. Drew. Gordon og Paul. Max, investoren. Selv Mercys bror, Christopher. Sara havde siddet ved middagsbordet blandt dem. Hver af dem kunne være morderen. Nadine kom hen til bordet igen. Sara trak blod fra hjertet ind i en stor sprøjte. Hun brugte en 25G-kanyle til at trække urin fra blæren. Hun gav sprøjterne til Nadine, så hun kunne give dem mærkater på. Så holdt hun et lille stykke hvidt karton under Mercys fingre og brugte træpinden til at rense hendes negle med.

"Det her er muligvis hud," sagde Sara. "Hun kan have kradset sin overfaldsmand."

"Godt gået, Merce." Nadine lød lettet. "Jeg håber, du fik ham til at bløde."

Det håbede Sara også. Så ville det være nemmere at isolere DNA'et.

Hun skulle lige til at bede Nadine om hjælp til at vende liget, da en telefon brummede.

"Det er min," sagde Nadine. "Røntgenbillederne er sikkert færdige."

Sara følte, de alle kunne have godt af en pause. "Lad os se engang."

Nadine var tydeligvis lettet. Hun trak masken ned, tog handskerne af og gik hen til skrivebordet. Sara ventede, til kvinden havde logget ind på sin computer, før hun stillede sig bag hende. Et par enkelte klik, så tonede Mercys røntgenbilleder frem på skærmen. De var ikke meget større end en tommelfingernegl, alligevel stod historikken med mishandling skrevet med store bogstaver.

Det kom ikke bag på Sara, at der var gamle brud, men mængden af dem var massiv. Mercys højre lårben var brækket to forskellige steder, men ikke samtidigt. Nogle af knoglerne i venstre hånd så ud, som om de med overlæg var hamret over i to. Der var skruer og plader flere forskellige steder. Hendes kranie og nakkeben havde brud. Hendes næse. Hendes bækken. Selv hendes tungeben viste tegn på en gammel skade.

Nadine pegede på det sidste og forstørrede billedet. "Et knækket tungeben er tegn på strangulering. Jeg vidste ikke, man kunne leve med et brækket tungeben."

"Det er en potentielt livstruende skade," sagde Sara. Knoglen var forbundet med strubehovedet og var involveret i en hel del luftvejsfunktioner, lige fra at kunne frembringe lyde til at hoste og trække vejret. "Det ligner en isoleret fraktur. Hun kan være blevet intuberet eller henvist til sengeleje, alt efter hvordan det så ud."

"Da Faith afhørte Dave," tilføjede Amanda, "fortalte han, at Mercy havde kørt sig selv på hospitalet efter en kvælningsepisode. Hun havde vejrtrækningsbesvær og blev indlagt."

"Den rapport optog jeg," bidrog Småkage henne fra døråbningen. "Det er mindst ti år siden. Mercy sagde ikke noget om at være blevet kvalt. Hun sagde til mig, at hun snublede over en trærod. Og blev ramt lige på halsen."

Amanda så sigende på Småkage. "Så hvorfor blev du tilkaldt for at optage rapport?"

Det svarede Småkage ikke på.

Sara vendte sig igen mod røntgenbillederne og spurgte: "Må jeg se den der fraktur?"

Nadine valgte billedet med lårbenet.

"Jeg vil gerne høre en radiologs vurdering, men den ser ud til at være flere årtier gammel." Hun pegede mod den svage linje, der delte den nedre halvdel af knoglen. "En fraktur hos en voksen viser som regel skarpe kanter, men hvis det er ældre, for eksempel tilbage fra barndommen, så omdannes knoglen, og kanterne afrundes."

"Er det usædvanligt?" spurgte Amanda.

"Frakturer på femur hos børn er oftest skaftbrud. Femur er kroppens stærkeste knogle, så der skal et voldsomt stød til for at brække den." Sara refererede til billederne. "Mercy har en distal metafysefraktur. Der har været en del debat om, hvorvidt et sådant brud indikerer mishandling, men den nyeste forskning er ikke dispositiv."

"Hvad betyder det?" spurgte Småkage.

"At Cecil brækkede benet på hende, da hun var baby," svarede Nadine.

"Hey du, hun sagde ikke noget om, hvem der gjorde det," indvendte Småkage. "Lad være med at gå rundt og plapre op om ting, du ikke kan bakke op med fakta."

Nadine sukkede tungt og åbnede to billeder mere. "Metalpladen her i armen er fra den bilulykke, jeg fortalte dig om. Og det her – kan du se, hvordan de var nødt til at genskabe hendes bækken? Det var et held, at hun havde fået Jon på det tidspunkt."

Sara stirrede på røntgenbilledet af maveregionen. Mercys bækkenknogler var kridhvide mod alt det mørke, hvirvelsøjlen, der ledte op til brystkassen. Organerne lå i skygge. Det vage omrids af tynd- og tyktarm.

Leveren. Milten. Mavesækken. Der var en udtværet lille masse, måske et par centimeter lang, der var et tidligt tegn på forbening.

Sara måtte rømme sig, inden hun kunne sige noget. "Nadine, vil du hjælpe mig med at færdiggøre voldtægtsundersøgelsen, inden vi vender hende?"

Nadine så forvirret ud, men tog et par rene handsker og kom hen til bordet. "Hvad vil du have mig til at gøre?"

Sara havde ikke brug for, at hun gjorde andet end at genoptage sin beroligende tavshed. Der stod en ultralydsmaskine ude i gangen, men Sara havde ikke tænkt sig at bede om den, så længe Småkage var i rummet. På Ungkarlestien havde Nadine underholdt om limen, der holdt sammen på små byer, men hun havde glemt en meget vigtig pointe: Hemmeligheder var ikke noget, man brugte.

Sara ville være nødt til at lave en bækkenundersøgelse for at bekræfte, hvad hun havde set på røntgenbilledet.

Mercy var gravid.

13

"Fuckity-fuck-fuck." Faith gjorde sit ypperste for ikke at hamre hovedet mod rattet i sin Mini. Uvejret var langt om længe overstået, men grusvejen var blevet til et muddermareridt. Sten blev ved med at ramme bilens sider. Bilen skred rundt. Hun så op på himlen. Solen var brutal, som om den ville suge så meget vand tilbage op i skyerne som muligt.

Det var at skyde sig selv i foden at melde sig til at afhøre Penny Danvers, stuepige og bartender i hytterne, men Faith hadede obduktioner. Hun deltog i dem, fordi det var hendes job, men hun syntes, det var det klammeste på jord. Hun havde aldrig vænnet sig til at være i nærheden af lig. Så derfor kørte hun nu rundt på jordveje i Østre Røvhul, North Georgia, i stedet for at nyde sejren efter sit glimrende stykke arbejde med afhøringen af Dave McAlpine.

Hun skændte på sig selv indvendigt. Det havde været bedre med en tilståelse eller et brandvarmt spor, der førte direkte til morderen, så Jon kunne få en afklaring. Det her handlede ikke om de gode mod de onde. Mercy havde været mor. Ikke bare en mor, men en mor som Faith. De havde begge født et barn, da de nærmest var børn selv. Faith havde været heldig, fordi hendes familie havde støttet hende. Havde de ikke holdt hende oppe, kunne hun nemt være endt som Mercy McAlpine. Eller måske være fanget med en forkastelig voldsmand som Dave. Tabermænd var som menstruationer. Havde du først haft en, gik du resten af livet i frygt eller panik for, hvornår den næste ville dukke op. Faith skævede til den åbne notesbog på passagersædet. Inden hun forlod hospitalet, havde hun arbejdet sammen med Will om at parre Mercys opringninger til Dave med Wills cirka-fornemmelser om, hvad han havde hørt hvornår og hvorfra. Det var lykkedes dem at rekonstruere et ret godt gæt på den sidste halvanden time af Mercy McAlpines liv:

22.30: set på sin runde (Paul: vidne)

22.47, 23.10, 23.12, 23.14, 23.19, 23.22: ubesvarede opkald til Dave

23.28: telefonbesked til Dave

23.30: første skrig fra hytteområdet

23.40: andet skrig fra Ungkarlehytterne (hjælp)

23.40: tredje skrig fra Ungkarlehytterne (hjælp mig)

23.50: lig fundet

Midnat: erklæret død (Sara)

Faith var stadig ikke tilfreds med timinutters-intervallerne. Hun var nødt til at komme op på ejendommen og finde kortet. Det første mål var at fastslå, hvor der var wi-fi-adgang, så hun kunne finde ud af, hvor Mercy havde været, da hun ringede til Dave. Derfra kunne Faith fastlægge de forskellige mulige ruter, Mercy kunne have taget til Ungkarlehytterne. Will kunne tage fejl med op til fem minutter til hver side, hvilket måske ikke lød af meget, men når man opbyggede en mordsag, var hvert eneste minut afgørende.

Mercy havde om ikke andet gjort dem en tjeneste ved at ringe så mange gange. Telefonsvarerbeskeden var allerede sendt til laboratoriet, så der kunne laves en lydanalyse, men det ville tage mindst en uge. Faith tog telefonen fra kopholderen. Hun tændte for den optagelse, hun havde lavet af Mercys sidste besked til Dave. Kvindens stemme lød desperat, som den gav genlyd i Minien.

"Dave! Dave! Åh gud, hvor er du? Ring til mig, vil du ikke nok? Jeg kan ikke tro – åh gud, jeg kan ikke ... ring til mig. Jeg beder dig. Jeg har brug for dig. Jeg ved godt, du aldrig har været der for mig før, men jeg har virkelig brug for dig nu. Jeg har brug for din hjælp, skat. R-ring til mig ..."

Faith havde ikke bemærket det tidligere, men Mercy var begyndt at hulke, da hun havde trykket telefonen mod sit bryst. I bilen talte Faith tavst med på de syv sekunder, hvor kvinden græd.

"Hvad laver du her? Nej! Dave er her lige straks. Jeg har fortalt ham, hvad der er sket. Han er på ..."

Faith skævede ned til tidslinjen. Toogtredive minutter senere var Mercy erklæret død.

"Hvad skete der med dig, Mercy?" spurgte Faith den tomme bil. "Hvad var det, du ikke kunne tro?"

Kvinden havde set eller hørt noget, der havde skræmt hende nok til at proppe sit tøj og sin notesbog i rygsækken og flygte. Hun havde ikke taget Jon med, det betød, at uanset hvad det var, så var det kun en trussel mod hende. Truende nok til, at hun havde brug for, at Dave kom og hjalp hende efter årevis af fravær. Truende nok til, at hun ikke rakte ud efter sin egen familie for hjælp.

Faith ville godt vædde på, at det, der skræmte hende, var sket i de treogtyve minutters mellemrum mellem de første opringninger til Dave og de fem hektiske opringninger, der begyndte klokken 23.10. Mercy måtte have været inde i huset på et tidspunkt for at pakke sin rygsæk. Faith vidste ikke, hvilke ting hun ville tage med, hvis hun skulle forlade sit hjem for altid, men hun ville helt sikkert vælge det brev, hendes far havde skrevet til hende, inden han døde af kræft i bugspytkirtlen. Mercy ville helt sikkert ikke have taget notesbogen med, medmindre den havde stor betydning.

Og laboratoriet ville helt sikkert ikke være færdig med analysen før om en uge.

Dave er her lige straks. Jeg har fortalt ham, hvad der er sket.

Faith tænkte på alle de gange, hun havde sagt til en mand, at en anden mand var på vej. Det var som regel noget, der skete, når hun prøvede at nyde en aften ude alene. Så kom der altid en eller anden, der ville flirte. Den eneste måde at komme af med ham på var at gøre det klart, at en anden mand allerede havde pisset på den vandhane, han stod og snusede til.

Hvilket bragte Faith tilbage til mysteriet om det lukkede rum. En af grundpillerne i den genre var, at det altid var den person, du mistænkte mindst, der faktisk havde gjort det. Dave var så åbenlys, at der nærmest pegede en stor neonpil mod hans hoved. Det farligste tidspunkt for et offer for hustruvold var, når hun gik fra sin mishandler. Strangulering var et tegn lige efter bogen på, at volden optrappede. Men at være en foragtelig pissemyre gjorde dig ikke til morder. Og Faith blev ved med at vende tilbage til beskeden på telefonsvareren. Det var ikke Dave, Mercy sagde til, at Dave var på vej. Der var kun en håndfuld mænd i hytterne, der kunne have fået Mercy til at bruge hans navn. Chuck. Frank. Drew. Max, investoren. Alejandro, kokken, Gregg og Ezra, de to tjenere fra byen. Gordon og Paul, fordi man ved aldrig. Christopher, fordi han og Mercy praktisk taget var vokset op i en V.C. Andrews-roman i bjergene i det nordlige Georgia.

Faith sukkede tungt. Hun havde brug for flere oplysninger. Forhåbentlig kunne Penny Danvers, hytternes bartender og stuepige, være lige så indsigtsfuld og talende, som Delilah havde været på Wills optagelse. Stuepiger så ens karakter i det mindst flatterende lys, og Faith havde helt sikkert smidt et par sandhedsbomber på uforvarende bartendere i sin tid. Hvilket sikkert ikke var det kaninhul, hun skulle ned i lige nu. Faith fokuserede i stedet på den uendelige grusvej. Hun skævede i bakspejlet. Så på vejen. Så ud ad sidevinduerne. Alt lignede hinanden.

"Fuck."

Hun var i den grad faret vild.

Hun satte farten ned for at spejde efter tegn på civilisation. Det sidste kvarter havde hun ikke set andet en marker og køer og en lavtflyvende fugl hist og pist. Hendes GPS havde sagt, hun skulle holde til venstre, da vejen delte sig, men hun begyndte at tænke, at den havde løjet. Hun tjekkede sin telefon. Ikke noget signal. Faith lavede en U-vending og kørte tilbage samme vej, som hun var kommet.

På en eller anden måde så markerne og køerne og den lejlighedsvise lavtflyvende fugl anderledes ud på tilbagevejen. Hun rullede begge vinduer ned og lyttede efter biler eller en traktor eller en eller anden indikation på, at hun ikke var den sidste kvinde på jorden. Hun hørte ikke andet end de åndssvage fugles pippen. Hun drejede på radioen og forventede enten at høre alienstemmer eller en landbrugsrapport, men hun blev belønnet med Dolly Parton, der sang "Purple Rain".

"Gudskelov," hviskede Faith. Så var der i det mindste stadig noget godt i verden. Vinden kom ind gennem vinduerne og tørrede noget af sveden på hendes ryg. Hun hørte telefonen give lyd. Faith så ned på skærmen. Signalet var tilbage. Hun havde fået to sms'er.

Faith trykkede koden ind, mens hun sagde til sig selv, at det var okay at køre bil og sms'e, fordi den eneste, hun ville kunne slå ihjel, var sig selv. Hvilket nær var, hvad hun havde gjort, da hun så beskeden fra sin søn.

Han var på Quantico. Han elskede det.

Faith havde inderst inde håbet, at Jeremy ville hade det. Hun ønskede ikke, at hendes søn blev betjent. Hun ville ikke have, at han blev FBI-agent. Hun ville ikke have, at han blev GBI-agent. Hun ville have, at han brugte sin fornemme kandidatgrad fra Georgia Tech og arbejdede på et kontor og gik i jakkesæt og tjente masser af penge, så når hans mor kørte i grøften, fordi hun kørte bil og sms'ede samtidigt, så blev hun i det mindste indlagt et pænt sted.

Den anden sms var kun marginalt bedre. Faiths mor havde sendt et foto af Emma, der var malet i ansigtet som Pennywise, klovnen fra *It*. Faith måtte finde ud af senere, om hyldesten var intentionel. Hun sendte hjerter af sted, inden hun dumpede telefonen i kopholderen.

"Fuck!" skreg hun. En fugl havde været lige ved at flyve direkte ind i forruden. Faith drejede på rattet, men alt for kraftigt. Hun overreagerede. Bilen begyndte at hydroplane. Alt gik langsomt. Hun vidste godt, hvad man skulle gøre, når man begyndte at skride ud, når man kørte på is, men skulle man gøre det samme i mudder? Drejede man rattet i modsatte retning, eller ville man så bare ende i grøften?

Det fik hun ret hurtigt svar på. Minien forvandlede sig til kunstskøjteløberen Kristi Yamaguchi, drejede 360 grader, løftede sig op på to hjul og gled hen over vejen og landede i modsatte grøft.

Bilen rystede voldsomt, da den landede i kløften. Faith var alt for åndeløs til at bande, men hun lovede sig selv at tage revanche, så snart hendes røvhul slap igen. Der var ikke ret mange måder, denne dag kunne blive værre på.

Hun steg ud af bilen og så bageste hjul begravet i mudder.

"Forpulede ..."

Faith stak knytnæven i munden. Hun kunne godt håndtere det her. Hun havde været patruljebetjent. Hun havde mødt masser af hjælpeløse idioter, som hun skulle hjælpe med at få trukket deres bil op af en grøft. Hun fandt nødhjælpskassen i bilen, der indeholdt tæpper, mad, vand, en nødradio, en lommelygte og en sammenfoldet skovl.

"Purple Rain" var nået sit crescendo. Hun kunne kun tænke, at Dolly Parton ville værdsætte en rasende mor til to, der stod og gravede sig selv fri af mudder midt i det forpulede ingenting, mens hun lyttede til Prince-coveret. Faiths hænder begyndte at smerte, mens hun gravede. Hun måtte lide gennem en hel sang med Nickelback, før hun havde gravet en sti. For en god ordens skyld tog hun nogle håndfulde grus og stoppede dem godt ned ved hjulet. Da hun var færdig, var hun smurt ind i mudder fra top til tå. Hun tørrede hænderne i bukserne, inden hun satte sig ind i bilen.

Hun trykkede på speederen og bad til, at hjulet bed på. Bilen rykkede sig lidt frem og vippede så tilbage igen. Hun blev ved, rokkede stille og roligt frem og tilbage, til hjulene fandt fæste i gruset.

"Du er fandeme en dronning," sagde hun til sig selv.

"Sådan!"

"Fuck!" Faith fór sammen og hamrede hovedet op i soltaget. Der stod en kvinde på den anden side af grøften. Ansigtet var hærget, hærdet af den ubønhørlige sol og et lige så ubønhørligt liv. Der sad en bluetick Coonhound ved siden af hende. Hun havde et haglgevær over skulderen og lignede et farligt fugleskræmsel. Hænderne hang slapt langs siden.

"Troede ikke, du kunne," sagde kvinden. "Har aldrig mødt en byboer, der kunne slå sig ud af en våd papirspose."

Faith købte sig selv noget tid til at få ro på nervesystemet ved at slukke for radioen. Hvor længe havde de billige rækker stået der? Længe nok til at se Fulton County-mærket på Minien, hvilket identificerede hende som en indbygger i Atlanta.

"Jeg er fra ..." sagde hun til kvinden.

"GBI," sagde hun. "Du er med ham den høje. Will, ikke? Gift med Sara."

Faiths gæt var, at kvinden var en slags heks. "Jeg fangede ikke dit navn?"

"Jeg har heller ikke kastet det." Hun løftede trodsigt hagen. "Hvem leder du efter?"

"Dig," gættede Faith. "Penny Danvers."

Hun nikkede en enkelt gang. "Kvikkere, end du ser ud."

Faith kørte tungen hen over bagsiden af sine tænder. "Vil du have et lift hjem til dig?"

"Gælder det også hunden?"

Faith regnede ikke med, at bilen kunne blive mere beskidt. Hun rakte over og skubbede døren op. "Jeg håber, han kan lide Cheerios. Min datter elsker at prøve at ramme mit hoved med dem."

Hunden ventede, til Penny slog et smæld med tungen, indtil den sprang ind hen over forsædet med de mudrede poter og straks hoppede ned på gulvet, hvilket var den eneste gode ting, der var sket i dag. Penny satte sig på forsædet. Døren smækkede. Hun satte haglgeværet mellem knæene, så løbet pegede op mod taget. Endnu en god ting. Hun kunne have rettet det mod Faith.

"Jeg bor tre kilometer op til venstre. Det bliver noget af en rystetur, så hold fast," sagde kvinden med det ladede gevær, der ikke havde taget sele på. "Du ser laden, før du ser huset."

Faith satte bilen i gear. Begge vinduer var stadig åbne. Hun holdt fartmåleren på femogfyrre kilometer i timen, så støvet fra grusvejen ikke kvalte den. Og også fordi hunden lugtede af hund.

"Så," sagde Faith. "Er du på jagt, eller ..."

"En prærieulv tog en af mine høns." Penny nikkede mod radioen. "Har du hørt hendes cover af 'Stairway to Heaven'?"

Dolly Parton. Den universelle isbryder. Og et kæmpe vink med en vognstang om, at Penny havde stået ved grøften allerhelvedes meget længere, end det var gået op for Faith. Hun prøvede at skjule ubehaget, da hun spurgte: "Fra *Halos and Horns* eller fra *Rockstar*?"

Penny klukkede. "Hvaffor en tror du?"

Faith havde ingen anelse, og Penny gav tilsyneladende ikke ved dørene. Hun havde taget noget bacon op af lommen og tilbød hunden det. Hun så, at Faith kiggede, og tilbød også hende noget bacon.

"Ellers tak," sagde Faith.

"Det må du selv om." Penny tog en bid og stirrede tavst ud på vejen, mens hun tyggede.

Faith ransagede sin hjerne for ligegyldigheder om Dolly Parton at bryde isen med, da hun mindede sig selv om, at nogle gange var det bedre bare at holde kæft. Hun lod de tomme marker rulle forbi. Køerne. Af og til en lavtflyvende flok krager.

Som lovet var det en ret hullet vej. Faith kæmpede med rattet for ikke at havne i grøften igen. Der var slaghuller i byen, men det her var nærmest spalter. Hun blev lettet, da hun endelig spottede laden i det fjerne. Tingesten var kæmpe, skinnende rød og sikkert ny, for hun havde ikke set den på Google Earth. Der var malet et amerikansk flag på den side, der vendte ud til vejen. To heste løftede hovederne og så til, da Minien kørte forbi.

"Vi er patrioter her," sagde Penny. "Min far var soldat i Nam."

Faiths bror var i flyvevåbnet, men hun sagde: "Jeg sætter stor pris på hans indsats."

"Vi kan ikke lide, at I Atlanta-folkens kommer og snager i vores sager," fortsatte Penny. "Vi ordner tingene på vores måde. Hold jer ude af vores liv. Så holder vi os ude af jeres."

Faith vidste godt, at kvinden testede hende. Hun vidste også, at Georgia ville være Mississippi uden Atlantas skattepenge. Alle romantiserede livet på landet, lige indtil de skulle bruge internet eller lægehjælp.

"Det er deroppe." Penny pegede på den eneste indkørsel i halvtreds kilometers omkreds, som om den var nem at overse. "Til venstre."

Faith satte farten ned for at dreje ind på den lange indkørsel. Hun så navnet på postkassen, og straks gav Pennys stammekærlighed pludselig meget mere mening. "D. Hartshorne. Det skulle ikke tilfældigvis være sheriffen?"

"Det var det," sagde hun. "Det er min far. Han bor i traileren omme bag ved. Vi flyttede ham hertil efter hjerneblødningen, fordi han ikke kan gå på trapper. Småkage er min bror."

Faith gik forsigtigt frem. "Er I tætte?"

"Du mener, har han fortalt mig, at det ikke var Dave, der slog Mercy ihjel?"

Faith gættede på, at der var hendes svar.

"Hvis du vil vide det, så ringede Småkage op til hytterne for at fortælle dem det, men han kunne ikke komme igennem. Telefonen og internettet har langt om længe givet op." Hun sendte Faith et sigende blik. "Han er ude og hjælpe færdselspolitiet med en væltet lastbil fyldt med fjerkræ i Ellijay. Bad mig give dem besked, når jeg tog på arbejde."

"Gør du det?"

"D'ved jeg ikke."

Faith kunne ikke bestemme, hvad Penny gjorde, men hun kunne prøve at få flest mulige oplysninger ud af hende. "Småkage fortalte min makker, at du plejede at se Dave og Mercy slås med hinanden i high school."

"Det var ikke ligefrem en lige kamp." Penny bed tænderne så hårdt sammen, at læberne knap bevægede sig, når hun talte. "Jeg må sige, at Mercy kunne tage sine tæv."

"Indtil hun ikke kunne."

Penny lukkede hænderne om geværet, men tydeligvis ikke, fordi hun havde tænkt sig at bruge det. Hun trykkede hagen ned mod brystet, mens de nærmede sig huset. For første gang siden kvinden havde gjort opmærksom på sin tilstedeværelse ved vejen, virkede hun sårbar.

Faith ville eddermame ønske, at Will var her. Han kunne være tavs længere end nogen, hun nogensinde havde mødt. Hun måtte bide sig i læben for ikke at stille et spørgsmål. De var næsten nået helt op til huset, før hun blev belønnet for sin indsats.

"Mercy var et godt menneske," sagde Penny. "Det kan man godt glemme af og til, men det er sandt."

Faith parkerede ved siden af en rusten chevy-truck. Huset var lige så hærget som Penny; maling skrællede af bleget træ, verandaen var rådden, et svajrygget tag manglede flere sten. Langs husets side stod endnu en hest. Han var bundet til en pæl. Hovedet var sænket ned til vandtruget, men øjnene var rettet mod bilen. Faith undertrykte en skælven. Hun var rædselsslagen for heste.

"Du skal vide en ting," sagde Penny, "og det er, at heroppe, der lærer piger tidligt, at uanset hvad du får, så er det, hvad du har fortjent."

Faith mente nu ikke, at den besked var begrænset til en specifik region.

"Der blev en kæmpe ballade, da Mercy blev gravid i high school. Alle mulige telefonopringninger og møder. Præsten blandede sig. Jeg mener, hun var ikke ligefrem nogen mønsterelev, men hun havde ret til at blive i skolen, og det ville de ikke lade hende. Sagde, hun var et dårligt eksempel. Og det var hun måske, men det var stadig ikke i orden, sådan som de behandlede hende."

Faith bed sig i underlæben. Hun var ikke blevet forhindret i at gå i niende klasse, efter hun havde født Jeremy, men alle i skolen havde gjort det meget klart, at de ikke ville have hende der. Hun havde måttet spise sin madpakke på biblioteket.

"Mercy har altid været vild, men den måde, hendes tante stjal hendes baby på, var forkert. Hun er lesbisk. Har du hørt det?"

"Det har jeg hørt."

"Delilah er en ondskabsfuld møgkælling. Det har ikke noget at gøre med, hvad hun laver i soveværelset. Hun er bare ondskabsfuld." Penny tog igen kvælertag på geværet. "Hun fik Mercy til at hoppe og danse bare for at kunne se sin egen søn. Det var forkert. Der var ingen, der tog Mercys parti. De troede alle, hun ikke kunne klare det, men hun lagde sprutten og heroinen fra sig, så hun kunne få Jon tilbage. Det kræver virkelig karakterstyrke. Man kan ikke andet end beundre hende for at tage kampen op mod de dæmoner. Især eftersom hun ikke fik hjælp af nogen."

"Hvad med Dave?"

"Pis," mumlede Penny. "Han arbejdede på jeansfabrikken. Det var et godt job, men så flyttede de det hele til Mexico. Han var ved muffen, gav drinks nede på værtshuset, levede det søde liv."

"Og hvad lavede Mercy?"

"Hun suttede pik nede på hjørnet, så hun kunne betale for en advokat og få forældremyndigheden over Jon." Penny betragtede Faith omhyggeligt og holdt øje med hendes reaktion.

Faith gav hende ikke nogen. Det var den ene ting, hun ikke ville gøre for sine egne børn.

"Det eneste job, Mercy kunne få, var på et motel, og den eneste grund til, at det skete, var, at ejeren ville pisse Papa af. Ingen andre ville ansætte hende. Hun var den rene gift hernede. Det sørgede Papa for."

"Du mener Cecil?"

"Jah, hende egen forbandede far. Han har aldrig gjort andet end at straffe og straffe hende hele hendes forbandede liv. Jeg har set det ske. Jeg har gjort rent i de hytter, siden jeg var seksten. Nu skal jeg fortælle dig noget." Penny pegede fingeren mod Faith, som om dette var vigtigt. "Mercy overtog stedet, efter Papa kørte galt på den cykel, ikke? Og jeg ved bare, at før Mercy kom til, der kunne de knap nok betale lønningerne. Så kommer Mercy til, og de ansætter en fisefornem kok fra Atlanta og endnu en tjener fra byen, og Mercy siger til mig, at jeg kan komme på fuld tid, fordi de har brug for en bartender til cocktailtimen inden middagen. Hvad giver du?"

"Det fortæller du mig."

"Papa har aldrig forstået, at folk gerne vil drikke, når de er på ferie. Han serverede et enkelt glas morbærvin, det billigste sprøjt, han kunne finde, og hvis gæsterne ville have mere, måtte de hive fem dollars op kontant på stedet." Hun fnøs en latter ud. "Mercy indkøbte kvalitetsspiritus og begyndte at reklamere for særlige cocktails, lod folk få kredit under opholdet. På nogle af de der firmabetalte retreats, der betalte de kontant, fordi deres chefer ikke måtte vide, at de dybest set er alkoholikere. Du kan selv lave regnestykket. Når der var fuldt hus, havde de tyve voksne, der bestilte nok sprut til, at de havde brug for en bartender."

Faith var rigtig god til at regne. Normalt fordoblede restauranterne hyldeprisen på spiritus, men de købte til indkøbspris. To cocktails per aften gange tyve personer kunne sagtens give et nettooverskud på mellem fire og seks hundrede dollars på en enkelt dag. Og det inkluderede ikke vinsalget. Og hvad de ellers måtte tage med tilbage til hytterne.

"Mercy hævede listeprisen med tyve procent, uden at nogen så meget som blinkede. Hun satte badeværelserne i stand, så man ikke fik svamp af at tage et brusebad. Hun fik rige byboere fra Atlanta til at komme. Papa hadede det." Penny skævede hen til huset. "Enhver anden far havde været stolt, men Papa fucking hadede hende for det."

Faith spekulerede på, om Penny var ved at køre endnu en mistænkt i stilling. "Cecil kom voldsomt til skade i den ulykke, ikke?"

"Joh, han kan ikke gå længere, men han kan fandenedeme godt lade den hadefulde mund løbe." Penny havde fået afløb for sin vrede. Hun hvilede haglgeværet mod instrumentbrættet. "Jeg kan lige så godt være ærlig, mest fordi du sikkert allerede har lavet et baggrundstjek på mig, men jeg har fået frataget mit kørekort permanent."

Faith vidste godt, hvad hun i virkeligheden sagde. Penny havde fået så mange domme for spirituskørsel, at en dommer havde givet hende et forbud på livstid mod at køre bil.

"Jeg ved godt, hvad du tænker. Det giver da god mening, at en gammel fulderik som mig er bartender. Jeg har været ædru i tolv år, så stig du bare ned fra din høje hest."

"Det var ikke, hvad jeg tænkte," sagde Faith. "For tolv år siden var din far stadig sherif. Han havde masser af magt. Det må have været svært for ham ikke at trække i nogle tråde og hjælpe dig."

"Det skulle man tro, ikke? Men han elskede det. Sørgede for, at jeg ikke kunne komme nogen steder uden hans tilladelse. Jeg måtte trygle ham om at køre mig på arbejde. Til supermarkedet. Eller til lægen. For fanden, jeg burde takke ham. Det fik mig til at lære at ride."

Igen læste Faith mellem linjerne. "Du kunne ikke få arbejde andre steder end oppe i hytterne."

"Nemlig," sagde Penny. "Farmand fik mig derop, så han kunne kontrollere mig."

"Han er venner med Cecil?"

"De to skiderikker er to alen af et stykke." Hendes tonefald var blevet bittert. "Det eneste, han og Cecil nogensinde har interesseret sig for, var at være skiderikkerne, der bestemte. Alle synes, de er så fantastiske. Samfundets støtter. Men ved du hvad, når først de har dig, hvor de vil have dig, så ..."

Faith ventede på, at hun skulle fortsætte sit *så*.

"De ser en kvinde med højt humør – måske kan hun godt lide et glas, måske vil hun more sig lidt – så piller de hende fra hinanden. Min far knækkede min mor så voldsomt, at hun gik tidligt i graven. Han prøvede også at knække mig. Måske lykkedes det ham. Jeg er her stadig. Bor på det her lortested. Laver mad til ham. Tørrer hans magre røv."

Faith så det hjemsøgte blik i Pennys øjne, da hun stirrede mod huset. Hunden flyttede lidt på sig bagved. Han lagde snuden mod konsollen.

Penny rakte bagud og klappede ham, mens hun fortsatte. "Vil du vide, hvorfor de gamle mænd i den her by er så vrede? Det er, fordi de engang styrede alting. Hvem der skulle sprede ben. Hvem der ikke skulle. Hvem der fik de gode jobs. Hvem der ikke kunne tjene til føden. Hvem der fik lov til at bo i den pæne del af byen, og hvem der måtte blive på den forkerte side af sporene. Hvem der måtte tæve konen. Hvem der kom i spjældet for at køre, når de havde drukket, og hvem der endte i borgmesterkontoret."

"Og nu?"

Hun udstødte en kort latter. "Nu har de intet andet end dåsemad og voksenbleer."

Faith så på Pennys hærgede ansigt. Når først man skrællede den hårde facade af, var der et deprimerende lag af nederlag.

"Pis," mumlede Penny. "Det var lige meget, hvad jeg gjorde, så endte det altid sådan her. Det samme med Mercy. Hendes far skrev første side i bogen over hendes liv, før hun fik chancen for selv at finde sin vej."

Faith lod hende fortsætte. Normalt var hun altid klar på en god *mænd er røvhuller*-session, men hun var nødt til at finde en måde at få samtalen til at handle om efterforskningen igen. Nu hvor Dave var ude af billedet, var der en håndfuld mistænkte tilbage i hytterne, der kunne have voldtaget og myrdet Mercy.

Hun ventede, til Penny var faldet ned igen, før hun spurgte: "Kom Mercy sammen med nogen?"

"Hun kom nærmest aldrig ned fra bjerget. Jeg kan ikke huske, hvornår hun sidst har været hernede. Hun kunne ikke selv køre. Brød sig ikke om at vise sit ansigt, især ikke efter det, hun var nødt til at gøre for at få Jon tilbage. Den gamle mær, der har stearinlysbutikken, spyttede hende engang i ansigtet og kaldte hende luder. Folk hernede husker godt."

"Så Mercy så ikke en fra byen?"

"Fandeme nej. Det ville have stået på forsiden af lokalavisen. Hernede har du ikke noget for dig selv. Alle blander sig i, hvad du laver. Så hellere et Happy Meal. Der er der i det mindste altid legetøj med."

"Hvad med personalet i hytterne? Var Mercy sammen med nogen af dem?"

"Spis ikke, hvor du skider. Alejandro er en snobberøv og de to tjenere har ikke fået hår på den." Penny trak på skuldrene. "Hun har muligvis givet lidt til en gæst i ny og næ."

Faith kunne ikke skjule sin overraskelse.

Penny lo. "Rigtig mange af de der par, de tror, at det at være isolerede på et luksusresort redder deres ægteskab. Så sender mændene dig et blik, kommer muligvis med en bemærkning, og så ved du, de er klar på lidt sjov."

Faith tænkte på Frank og Drew. Af de to mænd virkede Frank som førstevalget til en quickie på bjerget. "Hvor gør de det?"

"Hvor som helst de kan være alene i fem minutter." Hun trak i læberne igen. "Ti, hvis du er heldig, så smutter de tilbage i seng til deres koner."

Faith gættede på, at hun talte af erfaring. "Har Mercy nogensinde haft noget kørende med Chuck?"

"Fandeme nej. Den stakkels lille særling har været lun på Mercy, siden Fisk tog ham med hjem fra college på en juleferie engang." Hun forklarede: "De kalder Christopher for Fiskehviskeren, fordi han er besat af fisk. Han og Chuck gik på UGA sammen. Pot og pande. De er supernørdede begge to. Ikke meget held med damerne."

"Jeg har hørt, at Mercy råbte ad Chuck under cocktailserveringen i aftes."

"Hun havde nerverne uden på tøjet, det er det hele. Mercy fortalte mig ikke, hvad der foregik, men jeg kunne se, at familielortet havde hende mere ude i tovene end vanligt. Chuck var bare det forkerte sted på det forkerte tidspunkt. Hvilket i øvrigt er hans speciale. Han sniger sig altid ind på folk, især kvinder." Penny gik videre til det åbenlyse spørgsmål. "Hvis Chuck var voldtægtsmand, så havde han voldtaget Mercy for længe siden. Og hun havde skåret halsen over på ham. Det kan jeg godt love dig for."

Faith havde haft en hel del voldtægtssager. Ingen vidste, hvordan de ville reagere. Hun så sådan på det, at hvad end et offer gjorde for at overleve, var lige præcis det, offeret skulle gøre for at overleve.

"Jeg kan godt fortælle dig, hvad Mercy var bekymret for," sagde Penny. "Hende gæsten, Monica, hun var allerede bedugget, da hun kom til cocktails. Damen gav mig tyve dollars i drikkepenge kontant for den første drink og sagde, jeg bare skulle blive ved med at lade dem komme, men jeg skal være ærlig og sige, at jeg fortyndede lortet. Så bad Mercy mig om at fortynde det endnu mere."

"Hvad drak hun?"

"Old Fashions med Uncle Nearest. Toogtyve dollars per drink."

"Hold da kæft." Faith justerede sit regnestykke på spiritusoverskuddet. Hytterne kunne skumme en tusse på nogle aftener. "Var der andre, der drak?"

"Ikke ud over det sædvanlige. Men manden rørte intet, faktisk."

"Frank," tilføjede Faith. "Havde han nogen interaktioner med Mercy?"

"Ikke hvad jeg så. Og tro mig, med det, der endte med at ske, så ville jeg have sagt det til Småkage, hvis jeg havde set nogen prøve på noget."

Der var ingen vej udenom at nærme sig V.C. Andrews-scenariet. Faith prøvede at nærme sig emnet forsigtigt. "Fik Fisk nogensinde noget hos nogen af gæsterne?"

Penny skraldgrinede. "Det eneste, Fisk kan få på krogen, er ørred."

Faith kom i tanke om en detalje fra Wills optagelse. "Hvad med den forfærdelige historie om Christopher og Gabbie?"

"Gabbie? Hold op, det er længe siden. Jeg drak stadig, dengang hun døde. Det samme gjorde Mercy, Gud velsigne hende."

Faith mærkede nakkehårene rejse sig. Delilah havde fået det til at lyde som endnu et kuldsejlet forhold for Christopher. "Kan du huske, hvad Gabbie hed til efternavn?"

"Det er godt nok mange år siden." Penny trak tankefuldt i læberne. "Husker det ikke, men hun er et førsteklasses eksempel på det, jeg snakkede om før. Gabbie kom op fra Atlanta for at arbejde i hytterne hen over sommeren. Smuk som ind i helvede, fuld af liv. Hver eneste mand på den bjergtop var forelsket i hende."

"Også Christopher?"

"Især Christopher." Hun rystede på hovedet. "Han var helt ødelagt, da hun døde. Jeg tror faktisk stadig ikke, han er kommet sig over det. Lå i sengen i ugevis. Ville ikke spise, kunne ikke sove."

Faith var desperat efter at overfalde hende med spørgsmål, men hun holdt sig tilbage.

"Problemet var, at Gabbie lagde mærke til ham," sagde Penny. "Fisks liv, han har mest været usynlig. Især for kvinder. Og så kommer Gabbie, smilende, og lader, som om hun er interesseret i vandvejshåndtering, eller hvad fanden han har plapret løs om ved middagsbordet. Jeg mener, det er ikke hans fejl, at han ikke kan læse folk. Du ved, at nogle mænd tolker venlighed som interesse."

Det vidste Faith alt om.

"Den, Gabbie var mest knyttet til, var Mercy. De var næsten jævnaldrende. Bedste venner fra første sekund, sådan ville jeg beskrive det, de var som siamesiske tvillinger fra første dag. Jeg var misundelig, det indrømmer jeg gerne. Jeg har aldrig rigtig haft nogen. Og de havde alle mulige planer for, hvad de skulle efter sommeren. Gabbies far havde en restaurant i Buckhead. Mercy ville flytte til Atlanta og servere, og de skulle finde en lejlighed sammen og tjene masser af penge og leve livet."

Faith kunne stadig høre misundelsen i Pennys stemme.

"De to der, de sneg sig væk fra hytterne nærmest hver aften. Det var dengang, hvor der var fester ovre i det gamle stenbrud. Countyets mest tåbelige sted at drikke sig i hegnet. Vejen væk derfra var snørklet som en nonnekusse. Stejle skrænter på begge sider, ingen rækværk, før man nåede svinget. De sidste par kilometer kaldes djævlesvinget, for det er stejlt og kurvet og føles som en rutsjebane. Nogle gange festede jeg sammen med dem, Men noget dybt i mig sagde, at vi alle ville ende med at dø, hvis vi fortsatte. Jeg begyndte min vej ind i ædrueligheden, især efter det, der skete."

"Hvad var det, der skete?"

Penny sukkede hvislende mellem tænderne. "Mercy kørte bilen direkte ud over djævlesvinget. Direkte ned i kløften. Hun røg ud gennem forruden, fik skåret ansigtet op og brækkede halvdelen af knoglerne i kroppen. Gabbie blev knust. Far fortalte, hun havde haft benene oppe på instrumentbrættet, da det skete. Den ligsynsansvarlige sagde til ham, at hendes skinnebensknogle havde pulveriseret kraniet. De måtte bruge tandkort for at identificere hende ved obduktionen. Det så ud, som om nogen havde svunget en forhammer mod hendes ansigt."

Faiths mave vendte sig. Hun havde arbejdet med den slags uheld.

"Man kan sige, hvad man vil om Cecil, men han holdt Mercy ude af fængslet. Hun stod til manddrab, mindst. Blodprøverne viste, at hun havde pumpet sig med stoffer, da det skete. Mercy var stadig helt på røven, da Småkage kørte med hende i ambulancen. De var nødt til at fastspænde hende i akutmodtagelsen. Han fortalte mig, at halvdelen af hendes ansigt hang frit fra kraniet, og hun grinte som en hyæne."

"Grinte?"

"Grinte," bekræftede Penny. "Hun troede, at Småkage lavede fis med hende. Troede, hun stadig var i hytterne. At hun havde taget en overdosis, og de holdt parkeret ude foran huset. Dem i akutmodtagelsen hørte hende også grine, så det rygte løb hurtigt. Der var ikke en eneste i hele byen, du kunne have sat i en jury, som ikke ville have dømt hende i en retssag. Men der blev ikke nogen retssag. Mercy gik stort set fri. Hvilket er en anden grund til, at folk i byen hader hende. De siger, hun slap af sted med mord."

Det forstod Faith ikke, hvordan kunne ske. "Tog hun imod en aftale, fordi hun tilstod?"

"Du hører ikke, hvad jeg siger. Der var ingen aftale at tage imod. Mercy blev ikke tiltalt for noget som helst. Hun fik ikke så meget som en bøde. Hun afgav frivilligt sit kørekort. Så vidt jeg ved, har hun ikke kørt bil siden, men det var hendes valg, det var ikke en dommer, der tog det fra hende." Penny nikkede, som var hun enig i Faiths chok. "Du spurgte ind til magtmisbrug? Det var det, min far brugte sin magt til, at lægge Mercy i Cecils hænder resten af hendes liv."

Faith var lamslået. "Hun slap bare af sted med det? Uden konsekvenser?"

"Jeg mener, hendes ansigt var en konsekvens. Hun fortalte mig, at hver gang hun så sig selv i spejlet, blev hun mindet om, hvor dårligt et menneske hun var. Hun var hjemsøgt af det. Tilgav aldrig sig selv. Og det burde hun måske heller ikke."

Faith kunne slet ikke forstå, hvordan det kunne være sket. Der var så mange tjenester, der skulle gives, hvis Mercy skulle undgå retsforfølgelse for at have slået ihjel i et køretøj. Og ikke kun hos ordensmagten. Countyet havde et anklagerkontor. En turnusdommer. En borgmester. Kommissionsmedlemmer.

Så det viste sig, at Pennys tirade mod de gamle, vrede mænd, der engang styrede byen, alligevel var nyttig. Mercy var ikke blevet straffet, fordi de alle sammen havde stukket hovederne sammen og besluttet sig for, at hun ikke skulle straffes.

"Man kan sige, at det eneste gode, der kom ud af det, var, at Mercy besluttede sig for at prøve at blive clean," sagde Penny. "Der skulle et par forsøg til, men da først hun var blevet klar i hovedet, kunne hun ikke tænke på andet end Jon. Hun sagde til mig, at uden ham ville hun gå ud i søen og aldrig vende tilbage igen."

Faith kunne slet ikke forstå, hvordan Mercy havde kunnet forhindre sig selv i det. Skyldfølelsen over at have været ansvarlig for sin bedste vens død måtte have været altødelæggende.

"Hvis jeg skal være ærlig, så tænker jeg nogle gange, at det havde været bedre for Mercy at afsone i fængslet. Den måde, Cecil og Bitty behandlede hende på, var værre end noget, der nogensinde kunne have hændt hende inden for murene. Det er slemt nok, at en fremmed overfalder dig hver eneste dag, men når det er din egen mor og far?"

Det kom bag på Faith, at hun selv følte sig trist på Mercy McAlpines vegne. Hun blev ved med at vende tilbage til noget, Penny havde sagt: *Hendes far skrev første side i bogen over hendes liv, før hun fik chancen for selv at finde sin vej.* Det var ikke helt sandt. Det var muligt, Cecil var begyndt, men Dave fortsatte samme mishandlende narrativ, og endnu en mand afsluttede det. Faith troede ikke på skæbnen, men det lød som en kvinde, der ikke havde haft en chance.

Hendes telefon begyndte at ringe. Displayet viste GBI SAT.

"Jeg bliver nødt til at tage den her," sagde hun til Penny.

Penny nikkede, men hun steg ikke ud af bilen.

Faith skubbede døren op. Sålerne på hendes støvler sank ned i mudderet. Hun trykkede på telefonen. "Mitchell."

"Faith." Wills stemme var svag gennem satellitforbindelsen. "Kan du snakke?"

"Øjeblik." Faith knirkede gennem mudderet for at komme væk fra bilen. Penny fulgte hende åbenlyst med blikket. Hesten løftede hovedet, da Faith gik forbi. Dens øjne fulgte hende som en seriemorder. Hun gik nogle meter mere og sagde så til Will: "Tal."

"Mercy var gravid."

Faiths hjerte sank, da hun hørte den nyhed. Hun kunne kun tænke på Mercy. Kvinden havde da ingen medvind. Så tog hendes efterforskerhjerne over, for dette ændrede alt. Der var ikke nogen farligere periode for en kvinde, end når hun var gravid. Mord var den hyppigste årsag til moderdød i USA.

"Faith?"

Faith hørte bildøren smække. Penny var steget ud. Hunden sad ved hendes fødder. Faith talte lavmælt, da hun spurgte Will: "Hvor langt henne?"

"Sara estimerer tolv uger."

Faith lyttede til telefonen knitre i stilheden. Hun vendte ryggen til bilen. "Vidste Mercy det?"

"Uklart," sagde Will. "Hun sagde det dog ikke til Sara."

"Penny har fortalt, at Mercy tidligere har haft engangsknald med gæster."

Will lod stilheden hænge i luften et øjeblik. "Vejen er fuldstændigt skyllet væk. Vi lod en UTV stå ved hospitalet til dig. Find Sara, og tag hende med herop. Det kan være, hun kan få Drew og Keisha til at tale med hende."

"Tror du, at Drew ..."

"De har været heroppe to gange før," mindede han hende om. "Drew sagde noget mærkeligt til Bitty her til morgen. Sara kan opdatere dig."

"Jeg tager tilbage til hospitalet nu."

Faith lagde på. Hesten fnøs ad hende, selvom hun gik i en stor bue uden om den. Penny havde haglgeværet over skulderen. Hun så ned på jorden. Faith fulgte hendes blik. Miniens baghjul var fladt. "Fuck."

"Har du et reservehjul?" spurgte Penny.

"Det står i min garage. Min søn tog det ud, da han skulle flytte band-gear." Faith håbede, at FBI godt kunne se, at Jeremy var en idiot. Hun nikkede mod chevy-trucken. "Kan jeg få et lift til hospitalet? Min makker har brug for mig ved hytterne."

"Jeg kører ikke bil, og trucken virker ikke, men der er masser af brændstof på Rascal."

"Rascal?"

Penny nikkede mod hesten.

14

Will scannede skovene, mens han gik op ad Ringstien mod hovedhuset. Hans tilskadekomne hånd dunkede, selvom han holdt den ind mod brystet, som om han konstant svor flaget troskab. Forbindingen var blevet våd igen. Han havde taget en skyller og taget rene bukser på, mens Kevin Rayman, den udlånte agent fra GBI's filial i det nordlige Georgia, indsamlede bevismateriale fra Mercys soveværelse.

Ikke at der var så meget at indsamle. Ligesom det var tilfældet med hendes økonomiske situation, ejede Mercy ikke meget. Det lille skab var fyldt med praktisk tøj. Ingenting på bøjler, bare foldede bluser, jeans og udendørstøj. Hun havde to par udtrådte sneakers og nogle dyre, men gamle vandrestøvler. Will blev ramt af en velkendt følelse. Det tøj, han havde haft som barn, var doneret af andre. Mercys tøj var falmet og slidt og i forskellige størrelser. Han ville vædde på, at hun ikke havde købt det fra nyt.

Faktisk var der ikke noget, der virkede nyt. Der hang falmede plakater af O-Town, New Kids on the Block og the Jonas Brothers på væggene. Nogle af Jons børnetegninger var hængt op med tape ved siden af døren. Fotografier dokumenterede de seksten år af hans liv. Skolebilleder og nogle udendørsskud: Jon, der fik en plysgiraf i julegave; Jon, der stod sammen med Dave ved en trailer; Jon, der lå på sofaen, hvor han var faldet i søvn med telefonen hvilende mod kinden.

Mercys værelse indeholdt husets tilsyneladende eneste bogreol. Hun havde en snekugle fra Gatlinburg, Tennessee, og mindst halvtreds godt slidte kærlighedsromaner. Alt var støvet af og velordnet, hvilket på en eller anden måde gjorde hendes sparsomme ejendele meget mere hjertegribende. Der var ingen hemmelige papirer gemt under madrassen. Skuffen i hendes natbord indeholdt, hvad man ville forvente, en kvinde havde. Der var ikke noget badeværelse i forlængelse af værelset. Mercy delte badeværelset for enden af gangen med resten af familien. Hun havde ikke taget sin iPad med, da hun havde pakket. Skærmen var låst. De ville være nødt til at sende den til laboratoriet for at prøve at knække koden.

Ifølge Sara havde Mercy ikke en spiral. De havde ingen chance for at vide, om Mercy overhovedet var klar over, at hun var gravid. Hvis hun tog p-piller, lå de sikkert i rygsækken. Kondomer virkede ikke som noget, en kvinde ville huske at pakke, hvis hun skulle af sted i al hast. Det store spørgsmål var stadig ubesvaret: Hvad havde fået hende til at tage af sted? Hvor havde hun tænkt sig at tage hen? Hvorfor havde hun ringet til Dave?

Will stoppede op på stien og tog sin iPhone op af lommen. Han brugte fingrene på den sårede hånd til at trykke på skærmen og åbne optagelsen af Mercys telefonbesked til Dave. Der var en del af den, han blev ved med at vende tilbage til.

Jeg kan ikke tro – åh gud, jeg kan ikke ... ring til mig. Jeg beder dig. Jeg har brug for dig.

Der havde været en form for håb i desperationen, da hun sagde ordene *jeg har brug for dig*, som om hun bad til, at dette ville være den ene gang, Dave ikke skuffede hende.

Will lagde telefonen tilbage i lommen og fortsatte ad sporet. Han blev ved med at høre beskeden for sig i hovedet. Han forstod ikke, hvordan Dave var kommet hertil. Ingen af dem havde haft et valg, hvad deres elendige barndom angik, men de havde begge besluttet, hvilken slags mænd de ville være. Will dømte ikke Dave for at kæmpe med dæmoner. Alkoholen og stofferne gav en vis form for mening. Men Dave havde valgt at tæve sin hustru, strangulere hende, terrorisere hende, svigte hende igen og igen.

Den del af det faldt udelukkende tilbage på ham.

Will bebrejdede sig selv for at stirre sig blind på den forkerte fyr. Han var nødt til at slippe sin vrede mod Dave. Mercys uduelige eksmand var skubbet ud i periferien af efterforskningen. At identificere morderen, at finde Jon, det var de eneste to ting, Will behøvede at bekymre sig om lige nu.

Sollyset varmede hans ansigt, da han trådte ud i lysningen med hytterne. Will rettede på den tunge satellittelefon, der var klipset bag på hans bælte. I siden havde han et hylster. Amanda havde lånt ham sin backup-pistol, en kortnæset femskuds Smith & Wesson, der var ældre end Will. Han følte sig som en fredløs, der gik gennem byen i en gammel spaghettiwestern. Et gardin bevægede sig i Drew og Keishas hytte. Cecil nidstirrede ham fra kørestolen på verandaen. De to katte holdt øje med ham fra hver deres trin på trappen. Paul lå i hængekøjen ude foran hytten. Der lå en bog på hans brystkasse, og der stod en flaske sprit på bordet. Hans mund formedes til en smisken, da han så Will. Han rakte ud efter flasken og tog en tår.

Will havde tænkt sig at lade ham stege lidt længere. Paul stod på hans liste over folk, han skulle tale med, men han stod ikke øverst. Afhøringer faldt generelt i to kategorier: de konfrontatoriske og de informative. De to tjenere, Gregg og Ezra, var teenagere. De ville sikkert være gode kilder til oplysninger. Will var ikke sikker på, hvilken kategori Alejandro ville falde i. Mercy var tolv uger henne. Gæster kom og gik. Wills primære fokus var på de mænd, der var mere konstant omkring Mercy.

Dermed ikke være sagt, at turen ikke også kom til de andre mænd i hytterne. McAlpine-familien havde suspenderet alle planlagte aktiviteter, men Chuck var taget på fisketur med Christopher, lige så snart uvejret var løjet af. Drew havde buret sig inde i hytte tre sammen med Keisha. Gordon virkede tilfreds med at drikke dagen væk sammen med Paul. Frank legede Columbo i Hardy-drengenes version.

Will ventede på, at Amanda fik ransagningskendelsen, så de kunne gennemsøge ejendommen for blodigt tøj og det forsvundne knivskaft. UTV'en var udstyret med en termisk printer i den låsbare bagageboks, som forhåbentlig virkede sammen med satellittelefonen, så Will kunne printe dokumentet og overrække det fysisk. Familien havde givet Will og Kevin adgang til Mercys værelse, men han havde på fornemmelsen, at de ville modsætte sig en ransagning af resten af bygningerne, især fordi de stadig prøvede at holde på de betalende gæster.

Bitty havde sagt til Will i utvetydige vendinger, at hun og hendes mand var alt for overvældede af sorg til at kunne besvare nogen spørgsmål. Hvilket lød rimeligt nok, men kvinden havde ikke virket overvældet af andet end vrede. Sara havde allerede gennemsøgt køkkenet efter det knækkede knivskaft, så huset lå langt nede på listen. De kom nok ikke udenom at trække vod i søen. Det var en beslutning, der lå over Wills løntrin. Den bedste måde, han kunne bruge sin tid på nu, var at tale med folk og forsøge at finde ud af, hvem der havde et motiv til at slå Mercy ihjel.

Will scannede træerne og prøvede at finde ud af, hvilken vej han skulle gå. I aftes var de kommet hen til spisesalen ved at følge den nederste halvdel af Ringstien. Sara havde ført dem ad en anden sti, men Will måtte indrømme, at han havde lagt mere mærke til Sara end til ruten.

Ud af øjenkrogen så han døren til Franks hytte blive åbnet på klem. En hånd stak ud og vinkede Will nærmere. Han kunne se Frank gemme sig i skyggerne, hvilket ville have været komisk i enhver anden sammenhæng. Will stod midt i det hele. Alle og enhver ville kunne se ham skrå hen over lysningen og gå hen til hytte syv. Han tænkte, at han lige så godt kunne afhøre Frank nu. Monica var bevidstløs af druk i aftes. Han kunne nemt være smuttet ud til et stævnemøde. Han kunne nemt have taget et brusebad og vasket Mercys blod af sig og være smuttet tilbage i seng, uden at hans kone vidste noget.

Frank holdt forestillingen kørende, selv mens Will gik op ad trappen. Døren blev åbnet lidt mere. Da Will var inde, skulle han bruge et øjeblik, før hans øjne havde vænnet sig til mørket. Gardinerne var både trukket for vinduerne og verandadørene. Døren ind til soveværelset var lukket. Der hang en syg lugt i luften.

"Jeg har de navne, du bad mig finde." Frank rakte Will et foldet stykke papir. "Jeg fandt gæsteoversigten i et kontor bagved køkkenet."

Will foldede papiret ud. Gudskelov havde Frank skrevet med blokbogstaver, der var nemmere for ham at læse. Han stoppede listen i skjortelommen til senere. Lige nu var det Frank, der var i den varme stol. "Tak for din hjælp. Hvordan kom du forbi personalet?"

"Jeg trak rig, hvid mand-kortet og forlangte i utvetydige vendinger at få lov til at bruge telefonen. Ingen sagde til mig, at den ikke virkede." Han lød spændt. "Er der andet, du har brug for, at jeg gør, chef?"

"Jah." Will skulle i gang med at slå lidt vind ud af fyrens sejl. "Hørte du noget i aftes?"

"Intet, hvilket er mærkeligt, for jeg hører normalt virkelig godt. Og jeg fik ikke ligefrem sovet meget. Jeg var oppe med Monica flere gange i løbet af natten. Hvis nogen havde råbt i nabolaget, ville jeg have hørt det."

Wills opfølgende spørgsmål blev afbrudt af lyden af en, der kastede op bag den lukkede soveværelsesdør. Så holdt det op. Og der blev trukket ud i toilettet. Der blev igen stille.

"Hun skal nok klare sig." Franks stemme havde det indøvede tonefald, en ægtefælle har, når de skal undskylde deres alkoholiske partner. "Sid ned."

Will var glad for, at Frank gjorde det nemt for ham. Møblerne var i samme stil som sofaen og klubstolene i Will og Saras hytte, men det så mere slidt ud. Der var en plet på tæppet, hvorpå der lå køkkenrulle ovenpå til at suge den mørke væske op. Det var der, lugten kom fra. Will tog stolen længst væk.

"Sikke en dag." Frank gned sit ansigt, da han dumpede ned på sofaen. Han så pinligt berørt ud. Han så også udmattet ud. Han var ubarberet. Håret var uredt. Han havde tydeligt haft en hård nat, selv inden Will havde vækket dem alle sammen. "Hvordan går det med din hånd?"

Wills hånd dunkede for hvert eneste hjerteslag. "Den har det bedre, tak."

"Jeg kan ikke lade være med at tænke på Mercy ved middagen i aftes. Jeg ville ønske, jeg havde hjulpet hende, men jeg ved ikke, hvad jeg kunne have gjort."

"Der var ikke så meget, nogen kunne gøre."

"Tjo, hvem ved?" spurgte Frank. "Jeg kunne da have gjort det, du gjorde. Hjulpet med at samle glasskår sammen. I stedet begyndte jeg at tale om maden. Det ville jeg ønske, jeg ikke havde gjort, for jeg tror, det gjorde det okay for alle at ignorere det, der lige var sket."

Nu var der ikke længere noget indøvet over hans tonefald, men Will tænkte, at hans behov for altid at glatte ud var et tilbagevendende dilemma.

"Jeg vil gerne gøre noget nu," sagde Frank. "Mercy er død, og alle virker helt ligeglade. Du skulle have set dem alle sammen ved morgenmaden. Gordon og Paul, der fortalte morbide vittigheder. Drew og Keisha, der dårligt nok sagde et ord, Christopher og Chuck kunne lige så vel have forseglet sig i en akrylkasse. Jeg prøvede at tale med Cecil og Bitty, men – har du også en dårlig fornemmelse af dem?"

Will havde ikke tænkt sig at dele sine fornemmelser. Frank stod langt nede på hans liste over mistænkte, men han stod på listen. "Har jeg hørt dig fortælle, at du har været heroppe før?"

"Nej, det var Drew og Keisha. Det er deres tredje gang heroppe, tænk engang. Men jeg tvivler nu på, de kommer tilbage."

"Du og Monica rejser meget. Hvor var I henne sidst?"

"Åh, hmm, det må have været Italien. Vi var i Firenze for tre måneder siden. Blev der i to uger. Der var en hel del vin. Måske var det en fejl fra min side, men leve skal man jo, ikke?"

"Jo." Will noterede sig, at han skulle have bekræftet tidspunktet, men det kunne give ham et alibi i forhold til graviditeten, hvis ikke mordet. "Hvad var dit indtryk af Mercy?"

Frank lænede sig tilbage i sofaen med et tungt suk. Han virkede fortabt i tanker et øjeblik. "Begge mine forældre var alkoholikere. Jeg ved ikke, hvad det er med mig, men jeg fornemmer det, når folk er plagede. Det er en form for sjette sans."

Will forstod. Han var selv vokset op blandt misbrugere. Hans første kone havde stadig et lidenskabeligt forhold til opioider. Han var hyperopmærksom på, når andre havde samme mønstre.

"Nå, men det var, hvad min Spider-sans sagde mig. At Mercy var plaget."

Monica hostede inde fra soveværelset. Frank drejede hovedet og lyttede igen. Will havde ondt af manden. Det var en utrolig stresset måde at leve på. Will blev stadig uforklarligt nervøs, hvis Saras læber så meget som rørte et glas vin.

"Måske var det derfor, jeg holdt mig på afstand. Af Mercy, mener jeg. Jeg havde ikke lyst til at blive rodet ind i hendes drama. Man kan vel sige, jeg har nok at se til. Ser du, Monica var ikke sådan her, da vores søn var i live. Hun var sjov og afslappet, og hun kunne holde mig ud, hvilket siger en hel del. Jeg ved godt, jeg er noget af en mundfuld. Nicholas var vores livs solstråle. Så tog leukæmien ham fra os, og ... Vores terapeut siger, at alle håndterer deres sorg på deres egen måde. Jeg troede virkelig, at det at komme her kunne give os en frisk start, ikke? Tro det eller lad være, Monica drak stort set aldrig, før Nicholas døde. Hun kunne godt nyde en margarita i ny og næ, men hun kendte godt historien om mine forældre, så ..."

Will vidste godt, at det empatiske ville være at lade manden tale. Frank var tydeligvis helt alene inde i sin kones misbrug. Men det her var en mordefterforskning, ikke terapi. Han ville lade Frank løse nogle opgaver, men det fjernede ham ikke fra Wills liste over mistænkte.

"Beklager." Franks Spider-sans opfangede Wills utålmodighed. Han rejste sig fra sofaen. "Jeg ved godt, jeg snakker for meget. Tak, fordi du lyttede. Lad mig vide, hvad jeg kan ..."

Monica hostede inde fra det andet rum igen. Will bemærkede godt bekymringen i Franks ansigt. Manden havde uden tvivl set tømmermænd før, men noget sagde Will, at det var noget andet denne gang.

"Hvad foregår der, Frank?" spurgte han.

Frank skævede igen til soveværelsesdøren og sænkede stemmen. "Tro det eller lad være, men det i aftes var ikke så slemt. Hun fik meget at drikke, men ikke så meget som sædvanligt."

"Og?"

"Jeg tror ikke, det er noget alvorligt, men ..." Frank trak på skuldrene. "Hun bliver ved med at kaste op. Jeg har været gennem alle colaerne i køleskabet. Jeg har hentet toastbrød fra køkkenet. Hun kan ikke holde noget i sig."

Will ville ønske, de havde haft denne samtale tyve minutter tidligere. Sara var allerede taget af sted i den anden UTV. "Min hustru er læge. Jeg skal sørge for, at hun tjekker Monica, så snart hun kommer."

"Det vil jeg sætte pris på." Frank var alt for lettet til at spørge, hvordan Sara var gået fra at være kemilærer til at være læge. "Som sagt, jeg tror ikke, det er alvorligt."

Hans nedtoning af situationen talte til det bedre i Will. Han lagde hånden på Franks skulder. "Vi skaffer hende noget hjælp, Frank. Det lover jeg."

"Tak." Frank smilede kejtet. "Jeg ved godt, det lyder skørt, men måske forstår du. Jeg tror, du forstår. Jeg så dig og Sara sammen, og det fik mig til at mindes, ikke? Hun er værd at kæmpe for. Jeg elsker min kone virkelig, virkelig højt."

Will så Franks øjne blive fyldt med tårer. Han blev reddet fra at finde på noget betænksomt at sige, da Monica hostede igen. Hendes fødder slog hurtigt mod gulvet, da hun løb ud på toilettet.

"Undskyld mig." Frank forsvandt ind i soveværelset.

Will gik ikke. Han så sig omkring. Sofaen og stolene. Sofabordet. Frank havde ryddet op. Alt stod tilsyneladende på rette plads. Will så sig hurtigt omkring, tjekkede under puderne, gennemsøgte hylder og skuffer i det lille køkken, for Frank virkede som en rar fyr, men han var også en ensom, sorgtynget mand, der prøvede at redde sit ægteskab

– præcis den type gæst, Mercy havde haft engangsknald med tidligere.

Frank havde ladet døren til soveværelset stå på klem. Will skubbede døren op med støvlesnuden. Værelset var tomt. Frank var ude på badeværelset sammen med Monica. Will gik derind. Deres tøj lå stadig sammenfoldet i kufferterne. Han fandt en stak bøger, mest thrillere. De sædvanlige digitale apparater. Sengen var ikke redt. Lagenet var gennemblødt af sved. Der stod en fyldt skraldespand på gulvet ved siden af sengen.

Ikke noget blodigt tøj. Ikke noget afbrækket knivskaft.

Will bakkede ud af soveværelset. Han så på uret. Det ville ikke rigtig blive godt igen, før Sara stod foran ham. Hun kunne i det mindste give ham det der blik, der sagde, at han var en idiot, fordi han ikke tog noget smertestillende for sin hånd.

Hvilket var helt berettiget, men det ændrede ikke noget.

Cecil stirrede stadig olmt, da Will forlod hytten. Will fik øje på et skilt med en tallerken og bestik ved siden af en pil. Det måtte være Foderstien. Will genkendte det zigzaggede forløb fra i aftes. Ærtestenene var mast i parallelle rækker af Cecils kørestol.

Will gik lidt ned ad stien og fik afstand til huset, før han kiggede på den gæsteliste, Frank havde givet ham. Han kunne godt tyde navnene, men kun fordi han kendte dem i forvejen. Efternavnene var en anden historie. Han fandt en træstub og satte sig. Han lagde papiret i skødet og satte sine earbuds i. Han brugte telefonens kamera til at scanne navnene med og loadede scanningen i sin tekst til tale-app.

Frank og Monica Johnson

Drew Conklin og Keisha Murray

Gordon Wylie og Landry Peterson

Sydney Flynn og Max Brouwer

Will lavede et hotspot til satellittelefonen og sendte listen til Amanda, så hun kunne lave baggrundstjek og tjekke deres straffeattest. Det tog næsten et helt minut at uploade. Han ventede, til hun bekræftede på sms, at hun havde modtaget oplysningerne. Så ventede han for at se, om hun sendte mere. Han blev delvist lettet, da de tre dansende prikker forsvandt.

Amanda var ekstremt rasende på ham lige nu. Mere, end hun plejede at være, hvilket sagde en hel del. Hun havde prøvet på at tage sagen fra Will. Will havde sagt til hende, at han ville efterforske den alligevel. Det var blevet en ting. Han kunne ikke gøre andet end at vente til det øjeblik i nær fremtid, hvor hun ville gribe om hans hals med de sylespidse negle og flå hans indvolde ud.

Men nu havde han en kok og to tjenere, han skulle afhøre. Will foldede listen sammen og stoppede den tilbage i skjortelommen. Han stak telefonen og earbudsene tilbage i bukselommen. Han klipsede satellittelefonen tilbage i sit bælte. Han trykkede den sårede hånd mod brystet og gik videre.

Foderstien tog et stort sving, inden den zigzaggede tilbage mod spisesalen. Det gav god mening med det bløde sving, da Cecils kørestol ikke kunne klare en stejl, nedadgående sti, men Will ville være nødt til at sige til Faith, at hun skulle justere sin tidslinje. Mercy ville ikke have fulgt stien med de mange sving, især ikke, hvis hun løb for livet.

Will ventede med at se tilbage op ad stien, til han var kommet helt op på udsigtsverandaen. Han mente at kunne se hovedhusets tag herfra. Han gik helt hen til kanten, hvor der var udsigt over søen. Træerne gjorde, at man ikke kunne se kysten, men Ungkarlehytterne var dernede et sted. Han lænede sig ud over rækværket og så lige ned. Der var langt ned, men han tænkte, at en, der var vokset op her, godt ville kunne komme ned herfra hurtigt. Will havde på fornemmelsen, at det nok blev ham, der ville ende med at skulle glide ned ad siden på en klippe, mens Faith stod og holdt stopuret.

Han gik bagom bygningen mod køkkenet og skævede ind ad vinduerne på vejen. Kokken stod ved en industrirøremaskine. De to tjenere var i færd med at bære store sorte plasticsække med affald ud ad bagdøren.

Will skulle lige til at gå ind, da satellittelefonen vibrerede i bæltet.

Han trådte et par skridt væk fra bygningen, inden han svarede: "Trent."

"Du insisterer stadig?" spurgte Amanda.

Han kunne tydeligt høre advarslen i det spidse tonefald. "Ja, ma'am."

"Udmærket," sagde hun. "Jeg har forsøgt at få fat i en turnusdommer heroppe, der har en telefon, der virker. Uvejret ødelagde åbenbart hovedtransformeren, der servicerer den nordvestlige del af staten, men jeg skal nok få den kendelse til at ske. Dykkerteamet er lige nu ved Lake Rayburn, hvor de leder efter et lig. Og som du ved, at det meget dyrt at gennemsøge en sø, særligt en, der så dyb, så jeg har brug for, at du finder det knivskaft hurtigt og på land."

"Modtaget."

"Jeg har fundet Gordon Wylies vielsesattest. Han er gift med en mand ved navn Paul Ponticello."

"Noget på deres straffeattester?"

"Intet. Wylie ejer et firma, der har udviklet en app til aktiemarkedet. Ponticello er plastikkirurg og har kontor i Buckhead."

Will tænkte, at de så nok ikke havde ondt i tegnebogen. "Hvad med de andre?"

"Monica Johnson fik en dom for spritkørsel for at halvt år siden."

"Det giver mening. Og Frank?"

"Jeg har fundet en dødsattest på deres barn, tyve år gammel. Leukæmi. Solid økonomi hos dem begge," sagde Amanda. "Det samme gælder resten. Velhavende, veluddannede for de flestes vedkommende. Drew Conklin er undtagelsen. Han har en femten år gammel tiltale for grov legemsbeskadigelse."

Den oplysning kom bag på ham. "Ved du mere?"

"Jeg er i gang med at skaffe rapporten fra anholdelsen for at få flere detaljer. Conklin afsonede ikke, der blev indgået en tilståelsesaftale."

"Ved du, om der var et våben involveret?"

"Det kan ikke have været et skydevåben," sagde Amanda. "Så havde han ikke undgået fængsel."

"Det kunne have været en kniv."

"Tænker du, det kunne have været ham?"

Will prøvede at se bort fra sine personlige følelser, men det var svært. Han havde brug for at vide, hvad *det andet*, Drew havde nævnt for Bitty, var. "Det rykker ham i hvert fald op i toppen af listen, men jeg ved ikke."

"Kevin Rayman er en ualmindeligt dygtig og dekoreret agent."

Hun talte om den anden GBI-efterforsker. "Han gør det godt heroppe."

"Faith er edderstædig som efterforsker."

"Det lyder ikke som en kompliment."

"Wilbur, det er meningen, du skal være på bryllupsrejse. Der vil altid være mordsager. Du kan ikke arbejde på dem alle sammen. Jeg vil ikke tillade, at jobbet overtager dit liv."

Han var træt af at høre samme prædiken. "Alle er fuldstændigt ligeglade med, at Mercy er død, Amanda. De har alle vendt hende ryggen. Hendes forældre har ikke stillet et eneste spørgsmål. Hendes bror er gudhjælpemig taget på fisketur."

"Hun har en søn, der elsker hende."

"Det havde min mor også."

Helt ukarakteristisk havde Amanda ikke et hurtigt svar.

I stilheden betragtede Will en af tjenerne skubbe en trillebør med affaldssække op ad endnu en sti. Han gik ud fra, det var en genvej til huset. Faith ville helt sikkert få brug for kortet. Og sine løbesko. Wills skridt var dobbelt så lange som Mercys. Det ville blive Faith, der skulle løbe rundt i skoven.

"Okay," sagde Amanda endelig. "Lad os få den lukket hurtigt, Wilbur. Og du skal ikke forvente erstatningsfridage. Du har gjort det helt klart, at det er sådan, du vælger at bruge dine feriedage."

"Ja, ma'am." Will afsluttede opkaldet og satte telefonen fast i bæltet igen.

Han så hurtigt ind ad køkkenvinduet. Kokken var rykket videre til komfuret. Will gik rundt til bagsiden af bygningen. Stien op til huset fortsatte nedad mod det vandløb, der endte i søen. Faith ville uden tvivl have en del at sige til ham, når dagen var ovre. Der var et kølerum under et halvtag på den anden side af stien. Døren til køkkenet var lukket. Den anden tjener var stadig udenfor. Han var i gang med at fylde dåser i en papirspose. Håret faldt ned i hans øjne. Han så ud til at være yngre end Jon, måske fjorten år gammel.

"Pis!" Knægten havde fået øje på Will og tabte posen. Dåserne trillede i alle retninger. Han skyndte sig at samle dem op, mens han sendte Will stjålne blikke, som var han taget på fersk gerning. Hvilket var præcis, hvad han var. "Mister, jeg er ikke ..."

"Det er okay." Will hjalp ham med dåserne. Knægten havde ikke taget så meget. Grønne bønner, kondenseret mælk, majs, sorte bønner. Will vidste godt, hvordan det var at være sulten og desperat. Han ville aldrig stoppe nogen, der stjal mad.

"Arresterer du mig?" spurgte knægten.

Will spekulerede på, hvem der havde fortalt ham, at han var ved politiet. Sikkert alle. "Nej, jeg arresterer dig ikke."

Knægten virkede ikke helt overbevist, da han pakkede dåserne ned i posen igen.

"Det er nogle gode sager, du har her."

"Mælken er til min lillesøster," sagde han. "Hun har en sød tand."

"Er du Ezra eller Gregg?"

"Jeg er Gregg, sir."

"Gregg." Will rakte ham den sidste dåse. "Har du set Jon?"

"Nej, sir. Jeg hørte godt, han er stukket af. Delilah har allerede spurgt mig, hvor han kunne finde på at tage hen. Jeg har talt med Ezra om det, og ingen af os ved, hvor han er stukket af til. Hvis jeg vidste det, ville jeg helt sikkert fortælle det. Jon er god nok. Han må være helt ude af den over sin mor."

Will betragtede drengen, der knugede posen med købmandsvarer ind mod brystet. Han var mere bekymret for at miste maden end for at tale med en politimand.

"Behold det," sagde Will. "Jeg siger ikke noget til nogen."

Lettelsen bredte sig over knægtens ansigt. Han gik rundt bagved kølerummet og lagde sig på knæ og gemte posen et sted, der tydeligvis var det, han plejede at bruge. Will fik øje på en mørk olieplet, der havde bredt sig hen over trægulvet. Der var ikke nogen genbrugstank at se, hvilket betød, at olien blev ledt væk gennem septiktanken og kunne ende i grundvandet, hvilket var noget, miljømyndighederne ikke så mildt på. Will arkiverede den oplysning i baghovedet, hvis han skulle bruge noget at presse Bitty og Cecil med senere.

"Tak, mister." Gregg tørrede hænderne i forklædet og rejste sig. "Jeg må hellere komme tilbage til arbejdet."

"Vent lige lidt."

Gregg så bange ud igen. Hans blik søgte i retning af den skjulte mad.

"Du får ikke ballade. Jeg prøver bare at få et lidt bedre indblik i, hvordan Mercys liv var, før hun døde. Kan du fortælle mig noget om hende?"

"Som hvad?"

"Som hvad som helst, du kommer til at tænke på. Bare et eller andet."

"Hun var fair?" sagde han spørgende og testede vandene. "Jeg mener, hun kunne godt give dig et møgfald, men ikke ud af det blå. Du vidste, hvor du havde hende. Ikke som med de andre."

"Hvordan er de andre da?"

"Cecil er ond som en slange. Han giver dig et hug, bare han ser dig. Ikke at han kan bevæge sig på den måde længere, men før ulykken var han uhyggelig." Gregg lænede sig op ad kølerummet. "Fisk, han siger ikke så meget. Han er vel okay, men han er underlig. Bitty, hende har jeg virkelig brændt mig på. Hun lod, som om hun var min ven, men så bad hun mig om noget, og da jeg ikke gjorde det hurtigt nok, vendte hun sig voldsomt mod mig."

"Hvordan det?"

"Hun slog helt hånden af mig," sagde han. "Nogle gange hjælper hun Ezra og mig lidt. For eksempel hvis man er sød ved hende, så stikker hun dig en tier eller en tyver. Men nu, hvis jeg går forbi hende, ignorerer hun mig fuldstændigt. Hvis jeg skal være ærlig, nu hvor Mercy ikke er her længere, så vil jeg finde et job i byen i stedet. De har allerede sagt til os, at vi skal gå ned i løn, fordi de ikke ved, hvad der nu sker."

Det passede meget godt med, hvad han havde hørt om McAlpine og penge. "Har du nogensinde set Mercy tale med nogle af de mandlige gæster?"

Han fnøs. "Det er da en mærkelig måde at spørge på."

"Hvad spørger jeg da om?"

Han blev rød i hovedet.

"Det er okay," sagde Will. "Det er kun dig og mig. Har du set Mercy sammen med nogle af gæsterne?"

"Hvis hun talte med en gæst, så bad de hende enten om noget eller klagede over noget." Han trak på skuldrene. "Vi er heroppe fra klokken seks om morgenen og er nede af bjerget igen klokken ni. Der er masser af arbejde mellem måltiderne. Opvask, forberedelse af mad, rengøring. Der er ikke meget tid til at holde øje med, hvad folk går og laver."

Will spurgte ham ikke, hvordan han fandt tid til at gå i skole. Knægtens arbejde var sikkert en nødvendig del af familiens indtægt. "Hvornår så du Mercy sidst?"

"Det var vel omkring halv ni i aftes. Hun lod os gå tidligt. Sagde, hun nok skulle rydde af."

"Var der andre i køkkenet, da du gik?"

"Nej, sir, hun var alene."

"Hvad med kokken?"

"Alejandro tog af sted sammen med os."

Will havde ikke set nogen anden bil på parkeringspladsen. "Hvad kører han i?"

"Vi rider alle op og ned. Der er en eng lidt længere bag parkeringspladsen. Ezra og jeg rider sammen, eftersom det er hans hest. Alejandro red den anden vej, for han bor omme på den anden side."

Will ville følge op på den eng. "Hvad synes du om Alejandro?"

"Han er fin nok. Går vildt meget op i sit arbejde. Der er ikke så meget pjat." Han trak igen på skuldrene. "Det er bedre end ham, der var her før. Han så altid så underligt på os."

"Tilbragte Alejandro tid sammen med Mercy?"

"Ja da, hun var nødt til at gennemgå forskellige ting et par gange om dagen, for gæsterne kan have mange forskellige krav til deres mad."

"Og havde Alejandro og Mercy disse samtaler foran dig?"

Greggs øjenbryn røg i vejret, som om han lige havde lagt to og to sammen.

"De gik ind på Mercys kontor og lukkede døren. Jeg har aldrig tænkt på de to sammen. Jeg mener, Mercy var jo gammel."

Will tænkte, at toogtredive vel var ældgammel for en fjortenårig.

"Mister," sagde han. "Undskyld, men er vi færdige? Jeg er nødt til at få sat opvaskemaskinen i gang, ellers vanker der."

"Vi er færdige. Tak."

Will ventede, til døren blev lukket bag ham, før han gik hen til kølerummet. Det var ikke aflåst. Han kiggede ind. Der var kun kød derinde. Han gik om bagved og fik øje på Greggs tyvekoster, der var skubbet ind til væggen ved halvtaget. Skraldespandene var tomme. Området var ryddet.

Ikke noget blodigt tøj. Ikke noget knivskaft.

Will lagde sig på knæ og brugte lommelygten i sin telefon til at kigge ind under kølerummet.

Han hørte stemmer fra skoven. Will blev omme bag kølerummet. Han var i skjul bag lamellerne i halvtagets side. Christopher og Chuck kom gående på den nederste del af stien under spisesalen. De bar på fiskestænger og grejkasser. Chuck gik med den samme vanddunk, han havde haft med sig aftenen før. Han drak så højlydt af den gennemsigtige plasticbeholder, at Will kunne høre ham synke på tyve meters afstand.

"Pis," sagde Christopher. "Jeg glemte jo min åndssvage fangstkrog."

Chuck tørrede munden med ærmet. "Du stillede den op ad træet."

"Pis." Christopher så på sit ur. "Vi skal jo have familiemøde. Kan jeg få dig til ..."

"Familiemøde om hvad?"

"Det ved jeg da ikke. Sikkert om salget."

"Tror du stadig, investorerne er interesserede?"

"Giv mig dine ting." Christopher greb om Chucks grejkasse og stang og bar det sammen med sit eget. "Selv hvis de ikke er interesserede, er det slut. Jeg er ude af det her. Jeg ville ikke engang være med til det fra starten af. Og uden Mercy går det slet ikke. Vi skulle bruge hende."

"Fisk, lad være med at sige sådan. Vi finder ud af det. Vi kan da ikke opgive det her." Chuck slog ud med armene og indikerede deres omgivelser. "Kom nu, mand. Vi har gang i noget rigtig godt. Der er mange, der regner med os."

"De må regne med nogle andre." Christopher vendte om og fortsatte op ad stien. "Jeg har truffet min beslutning."

"Fisk!"

Will dukkede sig, så Christopher ikke så ham, da han gik forbi.

"Fiskehvisker McAlpine. Kom tilbage. Du kan ikke lade mig i stikken."

Chuck stod og ventede alt for længe, før han forstod, at Christopher ikke kom tilbage. "Fandens også."

Will stak hovedet ud fra bag kølerummet. Han kunne se Christopher gå i retning af huset. Chuck begyndte at gå tilbage mod vandløbet.

Der skulle træffes en beslutning.

Alejandro ville sikkert være at finde i køkkenet resten af dagen. I modsætning til resten af mændene på stedet, så var Chuck et komplet mysterium. De kendte ikke hans efternavn. De havde ikke kunnet lave et baggrundstjek. Og vigtigere endnu, Mercy havde ydmyget manden foran en gruppe mennesker. Rundt regnet firs procent af de mord, Will efterforskede, blev begået af mænd, der var blevet rasende over ikke at kunne kontrollere kvinder.

Will gik ned ad stien. Hvis man kunne kalde det en sti. Den smalle passage mod vandløbet var ikke belagt med ærtesten som de andre.

Will kunne se, hvorfor den ikke var beregnet til gæster. Den faretruende stejle sti kunne godt ende i nogle sagsanlæg. Will måtte koncentrere sig om, hvor han satte sine fødder, for at komme gennem det værste. Det var nemmere for Chuck. Han svingede med vanddunken, mens han vadede gennem skoven. Manden havde en sær måde at gå på, som om hans pronerede fødder sparkede til en usynlig bold for hvert skridt. Han lignede mr. Bean en smule. Ryggen svajede. Han havde bøllehat og fiskervest på. De brune cargobukser gik til ned under knæene. Sorte sokker sad i ål over de gule vandrestøvler.

Stien blev endnu stejlere. Will holdt fast i en gren, så han ikke røg på røv og albuer. Han greb fat om et reb, det var bundet om et træ som gelænder. Han hørte vandet bruse, før han så vandløbet. Det var en blid lyd, lidt som hvid støj. Det måtte være dette område, Delilah betegnede som vandfaldet, selvom det ikke rigtigt var et vandfald. Terrænet faldt omkring tre meter på cirka ti meter. Der var udlagt flade trædesten, der dannede en bro over minivandfaldene.

Will huskede at have set et billede, der var taget i dette område, på hytternes hjemmeside. Det viste Christopher McAlpine stå midt i vandløbet og kaste en line ud. Vandet gik ham til livet. Will gættede på, at regnen havde gjort vandløbet dobbelt så dybt. Bredden på modsatte side lå nærmest under vand. Træernes kronetag var tættere over hovedet. Han kunne se klart, men ikke helt så klart, som han havde kunnet ønske.

Chuck stod og betragtede samme udsigt, bare fra et lavere punkt. Han satte knytnæverne i lænden og strakte ryggen, mens han så ud over vandløbet. Will dannede sig et overblik over de måder, Chuck kunne skade ham på, hvis der blev en form for kamp. Krogene og blinkene på mandens vest ville gøre ondt som ind i helvede, men heldigvis havde Will kun en hånd, der ville blive strimlet. Han vidste ikke rigtigt, hvad en fangstkrog var, men han havde bemærket, at langt de fleste fiskeredskaber nemt kunne anvendes som våben. Vanddunken var halvt fyldt, men ville føles som en hammer, hvis Chuck svingede den med nok kraft.

Will blev, hvor han var, og kaldte: "Chuck?"

Chuck snurrede forskrækket rundt. Brillerne var duggede i kanterne, men blikket fandt hurtigt revolveren på Wills hofte. "Det er dig, der er Will, ikke?" spurgte han.

"Det er rigtigt." Will gik det sidste stykke ned ad stien.

"Fugtigheden er ad helvede til i dag." Chuck tørrede brillerne af i skjortesnippen. "Vi gik lige akkurat glip af endnu et uvejr."

Will sørgede for, at der var omkring tre meter mellem dem. "Vi nåede desværre ikke at få talt så meget sammen i aftes under middagen."

Chuck skubbede brillerne op ad næsen. "Tro mig, hvis jeg havde en kone, der var så lækker, så ville jeg heller ikke tale med nogen."

"Tak." Will tvang sig til at smile. "Jeg kan ikke huske, hvad du rigtigt hedder?"

"Bryce Weller." Han rakte hånden frem for at give Will hånden, men fik øje på forbindingen og vinkede i stedet. "Folk kalder mig Chuck."

Will svarede neutralt. "Det er ellers noget af et kælenavn."

"Jah, du må spørge Dave, hvordan han kom på det. Det er der ingen, der kan huske længere." Chuck smilede, men han så ikke glad ud. "For tretten år siden gik jeg op ad bjerget som Bryce og kom ned som Chuck."

Will undrede sig over, hvorfor manden pludselig talte med dialekt, men han spurgte ikke ind til det. "Jeg må hellere fortælle dig, at jeg er her i arbejdsøjemed. Har du mon noget imod at tale med mig om Dave?"

"Har han ikke tilstået?"

Will rystede på hovedet, glad for at rygtet ikke var nået op fra byen endnu.

"Det overrasker mig ikke, hr. betjent," sagde Chuck med endnu en mærkelig stemme. "Han er et åleglat skadedyr. Du må ikke lade ham slippe godt fra det her. Han burde ende i stolen."

Will fortalte ham ikke, at man brugte indsprøjtninger nu om dage. "Hvad kan du fortælle mig om Dave?"

Chuck svarede ikke med det samme. Han skruede låget af vanddunken og slugte det halve af det, der var tilbage. Han slikkede sig om munden, mens han skruede låget på igen. Så ræbede han så uhæmmet, at Will næsten kunne smage forrådnelsen på de tre meters afstand.

"Dave er en rigtig alfahan." Chucks spøgende stemmer var borte. "Spørg mig ikke hvorfor, men kvinderne er vilde med ham. Jo mere forfærdelig han er, jo mere vil de have ham. Han har ikke et rigtigt job. Han klarer sig for de smuler, Bitty kaster ud til ham. Han ryger som en skorsten. Han er misbruger. Han lyver, stjæler og er utro. Han bor i en trailer. Ejer ikke en bil. Det er da helt uimodståeligt, ikke? Alt imens de rare mænd bliver henvist til vennezonen."

Det kom ikke bag på Will, at Chuck var en incel, men det kom bag på ham, at han var så åben omkring det. "Så Mercy satte dig i vennezonen?"

"Det har jeg selv gjort, min ven." Chuck så virkelig ud, som om han troede på det. "Jeg lod hende græde ud ved min skulder et par gange, men så gik det op for mig, at det aldrig ville forandre sig. Uanset hvor meget Dave gjorde hende fortræd, så gik hun altid tilbage til ham."

"Så du kendte godt til mishandlingen?"

"Det gjorde alle." Chuck tog hatten af og tørrede sveden af panden. "Dave gjorde ikke noget forsøg på at skjule det. Nogle gange slog han Mercy lige for øjnene af os. En lussing, aldrig en knytnæve, men vi så det alle sammen."

Will sagde ikke, hvad han mente om det. "Det må have været svært at se på."

"I begyndelsen sagde jeg fra, men så trak Bitty mig til side. M'lady gjorde mig det helt klart, at en gentleman ikke blander sig i en anden gentlemans ægteskab." Den tåbelige stemme var tilbage. Chuck lænede sig mod Will i et forsøg på at være fortrolig. "Selv den hårdeste negl kan da ikke modstå en anmodning fra så petit og delikat et væsen."

Nu forstod Will endelig, hvad Sara havde ment, da hun havde sagt, at Chuck var sær. "Det er mere end et årti siden, at Mercy lod sig skille fra ham. Hvorfor er Dave overhovedet stadig heroppe?"

"Bitty."

Frem for at forklare sig, besluttede Chuck sig for at tage en tår af dunken. Will var begyndte at overveje, om der kunne være andet end vand i den. Chuck tømte den helt, hans hals lavede gulpelyde som et langsomt toilet.

Chuck bøvsede igen, inden han fortsatte. "Bitty er praktisk talt Daves mor. Han har ret til at se hende. Og selvfølgelig har Bitty ret til at invitere ham til hver evig eneste højtid. Jul, thanksgiving, fjerde juli, mors dag, kwanzaa. Uanset anledningen, så er Dave der altid. Hun knipser, og han kommer springende."

Will udledte deraf, at Chuck også altid var der. "Hvordan havde Mercy det med, at Dave var med til alle familiebegivenheder?"

Chuck svingede den tomme dunk i hånden. "Nogle gange var hun glad, andre gange var hun ikke. Jeg tror, hun prøvede at gøre det nemt for Jon."

"Hun var en god mor?"

"Jah." Chuck nikkede kort. "Hun var en god mor."

Indrømmelsen så ud til at slå luften ud af ham. Han tog hatten af igen. Han smed den på jorden ved siden af en sort glasfiberstang, der stod op ad et træ.

Og det var sådan, at Will lærte, at en fangstkrog basalt set er en godt en meter lang stang med en stor, grum krog for enden.

"Det er jo en kæmpe ejendom," sagde Chuck. "Mercy kunne have undgået Dave. Være blevet på sit værelse. Have holdt sig fra ham. Men det gjorde hun aldrig. Hun sad ved bordet ved hvert eneste måltid. Hun deltog i hver eneste familiesammenkomst. Og det endte altid med, at hun og Dave skreg ad hinanden eller begyndte at slå på hinanden, og hvis jeg skal være ærlig, blev det lidt kedeligt efter et stykke tid."

"Det kan jeg tænke mig," sagde Will.

Chuck satte den tomme dunk ved siden af hatten. Will fik et dejavu, der tog ham tilbage til Dave og udbeningskniven. Ville Chuck gerne have begge hænder fri, eller var han bare træt af at bære på ting?

"Det værste var at stå og se på, hvad alt det her gjorde ved Fiskehvisker." Chuck begyndte at ælte ryggen igen. "Han hadede at se Dave behandle Mercy sådan. Han har altid sagt, at han ville gøre noget ved det. Kappe Daves livline eller smide ham i søen. Dave svømmer virkelig dårligt. Det er utroligt, han ikke er druknet før. Men Fisk gjorde ikke noget, og nu er Mercy død. Man kan bare se, hvor meget det tynger ham."

Will kunne ikke se noget som helst. "Christopher er ikke en nem mand at aflæse."

"Han er sønderknust," sagde Chuck. "Han elskede Mercy, det gjorde han virkelig."

Will tænkte, at han havde en mærkelig måde at vise det på. "Gik du tilbage til din hytte efter middagen i aftes?"

"Fisk og jeg fik en godnatdrink, hvorefter jeg trak mig tilbage for at læse lidt."

"Hørte du noget mellem ti og midnat?"

"Jeg faldt i søvn med min bog. Det forklarer min stive lænd. Det føles, som om jeg er blevet sparket i nyrerne."

"Du hørte ikke noget skrig eller hyl eller noget i den retning?"

Chuck rystede på hovedet.

"Hvornår så du sidst Mercy i live?"

"Ved middagen." Der var irritation i hans stemme. "Du så selv, hvad der skete mellem os ude på udsigtsverandaen. Det er et prima eksempel på, hvordan Mercy behandlede mig. Jeg prøvede bare at sikre mig, at hun var okay, og hun skreg ad mig, som om jeg havde voldtaget hende."

Will så, hvordan hans ansigt ændrede karakter, som om han fortrød, at han havde brugt ordet *voldtage*. Inden Will nåede at følge op, rakte Chuck ud efter hatten på jorden. Han hev hvæsende luft ind mellem tænderne.

"Hold kæft, min ryg, altså." Han lod hatten ligge og rettede sig op. "Kroppen siger til, når det er tid til at tage en pause, ikke?"

"Jo." Will tænkte på det faktum, at Mercy ikke havde nogen forsvarssår. Måske havde hun nået at få et par slag ind, inden kniven fik ram på hende. "Skal jeg tage et kig på det?"

"Min ryg?" Chuck lød forskrækket. "Hvad vil du da se efter?"

Blå mærker. Bidemærker. Rifter.

"Jeg arbejdede som kropsterapeut i college," løj Will. "Måske jeg kunne ..."

"Det er fint," sagde Chuck. "Jeg beklager, jeg ikke kan være til mere hjælp. Jeg kan ikke fortælle dig mere."

Will fornemmede tydeligt, at Chuck gerne ville af med ham, hvilket gjorde, at Will ikke ønskede at gå nogen steder. "Hvis du kommer i tanke om noget ..."

"Så bliver du den første, der får besked." Chuck pegede op ad skrænten. "Hvis du følger den sti, kommer du tilbage til hovedhuset. Bare fortsæt forbi spisesalen på din venstre hånd."

"Tak." Will gik ingen steder. Han var ikke færdig med at gøre Chuck ilde til mode. "Min makker vil følge op med dig senere."

"Hvorfor det?"

"Du er et vidne. Vi skal bruge din skriftlige vidneforklaring." Will tøvede. "Er der en grund til, at vi ikke skulle det?"

"Nej," sagde han. "Slet ingen grund. Jeg hjælper gerne. Selvom jeg hverken har hørt eller set noget."

"Tak." Will nikkede op mod stien. "Skal du op til huset?"

"Jeg tror, jeg bliver her lidt." Chuck begyndte at gnide sin ryg igen, men kom så på bedre tanker. "Jeg har brug for at reflektere lidt over det hele. Trods drillerierne, så er det pludselig gået op for mig, at jeg også er meget påvirket af hendes død."

Will spekulerede på, om Chucks hjerne havde fortalt hans ansigt den nyhed, for han lignede ikke en, der gerne ville have tid til refleksion. Han svedte voldsomt. Han var bleg.

"Er du sikker på, du ikke vil have selskab?" spurgte Will. "Jeg er en god lytter."

Chuck sank synligt. Sveden dryppede ned i hans øjne, men han tørrede den ikke væk. "Nej tak."

"Okay. Tak, fordi du ville snakke med mig."

Chuck bed tænderne sammen.

Will blev hængende. "Jeg er oppe ved hovedhuset, hvis du har brug for mig."

Chuck sagde ikke noget, men alt i hans krop signalerede, at han var desperat efter, at Will skulle gå.

Der var ikke andet at gøre end at føje ham. Will begyndte at gå op ad stien. De første par skridt var svære, ikke fordi han ikke kunne finde fodfæste, men fordi han regnede på, hvor lang fangstkrogens rækkevidde var. Dernæst lyttede han meget nøje efter, om han kunne høre Chuck løbe. Så spekulerede han på, om han var paranoid, hvilket var statistisk sandsynligt, men det var ikke alle statistikker, der var korrigeret for hensynsløs adfærd.

Will holdt den raske hånd løst i nærheden af våbnet ved sin hofte. Han så en væltet træstamme tyve meter længere fremme. Den anden ende af rebgelænderet var bundet til en stor bolt med et øje. Han sagde til sig selv, at han ville vende sig om og tjekke Chuck, når han nåede stammen. Hans ører brændte af anstrengelse for at høre andre lyde end vandets brusen. Det var sværere at gå op ad stien end at gå nedad. Hans fod gled. Han bandede, da han greb sig selv med den skadede hånd. Han skubbede sig op. Da han nåede op til stammen, tænkte han, at Chuck ville være væk.

Han tog fejl.

Chuck lå med ansigtet nedad midt i vandløbet.

Chuck! Will begyndte at løbe. "Chuck!"

Chucks hånd sad fast mellem to sten. Vandet strømmede rundt om hans krop. Han prøvede ikke at løfte hovedet. Han bevægede sig ikke engang. Will blev ved med at løbe, klipsede pistolen og satellittelefonen af, tømte lommerne, for han vidste, han var nødt til at gå i. Hans støvler gled i mudderet. Han kom ned ad skråningen på røven, men han var et sekund for sent på den.

Strømmen fik trukket Chucks hånd fri af stenene. Hans krop hvirvlede af sted. Will havde ikke andet valg end at sætte efter ham. Han tog et fladt hovedspring ud i vandet og kom op til overfladen med et crawltag. Vandet var så koldt, at det føltes, som om han bevægede sig gennem is. Will pressede sig selv til at fortsætte. Han fulgte kun lige akkurat med strømmen. Han pressede mere på. Chuck var femten meter væk, så ti, så rakte Will ud efter hans arm.

Han fik ikke fat.

Strømmen blev stærkere. Vandet skummede og kværnede, da vandløbet nåede til et sving. Han hamrede ind i Chuck, hvis hoved var bukket bagover. Will prøvede at få fat i ham igen, men pludselig blev de begge hvirvlet voldsomt rundt. Will prøvede at få øje på bredden, men han snurrede for hurtigt rundt. Han prøvede forgæves at få fodfæste. Han hørte et højt brøl. Will slog om sig og prøvede at komme op og se horisonten. Hans hoved blev ved med at komme under vandet. Han fik skubbet sig op og blev lammet et øjeblik af, hvad han så. Halvtreds meter længere fremme. Der fladede vandet ud og forsvandt.

Pis.

Det var det rigtige vandfald, Delilah havde talt om.

Fyrre meter.

Tredive.

Will gjorde et sidste desperat forsøg på at få fat i Chuck, hans fingre fik fat i vesten. Han sparkede med fødderne og prøvede at finde noget at stå på. Strømmen greb om hans fødder som en kæmpe blæksprutte og trak ham med. Hans hoved blev trukket under overfladen. Han ville blive nødt til at slippe Chuck. Will prøvede at ryste hånden fri, men han sad fast i vesten. Hans lunger brændte efter luft. Han kæmpede for at sparke sig baglæns.

Hans fod landede på noget solidt.

Will skubbede til med al den styrke, han kunne mønstre i sin krop. Han piskede mod strømmen og rakte hånden frem i blinde. Hans fingre fik fat i noget solidt. Overfladen var ru og urokkelig. Det var lykkedes ham at få fat i en kampesten. Det tog ham tre forsøg at trække sig op. Han fik hofterne op på fremspringet og fik et øjeblik til at trække vejret. Øjnene brændte. Lungerne rystede. Han hostede vand og galde op.

Chuck var stadig bundet til hans hånd via fiskervesten, men han trak ikke længere Will ned mod vandfaldet. Manden flød på ryggen i en lavvandet kløft. Will betragtede Chucks ansigt. Vidtåbne øjne. Vandet flød gennem den åbne mund. Han var godt og grundigt død.

Will kravlede længere op på kampestenen. Han bukkede hovedet ned mellem knæene. Ventede, til synet blev klart igen. Til maven holdt op med at slå kolbøtter. Der gik adskillige minutter, før han var i stand til at få overblik over skaderne. Vesten hang ud over Chucks skulder. Den anden ende var stramt snoet om Wills håndled og hånd. Den samme hånd, han var kommet til skade med tolv timer tidligere. Den samme hånd, der nu pulserede, som var der en tikkende bombe inde i den.

Der var ikke andet at gøre end at få det overstået. Will begyndte langsomt at trække det tunge, våde lærred af, sno det op lidt ad gangen. Det tog tid. Krogene sad fast alle steder i stoffet. De var i mange forskellige former og størrelser og fra mangefarvede blink. Det føltes som en evighed, før Will faktisk kom ned til sin hud.

Han stirrede vantro på hånden.

Forbindingen havde reddet ham. Seks kroge havde boret sig ind i den tykke gaze. En af krogene sad rundt om hans pegefinger som en ring. Det blødte lidt, da han fjernede krogen, men det var mere som en papirrift end en amputation. Den sidste krog havde boret sig gennem manchetten i skjorteærmet. Will havde ikke tænkt sig at rode med modhagerne. Han rev krogen fri. Han holdt hånden op mod lyset for at sikre sig, at han virkelig var i god behold. Ikke noget blod. Ingen synlige knogler.

Han havde været heldig, men lettelsen var kortvarig.

Will var begyndt dagen med et offer. Nu havde han to.

16. januar 2016

Kære Jon

Jeg satte mig for at skrive dit fik dig-brev, og jeg sad bare længe og stirrede på det tomme papir, fordi jeg ikke tænkte, der var så meget at fortælle dig. Tingene har været rolige på det sidste, hvilket jeg er taknemmelig for. Vi har fundet en god rutine. Jeg får dig op om morgenen og gør dig klar til skole, og Fisk kører dig ned ad bjerget, og så går vi alle sammen i gang med at hjælpe gæsterne.

Jeg ved godt, at din onkel Fisk hellere ville starte dagen i vandløbet, men det er den mand, han er, han opgiver sine morgener for en lille dreng. Selv Bitty hjælper til, hun kører ned og henter dig efter skole. Jeg tror, hun bare havde brug for, at du blev lidt ældre. Hun har aldrig brudt sig om småbørn. I to er ret tætte. Hun lader dig være i køkkenet, mens hun bager småkager til gæsterne. Nogle gange får du ovenikøbet lov til at sidde sammen med hende på sofaen, mens hun strikker. Og det er fint med mig indtil videre. Husk bare, hvad jeg har fortalt dig om, hvordan hun kan vende sig mod en. Hvis hun først har set sig ond på dig, får du aldrig hendes venlige side at se igen, og det kan du stole på, når jeg siger, for det er så længe siden, at jeg ikke længere aner, hvordan den side ser ud.

Nå, men jeg har tænkt tilbage på det sidste år og har spekuleret på, hvad jeg kunne fortælle dig, men det vigtigste er, at tingene har været nemme i et stykke tid. Det er ikke det vilde liv heroppe på bjerget, men det er et liv. Jeg går rundt heroppe, og jeg tænker på, at det en dag bliver dig, der kører stedet, og det gør mig glad nok.

Men jeg husker en ting, og det var noget, der skete sidste forår. Måske kan du godt huske noget af det, for jeg overfusede dig voldsomt. Det har jeg aldrig gjort før, og det kommer jeg aldrig til at gøre igen. Jeg ved godt, jeg kan være kort for hovedet, og din far vil være den første til at fortælle dig, at jeg har arvet noget af Bittys kulde, men du har aldrig været i modtagerenden af mit temperament. Så jeg tænkte, jeg ville fortælle dig, hvorfor jeg var så vred.

Allerførst vil jeg gerne fortælle dig, at din onkel Fisk er et godt menneske. Han kan ikke gøre for, at Papa har banket al kampånd ud af ham. Jeg ved godt, at eftersom han er den ældste, og en mand, så burde det være ham, der beskyttede mig, men livet har bare gjort, at det er omvendt. Hvilket er fint med mig, hvis jeg skal være ærlig. Jeg elsker min bror, og det er et faktum.

Det næste, jeg vil fortælle dig, skal du holde hemmeligt altid, for det er mit og ikke dit. Det, der skete, var, at du læste i sengen i stedet for at lægge dig til at sove. Jeg bad dig slukke lyset, så gik jeg ind på mit værelse og lagde mig i sengen. Jeg tænkte, jeg lige ville give dig et øjeblik, inden jeg tjekkede igen. Så må jeg være faldet i søvn, for det næste, jeg ved, er, at jeg vågner, og Chuck ligger oven på mig.

Jeg ved godt, at vi to griner ad Chuck, men han er stadig en mand, og han er stærk. Han har nok altid haft et blødt punkt for mig. Jeg har virkelig gjort, hvad jeg kunne for ikke at opmuntre det, men måske har jeg gjort noget uden at vide det. Jeg har altid været taknemmelig for, at Fisk havde en ven. Din stakkels onkel bliver så ensom heroppe. Hvis sandheden skal frem, så tror jeg godt, Fisk kunne finde på at kaste sig ud over det store vandfald, hvis han ikke havde Chuck til at holde sig med selskab.

Alle de tanker løb gennem mit hoved, tro det eller lad være. Min hjerne begyndte at regne på, hvor meget det ville gå ud over Fisk, hvis jeg skreg og vækkede huset. Min krop var ikke til stede. Det har jeg lært at gøre for længe siden, og jeg håber, du aldrig finder ud af hvorfor. Men jeg ved bare, at jeg ikke ville knuse min brors hjerte.

Men intet af det betød noget, for Fisk kom ind på mit værelse. Og her vil jeg sige, at i alle årene har Fisk ikke bare gået ind til mig. Han har altid banket på først, og så ville han som regel vente ude på gangen. På den måde er han respektfuld. Men måske har han hørt mig kæmpe imod, for han har værelse lige ved siden af mit. Jeg ved ikke, hvad der fik ham til at komme ind. Og jeg har eddermame heller ikke tænkt mig at spørge ham, for vi har ikke talt om det siden, og det skal vi heller aldrig, hvis det står til mig. Men det, der skete, og jeg tror aldrig, jeg har hørt ham råbe nogensinde. Han hæver aldrig stemmen. Men det, han sagde, var STOP!

Chuck stoppede. Han kom af mig så hurtigt, at det var, som om det aldrig var sket. Han løb ud af værelset. Og Fisk så bare på mig. Jeg troede, han ville kalde mig luder, men det, han sagde, var: "Vil du have, jeg siger til ham, han skal forsvinde?"

Der lå så meget i det spørgsmål, for det fortalte mig, at Fisk godt vidste, jeg ikke selv havde bedt om det. Skal jeg være ærlig, var det det vigtigste. Folk tror altid det værste om mig, men Fisk vidste godt, at jeg aldrig har været interesseret i Chuck på den måde. Og han var villig til at opgive sin eneste ven i verden for at bevise det.

Så det, jeg sagde til ham, var, at så længe det aldrig ville ske igen, så kan Chuck blive. Fisk nikkede bare og gik. Og jeg må sige, at Chuck har opført sig, som om det aldrig var sket, hvilket er en lettelse. Vi ignorerer det bare alle sammen. Men det var ikke uden konsekvenser, og det er der-for, jeg fortæller dig historien. Jeg var virkelig rystet, da Fisk lukkede min dør. Noget af mit tøj var revet i stykker. Og jeg kan jo ikke ligefrem tage ned i byen og købe noget nyt for alle mine penge. Jeg har ikke noget heroppe, der ikke er kommet fra donationer.

Men da jeg rejste mig, bukkede mine knæ sammen under mig. Jeg ramte gulvet. Jeg var så vred på mig selv. Hvorfor skulle jeg lade mig påvirke af det? Der skete jo ikke noget rigtigt. Det skete kun næsten. Og da var det, jeg så, at dit lys stadig var tændt.

Altså, jeg har levet hele mit liv med lort, der rullede ned oppefra og ramte mig. Papa bliver vred og lader det gå ud over Bitty. Bitty lader det gå ud over mig. Eller omvendt, men jeg er altid for foden af bakken. Den aften lod jeg det gå ud over dig, og det er jeg virkelig ked af. Det her er ikke en dårlig undskyldning, det er bare en forklaring. Og måske vil jeg også bare gerne skrive det ned, så nogen ved, hvad der skete. For hvis der er noget, jeg har lært om mænd som Chuck, så er det, at hvis de slipper af sted med noget en gang, så vil de prøve at slippe af sted med det igen. Jeg har set det ske så meget med din far, at jeg kan sætte uret efter det.

Nå, men jeg vil lade det være det.

Jeg elsker dig af hele mit hjerte, og jeg er ked af, at jeg råbte ad dig.

Mor

15

Det var ikke løgn, da Penny havde sagt, at der var masser af brændstof på Rascal. Hesten var nærmest svævet op ad bjerget på en sky af tarmluft. Desværre befandt Faith sig i den ende, der var nærmest udstødningen. Hun sad bag Penny og klamrede sig til kvinden, som gjaldt det livet. Faith havde været så rædselsslagen for at falde af og blive trampet ned, at hun var røget ind i en form for et hysterisk stadie af automatisme. Hun tog sig i at stille sig selv eksistentielle spørgsmål som *hvad var det for en planet, hendes børn ville komme til at arve?* Og *hvordan var det gået til, at Scooby Doo, der er en hund, ikke kan lugte forskel på et spøgelse og et menneske?*

Penny smældede med tungen mod tænderne. Faith havde begravet sit ansigt mod kvindens skulder. Hun så op og var lige ved at græde af lettelse. Der var et skilt på vejen. McAlpines familiehytter. Hun så en parkeringsplads med en rusten truck og en GBI-UTV.

"Hold fast," sagde Penny. Hun havde sikkert mærket, at Faith løsnede grebet om de overraskende stærke mavemuskler. "Lige et øjeblik mere."

Øjeblikket var nærmere et halvt minut, hvilket var alt for længe. Penny *prrhh*'ede Rascal ved siden af trucken. Faith satte foden på skærmen over baghjulet. Hun halvt faldt, halvt snublede ned på ladet og landede på sin Glock. Metallet hamrede ind i hendes hofteben.

"Fuck!" lød det højt fra Faith.

Penny så skuffet på hende. Hun klikkede med tungen. Rascal trak sig væk.

Faith så op på træerne. Hun var svedig og insektspist og virkelig træt af naturen. Hun rykkede sig ned fra Glocken.

Hun kravlede ned fra ladet. Hun trak tasken op over skulderen. Hun gik hen til UTV'en. Lagde hånden på plasticen over motoren. Den var kold, hvilket betød, at køretøjet havde stået parkeret der et stykke tid. Bagagerummet var aflåst. Forhåbentlig betød det, at de havde sikret nogle beviser. Hun så ind på bagsædet. Der stod en blå køleboks, en første-hjælpskasse og en rygsæk med GBI-logo på. Faith åbnede lynlåsen. Og fandt en satellittelefon.

Hun klikkede på knappen på siden og tændte for den kortrækkende walkie-talkie. "Will?"

Faith slap knappen. Hun ventede. Intet udover statisk støj.

Hun prøvede igen. "Dette er specialagent Faith Mitchell, GBI. Kom ind."

Faith slap knappen.

Statisk støj.

Hun prøvede et par gange mere med samme resultat. Hun stak telefonen i tasken og gik mod midten af lysningen. Her drejede hun en omgang rundt om sig selv. Der var ikke en sjæl i sigte. Selv Penny og Rascal var forsvundet. Hun prøvede at danne sig et overblik. Otte hytter lå i en halvcirkel om et stort hulter til bulter-hus. Der var træer alle vegne. Man ville ikke kunne kaste en sten uden at ramme et. Der var vandpytter overalt. Solen ramte hendes hovedbund gennem træerne som en hammer. Hun kunne se begyndelsen på et par stier. Hun havde ingen chance for at vide, hvor de førte hen, for hun havde ikke noget kort.

Hun var nødt til at finde Will.

Faith drejede hele vejen tilbage og tjekkede hytterne en efter en. Hårene rejste sig i nakken på hende. Det føltes, som om hun blev over-våget. Hvorfor var der ingen, der kom ud? Hun havde ikke ligefrem listet sig ind på området. Hesten havde været prustende og larmende. Hun var hamret ned på ladet af trucken som en trækølle mod en gongong. Faith havde uniform på: gulbrune cargobukser og en mørkeblå bluse med GBI skrevet med store, gule bogstaver på ryggen.

Hun hævede stemmen og kaldte: "Hallo?"

En dør blev åbnet i en af hytterne i den fjerneste ende. Faith så en halvskaldet, ubarberet mand i en krøllet T-shirt og løse joggingbukser komme småløbende mod hende. Han var forpustet, da han endelig var tæt nok på til at kunne tale med hende. "Hej, er du med Will? Er Sara med dig? Var det hende på hesten? Det lignede hende ikke. Will har sagt, hun er læge."

Faith gættede: "Frank?"

"Ja, undskyld. Frank Johnson. Jeg er gift med Monica. Vi er venner med Will og Sara."

Det tvivlede Faith på. "Har du set Will?"

"Ikke for nylig, men vil du sige til ham, at Monica endelig ser ud til at være i bedring?"

Faiths politihjerne vågnede. "Hvad var der galt med hende?"

"Hun fik lidt for meget at drikke i aftes. Hun har det bedre nu, men der var lige nogle hårde timer." Han lo skarpt. Han var tydeligvis lettet. "Det er endelig lykkedes hende at holde noget ginger ale i sig. Jeg tror, hun var dehydreret. Men det vil nok stadig være godt, hvis Sara havde tid til at kigge på hende, ikke? Bedst at være på den sikre side. Tror du, hun ville have noget imod det?"

"Det ved jeg, hun ikke ville. Hun er her snart." Faith var nødt til at komme væk fra dette sludrechatol. "Er Will gået ind i familiens hus?"

"Jeg beklager, men det ved jeg ikke. Jeg så ikke, hvor han gik hen. Jeg kan god hjælpe dig med at lede, hvis ..."

"Det er nok bedst, at du bliver hos din kone."

"Nå ja. Måske jeg kunne ..."

"Tak."

Faith vendte sig mod hovedhuset for at gøre det klart, at samtalen var slut. Hun kunne høre Franks tunge skridt, da han gik tilbage, hvor han kom fra. Den sælsomme stemning vendte tilbage, da Faith gik hen over lysningen. Området var nydeligt med blomster og bænke og brosten, men nogen var også død her på voldelig vis, så det bekymrede Faith en smule, at der ikke var nogen mennesker at se.

Hvor var Will? Og hvor var Kevin Rayman for den sags skyld? Agenten havde ansvaret for filialen i det nordlige Georgia, mens hans chef var på konference. Faith sagde til sig selv, at Kevin ikke var nogen grøn gadebetjent. Han kunne godt tage vare på sig selv. Og det kunne Will også. Så hvorfor stod Faith her og koldsvedte?

Stedet gav hende myrekryb. Her føltes som i den der Shirley Jackson-novelle, Lotteriet, lige inden numrene blev trukket. Hun tvang sig selv til at tage en dyb indånding og ånde langsomt ud. Will og Kevin var sikkert i spisesalen. Det var altid bedst at isolere folk, når man afhørte dem. Og kendte hun Will ret, havde han sikkert allerede fundet Mercys morder.

En brun, stribet huskat spærrede vejen for hende på trappen til verandaen. Han lå på ryggen med poterne i hver sin retning, så han fik sol på maven. Faith bukkede sig ned og kælede ham på maven. Hun mærkede straks sin stress lægge sig. Hun gennemgik de ting, hun skulle. Allerførst skulle hun finde et kort. Faith skulle finde ud af, hvor Mercys skrig var kommet fra, så hun kunne få fastlagt en mere pålidelig tidslinje. Derefter var hun nødt til at finde den mest sandsynlige vej, Mercy havde taget ned til Ungkarlehytterne. Måske Faith var så heldig, at hun fandt kniven på vejen.

Hoveddøren blev åbnet. En ældre kvinde med langt, stridt gråt hår kom ud på verandaen. Hun var petit, nærmest som en dukke. Faith gættede på, at det var Mercys mor.

Bitty stirrede ned på hende fra toppen af trappen. "Er du politibetjent?"

"Specialagent Faith Mitchell." Faith prøvede at komme på bølgelængde. "Jeg konfererede lige med Mis Agatha Christie her."

"Vi navngiver ikke kattene. Vi har dem til skadyrsbekæmpelse."

Faith forsøgte at undlade at krympe sig. Kvindens stemme var skinger som en lille piges. "Er min makker indenfor? Will Trent?"

"Jeg ved ikke, hvor han er. Men jeg kan godt fortælle dig, at jeg ikke bryder mig om, at ham og hans kone indskrev sig under falske forudsætninger."

Den havde Faith ikke tænkt sig at gå ind i. "Det gør mig meget ondt med din datter, mrs. McAlpine. Har du nogen spørgsmål, jeg kan hjælpe med?"

"Ja, det har jeg," bed kvinden. "Hvornår kan jeg tale med Dave?"

Faith ville overveje Bittys prioriteter senere. Lige nu måtte hun træde varsomt. Hun vidste ikke, om de kunne kommunikere med omverdenen igen heroppe. Penny havde lovet at holde Daves frikendelse hemmelig, men på den anden side havde hun glad og gerne udleveret en del af de skeletter, der var i McAlpine-familiens skabe.

"Dave er stadig på hospitalet," sagde Faith til Bitty. "Du kan ringe til hans stue, hvis du ønsker det."

"Telefonerne er afbrudt. Det samme gælder internettet." Bittys hænder røg op på de bittesmå hofter. "Du får mig aldrig til at tro på, at Dave havde noget som helst med det her at gøre. Drengen har sine dæmoner, men han ville aldrig gøre Mercy fortræd. Ikke på den måde."

"Hvem ellers kunne have et motiv?" spurgte Faith.

"Motiv?" Hun lød frastødt. "Det ved jeg ikke engang, hvad betyder. Vi driver et familieforetagende. Vores gæster er veluddannede, velhavende mennesker. Ingen har et motiv. Men der kunne så nemt som ingenting være kommet nogen op fra byen, har I tænkt på det?"

Det havde Faith tænkt på, men det virkede meget usandsynligt. Mercy tog sjældent ned i byen. Hun havde fortalt Sara, at alle hendes fjender var heroppe. Plus hun var død på ejendommen.

Alligevel spurgte Faith: "Hvem i byen kunne have et ønske om at slå hende ihjel?"

"Hun har pisset så utroligt mange mennesker af, at det ikke er til at sige. Og der er også kommet mange fremmede til byen på det seneste, det kan jeg godt sige dig. De fleste af dem har plettede straffeattester hjemme i Mexico eller Guatemala. De kunne alle sammen være gale øksemordere."

Faith styrede hende væk fra racisme. "Må jeg spørge til begivenhederne i aftes?"

Bitty begyndte at ryste på hovedet, som om det ikke betød noget. "Vi havde et mindre skænderi. Det er der ikke noget usædvanligt i. Det sker hele tiden. Mercy er et desperat ulykkeligt menneske. Hun formår ikke at elske andre, fordi hun ikke elsker sig selv."

Faith gættede på, at de også kunne streame dr. Phil heroppe. "Hørte eller så du noget mistænkeligt?"

"Naturligvis ikke. Sikke et spørgsmål. Jeg hjalp min mand i seng. Jeg lagde mig til at sove. Der var intet usædvanligt."

"Du hørte ikke et dyr hyle?"

"Dyr hyler hele tiden heroppe. Vi er i bjergene."

"Hvad med det område, I kalder Ungkarlehytterne. Kan man høre lyde derfra?"

"Hvordan skulle jeg kunne vide det?"

Faith kunne godt genkende en blindgyde, når hun befandt sig i en. Hun så op mod huset. Det var stort, mindst fem eller seks soveværelser. Hun ville gerne vide, hvor de hver især sov. "Er det Mercys værelse?"

Bitty så op. "Det er Christophers. Mercys er i midten, og så Jons på den modsatte side bagtil."

Det lød stadig tæt. "Hørte du Christopher, da han kom hjem i aftes?"

"Jeg tog en sovepille. Tro det eller ej, så bryder jeg mig ikke om at skændes med folk. Jeg var meget vred over Mercys opførsel på det seneste. Hun tænkte aldrig på andre end sig selv. Hun tog aldrig hensyn til, hvad der ville være godt for resten af familien."

Will havde forberedt Faith på deres apati, men det var stadig lige dele trist og alarmerende. Faith ville være helt anderledes praktisk indstillet, hvis et af hendes børn var blevet myrdet.

Bitty opfangede tilsyneladende misbilligelsen. "Har du børn?"

Faith var altid forsigtig med at udlevere personlige oplysninger. "Jeg har en datter."

"Nå, det er jeg ked af at høre. Sønner er så meget nemmere." Endelig kom Bitty ned ad trappen. Hun var endnu mindre så tæt på. "Christopher beklagede sig aldrig. Han fik aldrig et hysterisk anfald eller surmulede, hvis det ikke gik, som han ville. Dave var en absolut engel. De lod ham være en vildbasse dernede i Alanta, men i samme sekund han satte foden i mit hus, var han sød som honning. Den dreng bor i mit hjerte. Jeg har aldrig ønsket mig andet, når han var i nærheden. Han passede mig, da jeg var syg. Han vaskede endog mit hår. Selv i dag vil han ikke lade mig løfte en finger."

Faiths gæt var, at han forstod sig på at indynde sig. "Og sådan var Mercy ikke?"

"Hun var frygtelig," sagde Bitty. "Da hun nåede mellemskolen, måtte jeg ned på inspektørens kontor nærmest hver anden uge, fordi Mercy havde lavet ballade i pigegruppen. Sladder og slagsmål og tåbelig opførsel. Spredte ben for alle og enhver, der så i hendes retning. Hvor gammel er din pige?"

Faith løj for at få hende til at fortsætte. "Tretten."

"Så ved du allerede, at det er der, det starter. Puberteten sætter ind, og så handler alt om drenge. Og så er der al deres drama om deres *følelser*. Jeg kan godt fortælle dig, hvem der havde grund til at beklage sig, og det var Dave. Hvad han var udsat for nede i Atlanta, det er ubeskriveligt. De var ikke blide ved ham, for at sige det mildt. Men han har aldrig brugt det som krykke. Drenge klynker ikke over deres følelser."

Det gjorde Faiths dreng, men kun fordi hans mor havde arbejdet meget hårdt på at gøre ham tryg. "Hvordan virkede Mercy på dig på det seneste?"

"Virkede?" spurgte hun. "Hun virkede, som hun plejede. Fuld af pis og papir og vrede mod hele verden."

Faith vidste ikke, hvordan hun skulle bringe graviditeten på banen. Noget sagde hende, at hun skulle holde igen. Hun tvivlede på, at Mercy overhovedet havde betroet sig til sin mor. "Dave var tretten, da du og din mand adopterede ham?"

"Nej, han var kun elleve år gammel."

Faith havde holdt meget nøje øje med kvindens ansigt, da hun svarede. Det måtte siges, at Bitty var en løgner i verdensklasse. "Hvordan reagerede Mercy og Christopher på at få en elleve år gammel bror?"

"De var ellevilde. Hvem ville ikke være det. Christopher fik en ny ven. Dave behandlede Mercy som en lille dukke. Han ville have båret hende rundt i sine arme hele tiden, hvis han ku'. Faktisk rørte hendes fødder nærmest aldrig jorden."

"Det må have været noget overraskende, da de endte sammen."

Bitty løftede trodsigt hagen. "Det bragte Jon ind i mit liv, og mere har jeg ikke at sige om det."

"Er Jon kommet hjem?"

"Nej, og vi leder ikke efter ham. Vi giver ham den tid, han har bedt om." Hun klappede fingrene let mod brystet. "Jon er en eftertænksom dreng. Rar og hensynsfuld, præcis ligesom sin far. Han kommer til at knuse hjerter, ligesom sin far. Du skulle se, hvor flot han er. Alle gæsterne går fra forstanden, når de ser, hvor flot han er. Jeg kigger på dem ud ad vinduet, når Jon kommer ned ad trappen. Han kan godt lide at gøre en entre. Jeres Sara lignede en, der ville æde ham med hud og hår."

Faith ville gætte på, at Sara havde spurgt til, hvilke fag han var glad for i skolen.

"Mine stakkels drengebørn." Bitty klappede igen let med fingrene mod brystet. "Jeg gjorde, hvad jeg kunne, for at holde Dave væk fra Mercy. Jeg vidste godt, hun ville trække ham ned med sig, og se bare, hvor han er endt nu."

Faith kæmpede for at holde sit tonefald neutralt. "Dit tab gør mig meget ondt."

"Nå men, jeg tror nu ikke, jeg ikke får ham tilbage. Jeg har allerede taget fat i en advokat fra Atlanta, så held og lykke med at beholde ham i fængsel." Hun lød meget sikker på, at retssystemet virkede. "Var der andet?"

"Har du et kort over ejendommen, jeg kan få?"

"De kort er kun til gæster." Hun vendte hovedet mod parkeringspladsen. "For himlens skyld, hvem er det nu, der kommer?"

Faith hørte en motor rumle. Endnu en UTV kom kørende. Sara sad bag rattet.

"Endnu en løgner, der er kommet herop for at lyve." Således sluttede Bitty samtalen. Hun gik op ad trappen, ind i huset og lukkede døren efter sig.

"Hold da fest." Faith svingede tasken over skulderen og gik hen mod parkeringspladsen. Stedet her var ikke *Lotteriet*. Det var Stephen Kings *Children of the Corn*.

"Hej." Sara løftede en tung taske ud af UTV'en. Hun så på Faith og smilede. "Er du faldet?"

Faith havde glemt, hun var smurt ind i mudder og hesteprutter. "En fugl angreb min bil, og så endte jeg i en grøft."

"Det er jeg ked af at høre." Sara så ikke spor ked ud af det. "Jeg så, at du snakkede med Bitty. Hvad tænker du?"

"Jeg tænker, at hun er mere bekymret for Dave, end hun er for sin myrdede datter." Faith kunne stadig ikke fatte det. "Hvad er der med de her drengemødre? Hun lød, som var hun Daves psykopatiske ekskæreste. Og så er der alt det med Jon. Jeg hader, når voksne kvinder taler på den der lillepige-skingre måde. Det lyder som det barn, Holly Hobbie ville få, hvis hun knaldede med djævlen."

Sara lo. "Noget fremskridt?"

"Ikke herfra. Jeg var på vej ned til spisesalen for at finde Will." Faith skævede sig omkring for at sikre sig, at de var alene. "Tror du, at Mercy vidste, hun var gravid?"

Sara trak på skuldrene. "Det er svært at sige. Hun havde kvalme i aftes, men jeg gik ud fra, det var på grund af kvælningen. Mercy nævnte ikke, at det kunne være noget andet, men det ville hun formentlig heller ikke nævne for en fremmed."

"Min menstruation er så uregelmæssig, at jeg nærmest ikke kan følge med." Faith spekulerede på, om Mercy havde brugt en app på sin telefon eller skrevet det ned i sin kalender. "Hvem har du fortalt det til?"

"Kun Amanda og Will. Jeg tror, at Nadine, den ligsynsansvarlige, gættede det, da jeg lavede en manuel undersøgelse af livmoderen, men hun sagde ikke et ord. Hun ved, at Småkage er tæt på familien. Hun ønskede sikkert ikke, at det kom ud."

"Så Småkage ikke røntgenbilledet?"

"Man skal vide, hvad man kigger efter," sagde Sara. "Normalt ville man aldrig tage et røntgenbillede af en kvinde under en graviditet. Risikoen for strålingsskader vejer tungere end den diagnostiske værdi. Og i tolvte uge er der ikke så meget at se. Fostret er omkring fem centimeter langt, altså på størrelse med et AA-batteri. Knoglerne er ikke forbenede nok til, at man kan se det på billedet. Jeg vidste kun, hvad jeg skulle kigge efter, fordi jeg har set det før."

Faith havde ikke lyst til at tænke på, hvordan hun havde set det før.

"Jeg kan ikke huske, hvordan det var at være tolv uger henne."

"Oppustethed, kvalme, humørsvingninger, hovedpine. Nogle kvinder forveksler det med PMS. Nogle aborterer og går bare ud fra, det er en voldsom menstruation. Otte ud af ti spontane aborter sker i løbet af de første tolv uger." Sara hvilede tasken op mod UTV'en. "Når du kigger på, hvem der har været i nærheden af Mercy omkring tidspunktet for undfangelsen, så husk, at de tolv uger regnes fra sidste menstruation, ikke tolv uger fra selve undfangelsen. Ægløsningen sker to uger efter menstruationen, så det vil sige ti uger, så det er to, to en halv måned siden, hvis vi skal være meget nøjeregnende."

"Det skal vi helt sikkert være." Faith var nået til den sværeste del. "Hvad med voldtægt?"

"Jeg fandt spor af sæd, men det indikerer kun, at hun har haft samleje med en mand op til otteogfyrre timer inden dødstidspunktet. Jeg kan ikke udelukke seksuelt overgreb, men jeg kan heller ikke udelukke, at det var frivilligt."

Faith kunne lige se for sig, hvor irriteret Amanda var blevet over så dobbelttydigt et svar. "Men, mellem os?"

"Mellem os, så ved jeg det ærligt talt ikke," sagde Sara. "Hun havde ingen sår, der antyder, at hun har forsvaret sig. Måske var hun kommet til den konklusion, at det var sikrere ikke at kæmpe imod. Der er tydelige tegn på, at Mercy har været udsat for massiv mishandling. Brækkede knogler, cigaretmærker. Jeg går ud fra, mange af skaderne var Daves værk, men nogle af skaderne går helt tilbage til hendes barndom. Hvis hun havde mere kampgejst i sig, så brugte hun den med måde."

Faith blev ramt af en dyb tristhed over Mercys martrede liv. Penny havde ret. Hun havde aldrig haft en chance. "Noget nyt om mordvåbnet?"

"Den del af det kan jeg godt hjælpe med," sagde Sara. "Altså, når man taler om design på en kniv, så kan det være en fuldtangklinge, hvor metallet går fra spidsen af bladet og hele vejen igennem skaftet."

Det vidste Faith godt, men hun nikkede.

"Bladet i Mercy var en tolv centimer halvtangklinge, som er en billigere og knap så holdbar konstruktion, der bruges i steakknive. En halvtangkniv har et skelet inde i skaftet, basalt set et tyndt hesteskoformet stykke metal, der hjælper med at holde skaftetfast på bladet. Er du med?"

"Halvtangskelet i skaftet. Modtaget."

"Morderen hamrede kniven i til fæstet. Jeg kan se på de mærker, der blev efterladt på hendes hud, at der ikke var nogen metalkrave i overgangen mellem bladet og skaftet. Jeg fandt splinter af plastic rundt om nogle af de dybere sår. Mikroskopet viste, at farven var rød."

Faith nikkede igen, men denne gang fordi hun forstod. "Det, vi leder efter, er et rødt skaft på en billig steakkniv med en tynd metalstribe stikkende ud af det."

"Korrekt," sagde Sara. "Der er køkkener i alle hytterne, men der var ingen knive i vores. Og jeg husker ikke at have set noget, der matchede knive med røde skafter i familiens køkken. Det kunne godt være en idé at gennemsøge det igen med disse nye oplysninger. Mit bud er, at den er ti-tolv centimeter lang og måske tre centimeter bred."

"Okay, jeg må hellere tale med Will om, hvordan vi griber det an. Du kan give ham knivdetaljerne." Faith begyndte at gå, men stoppede så op. "Jeg løb på Frank. Han er bekymret for sin kone. Hun har tilsyneladende værre tømmermænd, end hun plejer."

"Jeg går ind og ser til hende nu." Sara klappede på tasken. "Jeg tog nogle remedier med fra hospitalet, i fald vi skulle få brug for dem. Cecil sidder i kørestol, men jeg har ikke set en varevogn heroppe."

Det havde Faith slet ikke tænkt på før nu. "Hvordan får de ham ind i trucken?"

"Jeg er sikker på, der er masser af folk heroppe, der kan hjælpe til," sagde Sara. "Skal vi mødes i spisesalen, når jeg er færdig?"

"Lyder fint."

Faith fulgte træskiltet med tallerkenen og bestikket. Hun holdt blikket på jorden. Stien var fint ryddet, men der var masser af tilgroninger på begge sider, der kunne skjule slanger og egern med hundegalskab.

Eller fugle. Faith så op. Grene hang ned som fingre. En hård vind raslede i bladene. Hun var sikker på, at en ugle snart ville angribe hendes hår. Til sin lettelse så hun, at stien drejede, men så var der bare mere sti. "Lortenatur."

Hun fortsatte nedad, mens blikket fór fra jorden til himlen på udkig efter farer. Stien drejede endnu en gang. Træerne hang ikke så meget ind over hende. Hun lugtede køkkenet, før hun så det. Emmas far var andengenerations mexicansk-amerikaner, hvis hadefulde mor elskede madlavning lige så højt, som hun hadede Faith, hvilket var meget. Koriander. Kommen. Basilikum. Faiths mave knurrede, da hun nåede frem til den ottekantede bygning. Hun gik forbi udsigtsverandaen, der hang faretruende usikkert ud over en kløft, og gik gennem døren.

Tomt.

Lysene var slukkede. Der var to lange borde, det ene var allerede dækket til frokost. Enorme vinduer i den fjerneste væg fremviste endnu flere træer. Farven grøn ville hænge hende langt ud af halsen, når de tog herfra.

"Will?" kaldte hun. "Er du herinde?"

Hun ventede, men der kom ikke noget svar. Hun kunne kun høre madlavningslyde bag svingdørene til køkkenet.

"Will?" stadig ingenting.

Faith trak igen satellittelefonen frem. Hun trykkede på walkie-knappen. "Dette er specialagent Faith Mitchell, GBI. Er der nogen?"

Hun talte indvendigt til ti. Så til tyve. Hun mærkede, at hun begyndte at blive urolig.

Faith stak telefonen tilbage i tasken og gik ud i køkkenet. Det pludselige lys blændede hende næsten. Der stod to drenge ved det lange bord af rustfrit stål midt i lokalet. Den ene skar grønsager. Den anden rørte dej med en håndmixer i en stor skål. Kokken stod med ryggen til Faith og lavede mad på komfuret. Radioen spillede Bad Bunny, hvilket sikkert var grunden til at de ikke havde hørt hende.

"Kan jeg hjælpe, ma'am?" spurgte en af drengene.

Faith mærkede sit hjerte knuge sig sammen ved synet af ham. Han var kun et barn.

"Hvad har du brug for, betjent?" Kokken havde vendt sig om. Det måtte være Alejandro. Han var utroligt flot, men han virkede også virkelig irriteret over at se Faith, hvilket også mindede hende om Emmas far. "Jeg er ked af at være så kort for hovedet, men vi har en frokost, vi skal have klar."

Faith måtte finde sin makker. "Ved I, hvor agent Trent er?"

Drengen sagde: "Han gik ned ad Fiskehviskerens sti."

Hun sukkede lettet. "Hvor længe er det siden?"

Hans skuldre røg op i et overdrevent skuldertræk, for han var et barn, og han forstod ikke tid.

Alejandro tilføjede: "Jeg så ham ude foran vinduet for omkring en time siden, vil jeg tro. Så kom der en mand mere i samme tøj som dig en halv times tid senere. Stien er omme bag bygningen. Nu skal jeg vise dig det."

Faith mærkede noget af sin anspændthed lette, da hun hørte, at både Will og Kevin var blevet set. Hun fulgte efter Alejandro gennem køkkenet og tjekkede det ud på vejen. Knivene så dyre og professionelle ud. Ingen røde plasticskafter. Hun så et badeværelse og et kontor bag badeværelset. Hun ville gerne kigge de papirer igennem og se, om hun kunne få adgang til den bærbare.

"Der er frokost om en halv time." Alejandro åbnede døren og lod Faith gå først. "De skovler den som regel ind på tyve minutter. Jeg vil godt kunne tale med dig bagefter."

Faith mærkede sin opmærksomhed ryge direkte tilbage til kokken som en elastik, der blev sluppet. "Hvorfor tror du, jeg gerne vil tale med dig?"

"Fordi jeg gik i seng med Mercy." Det så ud til at gå op for ham, at de talte sammen nu. Han lukkede døren bag dem. "Vi prøvede at være diskrete, men der er tydeligvis nogen, der har fortalt jer det."

"Tydeligvis," sagde Faith. "Og?"

"Det var bare sex. Mercy var ikke forelsket i mig. Jeg var ikke forelsket i hende. Men hun var meget tiltrækkende. Der er ensomt heroppe. Kroppen vil have, hvad kroppen vil have."

"Hvor længe har I gået i seng med hinanden?"

"Fra den dag, jeg kom herop." Han trak på skuldrene. "Det var ikke regelmæssigt, særligt ikke på det seneste. Jeg ved ikke hvorfor, men sådan var det med os, ebbe og flod. Hun var under en hel del pres fra sin far. Han er en hård mand."

"Havde Dave kendskab til jer to?"

"Det aner jeg ikke. Jeg talte sjældent med ham. Selv da han arbejdede på udsigtsverandaen holdt jeg mig på afstand. Jeg havde mistanke om, at han mishandlede Mercy."

"Hvorfor det?"

"Man får ikke den slags mærker af at falde." Han tørrede hænderne i forklædet. "Lad os sige det på den måde, at hvis det var Dave, der var blevet myrdet, så ville I tale med mig af helt andre årsager."

Det var der mange, der blev ved med at sige, men ingen havde gjort noget, mens Mercy var i live. "Du siger, du ikke var forelsket i hende, men også at du ville have slået ihjel for hende?"

Han smilede, så alle tænderne var synlige. "Du er virkelig god til det her, betjent, men nej: Det er min pligtfølelse."

"Hvad sagde Mercy, da du bemærkede mærkerne?"

Smilet forsvandt. "Jeg spurgte hende en enkelt gang, og hun sagde til mig, at enten kunne vi tale om det og aldrig have sex igen, eller vi kunne bare blive ved med at have sex."

"Tilgiv mig, men du virker ikke, som om du syntes, det var et svært valg."

Han trak igen på skuldrene. "Det er anderledes heroppe. Den måde, de behandler folk på – de slider dem bare ned og kasserer dem. Måske var det også det, jeg gjorde med Mercy. Jeg er ikke stolt af mig selv."

"Så hun andre?"

"Måske?" spurgte han. "Tror du, at Dave blev jaloux? Er det derfor, han slog hende ihjel?"

"Måske," løj Faith. "Hvad får dig til at tænke, at det godt kunne være, at Mercy også var sammen med andre?"

"Mange ting, faktisk. Som sagt, ebbe og flod. Plus ..." Han trak på skuldrene. "Hvilken ret har jeg til at dømme hende? Mercy var alenemor med et krævende job, en besværlig arbejdsgiver og meget få muligheder for fornøjelser."

Aldrig havde Faith følt sig så set. "Nævnte hun nogen bestemt?"

"Hun sagde ikke noget af sig selv, og jeg spurgte ikke. Som sagt, vi knaldede. Vi talte ikke om vores liv."

Faith havde selv fornøjet sig med et par af den slags forhold. "Men hvis du skulle gætte?"

Han sukkede let. "Tja, så måtte det være en af gæsterne, ikke? Slagteren er ældre end min bedstefar. Mercy hader grønsagsfyren. Han er fra byen. Han kender til hendes fortid."

"Hvad er der at vide om hendes fortid?"

"Hun var meget ærlig over for mig i begyndelsen," sagde han. "Hun lavede noget sexarbejde, da hun var i starten af tyverne."

"Var det også sexarbejde med dig?"

Han lo. "Nej, jeg betalte hende ikke. Det havde jeg nok gjort, hvis hun havde spurgt. Hun var ret god til at holde tingene adskilt. Arbejde var arbejde, og sex var sex."

Faith kunne godt se, hvordan det kunne være penge værd. "Hvordan var hun i går?"

"Stresset," sagde han. "Vi laver mad til ret så krævende gæster heroppe. De fleste af vores samtaler i går var i retning af: 'Husk nu, at Keisha ikke kan lide rå løg, at Sydney ikke spiser mælkeprodukter, og at Chuck er nøddeallergiker.'"

Faith så ham rulle med øjnene. "Hvad tænker du om Chuck?"

"Han er heroppe mindst en gang om måneden, nogle gange oftere. I begyndelsen troede jeg, han var noget familie."

"Kunne Mercy lide ham?"

"Hun tolererede ham," sagde Alejandro. "Han er noget af en mundfuld, men så igen, det er Christopher også."

"Er Christopher og Chuck sammen?"

"Som i elskere?" Han rystede på hovedet. "Nej, ikke sådan som de kigger på kvinder."

"Hvordan kigger de på kvinder?"

"Desperat?"

Han kæmpede tilsyneladende for at finde en bedre beskrivelse, men rystede så på hovedet. "Det er svært, for problemet er, at de begge to generelt bare er meget akavede. Jeg drikker en øl sammen med Christopher indimellem, og han er en fin nok fyr, men hans hjerne er bare skruet anderledes sammen. Smider du en kvinde ind i ligningen, så stivner han totalt. Chuck har det direkte modsatte problem. Put ham inden for tre meters afstand af en kvinde, og han vil recitere hver eneste replik fra Monty Python, indtil hun løber ud af lokalet."

Den type kendte Faith desværre alt for godt. "Jeg har hørt om det skænderi, Mercy havde med Jon."

Alejandro skar ansigt. "Han er en sød knægt, men meget umoden. Har ikke så mange venner i byen. De ved, hvem hans mor er. Og hans far. Det er forkert, men stigmatiseringen er der."

"Har du set ham fuld på den måde før?"

"Aldrig," sagde Alejandro. "Ærligt, så blev jeg sådan; nej ... Lad ikke knægten gå afhængighedsvejen. Det er i hans blod. Begge sider. Det er bare trist."

Det kunne Faith kun være enig i. Afhængighed var en ensom vej at gå.

"Hvad tid tog du ned herfra i går?"

"Omkring klokken otte eller halv ni. Den sidste samtale, jeg havde med Mercy, var om oprydningen. Hun havde givet Jon fri den aften, så hun gjorde det selv. Jeg tilbød ikke at hjælpe. Jeg var træt. Det havde været en lang dag. Så jeg sadlede Pepe og red hjem, jeg bor cirka fyrre minutter hen over kammen. Der var jeg hele aftenen. Jeg åbnede en flaske vin og så en krimiserie på Hulu."

"Hvad var det for en serie?"

"Den med betjenten med hunden. Du kan sikkert tjekke den slags, ikke?"

"Det kan jeg." Faith var mere optaget af, at han havde forudset alle hendes spørgsmål. Det var, som om han havde trænet til eksamen. "Er der andet, du gerne vil fortælle mig om Mercy og hendes familie?"

"Nej, men jeg skal nok sige til, hvis jeg kommer i tanke om noget." Han pegede mod en stejl skråning. "Det er Fiskehviskerens sti. Den er meget mudret, så pas godt på."

Han havde allerede åbnet døren, men Faith standsede ham med et spørgsmål. "Kan man komme hen til Ungkarlehytterne fra Fiskehviskerens sti?"

Han så overrasket ud, som om han havde regnet ud, hvorfor hun spurgte. "Det kan man godt, hvis man følger vandløbet forbi vandfaldet og så går langs søen, men det er hurtigere at gå ned ad rebstien, den går rundt om kløften. Den bliver bare kaldt rebstien, fordi der er en række reb, man skal holde fast i, så man ikke glider og brækker nakken. Den er kun til personalet. Den står ikke på kortet. Jeg har kun været den vej ned en enkelt gang, fordi det skræmte livet af mig. Jeg er ikke den store fan af højder."

"Hvor lang tid tog det?"

"Fem minutter?" gættede han. "Jeg beklager, men jeg er virkelig nødt til at komme tilbage til arbejdet."

"Tak," sagde Faith. "Jeg får en skriftlig forklaring senere."

"Du ved, hvor du kan finde mig."

Alejandro forsvandt ind i køkkenet, før Faith nåede at sige mere. Hun stirrede på den lukkede dør. Hun prøvede at få et overblik over, hvordan samtalen var forløbet. Det var hendes erfaring, at en mistænkt kunne forholde sig til en afhøring på fire måder. Han kunne være i defensiven. Han kunne være kamplysten. Han kunne virke ligeglad. Han kunne være hjælpsom.

Kokken landede et sted mellem de to sidste. Hun var nødt til at vende det med Will. Nogle gange var mistænkte ligeglade, fordi de rent faktisk var ligeglade. Nogle gange var de hjælpsomme, fordi de ville have dig til at tro, de var uskyldige.

Faith begyndte at gå ned ad Fiskehviskerens sti. Alejandro havde ikke løjet om mudderet. Turen ned mindede hende om en vandglidebane. Vinklen var voldsom. Hun så store og dybe fodaftryk. Mænd, der gik op ad stien. Mænd, der gik ned.

Hun tog chancen igen og råbte: "Will?"

Det eneste svar, hun fik, var nogle fugle, der kvidrede, sikkert fordi de diskuterede en angrebsplan.

Faith sukkede og fortsatte sin bane nedad. Der gik kun få sekunder, før hun var nødt til at lirke en støvle ud af møget. Det var grunden til, at man havde opfundet beton. Det var ikke meningen, at folk skulle være udendørs på den her måde. Hun slog dinglende grene væk, mens hun navigerede ned ad den stejle skråning. En del af hende accepterede bare, at hun før eller siden ville ende på røven, men hun blev stadig irriteret, da det skete. Stien blev ikke mindre stejl af, at hun kom på benene igen. Faith var nødt til at gå ind i skoven for at undgå et stykke, der så meget glat ud.

"Fuck!" Hun sprang væk fra en slange.

Så bandede hun igen, for det var ikke en slange. Der lå et reb på jorden. Den ene ende var fastgjort til en kampesten med en krog. Den anden ende forsvandt ned ad stien. Faith havde sikkert bare ladet det ligge, hvis Alejandro ikke havde fortalt hende om de andre reb på reb-stien. Hun slap et par *fuck* mere, mens hun greb om rebet og fortsatte nedefter. Hun svedte som et svin, da hun endelig kunne høre lyden af vand over sten. Gudskelov faldt temperaturen, da hun kom længere ned. Hun slog efter en myg, der kredsede om hendes hoved. Hun ville have aircondition og en telefontjeneste, og mest af alt ville hun finde sin makker.

"Will?" forsøgte hun igen. Hendes stemme kunne ikke konkurrere med skov-ståhejet. Insekter og fugle og giftige slanger. "Will?"

Faith greb om en gren, så hun ikke gled, da den ene fod smuttede væk under hende, mens hun arbejdede sig ned mod bredden. Så gled den anden fod, og igen var hun på røven.

"For helvede, altså," hvæsede hun. Kunne hun lige få en chance? Hun greb satellittelefonen, der nu lå på jorden. Og trykkede på walkie-knappen. "Dette er agent ..."

Faith slap knappen, da en frygtelig hylelyd nær havde sprængt hendes trommehinder. Hun rystede telefonen og trykkede så på knappen igen. Hyleriet var tilbage. Det kom fra hendes taske. Hun åbnede tasken. Hun så sin satellittelefon.

Hun så på telefonen i sin hånd, og så på telefonen i sin taske.

Hvorfor havde hun pludselig to telefoner?

Faith rejste sig. Hun gik et par skridt. Nu kunne hun se vandløbet. Vandet hvirvlede rundt om nogle store sten. Faith tog endnu et skridt. Støvlesnuden ramte noget tungt. Hun så et våbenhylser med en kortnæset femskuds Smith & Wesson. Hvor mærkeligt, den lignede fuldstændigt Amandas. Hun undersøgte jorden. Et par earbuds, stadig i etuiet. Længere henne en iPhone. Faith vækkede den til live. Låseskærmen lyste op: Et billede af Sara med Wills hund i favnen.

"Nej-nej-nej-nej-nej ..."

Faith havde sin Glock i hænderne, før hendes hjerne helt forstod, hvad det var, hun havde set. Hun snurrede en gang rundt om sig selv og spejdede vildt ind i skoven, panikslagen for, at hun ville finde Wills lig. Der var ikke andet, der stak ud, end en tom vanddunk og en stav med en krog for enden, der så livsfarlig ud. Faith styrtede hen til bredden af vandløbet og så til venstre, og til højre. Hendes hjerte slog ikke, før hun var sikker på, hans lig ikke lå i vandet.

"Will!"

Faith løb langs vandløbet. Terrænet faldt. Vandet løb hurtigere. Efter halvtreds meter drejede det skarpt til venstre, rundt om nogle træer. Faith kunne se flere klipper, mere kværnende vand. Noget kunne godt være fanget af den skummende strøm. Noget som hendes makker. Faith begyndte at løbe ned mod svinget.

"Will!" skreg hun. "Will!"

"Faith?"

Hans stemme var svag. Hun kunne ikke få øje på ham. Faith stak Glocken i hylsteret igen. Hun gik ud i vandet for at komme over på den anden side. Det var dybere, end hun havde regnet med. Knæene bukkede sammen under hende. Hovedet kom under overfladen. Vand hvirvlede rundt om hendes ansigt. Hun skubbede sig selv op, gispende efter luft. Det eneste, der forhindrede strømmen i at tage hende med sig, var held og en kæmpe trærod, der stak ud fra siden af bredden.

"Er du okay?"

Will stod ind over hende. Hans forbundne hånd var trykket ind mod brystet. Hans tøj var gennemblødt. Kevin Rayman stod bagved ham med en mand over skulderen i brandmandsgreb. Faith så et par behårede ben, sorte sokker og gule vandrestøvler.

Hun stolede ikke på sin egen evne til at sige noget. Hun trak sig op af vandet ved hjælp af træroden. Will rakte hånden frem og løftede hende nærmest op på bredden. Faith ville ikke slippe ham igen. Hun havde åndenød. Hun var syg af lettelse. Hun havde været så sikker på, at han lå død et sted. "Hvad er der sket? Hvem er det der?"

"Bryce Weller." Will hjalp Kevin med at få liget ned på jorden. Manden væltede om på ryggen. Huden var bleg. Læberne blå. Hans mund var åben. "Bedre kendt som Chuck."

"Også kendt som tung," sagde Kevin.

Faith vendte sig mod Will. "Hvad fuck laver du at tage helt herned uden at sige til mig, hvor du skal hen?"

"Jeg havde ikke ..."

"Hold kæft, når du taler til mig!"

"Det tror jeg ikke, man ..."

"Hvorfor fandt jeg Amandas våben og dine telefoner på jorden? Er du klar over, hvor skræmmende det var? Jeg troede, du var blevet myrdet. For fanden, altså, Kevin."

Kevin smed hænderne i vejret. "Heey ..."

"Faith," sagde Will. "Jeg er okay."

"Nå, men det er jeg ikke." Hendes hjerte bamlede som en koklokke. "For fanden i helvede, altså."

"Jeg snakkede med Chuck," sagde Will. "Han svedte og var bleg, men jeg tænkte bare, at han nok havde skyldfølelse. Jeg gik tilbage op ad stien. Jeg kom en fem-seks meter over ham. Jeg vendte mig om, og han lå i vandet. Jeg smed våben og elektroniske apparater fra mig, fordi jeg vidste, jeg var nødt til at springe i."

Faith hadede hans rolige og fornuftige tonefald.

Han fortsatte. "Strømmen rev os begge med. Jeg prøvede at indhente ham. Vi var lige ved at ryge ud over et vandfald, men på en eller anden måde formåede jeg at trække os begge tilbage. Jeg kunne ikke bare lade liget ligge, så jeg begyndte at bære ham op mod hytterne."

"Det var der, jeg dukkede op," sagde Kevin. "Jeg var ude og lede efter Will. Og jeg har selvfølgelig slæbt liget meget længere, end han har."

"Det tror jeg ikke er helt rigtigt."

"Jeg er enig i, at vi er uenige."

"Jeg var faktisk ude i det vand, der."

Faith var virkelig ikke i humør til langpisningsjokes. Hun prøvede at fokusere på sagen i stedet for på det faktum, at hun stod drivende våd i en skov og havde tabt småkagerne, fordi hun troede, hendes makker var død.

Hun så ned på liget. Bryce Wellers læber var mørkeblå. Øjnene lignede marmorkugler. Strømmen havde flået i hans tøj. Hans skjorte var åben. Bæltet var revet løs. Men vigtigst af alt, endnu en person var død. De ledte muligvis efter en morder, der havde to motiver i stedet for et. Eller også havde Chuck myrdet Mercy for så at begå selvmord.

"Hvad sagde Chuck, da du talte med ham?" spurgte Faith.

"Han talte i incel-tåger. Han var på vagt. Han opførte sig, som om han overhovedet ikke var vild med Mercy, når det var tydeligt, at det var han. Da vi havde snakket færdigt, stod han ret højt oppe på min liste over mistænkte. Han var hyperfokuseret på Dave. Åbenlyst jaloux over, at Mercy ikke skilte sig af med ham. Han blev ved med at gnide sig hen over lænden. Jeg kunne ikke lade være med at tænke på, om Mercy havde fået nogle slag ind."

"Vi kan vende ham og tjekke om et øjeblik," sagde Kevin. "Jeg skal bare lige have vejret."

"Chuck beskrev sit sammenstød med Mercy inden middagen på en ret sær måde," sagde Will til Faith. "Han sagde: 'Hun skreg ad mig, som om jeg havde voldtaget hende.' Og jeg kunne se, at han virkelig fortrød, at han havde luftet ordet *voldtaget*."

"Var det derfor, han svedte?" spurgte Faith. "Han var nervøs?"

"Det tror jeg ikke. Så ville det være en form for eksplosiv sved. Men det dryppede fra hans hovedbund. Håret var klistret til hans hoved. Nu jeg tænker tilbage, så tror jeg ikke, han havde det godt. Han bøvsede, som om hans mave var på vej ud af hans mund."

"Selvmord?" spurgte hun.

"Hvis han druknede sig selv, så gjorde han det hurtigt. Ingen kamp. Ingen plasken. Det tog mig omkring et minut at komme op ad den skråning. Da jeg vendte mig, var hans lig allerede flydt ud midt i vandløbet."

Faith så på Chucks ansigt. Hun havde overværet flere obduktioner, end hun nogensinde havde haft lyst til. Hun havde aldrig før set et lig med så blå læber. "Spiste han noget, inden han gik i?"

"Han drak vand fra en dunk," sagde Will. "Den var halvt fyldt, da vi begyndte. Han drak resten, mens vi talte. Hvad tænker du?"

"Alejandro sagde, at Chuck havde nøddeallergi. Måske var der nogen, der havde smuttet noget nøddepulver i hans vand."

"Nej," sagde Sara.

De vendte sig alle sammen om. Sara stod på den modsatte side af vandløbet.

"Det var ikke peanuts," sagde hun. "Han blev forgiftet."

16

Sara var ikke spor begejstret for Wills skyldbetyngede ansigtsudtryk, da han så på hende fra den anden side af vandløbet. Det var det samme blik, han sendte Amanda, når hun var ved at give ham et røvhul mere. Sara var ikke hans chef.

"Det var fandens," sagde Faith. "Hvordan kan du vide, at han blev forgiftet?"

Sara ville håndtere Will senere. Chuck havde ikke været hendes yndlingsperson, men han var stadig død, og han fortjente noget respekt. "Anafylaksi er en pludselig, alvorlig allergisk reaktion, der får immunsystemet til at udløse kemikalier, der sætter din krop i chok. Det er ikke nogen hurtig død. Vi taler femten-tyve minutter. Chuck vil have oplevet ubehag og strammen over brystet, hoste, svimmelhed, rødmen eller røde pletter i ansigtet, udslæt, kvalme eller opkast, og vigtigst af alt, vejrtrækningsbesvær. Will, lagde du mærke til, om Chuck havde nogle af disse symptomer?"

Will rystede på hovedet. "Han trak vejret fint. Jeg bemærkede bare, at han svedte og var bleg."

"Se lige, hvor blå hans fingernegle og læber er." Sara pegede på liget. "Årsagen til det er cyanose, som er en mangel på ilt i blodet, som i dette tilfælde indikerer kemisk forgiftning. Chuck drak vand, inden han døde, så vi kan gå ud fra, at det var kilden. Substansen ville skulle have være uden farve, lugt og smag. Folk med alvorlige allergier ved meget hurtigt, om deres allergi er blevet trigget. Chuck råbte ikke på hjælp. Han væltede ikke rundt. Han gispede ikke efter vejret og kradsede sin egen hals op for at få vejret. Jeg er nødt til at se nærmere på det sted, hvor han gik ud i vandet, men min teori er, at han mistede bevidstheden og rullede ud i vandløbet."

"Hvad med et hjerteanfald?"

"Så ville læber og fingernegle ikke være så blå," sagde Sara. "Det er ikke alle hjerteanfald, der fører til hjertestop. En pludselig hjertedød er en elektrisk funktionsfejl. Hjertet slår uregelmæssigt eller stopper bare, der kommer ikke blod til hjernen, personen besvimer. I et roligt miljø som dette, selv med vandes brusen, ville Will have hørt noget, inden Chuck mistede bevidstheden. Han ville have råbt op, grebet fat om armen i smerte, de klassiske symptomer. Om ikke andet ville han have lavet et ordentligt plask, da han faldt i vandet."

"Jeg lyttede nøje for at sikre mig, at han ikke pludselig overfaldt mig bagfra," sagde Will. "Da jeg vendte mig om, flød han bare."

"Hvilken form for gift vil gøre hans fingernegle og læber blå på den der måde?"

Sara havde et par forslag, men dem havde hun ikke tænkt sig at lufte på ti meters afstand. "Det kan kun en toksikologisk undersøgelse bekræfte, men jeg kan godt give jer et par muligheder, når jeg har fået set lidt nærmere på ham."

"Vi kommer over til dig," sagde Will. "Vi skal have ham over vandet. Der er en overgang med trædesten oppe ved minivandfaldene. Kan I to klare det uden mig?"

Will ventede ikke på, at Kevin eller Faith svarede. Han sprang tilbage ud i vandløbet for at krydse det. Strømmen tog han sig ikke af. Han kravlede op på bredden og stod foran Sara med et resigneret ansigtsudtryk.

Hun rakte ham sine iPhone-earbuds og spurgte: "Hvordan var vandet?"

"Koldt."

Hun spekulerede på, om dobbeltbetydningen var underforstået. "Min elskede, jeg kommer ikke til at tale dunder til dig, fordi du prøvede at redde en mands liv."

Han så undrende på hende. "Du er ikke vred?"

"Jeg var bekymret," sagde hun til ham. Hun tilføjede ikke, at Faiths paniske råb af hans navn havde stoppet Saras hjerte. Hun havde dårligt kunnet trække vejret, før hun så, at Will var ok. "Jeg burde skifte forbindingen på din hånd. Den er gennemblødt."

Han så ned på sin hånd. "Tro det eller ej, men den reddede mit liv."

Sara var ikke helt sikker på, at hun kunne tåle at høre detaljerne lige nu. "Hvor meget vand har du slugt?"

"Et sted mellem en smule og en hel masse, men det hele kom op igen."

"Der er en lille risiko for lungehindebetændelse." Hun strøg hans våde hår tilbage. "Hvis du får vejrtrækningsbesvær, så vil jeg have, at du siger det til mig øjeblikkeligt."

"Det kan være svært at vurdere," sagde Will. "Nogle gange ser jeg på min hustru, og så kan jeg slet ikke trække vejret."

Sara mærkede læberne kruse sig til et smil, men hun var godt klar over, at der var vigtigere ting, der skulle have hendes opmærksomhed. Faith og Kevin var allerede i færd med at bære Chuck tilbage op langs vandløbet.

"Har Faith fortalt dig om kniven?" spurgte hun Will, da de gik langs bredden.

Han rystede på hovedet.

"Rødt plasticskaft. Jeg tænker en steakkniv. Det røde er usædvanligt. Normalt laver man et plasticskaft, så det ligner træets årer."

"Amanda bør snart have ransagningskendelsen i hus," sagde han. "Jeg vil vende bunden i vejret på det her sted. Jeg håber bare ikke, skaftet ligger på bunden af søen."

"Har du nogen anelse om, om Mercy vidste, hun var gravid?"

Han rystede igen på hovedet. "Og der er ingen, vi kan spørge. Hun stolede ikke på nogen heroppe."

"Det bebrejder jeg hende ikke." Sara begyndte at tænke på de næste skridt. "Eftersom vejen er skyllet væk, er vi nødt til at finde et sted, vi kan opbevare Chucks lig, til Nadine kan flytte det på sikker vis."

"Der er et kølerum bag køkkenet. Der er ikke så meget i det. De har et andet køleskab, de sikkert kan flytte tingene over i." Will var nødt til at trykke hånden mod hjertet. Det kolde vand og adrenalinen bedøvede tydeligvis ikke smerten længere. "Det minder mig om, jeg lovede Frank, at du ville tjekke Monica."

"Det har jeg allerede gjort," sagde Sara. "Jeg gav hende noget væske, men jeg ville foretrække, at hun var tættere på et sygehus. Hvis hun ikke begynder at drikke igen, får hun abstinenser. Hun var på nippet til at få en alkoholforgiftning i aftes."

"Frank fortalte mig, at det overraskede ham, at hun blev så syg af, hvad hun havde drukket."

"Jeg er ikke så sikker på, at Frank er så pålidelig igen. Han fortalte mig, at han havde løjet for dig."

Will stoppede op.

"I aftes skrev Monica en seddel og bestilte en flaske sprut mere. Frank gik ud på verandaen for at lægge den til Mercy, men i stedet stak han sedlen i lommen."

"Og han fortalte mig, at Mercy havde taget sedlen, hvilket gav mig den tidslinje, vi har arbejdet ud fra." Will så forståeligt nok irriteret ud. "Hvorfor fanden løj han om det?"

"Han lyver sikkert en hel del for at dække over sin kones drikkeri," mindede Sara ham om. "Paul sagde, han så Mercy omkring halv elleve."

"Jeg stoler endnu mindre på Paul, end jeg gør på Frank." Will så på sit ur. "Frokostserveringen er slut. Måske du kan få talt med Drew og Keisha. Amanda har baggrundstjekket alle gæsterne. Drew har en femten år gammel tiltale for grov legemsbeskadigelse."

Sara mærkede, hun tabte underkæben af overraskelse.

"Det var også min reaktion, men måske forklarer det det, Drew sagde til Bitty om, at hun skulle glemme det andet."

"Hvaffor noget andet?" spurgte Faith.

De var kommet frem til minivandfaldet. Hun kom gående hen over trædestenene med armene ud til siderne for at holde balancen. Will ventede på hende ved bredden. Sara tunede ud af deres samtale. Ingen af dem virkede interesserede i at hjælpe Kevin. Sara skulle til at tilbyde sin hjælp, men han var allerede på vej over vandløbet med Chucks dødvægt på skulderen. Will betragtede ham også, men mere af misundelse end af bekymring. Han ville gerne være den, der balancerede hundrede kilo på skulderen, samtidigt med at han gik gennem, hvad der praktisk talt var en forhindringsbane.

"Kunne Monica også være offer for forgiftning?" spurgte Faith.

Det gik op for Sara, at det var hende, hun spurgte. "Hvis det er tilfældet, ville det have været et andet middel ad en anden vej. Jeg kan spørge Monica, om jeg må tage en blodprøve, men vi vil være nødt til ..."

"At vente på toksikologisk," afsluttede Faith. "Hvad med selvmord?"

"Altså Chuck?" Sara trak på skuldrene. "Medmindre han efterlod et brev, kan jeg ikke sige det."

"Bortset fra at han svedte, opførte han sig ikke skyldigt," sagde Will. "Han virkede ret overbevist om, at Dave var morderen."

"Det ville jeg også være, hvis ikke alle beviserne havde sagt, at han ikke er," sagde Faith.

"Gik Chuck ikke med briller?" huskede Sara.

"Strømmen er stærk. De er sikkert længere nede allerede."

"Tak, folkens." Kevin var nået hen over vandløbet. Han gik ned på det ene knæ, rullede Chuck ned på jorden og satte sig for at få vejret.

"Lad os holde os fra bredden derovre." Sara pegede på det sted, hvor hun tænkte, Chuck var gået ud i vandet. "Vi skal have fangstkrogen og vanddunken forseglet som bevismateriale og have registreret alt, vi kan finde i hans lommer."

"Jeg henter udstyret." Kevin kom på benene. "Jeg skal alligevel have noget vand."

"Sørg for, at det er fra en forseglet flaske." Faith havde fundet sin taske på jorden. Hun tog sit insulinsæt frem. "Kan I starte uden mig? Jeg skal lige have min indsprøjtning."

Sara udvekslede et blik med Will, da Faith gik lidt op ad stien og satte sig på en væltet træstamme. Faith var rigtig god til sit arbejde, men hun havde aldrig brudt sig om lig.

"Klar?" spurgte Sara Will.

Han tog sin telefonen frem. "Vandløbet var løbet over sine bredder, da jeg kom. Vi bør filme det område, hvor Chuck gik i, før det ikke er her længere."

"God idé." Sara ventede, til han var begyndt at optage, så startede hun med at fastslå dato, tidspunkt og sted. "Dette er dr. Sara Linton. Med mig er specialagenterne Faith Mitchell og Will Trent. Denne video skal dokumentere det sted, hvor vi tror, at ofret, Bryce Weller, også kendt som Chuck, gik ud i Den forsvundne enkes vandløb og herefter udåndede."

Hun ventede, til Will langsomt havde panoreret hen over området fra bunden af stien og hen over bredden. Sara gav sig tid til at udfolde en teori om, hvad der var sket. Der var tre tydelige sæt fodaftryk, det ene var efter et par sneakers. Hun kiggede under Chucks vandrestøvler. Sålerne var slidte på ydersiden, hvor han gik skævt på fødderne. Hun vidste i forvejen, hvordan Wills særegne HAIX-aftryk så ud. Elementernes rasen havde været imod dem i bevarelsen af gerningsstedet, hvor de fandt Mercy, men her havde mudderet gjort dem en tjeneste. Chucks sidste stund på jord kunne lige så vel være hugget i sten.

"Okay," sagde Will. "Klar, når du er."

"Ofrets såler matcher det W-formede aftryk i mudderet," sagde Sara.

"Man kan se det sted, hvor ofrets vægt er ude på tæerne, på vej ud i vandet. Aftrykket fra hælen er mere overfladisk end tåen. De to mærker her angiver, hvor ofret faldt ned på knæ. De er hverken dybe eller ujævne, hvilket antyder, at det var en kontrolleret handling, ikke et pludseligt fald. Der er håndaftryk på begge sider, her og her, så han lå på alle fire."

"Det må være sket hurtigt," sagde Will. "Jeg havde kun ryggen til ham i et minut. Jeg hørte ham hverken råbe på hjælp eller hoste eller noget."

"Chucks ressourcer ville være brugt på at holde sig ved bevidsthed, ikke kalde på hjælp," sagde Sara. "Min teori er, at hans blodtryk faldt og bogstaveligt talt tvang ham i knæ og til at støtte med hænderne for at holde balancen. Aftrykket på højre side er dybere end det venstre. Man kan se det lange, ovale aftryk, det er sikkert der, hans højre albue gav efter, og han faldt ned på højre skulder og derefter kollapsede på siden. Derfra gætter jeg på, at han rullede om på ryggen, men han var for tæt på bredden. Tyngdekraften tog over og trak ham ud i vandet. Strømmen førte han ud til kampestenene."

"Hans hånd sad fast mellem dem, da jeg fik øje på ham," sagde Will. "Da jeg sprang i, var han allerede på vej med strømmen."

"Så du ham dreje sig eller lave andre bevidste bevægelser?"

"Nej. Han flød bare med. Armene og benene var ude til siden. Der var ingen modstand."

"Han må have været bevidstløs eller allerede død. Jeg kunne tage fejl, men min forventning er, at hans lunger vil vise, at han døde ved drukning." Sara så ned i vandet. Hun så et par velkendte briller sidde fast nede i søbunden. "Disse er identiske med dem, Chuck gik med."

Will undgik fodaftrykkene, da han lænede sig ud over vandet for at filme brillernes placering.

Sara vendte sig mod liget. Chuck lå på ryggen med ansigtet opad. Hun havde ikke rigtigt kigget på ham i aftes. Nu studerede hun hans træk. Han var almindelig, ikke decideret utiltrækkende, sort, bølget hår, der gik til skuldrene, olivenfarvet hud, mørkebrune øjne.

Hun spurgte Will: "Da du talte med Chuck, lagde du så mærke til, om hans pupiller var udvidede?"

Will rystede på hovedet. "Der er ikke så meget sol hernede ved træerne. Jeg var mere optaget af at sikre mig, at han ikke greb den fangstkrog og kom efter mig."

"Kan du ikke se det?" Faith holdt sig stadig på afstand lidt oppe ad stien, men hun lyttede tydeligvis. "Vil hans pupiller ikke stadig være udvidede?"

"Iris er en muskel," fortalte Sara hende. "Muskler slapper af, når man er død."

Faith så utilpas ud. "Der er nogle handsker i min taske."

Sara fandt handskerne og trak dem på, mens Will filmede hele hans krop fra toppen af hovedet ned til sålerne på vandrestøvlerne. Der var tændt for lyset. I det skarpe lys kunne hun se, at den blå tone ikke begrænsede sig til Chucks læber og fingernegle. Hans ansigt havde også et blåt skær, især rundt om øjnene.

"Sørg for at zoome ind på hans øjenlåg og øjenbrynene," sagde hun til Will.

Sara ventede, til Will var færdig, før hun lagde sig på knæ ved siden af liget. Chuck var iklædt en kortærmet skjorte. Hun så ingen kradsemærker eller selvforsvarssår på arme og hals. Hun knappede skjorten op. Hans brystkasse og mave var behåret, men der var ikke den mindste rift at se. Hun så nærmere på hans fingernegle. Hun nærstuderede hans ansigt. Hun prøvede at komme i tanke om, hvordan Chuck havde set ud aftenen før. Af åbenlyse grunde havde al Saras opmærksomhed været rettet mod Will.

"Bemærkede du noget mærkeligt ved Chucks udseende i aftes?" spurgte hun ham.

Han rystede på hovedet. "Jeg bemærkede ham egentlig ikke under cocktailene, før han greb Mercy i armen, og hun råbte ad ham. Så gik vi ind til middagen, og lyset var dæmpet. Jeg husker ærligt talt ikke at have kigget på ham igen."

"Det gør jeg heller ikke." Sara havde ikke haft meget tid til Chuck. "Vi bliver nødt til at tale med alle, der deltog i den middag. Jeg vil vide, om andre bemærkede det blå skær på Chucks hud i aftes. Eller ligefrem før det."

"Tror du, at Chuck blev forgiftet, inden vi ankom til hytterne?"

"Det er svært at sige uden det rette udstyr. Da I talte sammen før, hvor meget drak han så fra den dunk?"

"Den var halvfuld, da vi begyndte. Han drak resten, mens vi snakkede, hvilket var rundt regnet et par liter på cirka otte minutter."

"Kan man ikke dø af det?" spurgte Faith. "At drikke for meget vand?"

"Det kan man godt, hvis man drikker nok til at fortynde natriummet i ens blod, men to liter er ikke nok. En mand på hundrede kilo har brug for omkring tre liter om dagen. Det værste, der kan ske, ved at man drikker to liter meget hurtigt, er, at man kaster det op igen."

"Det ser ud, som om der stadig er lidt vand i bunden af dunken," sagde Will.

Sara havde brug for at se analysen af indholdet i dunken, men det kunne tage flere uger. "Var hans bælte åbnet, da du talte med ham?" spurgte hun Will.

"Nej, det må være gået op ude i vandet."

Til ære for kameraet flyttede Sara bæltespændet, så det kunne ses, at den øverste knap og en del af lynlåsen i Chucks cargoshorts var åbnet. Hun lænede sig ned og lugtede til hans tøj. "Hvordan var hans tilstand hen mod slutningen af jeres samtale?"

"Han svedte virkelig meget," sagde Will. "Og ville virkelig gerne have mig til at gå."

"Måske var han bekymret for diarré. Måske prøvede han at trække sine bukser ned, da de andre symptomer ramte."

"Det forklarer, hvorfor han ikke råbte på hjælp," sagde Faith. "Man gider ikke have øjenvidner til ens myldrebæ."

"Er der nogen forsvarssår?" spurgte Will.

"Ingen, men jeg vil gerne se hans ryg. Jeg tjekker lige hans forlommer, inden jeg vender ham." Sara klappede forsigtigt på stoffet for at tjekke, om der var skarpe genstande i lommerne på Chucks cargobukser. Hun remsede op, hvad hun fandt. "En tube Carmex læbepomade. En femtengrams flaske øjendråber af mærket Eads Clear. Et redskab til oprulning af fiskeline. Et foldbart multiværktøj til fiskeri. En retractor. En lommekniv."

"Er alt det normalt, når man fisker?" spurgte Faith.

"Det meste af det." Sara havde tilbragt en hel del tid med sin far ved søen. Han havde udstyret i sit bælte, men folk var forskellige. "Er du klar til, at jeg vender ham?"

Will trådte et par skridt tilbage, før han nikkede.

Sara tog fat om Chucks skulder og hofte og trak ham op på siden.

Will udstødte en lyd. Bagsiden af den tilskadekomne hånd røg op til næsen. Sara tog det som en bekræftelse på tilstanden af Chucks tarme. Hun var glad for, at Faith ikke stod i vindretningen.

Sara måtte trække vejret gennem munden, da hun fjernede Chucks pung fra hans højre baglomme og åbnede den liggende på jorden. Det sorte læder var blankt. Hun tog et Visakort, et American Express, et kørekort og et forsikringskort, alt sammen i navnet Bryce Bradley Weller, op af den. Der var ingen kontanter i det indvendige rum, blot et enkelt kondom i en falmet guldpakning. Magnum XL med glidecreme og knopper. Sara vendte pungen om. Efter det runde slidmærke at dømme gættede hun på, at kondomet havde ligget der ret længe. Noget sagde hende, at Chuck ikke brugte det hver aften og erstattede det med et nyt.

"Den sædlignende væske, du fandt i Mercy, kunne det have været glidecreme?" spurgte Will.

"Nej. I mikroskopet var der tydelige spor af spermatozoer. Og husk på, at det ikke er bevis på et overgreb, kun på samleje." Hun løftede op i ryggen på Chucks skjorte. Der var hverken kradsemærker eller andre tegn på nylige mærker. Den eneste overraskelse var, at han havde en tatovering. "Der er en stor tatovering på venstre skulderblad, cirka ti gange syv-otte centimeter, der vist skal forestille et firkantet whiskyglas med gylden væske, der sprøjter ud over kanten. I stedet for isterninger er der et menneskekranie."

"Wow," sagde Faith. "Var han whiskyentusiast?"

"Det har jeg ingen anelse om." Sara havde med vilje undgået smalltalk. "Will?"

Han trak på skuldrene. "Jeg så ham ikke drikke andet end vand hele aftenen."

"Hvis jeg skulle forgifte ham," sagde Faith, "så ville jeg helt sikkert putte noget i den dunk."

Sara vendte forsigtigt Chuck om på ryggen.

"Det er de foreløbige fund. Vi må vente på obduktionen og giftanalysen, før vi har det fulde billede."

Will stoppede med at filme. "Hvad er din teori?" spurgte han Sara.

Sara gjorde tegn til, at han skulle følge med hende væk fra liget. Hun brød sig ikke om at tale hen over ofre, som var de problemer, der skulle løses, og ikke mennesker.

Hun ventede på, at Faith kom hen til dem, hvorefter hun sagde: "Vores omgivelser taget i betragtning så var min første tanke, at det var noget naturligt, som for eksempel atropin eller solanin, som findes i natskygge. Det har jeg set før. Solanin er utroligt giftig, selv i små mængder. Så er der også kermesbær, galnebær og kirsebærlaurbær."

"Hold da fest, naturen er skidt for dig," lød det fra Faith. "Hvad var din anden tanke?"

"Jeg tænker på øjendråberne. Der er en ingrediens i, der hedder tetrahydrozoline, eller THZ, som er en alpha-1-receptor, der bruges til at mindske rødhed ved at trække blodkar sammen. Ved oral indtagelse passerer det hurtigt gennem tarmkanalen og bliver optaget i blodet og centralnervesystemet. I højere koncentrationer kan det give kvalme, diarre, lavt blodtryk, nedsat hjerterytme og bevidstløshed."

"Er det den slags, man kan købe i håndkøb, du taler om?" spurgte Faith.

"Det er mængden, der er det giftige," sagde Sara. "Hvis THZ er synderen, så skal der et par flasker til."

"Alt skrald bliver kørt længere op på bjerget," sagde Will. "Vi kan godt gennemsøge poserne for tomme flasker, men vi vil skulle sende alt, vi finder, til laboratoriet for at tjekke fingeraftryk."

"Vent lige," sagde Faith. "Der var en sag i Carolina med det her, ikke? Konen hældte øjendråber i mandens vand? Men det tog noget tid, før han døde."

Den sag havde Sara også læst om. "THZ kunne være en bidragende faktor i Chucks død. Den faktiske årsag kunne være drukning."

"Selvmord kan nok godt udelukkes," sagde Will. "Det lyder ikke som noget, man ville bruge til at tage livet af sig selv med."

"Medmindre man gerne ville skide sig selv til døde," tilføjede Faith.

"Var der ikke en film, hvor fyren gav det til den anden fyr, så han kunne få pigen?"

"*Wedding Crashers*," sagde Will. "Leder vi efter en person eller to? Hvem kunne have motiv til at slå både Mercy og Chuck ihjel?"

"Hvad ved vi om Chuck?" spurgte Faith. "Han var sær. Han var glad nok for whisky til at få en tatovering. Han fiskede. Han gik rundt med en vanddunk."

"Han var Christophers bedste ven," sagde Will. "Han havde en ugengældt besættelse af Mercy. Han var en incel eller ret tæt på."

"Han havde et kondom i sin pung, så han havde ikke helt opgivet håbet." Faith sukkede tungt. "Hvem havde adgang til dunken?"

Sara så på Will. "Alle?"

Will nikkede. "Chuck var ikke særligt omhyggelig med den på udsigtsverandaen under cocktailene. Han satte den på gelænderet et par gange og gik fra den."

"Den ville være tung at bære rundt på hele tiden," sagde Sara. "Hvis dunken var fyldt, var det fire liter væske, det er fire kilo."

"Det var næsten, hvad Emma vejede, da hun blev født," sagde Faith. "Det var som at bære rundt på en X-box."

"Eller fire liter mælk," sagde Will.

"Så vi er tilbage til, at alle heroppe er mistænkte," opsummerede Faith. "Samt alle, der havde adgang til Eads Clear øjendråber, som kan købes alle vegne."

"Og som er et ret så velkendt giftstof," tilføjede Sara.

"Lad os lige tage Mercy ud af ligningen," sagde Faith. "Hvem kunne have motiv til at slå Chuck ihjel? Han havde ikke noget med salget af hytterne at gøre. Hvis nogen ville slå ham ihjel, fordi han var klam og irriterende, så var det sket for længe siden."

"Inden jeg fulgte ham herned," sagde Will, "overhørte jeg Chuck tale om investorerne med Christopher. De gik på stien bag køkkenet. Christopher sagde, han var for sent på den til et familiemøde, der sikkert omhandlede salget. Chuck spurgte, om investorerne stadig var interesserede. Christopher sagde, at det vidste han ikke, men at han var ude af det. Han havde aldrig ønsket at være en del af det, og uden Mercy ville det ikke fungere. Han sagde, at de havde brug for hende."

"Det var sært," sagde Sara. "Med 'det' mente han så hyttehandlen eller noget andet?"

"Mercy drev stedet efter Cecils cykeluheld," tilføjede Faith. "Ifølge Penny gjorde hun det virkelig godt, havde skabt et stort overskud, som hun geninvesterede i stedet."

Will virkede ikke overbevist. "En af de sidste ting, Chuck sagde til Christopher var noget i retning af: 'Vi har gang i noget rigtig godt. Der er mange, der regner med os.'"

"Måske var Chuck involveret i hytterne?" spurgte Faith. "Som passiv interessent?"

"Det lød ikke, som om de talte om hytterne," sagde Will.

Lyden af skridt på stien fangede deres opmærksomhed. Kevin var tilbage med poser til bevismateriale og indsamlingskits.

"Agent stikirenddreng er tilbage," sagde Faith.

Kevin så ikke ud til at synes om vittigheden, sikkert fordi den ramte lidt for godt. "Jeg var lige forbi spisesalen," sagde han til dem. "Jeg bad kokken tømme kølerummet, men jeg sagde ikke hvorfor."

"Og det kunne han ikke regne ud, da du bad ham rydde plads nok til en mand?" spurgte Faith.

"Jeg sagde til ham, vi havde brug for at opbevare bevismateriale, men at vi ikke ønskede at kontaminere maden."

"Okay," medgav Faith. "Det var smart."

"Hvad er planen med Chuck?" spurgte Kevin. "Fortæller vi folk det? Holder vi det hemmeligt?"

"Jeg er nødt til at orientere Nadine om dødsfaldet," sagde Sara, "men hun vil ikke kunne transportere liget ned, før vejen er tilgængelig igen. Jeg stoler på, at hun holder tæt."

"Kokken og tjenerne vil kunne se os bære liget hen til kølerummet," sagde Will. "Men hvis de bliver inde i spisesalen, og der ikke kommer nogen ned fra huset, så kommer oplysningen ikke rundt til alle her- oppe."

"Hvis stedet her stadig kører efter normalt skema, så kommer gæs- terne ikke til cocktails før klokken seks."

"Hvad med *det var ikke Dave, der gjorde det*-delen? Holder vi stadig det hemmeligt?" spurgte Kevin.

"Det tror jeg, vi bliver nødt til," sagde Faith. "Det er jo heller ikke lige- frem sådan, at familien råber på at få at vide, hvem morderen er."

"Hvad med Jon?" spurgte Sara. "Han dukker op før eller siden. Lige nu tror han, at hans far slog hans mor ihjel. Har vi tænkt os at lade ham blive i den tro?"

"Det er en kompliceret samtale," sagde Will. "Man kan ikke forlange, at han holder det hemmeligt, og han kommer muligvis til at tippe den rigtige morder. Vi mangler stadig at finde det forsvundne knivskaft. Morderen sjusker muligvis, fordi han tror, han er sluppet af sted med det."

"Jeg stemmer for, at vi holder begge dele tæt ind til kroppen – både Chuck og Dave," sagde Kevin.

"Enig," sagde Will og Faith unisont, hvilket gjorde Saras stemme overflødig.

"Lad os lægge en plan," sagde Faith. "Vi kan bruge en af de tomme hytter til at afhøre folk i, så ingen er på hjemmebane. Vi starter med

Monica og Frank og finder ud af, hvad mere de lyver om. Vi er nødt til at få en tidslinje, vi kan regne med. Så tager vi app-fyrene. Jeg vil gerne vide, hvorfor de løj om Paul Petersons navn."

"Det er Ponticello," sagde Will. "Amanda fandt en vielsesattest. Paul Ponticello er gift med Gordon Wylie."

"Hvorfor lyve, hvis man er gift?" spurgte Faith.

"Det står øverst på listen af spørgsmål," sagde Will. "Jeg er ikke sikker på, hvordan vi håndterer Christopher."

"Fordi han var den sidste, der så Chuck, og han havde adgang til vanddunken?" fnøs Faith. "Jeg mener, helt ærligt, Han er da mistænkte *numero uno*."

"Hvad er hans motiv?"

"Hvad fuck ved jeg." Faith sukkede tungt og plaget. "Vi går bare rundt i cirkler. Lad os stoppe med at snakke og begynde at gøre ting."

"Du har ret," sagde Will. "Kevin, jeg hjælper dig med at få Chuck hen til kølerummet. Jeg tjekker affaldet, mens du indsamler beviser hernede. Faith, gå hen og bed om tilladelse til at bruge en tom hytte. Hvis du kan, så rusk lidt op i Christopher. Se, om han spørger, hvor Chuck er. Sara, der er endnu en satellittelefon omme bag i UTV'en, så du kan ringe til Nadine. Hav den på dig, hvis jeg får brug for at få fat i dig. Amanda sagde, hun ville ringe, når kendelsen er sendt, men tjek alligevel faxmaskinen. Ville du have noget imod at se, om Drew og Keisha vil snakke?"

"Jeg kan godt prøve." Sara var mere bekymret for stingene i Wills hånd. Hun havde taget antibiotika med for en sikkerheds skyld. "Jeg har sat tasken med lægemidler i vores hytte. Jeg vil gerne skifte din forbinding."

"Det kan lige så godt vente, til jeg er færdig med at rode affaldet igennem."

"Lyder godt." Sara havde ikke tænkt sig at tage infektionskampen, og slet ikke foran et publikum. Hun kunne ikke gøre meget andet end at begynde at gå op ad stien. Opringningen til Nadine var der ingen ben i, men hun var ikke så sikker på, hvordan hun skulle gå til Drew og Keisha. De virkede som virkelig rare mennesker. De havde al mulig ret til at nægte at svare på nogen spørgsmål. Men Sara ville lyve, hvis hun sagde til sig selv, at Drews overfaldstiltale ikke hejste et kæmpe rødt flag. Han havde været i hytterne to gange tidligere, måske så sent som for ti uger siden.

"Sara?" Will havde tydeligvis haft de samme spekulationer. "Faith går med dig. Hun skal bruge et kort over stedet."

Sara klistrede et smil på, kun til ham. "Jeg kan tage det med tilbage, efter jeg har talt med Drew og Keisha."

Will klistrede også et smil på. "Eller du kunne tage Faith med dig, når du taler med dem."

"For fucks sake." Faith hængte tasken over skulderen som en mulepose og begyndte at gå op ad stien.

Sara gik foran hende. Faith sagde ikke så meget andet på turen end at beklage sig over mudderet, træerne, underskoven og naturen generelt. Stien var smal, og mudderet gjorde den svær at gå på. I stedet for at bekymre sig om Wills hånd fokuserede Sara sin opmærksomhed på områder, hvor hun kunne være mere effektiv. Nadine havde måske nogle oplysninger om Chuck. Små byer var berygtede for at være på vagt over for fremmede. Desuagtet ville en mand som Chuck skille sig ud. Der måtte cirkulere nogle historier om ham i byen.

"Endelig." Faith lød, som om hendes bønner var blevet hørt, da de langt om længe nåede Ringstien. "Ikke om jeg fatter, hvorfor Will var så begejstret for det her sted. Jeg er smurt ind i sved, mudder og hest. Et eller andet har bidt mig på halsen. Hele min krop føles klistret. Der er fugle alle vegne."

Sara vidste godt, at Faith hadede fugle. "Jeg har noget tøj, du kan skifte til."

"Det er muligt, du ikke har bemærket det, men min krop er mere kvabset teenagedreng-typen."

"Vi finder noget."

Faith mumlede et eller andet, mens de gik ad Ringstien. "Har du talt med Amanda?"

"Ikke om det, hun gerne vil tale om."

"Jeg ved ikke, hun har jo lidt en pointe i, at Will stikker snuden i ting. Han er på bryllupsrejse, og han ender med at løbe ind i et brændende hus, få en kniv gennem hånden, og nu har han lige været ved at blive skyllet ud over et vandfald."

Sara måtte synke, før hun kunne svare. Det med vandfaldet var nyt for hende. "Jeg har ikke giftet mig med ham for at lave om på ham."

"Dit niveau af sund interaktion er pisseirriterende nogle gange."

Sara lo igen. "Hvordan har Jeremy det?"

"Åh, du ved, klar til at blive FBI-agent og smide sig selv ovenpå en tikkende bombe."

Sara skævede ned til hende. Faith var generelt nem at læse, mest fordi hun gerne sagde, hvad end der faldt hende ind, men hun havde virkelig paraderne oppe, når det gjaldt hendes børn. "Og?"

"Og," sagde Faith, "jeg ved ikke, hvad jeg skal gøre. Inden det her var det mest chokerende, han nogensinde har sagt til mig, at USA opbevarer 1,4 milliarder pund ost i en hule i Missouri."

Sara smilede. Hun elskede Jeremys random facts. "Har du prøvet at tale med ham?"

"Jeg fortsætter nok med at råbe lidt længere for at se, om det virker, så prøver jeg muligvis kold skulder-taktikken, så surmuler jeg et stykke tid og bruger det som undskyldning for at spise for meget is." Faith lagde armene over kors og så op på himlen. "Det her er et sært sted, ikke?"

"Du mener med alle fuglene?"

"Jo, men jeg bliver også ved med at vende tilbage til Mercys mor," sagde Faith. "Den måde, Bitty talte om sin egen datter på ..."

Sara delte hendes afsky. "Jeg kan ikke forestille mig, hvilken slags person man skulle være for at hade sit eget barn. Sikke et elendigt menneske."

"Børn kan lære en, hvem man er," sagde Faith. "Med Jeremy knoklede jeg benhårdt for at være perfekt. Jeg ville gerne bevise over for mine forældre, at jeg var voksen nok til selv at tage mig af ham. Jeg lavede skemaer og regneark og vaskede tøj hele tiden, og så en morgen gik det op for mig, at det er okay at spise mad direkte fra gulvet, hvis det er tættere på din mund end skraldespanden."

Sara smilede. Hun havde set sin egen søster lave præcis samme udregninger.

"Emma lærer mig, hvor god en mor min egen mor er. Jeg ville ønske, jeg lyttede mere til hende. Ikke at jeg har tænkt mig at begynde at lytte til hende nu, men det er tanken, der tæller." Faiths smil holdt ikke længe. "Da jeg talte med Bitty, kunne jeg ikke tænke på andet, end at hun intet havde lært. Hun havde denne smukke, lille pige, og hun kunne have gjort verden til et vidunderligt sted for hende, men det gjorde hun ikke. Værre endnu, hun valgte Dave over Mercy og Christopher. Og nu var Mercy død, og det havde Bitty heller ikke lært noget af. Hun kan ikke stoppe med at skide på sin egen datter. Jeg ved godt, jeg jokede med, at hun opførte sig som Daves jaloux psykopat-eks, men det føles patologisk."

"Jeg ville ikke sige, hun har været meget bedre over for Christopher," påpegede Sara. "Hun nærmest ignorerede ham ved cocktailene. Jeg så hende slå ham over fingrene, da han prøvede at tage noget mere brød."

"Hvad med Cecil?"

"Mercy sagde noget til mig i aftes, som jeg virkelig har tænkt meget på i dag," sagde Sara. "Hun spurgte mig, om jeg har giftet mig med min far."

Faith så på Sara. "Hvad sagde du så?"

"At det har jeg. Will minder ret meget om min far. De har det samme moralske kompas."

"Min far var en helgen. Det ville ingen mand kunne måle sig med, så hvorfor overhovedet forsøge?" Faith trak på skuldrene, men hun havde ikke rigtigt givet op. "Hvorfor spurgte hun om det?"

"Hun fortalte mig, at Dave er som hendes far. Hvilket giver god mening, når man har set hendes røntgenbilleder. Hun er blevet voldsomt mishandlet som barn." Sara spekulerede på, hvor meget Will havde fortalt Faith om Dave. Hun ville ikke risikere at overtræde hans grænser. "Så vidt jeg har hørt, så har Dave to sider. Ligesom Cecil kan han være festens midtpunkt. Og så er der den anden side, der kan mishandle ens barns mor."

"Sådan er det med de fleste mishandlere. De groomer deres ofre, de kommer ikke bare ind ad døren og viser hele røvhullet frem. Men du må ikke lade Bitty slippe så let," sagde Faith. "Hun kunne også have mishandlet sine børn fysisk."

"Det ville ikke komme bag på mig," sagde Sara. "Men min erfaring fortæller mig, at kvinder som hende finder mere nydelse i psykologisk tortur."

"Jeg ved godt, det var hårdt for Will at finde Mercy, men jeg er glad for, at hun ikke var alene, da hun døde."

"Hun var bekymret for Jon," sagde Sara. "Hun sagde til Will, at han skulle sørge for, at Jon vidste, at hun tilgav ham for det, der skete ved middagen. Hendes sidste ord, hendes sidste tanker handlede kun om hendes søn."

Faith gnubbede sine arme, som om hun frøs. "Det ville slå mig ihjel en gang til, hvis jeg troede, Jeremy skulle bære rundt på den form for skyld-følelse resten af sit liv."

"Jeremy har mange mennesker, der ville passe på ham. Det har du sørget for."

Det var tydeligt, at Faith ikke havde lyst til at blive berørt. Hun så op ad stien. "Fuck mig, er det jeres hytte?"

Sara mærkede et stik af tristhed, da hun så de smukke altankasser og hængekøjen. De havde mistet deres perfekte uge. "Det er virkelig sødt, ikke?"

"Tager du pis på mig?" Faith lød helt ekstatisk. "Det ligner noget, Bilbo Baggins kunne bo i."

Sara sakkede lidt bagud, mens hun så Faith springe målrettet mod trappen. Der var en velkendt, kvalmesød lugt i luften, hun ikke rigtigt kunne placere. "Kan du lugte det?"

"Det er sikkert mig. Du har ikke lyst til at vide, hvad der kom ud af den hest." Faith klaskede sig på halsen. "Endnu en myg. Hør, er det okay, hvis jeg tager et hurtigt bad? Du aner ikke, hvor ulækker jeg føler mig."

"Du går bare ind. Du kan finde noget tøj i kommoden. Jeg venter på dig herude. Her er alt for pænt til at være indenfor."

Faith stillede ingen spørgsmål. Hun løb op ad trappen.

"Faith!" Saras hjerte var røget helt op i halsen. "Du holder dig fra min kuffert, okay?"

Faith sendte hende et blik, men sagde: "Okay."

Sara så hende forsvinde indenfor. Hun bad til, at dette ville være den ene gang, Faith ikke handlede på sin nysgerrighed. Will ville sige sit job op og flytte til en øde ø, hvis hun fandt den kæmpe lyserøde dildo, Tessa havde pakket i Saras kuffert.

Hun ventede, til døren blev lukket, før hun vendte ryggen til udsigten. Hendes krop rystede af udmattelse. Hverken hun eller Will havde fået noget søvn sidste nat. Og ikke af den grund, man ikke skulle sove på sin bryllupsrejse. Sara tog en dyb indånding. Den kvalmesøde lugt var der stadig.

En pludselig indskydelse fik hende til at fortsætte ad Ringstien. De fleste af gæsterne var blevet tildelt hytter, der lå tæt på hovedhuset, men hun kunne huske fra kortet, at hytte ni lå gemt væk mellem hendes egen hytte og resten af bebyggelsen.

Sara havde kun gået ad den øverste del af Ringstien to gange, en gang med Will og Jon og den anden gang i mørke. Ved ingen af lejlighederne havde hun set den niende hytte. Sara tænkte, at hun nok var på vildspor, da hun endelig fik øje på en smal sti, der snoede sig op ad en anden bakke. Den søde lugt blev tydeligt stærkere, da hun gik op ad stien. Sara vidste fra Jon, at lugten stammede fra en Red Zeppelin-patron. Hun vidste også, han havde løjet om, at han kun havde en e-cigaret. Den, han havde i hånden nu, var sølvfarvet.

Jon sad på gyngen på verandaen og stirrede ind i skoven. Hans ansigt var hævet, øjnene blodskudte af sorg over tabet af hans mor. Han var så dybt opslugt af egne tanker, at han ikke bemærkede Sara, før hun stod på verandaen. Han blev ikke forskrækket. Han så bare på hende. Efter hans tunge øjenlåg og de blanke øjne at dømme havde han røget mere og andet end Red Zeppelin i dag.

"Det er et pænt sted at gemme sig," sagde hun.

Jon brugte et løft af e-cigaretten mod munden som en undskyldning for hurtigt at tørre tårerne væk.

"Har du nok mad?" spurgte Sara.

Han nikkede og pustede røgen ud.

"Jeg kommer ikke til at sige til dig, at du skal gå hjem, men jeg er nødt til at sikre mig, at du er i god behold."

"Ja, ma'am, jeg ..." Han rømmede sig. "Jeg er i god behold."

Hun så godt, hvad den indrømmelse krævede af ham. Jons mor var død. Så vidt han vidste, var hans far morderen. Han følte sig sikkert fuldstændigt alene.

"Var du på stien ved min hytte lige for lidt siden?" spurgte Sara.

Han rømmede sig igen. "Udsigtsbænken var den sidste gang ... Jeg mener, ikke den sidste gang, men det sidste sted ..."

Sara så en tåre trille ned ad hans kind. Hun havde ikke tænkt sig at overvælde ham med spørgsmål, men hun fornemmede, han godt kunne bruge en, der lyttede. "Du sad sammen med din mor på den bænk?"

Hans ansigt så plaget ud ved tanken. "Hun ville gerne snakke. Det gjorde vi tit, da jeg var lille. Jeg troede, jeg skulle have ballade, men hun var ikke vred. Hun var virkelig trist."

Sara lænede sig mod rækværket. "Hvorfor var hun trist?"

"Hun fortalte mig, at tante Delilah var her." Jon lagde e-cigaretten fra sig på gyngen. "Hun sagde, jeg skulle spørge Papa, hvad der foregik. Det handlede om salget. Hun ville have, jeg hørte det fra Papa i stedet for fra hende. Men ikke fordi hun var fej."

Saras hjerte knugede sig sammen over det beskyttende tonefald.

"Men jeg var vred på hende. Altså efter jeg havde talt med Papa. For hvorfor ville hun blive heroppe? Hvad godt skulle det gøre? Vi kunne alle sammen bo i et hus i byen, og hun kunne gøre, hvad hun nu ville, og jeg kunne ... jeg ved ikke. Få nogle venner. Gå ud med ..."

Sara hørte hans tøven. "Det er et smukt sted. Det har været i din familie i generationer."

"Det er pissekedeligt." Han trak hagen mod brystet. "Undskyld, ma'am."

"Jeg kan godt forestille mig, at der ikke er så meget for dig at lave heroppe," sagde Sara.

"Der er kun arbejde." Jon tørrede næsen med skjortesnippen. "Bitty begyndte i det mindste at betale mig for et par år siden. Papa gav os aldrig noget som helst. Jeg havde ikke engang en telefon, før Bitty gav mig en i smug. Papa sagde bare, at alle dem, jeg havde brug for at tale med, befandt sig på bjerget."

Sara så til, mens han begyndte at lege med e-cigaretten, dreje den mellem fingrene. "Da du sad på bænken sammen med din mor, sagde hun så noget andet til dig?"

"Jah, hun gav mig aftenen fri. Og sagde så til mig, at jeg skulle gå over med noget sprut til damen i hytte syv. Men det glemte jeg."

Sara spekulerede på, om han virkelig havde glemt det. "Drak du den selv?"

Hun kunne se sandheden i Jons ansigtsudtryk.

"Jeg er virkelig ked af, at hun er død," sagde Sara. "Mercy virkede som et rart menneske."

Han så forbløffet på hende. Hun kunne se, at han ikke rigtigt vidste, om hun lavede sjov. Jon var tydeligvis ikke vant til at høre nogen sætte Mercy i et positivt lys.

"Jeg har ikke tilbragt så meget tid sammen med din mor, men vi fik talt lidt sammen," fortsatte Sara. "Den ene ting, der stod klart for mig, er, at hun elskede dig meget højt. Hun var ikke vred over skænderiet. Jeg tror, at som alle mødre, så ville hun bare have, at du var glad."

Jon rømmede sig. "Jeg sagde nogle frygtelige ting til hende."

"Det gør børn." Sara trak på skuldrene, da han så op på hende. "Alle de følelser, du følte i aftes, er fuldstændigt normale. Det forstod Mercy godt. Jeg kan love dig, at hun ikke bebrejdede dig for at være vred på hende. Hun elskede dig."

Jons tårer begyndte at trille igen. Han skulle til at stikke e-cigaretten i munden, men ændrede så mening. "Hun ville ikke have, jeg røg e-cigaretter."

Sara havde ikke tænkt sig at give ham en forelæsning om at holde op lige nu. "Når du er klar til det, vil jeg gerne have, du taler med Will. Der er nogle ting, han gerne vil fortælle dig."

Jon tørrede øjnene. "Er han ikke vred over, at jeg kaldte ham for Skraldebøtte?"

Den udveksling havde Sara næsten glemt. "Ikke engang en lille smule. Han vil blive meget glad for at tale med dig."

"Hvor er min ..." Han tav. "Hvor er Dave?"

"Han er på hospitalet." Sara valgte sine ord med stor omhu. Hun vidste godt, hun ikke kunne fortælle ham sandheden lige nu, men hun havde heller ikke tænkt sig at lyve. "Din far har det fint, men han kom til skade, da han blev varetægtsfængslet."

"Godt. Jeg håber, han lider lige så meget, som han altid fik hende til at lide."

Sara kunne godt høre bitterheden i hans tonefald. Knytnæven knugede sig om e-cigaretten.

"Det er ikke så længe siden, at han sagde til mig, at han nok ville ende i fængsel," sagde Jon. "Han fiskede efter medlidenhed, men nu viser det sig, at han nok har ret, ikke? Det måtte ske før eller siden."

"Lad os snakke om noget andet," sagde Sara, lige så meget for sin egen skyld som for Jons. "Har du nogen spørgsmål om, hvad der nu skal ske med din mor?"

"Papa siger, vi skal kremere hende, men ..." Hans læbe begyndte at skælve. Han vendte hovedet bort og så ind i skoven. "Hvordan er det?"

"Kremering?" Sara tænkte lidt over sit svar. Hun talte aldrig ned til børn, men Jon var skrøbelig lige nu. "Din mor er ved at blive transporteret til GBI's hovedkvarter. Når de har lavet obduktionen, køres hun til krematoriet. Der er der et specialdesignet kammer, der bruger varme og afdampning til at lave liget til aske."

"Ligesom en ovn?"

"Nærmere som et ligbål. Ved du, hvad det er?"

"Ja, ma'am. Bitty lader mig se *Vikings* på hendes iPad." Jon lænede sig frem og støttede albuerne på knæene. "Man har ikke brug for en obduktion, hvis man allerede ved, hvem der gjorde det, vel?"

"Vi skal stadig gøre det. Vi er nødt til at indsamle beviser for juridisk at fastslå dødsårsagen."

Han så chokeret på hende. "Døde hun ikke af knivstikkene?"

"I sidste ende, jo." Sara sprang forklaringen på forskellen mellem dødsårsag, dødsmåde og dødsmekanisme, over. "Husk, hvad jeg sagde. Det er alt sammen en del af en juridisk procedure. Alt skal dokumenteres. Bevismateriale skal indsamles og identificeres. Det er en langvarig proces. Jeg kan godt gennemgå det med dig, hvis du vil have det. Vi er kun lige i begyndelsen."

"Men hvis min far tilstår, at han har myrdet hende, så behøvede man ikke gøre alt det, vel?"

Sara mærkede skyldfølelsen presse på igen over, at hun skjulte Daves uskyld for ham. Hun holdt sig stadig strengt til sandheden. "Jon, jeg beklager. Sådan fungerer det ikke. Der skal udføres en obduktion."

"Du skal ikke sige, du beklager." Nu græd han uhæmmet. "Hvad nu, hvis jeg ikke vil have det? Jeg er hendes søn. Sig til dem, at jeg ikke vil have det."

"Juridisk er det stadig et krav."

"Tager du pis på mig?" råbte han. "Hun er allerede blevet dolket ihjel, og nu vil I skære endnu mere i hende?"

"Jon ..."

"Hvordan er det fair?" Han rejste sig fra gyngen. "Du sagde, du godt kunne lide hende, men du er lige så slem som de andre. Er hun ikke blevet mishandlet nok?"

Jon ventede ikke på et svar. Han gik ind i hytten og smækkede døren.

Sara ville virkelig gerne gå efter ham. Han havde ret til at vide besked om Dave. Men han var også en sekstenårig dreng, der var vred og såret. I sidste ende ville det give ham en vis fred, at de fandt den, der var ansvarlig for drabet på hans mor. Lige nu kunne Sara blot sikre sig, at hans basale behov var dækket. Han havde tag over hovedet. Han havde vand. Han var i god behold. Alt andet var ude af hendes kontrol.

I stedet for at gå tilbage til hytten besluttede hun sig for at finde satellittelefonen i UTV'en. Sara havde pligt til at indrapportere Chucks død til Nadine. Det var i det mindste en opgave, hun godt kunne udføre. Hun måtte skubbe Jons smerte fra sig. Hun gennemgik detaljerne fra gerningsstedet, hvor Chuck var død, så hendes rapport til Nadine blev kortfattet og præcis. Nøglen var at få analyseret indholdet af vanddunken. Motivet ville også spille en rolle for retsforfølgelsen. Hvis Saras teori var korrekt, så ville øjendråberne blive anført som dødsårsagen, men dødsmekanismen ville være drukning, og dødsmåden ville være manddrab. Om der var nogen formildende omstændigheder, var noget, juryen skulle bestemme.

Hun tog en dyb indånding for at rense lungerne. Hytte seks kom til syne. Lidt længere, så var hun i lysningen og passerede de andre hytter. Da Will og Sara ankom her første gang, havde Sara tænkt, at lysningen var idyllisk, næsten som et maleri fra en højtlæsningsbog. Nu følte hun byrden på sine skuldre blive tungere, som hun nærmede sig hovedhuset. Cecil sad på verandaen. Bitty var ved hans side. De så begge vrede ud. Ikke så mærkeligt, at Jon ikke havde villet gå hjem.

"Sara?" Keisha stod i døråbningen til sin hytte. Hun havde armene over kors. "Hvad fanden er det, her foregår? Du bliver nødt til at få os ned fra det her bjerg."

Sara kom mod hende og prøvede at dæmpe sin frygt. Drew var helt berettiget mistænkt. Sara var nødt til at lyve lidt længere. "Jeg beklager, men jeg kan ikke hjælpe jer. Det ville jeg ønske, jeg kunne."

"Der står to offroadkøretøjer med fire sæder i hver. Du kunne låne os det ene. Vi kunne tage Monica og Frank med. De er også klar til at tage af sted."

"Det er ikke en beslutning, jeg kan tage."

"Nå, men hvem kan så?" spurgte Keisha. "Vi tør ikke vandre ned på grund af mudderskreddene. Guderne må vide, hvordan vejene er. Vi kan ikke ringe efter en Uber. Her er hverken internet eller telefoner. I holder os fanget her."

"Teknisk set er I ikke holdt fanget. I kan tage herfra, når I ønsker. I vælger at blive af helt valide grunde."

Keisha slog ud med armene. "Milde himmel, har du hele tiden talt, som om du er gift med en strisser, eller er det bare mig, der først bemærker det nu?" Sara tog en dyb indånding. "Jeg er retsmediciner hos Georgia Bureau of Investigation."

Keisha så overrasket ud, dernæst imponeret. "Virkelig?"

"Virkelig," sagde Sara. "Kan du fortælle mig noget som helst om Mercys familie?"

Keisha kneb øjnene sammen. "Hvad mener du?"

"Det er din tredje gang heroppe. Du og Drew kender McAlpine-familien bedre, end vi gør. Deres reaktion på Mercys død virker meget forbeholden."

Keisha lagde igen armene over kors og lænede sig mod dørkarmen. "Hvorfor skulle jeg stole på dig?"

Sara trak på skuldrene. "Det behøver du heller ikke, men jeg troede ikke, du var ligeglad med Mercy. Vi har brug for, at sagen mod hendes morder er vandtæt. Hun fortjener retfærdighed."

"Hun fortjente fandeme ikke Dave."

Sara sank sin skyldfølelse. Hun var blevet nedstemt. Og i øvrigt var hun ikke efterforsker. Det var ikke hendes opgave at løse sagen. "Kender du Dave godt?"

"Kun godt nok til at afsky ham. Minder mig om min luddovne lort af en eksmand." Keishas blik var rettet mod hovedhuset. Bitty og Cecil så hen mod dem, men de var for langt væk til at høre noget. "Familien har altid været reserveret, men du har ret. De opfører sig mærkeligt alle sammen. McAlpine-familien har mange hemmeligheder deroppe. Dem vil de nok gerne holde på."

"Hemmeligheder om hvad?"

Keisha kneb øjnene sammen igen. "Når nu du er retsmediciner, betyder det så også, at du er strisser? For jeg ved ikke, hvordan det fungerer."

Sara gik tilbage til en ærlig tilgang. "Jeg kan stadig været et vidne til alt, du siger."

Keisha stønnede. "Drew vil ikke have mig involveret i alt det her."

"Hvor er han nu?"

"Nede ved materielskuret for at lede efter Fiskehvisker, så han kan ordne vores åndssvage toilet. Det har skabt sig, siden vi kom, og Drew kender ikke forskellen på en vandhane og sit eget røvhul."

"Hvad gør det?"

"Laver en dryppelyd."

Sara øjnede en vej til at gøre sig fortjent til lidt tillid. "Min far er blikkenslager. Jeg plejede at hjælpe ham om sommeren. Skal jeg kigge på det?"

Keishas blik søgte mod hovedhuset igen, så tilbage til Sara. "Drew sagde til mig, at politiet ikke har ret til at ransage noget som helst uden en kendelse."

"Det har han ikke helt ret i," sagde Sara. "Det er McAlpine, der ejer stedet. I sidste ende er det dem, der har ret til at give en tilladelse. Og hvis jeg ser noget ligge og flyde inde hos jer, som for eksempel et mordvåben, så vil jeg selvfølgelig fortælle det til Will."

"Selvfølgelig." Keisha tænkte over det et øjeblik, så stønnede hun højt og åbnede døren. "Jeg kan ikke være fanget heroppe med den dryplyd. Tag dig ikke af rodet."

Sara gættede på, at de to glas og en halvt spist pakke kiks var det rod, Keisha hentydede til. Hytte tre var mindre end hytte ti, men møbleringen var den samme. Et par verandadøre i stuen bød på en fantastisk udsigt. Sara skævede ind ad døren til soveværelset. Sengen var redt i modsætning til den seng, Faith ville støde på hos Sara og Will. Der stod to kufferter klar ved hoveddøren. Rygsækkene var proppet i alt hast. Til hendes store lettelse var der ingen tomme flasker Eads Clear i papirkurven.

"Denne vej." Keisha gik igennem hytten til badeværelset. Der var to sæt toiletsager stillet frem, men stadig ingen øjendråber. "Har I prøvet spiritussen heroppe?"

"Nej." Sara havde virkelig haft lyst efter de sidste tolv timer, men hun sagde: "Will og jeg drikker ikke."

"Sådan ville jeg nok fortsætte. Monica havde en hård nat." Keisha sænkede stemmen, selvom de var alene. "Jeg så Mercy tale med bartenderen. Jeg er sikker på, de prøvede at stoppe hendes indtag. Det lort er farligt heroppe. Hvis nogen bliver virkelig syg, så er det en tur i helikopter til Atlanta, og den dækker forsikringen ikke, hvis du selv har serveret det."

Sara gættede på, at Keisha vidste en del om erstatningsansvar fra sin cateringforretning. "Hørte du noget i aftes? En lyd eller et skrig?"

"Næ, ikke engang det åndssvage toilet." Keisha lød indædt. "Det var meningen, det her skulle være en romantisk afstikker, men vi er på det sexede stadie i vores ægteskab, hvor jeg sover med en ventilator kørende, så jeg bliver afledt fra at lytte til Drews CPAP-maskine."

Sara lo i et forsøg på at holde stemningen let. "Hvornår var I heroppe sidst?"

"Da der begyndte at komme blade på træerne. Det har nok været to en halv måned siden, plus/minus. Der er smukt på den årstid. Alting blomstrer. Jeg er ret trist over, at vi ikke kommer tilbage hertil."

"Også mig." Sara kunne ikke lade være med at regne på det. Drew var nogenlunde inden for rammen af Mercys graviditetstidspunkt. "Tilbragte i to nogensinde tid sammen med Mercy?"

"Ikke så meget på den sidste tur, for stedet var fyldt til bristepunktet," sagde hun. "Men under vores første ophold fik vi drinks med Merce efter middagen måske tre eller fire gange. Hun drak danskvand, men hun kunne være ret sjov, når først anspændtheden lagde sig. Jeg ved godt, hvordan det er. Når man er i servicebranchen, hiver folk altid i en. Dagen lang er der folk, der hellere end gerne tager hele armen, når du rækker dem en lillefinger. Mercy forstod, hvordan det føltes. Sammen med os slappede hun af. Jeg var glad for, at vi kunne give hende det."

"Det er jeg sikker på, hun satte pris på," sagde Sara. "Jeg kan forestille mig, hvor ensomt det må være heroppe."

"Ja, ikke?" sagde Keisha. "Hun havde ikke andre end sin bror og ham den sære. Drew kalder han Chuckles."

"Bemærkede du, om der foregik noget mellem Mercy og Chuck?"

"Det samme, som du så i aftes," sagde Keisha. "Chuck var her, den første gang vi var heroppe. Den anden gang har alle hytterne nok været optagede, for han sov i huset. Det var Papa ikke tilfreds med, det kan jeg godt sige dig. Det var Mercy heller ikke, nu jeg tænker over det. Hun sagde noget om at sætte en stol for døren."

"Det var sært."

"Det er det nu, men du ved, hvordan det er, den slags kan man også sige i sjov."

Det vidste Sara godt. Der var mange kvinder, der brugte sort humor som en måde at nedtone frygten for et seksuelt overgreb på. "Hvorfor kan Papa ikke lide Chuck?"

"Det må du spørge ham om, men jeg tvivler på, der er en grund," sagde Keisha. "Hvis jeg skal være ærlig, så har Papa ikke et neutralt gear. Enten elsker eller hader han dig. Der er ikke nogen mellemting. Jeg ville meget nødig være på den forkerte side. Han er en hård mand."

"Talte du nogensinde med Chuck?"

"Hvad skulle jeg tale med ham om?"

Sara havde haft det på samme måde. "Og Christopher?"

"Han er sød, tro det eller lad være," sagde Keisha. "Når først man kommer ind bag hans generthed, er han ret ligetil at være sammen med. Ikke typen, man får en drink med, men som guide, han ved, hvad han taler om. Den knægt elsker at fiske. Han kan fortælle dig alt om vandet, fiskene, udstyret, videnskaben bag, økosystemet. Han kedede mig til døde, men Drew elsker den slags. Det er godt for ham at komme lidt ud af sig selv en gang imellem. Det er derfor, jeg er så trist over, at det her sted nu er ødelagt for os. Jeg tvivler på, de kan holde det kørende uden Mercy."

"Kan Christopher ikke drive forretningen?"

"Har du *set* hans materielskur?" Hun ventede, til Sara havde nikket. "Drew kalder det fiskepaladset. Alting er pænt og ordentligt på sin plads, og det er fint, for det gør Fisk glad, men sådan kan man ikke drive en forretning, medmindre man er den eneste ansatte. Folk er uforudsigelige. De vil gøre tingene på deres egen måde. Ting kan eksplodere i hovedet på dig hvert minut. Du jonglerer alle disse bolde, river dig selv i håret over at skulle lave lønninger og håndtere kunder, der hiver i dig, og så midt i det hele bryder varebilen sammen, eller toilettet begynder at løbe. De bølger skal du kunne ride på, ellers skal du pakke dit surfbræt sammen."

Det pres var velkendt for Sara. Hun havde haft en børnelægepraksis i sit tidligere liv.

"Jeg kan give dig et eksempel, der var den her gang, Drew gik ind i skuret for at hænge sin fiskestang op i stativet, han prøvede bare at være sød og hjælpe, ikke? Og Fiskehvisker kom løbende, han kunne slet ikke være i sin egen krop, for han måtte først sikre sig, at den blev sat *ordentligt* på plads." Hun rystede på hovedet ved mindet. "Den eneste virksomhed, han mestrer, er at fiske om morgenen og drikke whisky om aftenen."

Sara kom i tanke om Chucks tatovering. "Går han meget op i whisky?"

"Jeg ved ikke, hvad de to går op i, og jeg er også ligeglad. Når først vi er kommet ned fra det her bjerg, ser jeg mig aldrig tilbage."

Sara syntes, det var interessant, at et spørgsmål om Christopher var blevet besvaret på en måde, så det også inkluderede Chuck.

"Hvad med mit toilet?" spurgte Keisha. "Har du fundet ud af, hvorfor det drypper?"

Sara havde fundet ud af, at Keisha vidste mere, end hun ville ud med. "Det er sikkert den gummipakning, der sidder om udløbsventilen. Den bliver nogle gange slidt, og så kan vandet dryppe. Hvis de ikke har en ekstra, kunne I flytte over i en af de tomme hytter."

"Jeg har allerede sagt til Drew, at vi burde flytte, men han vil ikke lytte. Han siger, at vi bor lige her, i den samme hytte, vi altid bor i. Du ved, hvordan mænd kan være."

"Det gør jeg." Sara løftede låget af cisternen. Og følte det, som havde hun fået et spark mod halsen. Hun havde haft ret om kilden til lækagen. Men hun havde taget fejl om, at pakningen var slidt.

Det var et takket stykke metal, der forhindrede gummiet i at slutte tæt. Det sad fæstnet i et stykke rødt plastic på omkring ti centimeter langt og et par centimeter tykt.

Hun havde fundet det knækkede knivskaft.

17

Will betragtede termopapiret lirke sig gennem den transportable fax-maskine som en snegl, der pressede sig igennem en pastamaskine. Ran-sagningskendelsen var endelig kommet.

"Okay." Han trykkede satellittelefonen mod sit øre. "Den printer," sagde han til Amanda.

"Godt," sagde hun. "Jeg forventer, du lukker den her inden for en time."

Will ville have grinet, hvis det ikke var for det faktum, at hun kunne gøre hans arbejdsliv til helvede på jord. "Faith er stadig sammen med Sara, men de må snart være tilbage. Jeg har bedt Penny, rengøringsda-men, om at klargøre hytte fire, så vi kan komme i gang med afhørin-gerne. Kevin er ved at sikre liget i kølerummet. Køkkenpersonalet har sikkert set, hvad vi lavede, men de er travlt optaget af madforberedel-serne. Vi vil nok godt kunne holde Chucks død hemmelig indtil midda-gen."

"Jeg prøver stadig at opspore den politirapport om Drew Conklins til-tale," sagde hun. "Hvad med familien?"

"Deres tid kommer." Will begyndte at gå hen mod brændestablerne. Han ville gerne se dem i dagslys. "Jeg har holdt mig på afstand af for-ældrene, mens jeg ventede på kendelsen. Jeg ved ikke, hvor Christo-pher er. Jeg sender Kevin ud for at finde ham, når han er tilbage. Tan-tens Subaru holder på parkeringspladsen, så hun må være tilbage i huset."

"Hende kan vi få mere ud af."

"Enig." Will stod foran de enorme bunker af træ. Der var kløvet eg nok til en hel vinter. "Jeg har set mig omkring i Chucks hytte. Der er rodet, men der var ikke noget interessant. Ikke noget blodigt tøj. Ikke noget afbrækket knivskaft. Ikke engang nogen øjendråber. Hvilket ikke kan overraske. Jeg var inde i alle de tomme hytter efter mordet for at finde Dave. Hvis jeg ikke fandt noget der, tvivler jeg på, at jeg vil finde noget nu."

"Ville det overraske dig at få at vide, at mr. Weller har to hundrede tusind dollars stående på en pengemarkedskonto?"

"Hold da fast." Will havde haft snablen i sin nødreserver for at betale for bryllupsrejsen. "Jeg kan egentlig godt se for mig, at Christopher har penge på lommen. Han har ingen udgifter. Men hvad er Chucks historie?"

"Meget lig Christophers. Han betalte sin studiegæld ud for et år siden, næsten i samme uge som Christopher. Han har et fiskekort, kørekort og to kreditkort, der altid er betalt ud. Jeg kan ikke finde nogen pårørende. Og ligesom med Christopher har det været et nyligt held i sprøjten. Jeg har været ti år tilbage. Indtil for et år siden havde de begge to gæld til op over begge ører."

"Vi bliver nødt til at kigge på deres skatteopgørelse."

"Giv mig en god grund, så får du en kendelse."

"Aktiemarkedet? Et skrabelod?"

"Jeg har tjekket, men nej."

"Pengene bliver nødt til at være hvide. De ville ikke sætte dem i banken, hvis de ikke havde betalt skat af dem." Will gik ned langs brændestablerne. En af dem skilte sig ud fra de andre. "Hvad arbejdede Chuck med?"

"Jeg kan ikke finde nogen referencer. Ud fra hans sociale medier ser det ud til, at han primært brugte sin tid på at betale for lapdances på stripklubber."

Will flyttede telefonen til skulderen, så han fik hånden fri. "Der står ikke noget om nogen ansættelse?"

"Ingenting," sagde hun. "Han lejer en ejerlejlighed i Buckhead. Vi er i gang med at få en ransagningskendelse. Måske vi der finder noget om pårørende eller et arbejde."

"Kig også efter Eads Clear øjendråber."

"Morderen kan have brugt et andet mærke. Jeg har ikke specificeret det i kendelsen."

"Godt." Will tog et stykke kastanje op i hånden. Årerne sad tæt. Det var et dyrt valg af brænde. "Jeg har allerede gennemsøgt skraldeposerne. Jeg fandt ikke noget."

"Hvordan bar du dig ad med det med en hånd?"

Will havde følt sig som en toårig, da han havde måttet bede Kevin om hjælp til at få handsken på. "Det gik."

"Hvor mange flasker leder du efter?"

"Det ved jeg ikke." Will lod fingrene køre hen over et stykke træ, han gættede på var ahorn. Endnu et dyrt valg. "Jeg skal tale med Sara om det, men jeg tror, jeg kan huske en sag, hvor en fyr brugte øjendråber som daterapedrug."

"Hvis mr. Weller brugte dem på kvinder, hvorfor ville han så bruge dem på sig selv?"

"Det kan jeg ikke svare på lige nu." Will trommede fingrene mod et stykke akacie. Det var blødt og udtørret af vind og vejr, ikke et stykke træ, man havde lyst til at få i pejsen. "Hvad ved du om træ?"

"Mere, end jeg har lyst til. I tidernes morgen arbejdede jeg på en sex-overgrebssag mod en tømrer."

Will spurgte ikke ind til detaljerne. "Jeg får en fornemmelse af, at Christopher og Chuck har haft en eller anden fidus kørende ved siden af. Mercy var vigtig for operationen. Tanten fortalte mig, at Christopher og Chuck hang ud henne ved brændestablerne, da hun kom kørende."

"Find ud af hvorfor," sagde Amanda. "Uret tikker."

Linjen gik død. Det måtte Will give hende. Hun forstod at få afsluttet en samtale.

Han klipsede telefonen bag på sine bukser. Han lagde sig på knæ foran de stablede brændestykker. Alt andet end denne bunke var eg. Hvorfor opbevarede de dyrt træ ude i vind og vejr? Hvilken form for forretning ville stikke to hundrede tusind i både Christopher og Chucks lommer? Og hvorfor fik Mercy ingen penge?

"Will?" Saras stemme lød anspændt.

Han rejste sig. Faith var ikke at se nogen vegne. "Hvad er der galt?"

"Jeg har fundet det knækkede knivskaft i Keisha og Drews cisterne."

Will stirrede på hende. "Hvad?"

"Keisha fortalte mig, at toilettet dryppede, så jeg kiggede efter, og ..."

"Ved hun, at du så det?"

"Nej. Jeg lagde låget på igen og sagde til hende, at hun var nødt til at tale med Christopher."

"Hvor er Drew?"

"Han gik ned til materielskuret for at finde Christopher."

"Så du ham? Hvor fuck var Faith?" Det eneste, der optog ham lige nu, var at få stillet sig imellem Sara og Drews hytte. "Hvorfor i alverden gik du derind alene?"

"Will," sagde hun. "Se på mig. Jeg er okay. Vi kan tale om det senere."

"Fuck." Will klipsede telefonen af igen. Han trykkede på walkie-knappen. "Faith, kom ind?"

Der lød noget statisk støj, så sagde Faith: "Jeg er på vej mod hovedhuset. Hvor er Sara?"

"Sammen med mig. Skynd dig." Han trykkede på knappen igen. "Kevin, kom ind?"

"Lige her." Kevin kom gående imod dem. Han var dækket i mudder og anden form for natur efter at have mokket Chucks lig op ad stien. "Hvad sker der?"

"Jeg har brug for, at du finder Drew. Han skulle angiveligt være ved materielskuret sammen med Christopher. Hold øje med ham. Giv dig ikke til kende. Han er muligvis bevæbnet."

"Modtaget." Kevin skyndte sig af sted.

"Will," sagde Sara. "Keisha fortalte mig, at sidste gang, de var heroppe, var for to en halv måned siden."

Han behøvede ingen uddybning. "Omkring det tidspunkt, hvor Mercy blev gravid."

"Hvad sker der?" Faith havde passeret Kevin, da hun gik hen over lysningen. Hun bar sin Glock og havde et par posede sorte bukser på. "Sara, hvor blev du af? Jeg ville gerne have kigget på kortet."

"Vi er nødt til at få sikret hytte tre," sagde Will til hende. "Den knækkede kniv befinder sig i Keisha og Drews cisterne."

Faith stillede ingen spørgsmål. Hun begyndte at småløbe hen mod hytten med våbnet nede langs siden.

Will holdt trit med hende. "Der er et par verandadøre omme bagved."

"Dem tager jeg." Faith smuttede rundt om hytten.

Will scannede området, tjekkede vinduer og døre for at sikre sig, at ingen overraskede dem. Han vidste, at hoveddøren ikke ville være låst. Han gik ind uden at banke på.

"Shit!" Keisha sprang op fra sofaen. "Hvad fuck, Will?"

Det var den samme reaktion, han havde fået tidligere, men denne gang vidste Will præcis, hvad han ledte efter. "Bliv her."

"Hvad mener du med 'bliv her'?" Keisha prøvede at følge med ham ind gennem hytten, men Faith stoppede hende. "Hvem fanden er du?"

"Jeg er specialagent Faith Mitchell ..."

Will trak en handske op af lommen, mens han nærmede sig toilettet. Han brugte nitrilhandskerne som barriere mellem fingrene og porcelænet, mens han tog låget af.

Det afbrækkede skaft befandt sig præcis, hvor Sara havde beskrevet det. Et tyndt stykke metal forhindrede gummiet i at slutte tæt. Hvilket ikke gav mening. Hvis Drew havde lagt skaftet derned, hvorfor var han så ude for at finde Christopher, så han kunne stoppe drypperiet?

Eller, havde Drew været bekymret for, at hytterne skulle blive ransaget, og havde kvikt nok ordnet toilettet sådan, at det ville se ud, som om det ikke var ham, der havde skjult skaftet?

Will var ikke sikker på ret meget andet, end at morderen havde en forkærlighed for vand. Mercy var blevet efterladt i søen. Chuck døde i vandløbet.

"Will!" råbte Keisha. "Fortæl mig så, hvad helvede her foregår!"

Han lagde forsigtigt toiletlåget på badeværelsesmåtten ved badekarret. Faith blokerede fysisk for Keisha, da han kom tilbage i stuen. "Sikr beviset," sagde han til hende.

"Hvaffor et bevis?" spurgte Keisha. "Hvorfor gør du det her?"

"Jeg har brug for, at du kommer med ind i nabohytten sammen med mig."

"Jeg skal ingen steder med dig," sagde Keisha. "Hvor er min mand?"

"Keisha," sagde Will. "Enten går du med mig, eller også tvinger jeg dig."

Hendes ansigt blev askegråt. "Jeg taler ikke med dig."

"Forstået," sagde han. "Men jeg har brug for, at du går med over i den anden hytte, så vi kan gennemsøge dine ting."

Keisha bed tænderne sammen. Hun så vred og rædselsslagen ud, men heldigvis gik hun ud på verandaen.

Sara stod midt i lysningen. Will vidste godt, hvorfor hun var der. Hun ville se Keisha i øjnene, give hende en chance for at råbe ad den person, der var skyld i det her. Will var ligeglad med, om Keisha følte sig forrådt. Han ville bare have Sara ned fra dette bjerg så hurtigt som muligt.

"Denne vej." Will førte Keisha direkte mod hytte fire. Hun skævede tilbage mod Sara, inden hun gik op ad trappen. Hun åbnede døren. Fire var præcis som tre. Samme indretning. Samme møbler. Samme vinduer og døre.

"Vær venlig at sætte dig i sofaen," sagde Will.

Keisha satte sig med hænderne mellem knæene. Vreden havde forladt hende. Hun var tydeligvis rystet. "Hvor er Drew?"

"Min kollega leder efter ham."

"Han har ikke gjort noget, okay? Han samarbejder. Vi samarbejder begge og adlyder ordrer. Vi gør, som der bliver sagt. Okay? Sara, hørte du det? Vi samtykker."

Will mærkede sin mave snøre sig sammen ved synet af Sara.

"Det hørte jeg godt," sagde Sara til Keisha. "Jeg bliver hos dig, til vi finder rede i det her."

"Tja, altså, jeg begik den fejl at stole på dig før, og se, hvad det førte til." Keisha stak sin knytnæve i munden. Tårerne løb ned over hendes kinder. "Hvad fanden skete der? Vi kom herop for at komme væk fra det her pis."

Will så Sara sætte sig i en af klubstolene. Hun kiggede på ham, som ville hun vejledes, men hans vejledning havde været, at hun blev udenfor.

Telefonen knitrede, og så: "Will, hører du mig?"

Will tog telefonen frem. Han havde ikke andet valg end at træde ud på verandaen. Han lod døren stå åben, så han kunne holde øje med Keisha. "Hvad er det?"

"Begge sidder i en kano på søen og fisker. De har ikke set mig."

Will trommede telefonen mod hagen. Han tænkte på alle de redskaber, Drew ville have adgang til på båden, også knive. "Hold dig ude af syne, hold øje med dem, og giv mig besked, hvis noget ændrer sig."

"Will?" Faith kom op på verandaen. Hun holdt bevismaterialeposen med den halve kniv i hånden. "Der er intet i deres kufferter eller rygsække. Eller i hytten. Skal jeg låse den her ind i UTV'en?"

"Tag den med indenfor."

Keisha sad som på nåle på sofaen, da Will kom tilbage indenfor. Hendes blik søgte hans våben, derefter Faiths. Hendes hænder rystede. Hun var tydeligvis rædselsslagen for, at de havde taget hende over i en anden hytte, væk fra vidner, så de kunne gøre hende fortræd.

Will tog posen og gjorde tegn til Faith om, at hun skulle vente udenfor. Hun lod døren stå på klem, så hun kunne stå på verandaen og lytte med. Han satte sig i den anden stol, hvilket ikke ville have været hans valg, men Sara havde sat sig nærmest Keisha. Han lagde plasticposen på bordet.

Keisha stirrede på skaftet. "Hvad er det?"

"Det lå i jeres cisterne."

"Er det et stykke legetøj, eller ..." Hun lænede sig frem. "Jeg ved ikke, hvad det er."

Will kiggede på det røde plasticskaft med et tyndt stykke metal stikkende ud. Hvis man ikke vidste, hvad man kiggede på, kunne man måske godt tro, det var et køkkenredskab eller et gammeldags stykke legetøj.

"Hvad tror du, det er?" spurgte han hende.

"Det ved jeg ikke!" Hendes stemme var skinger af desperation. "Hvorfor spørger du mig overhovedet om det her? I har morderen. Vi ved godt alle sammen, at I har arresteret Dave."

Will tænkte, at nu nok var et godt tidspunkt at fortælle sandheden på. "Dave slog ikke Mercy ihjel. Han har et alibi."

Keisha slog hånden for munden. Hun lignede en, der skulle kaste op.

"Keisha ..." sagde Will.

"Hold da kæft," mumlede hun. "Drew sagde, jeg ikke skulle snakke med jer."

"Du kan godt vælge ikke at tale med os," sagde Will. "Det har du ret til."

"I kommer til at tage røven på os alligevel. Fandens også. Jeg nægter at tro, det her sker. Sara, hvad fuck, altså?"

"Keisha." Will ville ikke have, hun talte med Sara. "Lad os prøve at få styr på det her."

"Hvad fuck siger du til mig?" råbte hun. "Er du klar over, hvor mange idioter der sidder og rådner op i fængslet, fordi strisserne sagde, der var noget, de lige skulle have styr på?"

Will sagde ikke noget. Det gjorde Sara gudskelov heller ikke.

"Hold da kæft." Hånden røg op til munden igen. Hun så på posen på bordet. Endelig fik hun lagt to og to sammen. Hun vidste, det var en del af mordvåbnet. "Jeg har aldrig set det før, okay? Jeg har ikke, og heller ikke Drew. Ingen af os. Fortæl mig, hvordan jeg kommer ud af det her, okay? Vi har ikke gjort det. Ingen af os har haft noget med det at gøre."

"Hvornår hørte du toilettet løbe første gang?" spurgte Will.

"I går. Vi var ved at pakke ud, og vi hørte det dryppe, så Drew gik ud for at finde Mercy. Hun var oprørt, for det var meningen, Dave skulle have ordnet toilettet, inden vi tjekkede ind."

Will kunne høre, hun hev efter vejret. Hun var rædselsslagen.

"Mercy bad os gå en tur, mens hun fik det ordnet, så vi gik op ad Dommer Cecils sti for at kigge ud over dalen. Da vi kom tilbage, var toilettet ordnet."

"Var Mercy her stadig?"

"Nej, vi så hende ikke før cocktails."

"Hvornår bemærkede du lyden fra toilettet igen?"

"Her til morgen," sagde hun. "Vi gik ned for at spise morgenmad, og – det må være der, det skete, ikke? Nogen har lagt den ting i vores toilet. De prøver at få os mistænkt."

"Hvem andre var til morgenmaden?"

"Øh ..." Hun holdt sig om hovedet med begge hænder og prøvede at tænke. "Frank og Monica var der. Han prøvede at få hende til at spise noget, men hun kunne ikke. De gik, før vi gjorde. Og de to fyre – app-fyrene. Vidste du godt, han hedder Paul?"

"Ja."

"De kom først, da vi var ved at gå. De er altid for sent på den. De kom også sent til cocktails i aftes, er det ikke rigtigt?"

"Hvad med familien?"

"De kommer aldrig til morgenmaden. Det har jeg i hvert fald ikke oplevet." Hun vendte sig mod Sara. "Vil du ikke godt høre på mig. Dørene er aldrig låste. Du ved godt, vi ikke havde noget med det her at gøre. Hvad skulle vi overhovedet have af motiv til det?"

"Mercy var gravid i tolvte uge," sagde Will.

Keisha tabte underkæben. "Hvem var ..."

Will hørte tænderne klikke, da hun lukkede munden. Hun nidstirrede Sara med et gennemsyret forrådt blik. "Du narrede mig."

"Det gjorde jeg," sagde Sara.

"Keisha." Will trak fokus tilbage til sig selv. "Drew er dømt for overfald."

"Det er femten år siden," sagde Keisha. "Min eks, Vick, blev ved med at fucke med mig, dukkede op på mit arbejde, sendte mig beskeder. Jeg bad ham stoppe, så dukker han fuld op hjemme hos os. Han prøvede at gribe mig i armen. Drew skubbede til ham, og Vick faldt ned ad trappen. Slog hovedet. Han havde det fint, men han insisterede på at tage på hospitalet, gøre et stort nummer ud af det. Det var det hele. I kan selv slå det op."

Will gned sig om hagen. Historien var troværdig, men så igen, Keisha var desperat efter at blive troet på. "Tilbragte Drew nogensinde tid alene med Mercy?"

"Du vil have mig til at sige ja, ikke?" Desperationen var tydelig i hendes stemme. "Hvad nu, hvis jeg så Dave i aftes? Han gik på stien, okay? Det sværger jeg gerne på, på en hel stak bibler."

Will troede hende ikke, men sagde: "Okay."

"Dave tævede Mercy. Det ved I godt begge to. Uanset hvad han har af alibi, så er det ikke sikkert, det er vandtæt, vel? Så, hvis jeg så ham på stien, inden hun blev myrdet ..."

Keisha rejste sig, så det gjorde Will også.

"Hold da kæft," sagde hun. "Jeg er nødt til at flytte. Hvor skal jeg tage hen?"

Han så hende gå frem og tilbage i den lille stue, indtil Sara fangede hans blik. Han kunne se, hun var splittet. Han var også klar over, at hendes tilstedeværelse distraherede ham. Keisha var vred og oprørt. Will burde ikke også have Sara at bekymre sig om. Han havde brug for at fokusere al sin opmærksomhed på den mulige medskyldige til mord.

"Sig, hvad jeg skal sige," tryglede Keisha. "Bare sig, hvad I vil have mig til at sige, så siger jeg det."

"Keisha." Will ventede, til hun så på ham. "Da jeg fik alle ud i lysningen for at fortælle, at Mercy var død ... Kan du huske, hvad der skete?"

"Hvad?" Hun så helt perpleks ud. "Selvfølgelig kan jeg huske det. Hvad snakker du om?"

"Drew sagde noget til Bitty."

Han fastholdt hendes blik, men hun sagde ikke noget.

Will sagde: "Drew sagde til Bitty, 'glem det andet. I kan gøre, hvad I vil heroppe. Vi er ligeglade'."

Keisha lagde armene over kors. Hun var et lærebogseksempel på en, der havde noget at skjule.

"Hvad mente Drew?" spurgte Will. "Hvad var 'det andet'?"

Hun svarede ikke på spørgsmålet. Hun ledte efter en udvej. "Vi kan lave en handel, ikke? Er det ikke sådan, det her fungerer?"

"Hvordan hvad fungerer?"

"I har brug for en at hænge op på det her. Hvad med Chuck?" Hun mente det helt alvorligt. "Eller en af app-fyrene? Eller Frank? Lad Drew være."

"Keisha, det er ikke sådan, det fungerer."

"Som en korrupt strisser ville sige."

"Det eneste, jeg vil, er at finde ud af, hvem der slog Mercy ihjel."

"Chuck har motivet," sagde Keisha. "Du så, hvordan han skræmte Mercy. Det så vi alle sammen. Vil du vide, hvem der også var her for to en halv måned siden? Chuck. Han er her altid. Han er virkelig klam. Sara, du ved, hvad jeg snakker om. Fyren udsender de der voldtægts-vibes. Det ved kvinder bare. Spørg din makker derude. Eller endnu bedre, lad hende være alene med Chuck i fem minutter, så kan hun selv opleve det."

Will nudgede hende roligt væk fra Chuck. "Hvad er det, du vil handle med?"

"Oplysninger," sagde hun. "Noget, der kan give et motiv. Der giver Chuck et motiv."

Will havde ikke tænkt sig at fortælle, hvad der var sket med Chuck, men han havde lært for længe siden, at folk var draget af at løse gåder. Også selvom løsningen ikke nødvendigvis kom dem til gode. "Både Chuck og Christopher har et par hundrede tusind dollars stående på deres bankkonti."

"Seriøst?" Keisha så lamslået ud. "Hold da kæft, de var på sporet af noget."

"På sporet af hvad?"

"Nej." Hun begyndte at ryste på hovedet. "Jeg siger ikke et ord mere, før Drew står ved siden af mig. Uskadt. Forstår du det?"

"Keisha ..."

"Nej. Ikke så meget som et ord."

Hun satte sig på sofaen og holdt om sig selv, mens hun stirrede på døren, som bad hun til, at hendes mand kom ind ad den.

Will gjorde endnu et forsøg. "Keisha."

"Hvis jeg beder om en advokat, hvis jeg siger, det er det, jeg vil have, så er du nødt til at stoppe med at stille mig spørgsmål, ikke sandt?"

"Jo."

"Så lad være med at få mig til at bede om en advokat."

Will gav sig. "Min makker kommer ind og sidder sammen med dig."

"Nej," sagde Keisha. "Hvor skulle jeg overhovedet gå hen? Hvis jeg havde kunnet komme væk fra det her forpulede bjerg, ville jeg slet ikke være her længere. Jeg har fandeme ikke brug for en babysitter."

"Hvis du gerne vil handle, så skal du holde det, jeg sagde om Mercys graviditet, for dig selv."

"Og du skal eddermame lade mig gå nu."

Will åbnede døren. Faith stod stadig på verandaen. De så begge Keisha gå ind i sin hytte. "Hvad tænker du?" spurgte Faith Will.

Han rystede på hovedet. Han vidste ikke helt, hvad han skulle tro. "Christopher og Chuck havde gang i et eller andet med Mercy. Drew kendte til det. Og nu er Chuck og Mercy døde."

"Så vi skal tale med Christopher og Drew?" sagde hun.

Han nikkede. "Kevin er allerede nede ved søen. Vil du med?"

"Jeg skal have styr på det med kortet. Der er noget, der ikke passer med tidspunkterne."

Will havde set, hvad Faith kunne gøre med en tidslinje. "Jeg giver besked, hvis jeg skal bruge dig."

Han åbnede døren for Sara. Hun gik ud på verandaen. Han mærkede, at han bed tænderne sammen, mens han fulgtes med hende ad Ringstien. Gåturen til hytten ville tage omkring ti minutter. Han ville bruge tiden til at forklare hende, hvorfor det var fandens vigtigt, at hun blev på sin egen banehalvdel. Hun havde været distraherende for ham, da han afhørte Keisha. Det kunne han ikke lade ske igen.

Sara havde ingen anelse om, hvad der kom. Hun slentrede ud på Ringstien og nikkede mod hytte fem. Paul og Gordon lå i hver deres ende af hængekøjen på deres veranda. Gordon vinkede. Paul drak spiritus direkte fra flasken.

Døren til hytte syv blev åbnet med en knirken. Monica kom ud og missede med øjnene i sollyset. Hun havde en sort natkjole på og havde et glas i hånden, der formentlig var sprut i, for Sara havde åbenbart ret i, at drikke var det eneste, man kunne foretage sig heroppe.

Sara skiftede kurs. Hun gik direkte hen mod Monica og spurgte: "Hvordan har du det?"

"Bedre, tak." Monica så ned i glasset i sin hånd. "Du havde ret. Det her tager det værste."

"Må jeg smage?"

Monica så lige så overrasket ud, som Will følte sig, men rakte alligevel glasset til Sara.

Han så hende tage en tår. Hun skar ansigt. "Det brænder."

"Det vænner man sig til." Monica lo trist. "Du skal ikke tage imod alkoholråd fra mig. Jeg vil gerne undskylde over for jer begge to for min opførsel i aftes. Og her til morgen. For hele tiden, faktisk."

"Du har ikke noget at skulle have skyldfølelse over." Sara rakte glasset tilbage til hende. "I hvert fald ikke over for os."

Det var Will nu ikke så sikker på. "Jeg er nødt til at spørge dig om i aftes, lige før midnat," sagde han til Monica.

"Om jeg hørte noget?" spurgte Monica. "Jeg lå nærmest besvimet i badekarret, da klokken begyndte at larme. Jeg troede, det var en brand-alarm. Jeg kunne ikke finde Frank."

Will skar tænder. "Hvor var han?"

"Han sad vel ude på bagverandaen og tog en pause fra mine luner. Han kom panikslagent løbende ind gennem verandadørene." Monica rystede sørgmodigt på hovedet. "Jeg skal være ærlig og sige, at jeg ikke forstår, hvorfor han bliver sammen med mig."

Will var mere optaget af hans alibi. Det var anden gang, Frank havde løjet. "Hvor er Frank nu?"

"Han gik ned til spisesalen for at skaffe noget ginger ale. Min mave har det stadig ikke superfantastisk."

Will tænkte, at Frank nok ville komme tilbage med nyheden om, at Chuck var død, hvilket ville bringe sine egne problemer med sig. "Sig til ham, at jeg skal tale med ham."

Monica nikkede og henvendte sig til Sara. "Tak for din hjælp. Det sætter jeg virkelig pris på."

Sara trykkede hendes hånd. "Sig til, hvis der er noget andet, du har brug for."

Will fulgte Sara tilbage til Ringstien. Han var glad for, at hun gik lidt hurtigere nu. Hun var ikke på slentretur. Will arbejdede på at få en plan klar i sit hoved. Han ville efterlade Sara i hytten for så at fortsætte ned til søen. Han ville tjekke ind hos Kevin og finde ud af, hvordan de skulle konfrontere Drew og Christopher, for uanset hvad Keisha sagde, så var Drew ikke helt ude af farezonen. Han havde tydeligvis kendskab til det *andet*. Knivskaftet var blevet fundet i hans toilet. Han havde fra første færd holdt på sine rettigheder, hvilket han i sagens natur havde ret til, men Will havde også ret til at være mistænksom.

Det bedste ville være, hvis de kunne fange Christopher og Drew alene. Kevin kunne tage Drew med til bådehuset. Manden ville sikkert gemme sig bag en advokat igen. Will kunne beholde Christopher ved skuret. Mercys bror var ikke nær så sofistikeret som Drew. Han ville blive rædselsslagen for, at Drew snakkede. Will kunne hviske til ham, at det var den første rotte, der fik osten. Forhåbentlig ville Christopher gå i panik og ikke indse, før det var for sent, at han skulle have holdt sin mund lukket.

Will stak hånden i lommen. Han betragtede Sara gå foran sig. Han var nødt til at sikre sig, at hun blev i hytten, hvilket betød, at de skulle have en højst ubehagelig samtale, før de nåede frem.

Han sagde: "Du skulle ikke have været i stuen sammen med Keisha og mig. Jeg udførte en afhøring, og du distraherede mig."

Sara skævede op til ham. "Det er jeg ked af. Det tænkte jeg ikke på. Du har ret. Lad os tale om det, når vi kommer tilbage til hytten."

Will havde ikke forventet, at det ville være så let, men han tog sejren til sig. "Du er nødt til at pakke. Jeg vil have dig ned af det her bjerg, før det bliver mørkt."

"Og jeg vil have, at din hånd ikke bliver betændt, og alligevel står vi her."

Det havde han ikke ventet. "Sara ..."

"Jeg har noget antibiotika i hytten. Så kan vi tale om ..."

"Min hånd har det fint." Hans hånd tog livet af ham. "Det handler ikke kun om, at du var i stuen. Jeg gav dig besked på at blive sammen med Faith, og du stak af på egen hånd. Hvorfor talte du med Keisha på egen hånd? Hvad nu, hvis Drew var dukket op? Bare glem Mercy og Chuck. Manden har en dom for overgreb."

Hun stoppede op midt på stien. Hun så op på ham. "Var der andet?"

"Jah, hvad sker der for, at du drikker midt på dagen? Er det noget, du er begyndt på?"

"Hold da kæft," hviskede hun.

"Hold da selv kæft." Will kunne lugte alkohol på hendes ånde. "Du lugter af lightergas."

Sara pressede læberne sammen. Hun ventede. Da han ikke sagde noget, spurgte hun: "Er du færdig?"

Will trak på skuldrene. "Hvad er der ellers at sige?"

"Da jeg *stak af på egen hånd*, fandt jeg Jon. Han holder til i hytte ni, som ligger den vej. Jeg har ikke lyst til, at han hører, hvad jeg har at sige." Will så hen over hendes hoved. Han kunne se det skrå, spåntækkede tag inde mellem træerne. "Jeg tjekkede den her til morgen, da jeg ledte efter Dave. Jon må være kommet, efter jeg var gået."

Det kommenterede Sara ikke på. Hun begyndte at gå ned ad stien. Will gik igen bag hende. Han spekulerede på, om Jon stadig var i hytten, og hvis ja, hvor meget han i så fald havde hørt. Will havde kun hævet stemmen, da han sagde det med alkoholen. Han vidste godt, at han havde det alt for stramt med det at drikke. Men det havde været meget mærkeligt, at Sara havde taget en tår af Monicas glas. Hvilket fik ham til at spekulere på, hvad Sara havde ment, da hun sagde til Will, at hun ikke ville have Jon til at høre, hvad hun havde at sige.

Han behøvede ikke at vente ret længe. Hun stoppede op et par meter foran deres egen hytte. Hun så op på ham. "Den her sidegesjæft, som Mercy, Christopher og Chuck er involveret i. Hvad er din teori?"

Han havde ikke udviklet teorier endnu. "Ejendommen er omringet af en statsskov og en nationalskov. Måske noget illegal tømmerhøstning?"

"Tømmer?"

"Der var en brændestabel, der indeholdt nogle dyre træsorter – kastanje, ahorn, akacie."

"Okay, det giver mening." Sara nikkede. "App-fyrene fortalte mig, at deres bourbon smagte af terpentin. Monica drikker den dyre whisky, men den smager og lugter af lightergas. Hun balancerede på kanten af en alkoholforgiftning i aftes, men det kom bag på både hende og Frank, fordi hun normalt håndterede det bedre. Og for tyve minutter siden spurgte Keisha mig, om vi havde prøvet deres spiritus. Hun advarede mig mod den, hvorefter hun fortsatte med en længere tale om erstatningsansvar, hvis en gæst skulle flyves væk fra bjerget i helikopter."

Will følte sig blind over, at han ikke havde lagt to og to sammen før. "Så du tror, den forretning, Chuck og Christopher talte om, var at sælge kopisprut?"

"Keisha og Drew har en cateringforretning. De ville lægge mærke til det, hvis alkoholen smagte forkert. Måske har de taget det op med Cecil og Bitty. Nogle af de dyrere mærker har en røget smag. Eg, mesquite …"

"Kastanie, ahorn, akacie?"

"Ja."

Will blev ved med at vende tilbage til den samtale, han havde over-hørt på sporet bag spisesalen. "Chuck sagde til Christopher: 'Der er mange, der regner med os'. Amanda sagde, at Chucks sociale medier viser ham i mange stripklubber."

"Hvor man som regel skal købe mindst to drinks."

"Tror du, at Drew gik til Bitty, fordi de ville være med?" spurgte Will.

"Det tror jeg ikke," sagde Sara. "Det kan godt være, jeg lader tvivlen komme dem lidt rigeligt til gode, men Keisha og Drew elskede det sted her. Det virker mere, som om de prøvede at stoppe det. Keisha flagede med erstatningsansvaret. Hun advarede mig mod at drikke noget over-hovedet. Jeg tror ikke, hun kunne finde på at gå ind i noget, hvor folk kunne dø. Og tænk lige over det, hun sagde, med at handle oplysninger. Det var ikke Drew, hun ville handle med. Det var kopisprutten."

"Deres kredittjek så fint ud. De har ikke store summer på kontoen." Will gned sin kæbe. Der var stadig noget, der manglede. "Det, der ikke går op, er, hvorfor slå Mercy og Chuck ihjel, når man kan slå Drew ihjel?"

"Det er dig, der er så glad for pengemotivet," sagde Sara. "Nu, hvor Mercy og Chuck er borte, får Christopher hele puljen, plus han får for-retningen for sig selv. Dernæst får han hængt Drew op på mordet."

Will tog telefonen frem og trykkede på walkie-knappen. "Kevin, en opdatering?"

"Blot et par gutter, der sidder ved søen og drikker et par øl."

Will så godt Saras bekymrede udtryk. Chucks vand var blevet tilsat en gift af en art, og nu havde den fyr, der havde bedst adgang til Chuck, serveret en øl for Drew. "Kevin, prøv, om du kan få dem til ikke at drikke noget, uden at de opfanger, hvad du laver."

"Modtaget."

Will begyndte at gå, men så kom han i tanke om Sara.

"Gå," sagde hun. "Jeg bliver her."

Will klipsede telefonen på bæltet, mens han løb mod søen. Han pas-serede gaflen, udsigtsbænken. Han vidste ikke så meget om spiritus, men han vidste alt om de statslige og føderale love, der begrænsede uautoriseret fremstilling, transport, distribution og salg af alkohol. Det spørgsmål, han først måtte have svar på, var, hvordan de bar sig ad. Det ville tage flere uger at teste flaskerne med spiritus på ejendommen.

Erstattede de alle de dyre mærker med noget billigere indhold, hvilket ville koste dem deres spiritusbevilling og en betragtelig bøde? Eller fremstillede de det selv, hvilket brød alle mulige statslige og føderale love?

Will fulgte den snoede sti med mod skuret. Han kunne se så langt som til søen. Der stod to tomme campingstole, hver af dem med en øldåse i kopholderen. Kevin lå på græsset og holdt om sit ene ben. Christopher og Drew stod bøjet over ham. Wills hjerte røg helt op i halsen, men så gik det op for ham, at Kevin bare havde fundet en måde at afholde mændene fra at drikke øl på.

Kevin tog imod Wills hånd og kom på benene. "Beklager, gutter, jeg får bare de her afsindige kramper i benene."

Drew så skeptisk ud. "Fisk, jeg går tilbage. Tak for øl."

Christopher lettede på hatten, da Drew gik hen mod stien. Will nikkede til Kevin om, at han skulle gå med. Drew ville ikke blive glad, når Keisha fortalte ham, at hun havde talt med Will.

"Hvad så?" sagde Christopher. "Hvad er der? Har Dave tilstået?"

Will regnede med, at nyheden allerede var sluppet ud. "Det var ikke Dave, der slog din søster ihjel."

"Jaså." Christophers ansigtsudtryk var uændret. "Jeg tænkte nok, han ville sno sig ud af det før eller siden. Var det Bitty, der gav ham et alibi?"

"Nej, det var Mercy." Will havde forventet bare en smule overraskelse, men Christopher gav ham intet. "Din søster ringede til Dave, inden hun døde. Hendes telefonbeskeder udelukker ham."

Christopher så ud over søen. "Det var overraskende. Hvad sagde Mercy?"

"At hun havde brug for Daves hjælp."

"Ligeledes overraskende. Dave hjalp ikke Mercy så meget som en enkelt gang, da hun var i live."

"Hjalp du hende?"

Christopher svarede ikke. Han lagde armene over kors og stirrede ud over vandet.

Will sagde ikke noget. Det var hans erfaring, at folk ikke kunne udholde stilhed.

Men Christopher var tydeligvis immun. Han blev stående med armene over kors, blikket rettet mod søen og munden lukket.

Will var nødt til at finde en anden måde at ryste manden på.

Han så tilbage mod materielskuret. Dørene stod på vid gab. Knivene lå samme sted som før, men de så skarpere ud i dagslys. Knivene var ikke Wills egentlige bekymring. En paddel i hovedet eller et slag i maven med træhåndtaget på et net kunne udrette temmelig meget skade. For ikke at nævne, at Christopher sikkert havde samme fiskegrej i lommerne som Chuck. Et redskab til oprulning af fiskeline. Et foldbart multiværktøj til fiskeri. En retractor. En lommekniv.

Will havde kun en hånd. Den anden var varm og dunkende, fordi Sara havde ret i det med infektionen. På den anden side, så var den hånd, der ikke var betændt, ret så tæt på en kortnæset Smith & Wesson-revolver.

Han gik ind i skuret. Begyndte højlydt at åbne skabe og skuffer.

Christopher kom styrtende ind, tydeligt kriseramt. "Hvad laver du? Kom ud derfra."

"Jeg har en ransagningskendelse, der gælder hele ejendommen." Will åbnede endnu en skuffe. "Hvis du gerne vil læse kendelsen, kan du gå op til hytterne og bede min makker om at vise dig den."

"Vent!" Nu var Christopher rystet. Han begyndte at lukke skufferne. "Vent nu lige, hvad leder du efter? Jeg kan fortælle dig, hvor det er."

"Hvad ville jeg lede efter?"

"Det ved jeg ikke," sagde han. "Men det her er mit skur. Alt det, der er herinde, er her, fordi jeg har lagt det herind."

Der gik tilsyneladende lige et sekund for længe, før han indså, at han lige havde påberåbt sig ejerskab for, hvad end Will fandt.

"Hvad tror du, jeg leder efter?" spurgte Will.

Christopher rystede på hovedet.

Will gik rundt i skuret, som om han så det for første gang. Han holdt øje med pludselige bevægelser fra Christophers side. Manden var passiv, men det kunne hurtigt ændre sig. Det, der slog Will mest ved skuret, var, at alt igen lå på rette plads. Will havde ikke gået blidt til værks tidligere samme morgen, da han havde ledt efter noget at binde Dave med. Værktøjet hang på deres dertil indrettede plads. Nettene hang med samme afstand langs hele bagvæggen. Det dagslys, der strømmede ind, gjorde, at Will tydeligt kunne se låsen til rummet bagi. Og den godt slidte hængelås.

"Hør," sagde Christopher. "Det er ikke tilladt gæster at være herinde. Lad os gå udenfor igen."

Will vendte sig og så på ham. "Det er ellers noget interessant træ, du har stablet oppe ved huset."

Christopher sank, så det kunne høres. Han begyndte at svede. Will håbede ved gud ikke, det var endnu en øjendråbesituation. Han måtte hellere sætte farten op. Han besluttede at løbe en risiko.

"I aftes, da vi alle sammen gik ind til middagen, da blev du udenfor med Mercy."

Christophers ansigtsudtryk var stadig passivt. "Og så?"

Will gik ud fra, at risikoen havde givet pote. "Hvad talte du med hende om?"

Christopher svarede ikke. Han så ned i gulvet.

Will gentog sit spørgsmål. "Hvad talte du med Mercy om?"

Han rystede på hovedet, men sagde så: "Salget, selvfølgelig. Det er jeg sikker på, du har hørt om fra Papa og Bitty."

Will nikkede, selvom han ikke havde talt med forældrene endnu. "Ved du, hvad de også fortalte mig?"

"Det er ikke nogen hemmelighed. Mercy blokerede for salget. Hun håbede, jeg ville gå med hende, men jeg er træt. Jeg har ikke lyst til det her mere."

"Det var også det, du sagde til Chuck, ikke?" Wills hjerne havde taget en ordret kopi af den samtale, de to mænd havde haft på stien. "Du sagde, at du ikke engang ville være med til det fra starten af. Og at det ikke gik uden Mercy. At I skulle bruge hende."

Endelig så Christopher overrasket ud. "Fortalte han dig det?"

Will nærstuderede mandens ansigt. Overraskelsen virkede ægte, men Will havde lært på den hårde måde, at man ikke skulle stole på en potentiel psykopat. "Du har egentlig heller ikke rigtig brug for pengene fra salget, vel?"

Christopher fugtede læberne med tungen. "Hvad mener du?"

"Du sidder da ret godt i det."

"Jeg ved ikke, hvad det er, du prøver at sige."

"Du har et par hundrede tusind dollars på pengemarkedet. Har betalt dine studielån ud. Chuck er i samme båd. Hvordan skete det?"

Christophers blik søgte igen mod gulvet. "Vi lavede begge nogle gode investeringer."

"Men I har hverken en investeringskonto eller en mæglerkonto i jeres navne. I er ikke tilknyttet nogen virksomheder. Det eneste job, du har, er at være fiskeguide i familievirksomheden. Så hvor kommer pengene fra?"

"Bitcoin."

"Er det også, hvad dit skatteregnskab vil fortælle os?"

Christopher rømmede sig højlydt. "Du vil finde lønudbetalinger fra familiefonden. Det er min del af overskuddet."

Will gættede, at han ville finde beviser på hvidvaskning. Det var sikkert der, Mercy kom ind i billedet. "Dave er også med i familiefonden, ikke? Hvor er hans penge?"

"Jeg er ikke ansvarlig for, hvem der får hvad."

"Hvem er så det?"

Christopher rømmede sig igen.

"Mercy fik ikke nogen del af overskuddet. Hun har ikke en bankkonto. Hun har ingen kreditkort, ikke noget kørekort. Hun havde ingenting. Hvordan kan det være?"

Han rystede på hovedet. "Det har jeg ingen idé om."

"Hvad har vi heromme?" Will bankede på væggen. Nettene slog mod træet. "Hvad finder jeg, hvis jeg bryder den her dør op?"

"Vil du ikke nok lade være." Christopher så stadig ned i gulvet. "Nøglen ligger i min lomme."

Will var ikke sikker på, om manden føjede ham eller prøvede at narre ham. Han gjorde et nummer ud af at hvile hånden mod revolveren. "Tøm alle dine lommer på bordet."

Christopher begyndte med fiskervesten og arbejdede sig nedad til cargoshortsene. Han lagde en bred vifte af værktøj frem, som havde præcis samme mærke og farve som dem, Chuck havde haft i lommerne. Han havde sågar en tube Carmex læbepomade. Det eneste, der manglede, var en flaske Eads Clear øjendråber.

Den sidste genstand, Christopher havde lagt på bordet, var en nøglering. Der var fire nøgler i alt, hvilket var sært, eftersom der ikke var lås på nogen af dørene i hytterne. Will genkendte en bilnøgle af mærket Ford. En tøndenøgle, der formentlig var til et pengeskab. De sidste to nøgler var typen, der passede til hængelåse med sorte plastichåndtag. Der var en gul prik på den ene. Og en grøn på den anden.

Will beholdt hånden på revolveren, mens han trådte væk fra væggen. "Åbn den."

Christopher havde stadig bøjet hoved. Will holdt nøje øje med hans hænder, for det var tydeligt, at manden ikke havde tænkt sig at afsløre sine hensigter via sit ansigtsudtryk. Christopher valgte nøglen med den gule prik, satte den i låsen, trak haspen op og åbnede døren.

Det første, Will bemærkede, var lugten af gammel røg. Så så han stykkerne af stanniol, hvor de havde prøveafbrændt forskellige kombinationer af træ. Der var egetræstønder. Kobbertanke. Snoede rør og slanger. De hældte ikke billig sprut på dyre flasker. De fremstillede deres egen.

"Der er to nøgler. Hvor befinder det andet destilleri sig?"

Christopher så stadig ikke op fra gulvet.

Will var nødt til at ryste ham igen. Der var intet, der fik en mand til at blive mere nervøs end at mærke det kolde metal stramme om håndleddene. Will havde ikke nogen håndjern, men han vidste godt, hvor Christopher opbevarede sine strips. Han rakte ned for at åbne skuffen.

Tidligere samme morgen havde Will haft dårlig samvittighed over at lade stripsene ligge løst i skuffen. Et sted mellem der og nu var der nogen, der havde bundet dem sammen. Han gik ud fra, at den nogen var den samme mand, der havde efterladt seks tomme flasker Eads Clear i skuffen.

18

Faith længtes efter endnu et brusebad. Ikke kun fordi hun svedte sin røv i laser. Keisha havde set på hende med så stor foragt, at Faith havde følt sig som standin for alle pissedårlige strissere i hele verden.

Det var grunden til, at hun ikke ville have, at hendes søn blev en del af FBI, GBI eller en hvilken som helst anden ordensmagt. Ingen stolede på politiet længere. Nogle af dem havde fandens gode grunde til det. Andre var bare oversvømmet af de konstante eksempler på korrupte betjente. Det var ikke bare et spørgsmål om et enkelt råddent æble længere. Hele afdelinger var rådne. Hvis Faith skulle starte forfra, så ville hun være brandbekæmper. Der var ingen, der var vrede på folk, der reddede katte ned fra træer.

Faith rystede på hovedet, mens hun gik ad den nederste halvdel af Ringstien. Det var vist nok svælgen i ting, hun ikke kunne ændre på. Lige nu stod hun med to mord og en mistænkt. Will ville have hende til at være den, der førte ordet i afhøringen af Christopher. Han gik ud fra, at manden delte Chucks incel-agtige overbevisninger, hvilket betød, at det ville irritere ham ad helvede til at blive afhørt af en kvinde. Faith var enig i strategien. Christopher lød til at være roligere, end han selv havde godt af. Hun var nødt til at finde en måde at skræmme livet af ham på. Heldigvis havde han forsynet hende med rigeligt med skyts.

I staten Georgia var blot det at eje et destilleri, der producerede andet end vand, æteriske olier, eddike eller lignende, en kriminel handling. Lægger man dertil distribution, transport og salg, ville Christopher ryge bag tremmer i et statsfængsel i en rum tid. Men det var kun en del af hans problem. Det var tanken, at den føderale regering fik en andel af hver eneste dråbe alkohol, der blev solgt i landet.

Hvis de to mord ikke kunne holde Christopher i fængsel resten af livet, så ville skatteunddragelsen gøre det.

"Hej." Sara sad og ventede for foden af trappen. "Will og Kevin er stadig nede ved søen. Christopher fører dem hen til bådebroen for at vise dem det andet destilleri."

Faith grinte. Will slæbte Christopher rundt som en hund i snor, så han ville føle sig fuldstændigt hjælpeløs, når Faith endelig fik fingrene i ham. "Hans timing kunne ikke være bedre. Dave dukkede op ved huset, lige inden jeg gik, så nu ved alle, at han ikke slog Mercy ihjel."

Sara rynkede panden. "Hvordan er han kommet herop?"

"På en crosser," sagde Faith. "Han må have allerhelvedes ondt fra nødder til baller."

"Han har sikkert scoret noget fentanyl, da han forlod hospitalet," sagde Sara. "Jeg ringede til Nadine for at fortælle hende om Chuck. Problemet er, at dødsanmeldelsen rykkede vejen til hytterne længere op på listen over veje, der skal ordnes, så vi kommer ikke til at være isolerede heroppe så meget længere."

"Nå, men jeg har endnu dårligere nyheder. Telefonerne og internettet fungerer igen, så stedet her er ikke længere vores egen lille Cabot Cove fra *Hun så et mord.*"

Sara så bekymret ud. "Jon har skjult sig i hytten ved siden af vores. Jeg bør fortælle ham, at Dave er her. Han vil sikkert gerne have en grund til at tage hjem."

"Det ved jeg nu ikke, se lige, hvad han har at tage hjem til." Faith fik en bedre idé. Hun klappede på sin taske. "Jon kan alligevel ikke gå online fra hytte ni. Må jeg vise dig kortet? Måske kan du hjælpe mig med at udfylde et par huller, mens jeg venter på, at Will giver mig grønt lys på Christopher."

"Selvfølgelig." Sara vinkede Faith med op ad trappen.

Faith måtte først lige få orden på sig selv. Hun havde lånt et par af Saras yogabukser. De var cirka en halv meter for lange og lidt for stramme. Hun havde været nødt til at rulle linningen tre gange, for at skridtet ikke skulle hænge og dingle mellem hendes knæ, for derefter at rulle buksebenene op, så de hang som trutmunde rundt om hendes lægge. Hendes *Milkshake* tiltrak lige præcis nul fyre til *the Yard*.

Hytten var blevet ordnet, siden Faith havde været i bad. Sara havde tydeligvis ryddet op. Eller også var det Penny, for Faith kunne dufte appelsin, og Sara var godt nok et ordensmenneske, men ikke i den grad.

"Hvad har du?" spurgte Sara.

"Farvede tusser og hævntørst." Faith satte sig på sofaen og rodede tasken igennem for at finde kortet. Han bredte det ud på bordet. "Jeg gik rundt på grunden med min telefon for at teste, hvor der er wi-fi-signal. De gule streger angiver cirka modtagelsesområdet. Mercy må have været inde i det område for at kunne ringe til Dave."

Sara nikkede. "Så det inkluderer hytterne et til fem samt syv og otte, samt hovedhuset og spisesalen."

"I spisesalen er der signal på udsigtsverandaen og halvvejs ned ad Fiskehviskerens sti, hvor Chuck døde. På den anden side rækker signalet et stykke ind i området under udsigtsverandaen. Jeg ville ikke gå alt for langt væk fra civilisationen, når der ikke var nogen, der vidste, at jeg var dernede. Desuden var der pissemange fugle."

"Det er interessant, at begge lig blev fundet i vandet," sagde Sara.

"Christopher elsker vand. Var du klar over, at der findes et Fish-Tok?"

"Det er min far på."

"Det er Christopher også. Han er rigtig glad for regnbueørred. Lad os begynde her." Faith pegede på det område, hvor Mercys lig var blevet fundet. "Den forsvundne enkes sti forbinder Ungkarlehytterne med spisesalen. Det var den vej, I gik med Nadine for at komme til gerningsstedet. Will endte også på samme sti, da han løb mod det første og andet skrig. Er du med?"

Sara nikkede.

"Som du kan se, snor stien sig rundt om kløften, og det er grunden til, at det kan tage ti eller femten minutter at komme ned. Men der er en hurtigere vej fra spisesalen til Ungkarlehytterne, som ikke er indtegnet på kortet. Alejandro fortalte mig om den. De kalder den rebstien. Jeg fandt rebene, og kort fortalt er det et kontrolleret fald ned ad skrænten. Hvis Mercy løb for sit liv, er det den vej, hun har taget. Alejandro skyder på, at det tager cirka fem minutter at komme ned. Jeg skal bruge Will til at hjælpe mig med at tage tid. Det kan vi bruge som stopklods for, hvad end for en historie Christopher brygger sammen."

"Så det, du siger, er, at det første skrig, hylet, kom fra spisesalen, og de sidste to kom fra Ungkarlehytterne." Sara så på kortet. "Det giver meget god mening, men i aftes, i situationen, kunne jeg ikke vurdere andet end den generelle retning, de to skrig kom fra. Lyd bevæger sig på en sær måde heroppe på grund af højdeforskellene. Søen ligger i et krater."

Faith bladrede sine notater igennem. "Du var oppe ved hytterne, da Jon og dig hørte det andet skrig efter hjælp?"

"Ja. Vi talte kortvarigt sammen, så hørte jeg skriget på hjælp. Så var der en pause, så endnu et skrig: *Hjælp mig*. Jon løb ind i huset igen. Jeg begyndte at lede efter Will."

"Ind i huset igen," gentog Faith. "Så da du så Jon første gang, da kom han ud af huset?"

"I begyndelsen genkendte jeg ham ikke, fordi det var så mørkt. Han kom gående ned ad trappen med en rygsæk. Han faldt på knæ og kastede op."

"Hvad blev der sagt?"

"Jeg bad ham sætte sig på verandaen, så vi kunne snakke lidt. Han bad mig om at fucke af."

"Lyder som en fuld teenager," sagde Faith. "Men du stod og så på ham, da du hørte de to skrig, så Jon er strøget af listen."

Sara så forskrækket på hende. "Har han nogensinde været på den?"

Faith trak på skuldrene, men hun så sådan på det, at hvert eneste hankønsvæsen, bortset fra Rascal, var på listen.

"Amanda sagde, hun gerne ville have en vidneforklaring fra Jon," sagde Sara. "Han kan hjælpe med tidslinjen. Efter scenen under middagen må Mercy have set til ham mindst en gang."

"Det er ikke sikkert," sagde Faith. "Måske har hun villet give ham lidt tid."

"Uanset hvad, så tvivler jeg på, at han vil være til ret meget hjælp. Han var sikkert for fuld til at huske noget som helst." Sara pegede på kortet. "Jeg kan hjælpe dig med at identificere, hvor alle andre burde have været. Sydney og Max, investorerne, boede i hytte et. Chuck i hytte to. Keisha og Drew i treeren. Gordon og Paul er i nummer fem, Monica og Frank i syv. Wi-fi-området dækker dem alle, så Mercy kunne have ringet til Dave fra en hvilken som helst af dem. Ifølge Paul var hun på stien klokken halv elleve."

"Paul Ponticello lyder som Gurli Gris' ven." Faith bladrede baglæns for at finde tidslinjen. "Hvad end der skete, så må det være begyndt klokken ti minutter over elleve, ikke? Mercy ringede fem gange til Dave inden for tolv minutter. Det gør man ikke, medmindre man er i panik, bange, vred eller alle tre dele. Mercy indtalte en telefonbesked klokken 23.28, så der ved vi, hun talte med morderen. Hun sagde: *'Dave er her lige straks. Jeg har fortalt ham, hvad der er sket.'"*

"Hvad skete der?"

"Det er det, jeg skal finde ud af," sagde Faith. "Men lad os antage, det er Christopher, der er morderen. Han slår Mercy ihjel, sætter Chuck ud af spillet, retter søgelyset mod Drew, hvilket lukker munden på Keisha, snip, snap, snude, så er den historie ude."

"Det er kompliceret," sagde Will.

Faith vendte sig om. Han stod i døråbningen med den forbundne hånd over hjertet. Hun vidste, at Will aldrig var ironisk. De fleste forbrydelser var ret ligetil. Det var kun skurkene i tegneseriehæfterne, der var afhængige af, at alle dominobrikkerne faldt på den rigtige måde, for at kunne ekspedere de rigtige personer.

"Dave er i hovedhuset. Han er kørt herop på en crosser," sagde Faith til Will.

Will svarede ikke. Sara var kommet tilbage med et glas vand. Hun løftede hånden, der var to piller i. Will åbnede munden. Hun puttede dem ind og gav ham glasset. Han drak vandet. Han gav hende glasset tilbage. Sara gik ud i køkkenet. Faith foldede kortet sammen og lod, som om intet af det der var sært.

"Ved vi noget om, om retsmedicinsk har kunnet redde Mercys notesbog?" spurgte Faith.

Det var Sara, hun havde spurgt, men Sara så på Will. Hvilket var mærkeligt, for retsmedicinsk var Saras afdeling.

Will rystede kort på hovedet. "Vi har ikke hørt noget om notesbogen endnu."

"Okay." Faith forsøgte at ignorere mærkværdigheden. "Hvad med graviditeten? Jeg ved godt, den indledende undersøgelse ikke kunne sige noget om overgreb eller ej, men tænker vi, at Christopher kan være faren?"

Sara så forfærdet ud, men sagde stadig ikke noget.

Faith prøvede igen. "Jeg ved godt, vi før eller siden får DNA fra fostret, men Mercy var sammen med andre mænd. Det gør det nemt for Christophers forsvarsadvokat at hævde, at en af hendes affærer fandt ud af graviditeten og dolkede Mercy."

Will lavede det korte hovedryst igen, men det var ikke noget svar.

"Sara, kunne du tale med Jon igen? Du har god kontakt med ham. Han har sikkert set lidt af hvert heroppe. Folk har det med at glemme, at der er et barn i nærheden."

"Er du sikker?" spurgte Sara.

"Ja," sagde han. "Du er også en del af dette team."

Hun nikkede. "Okay."

Han nikkede. "Okay."

Faith så til, mens de stirrede på hinanden på den der hemmeligheds-fulde måde, der ekskluderede alle andre. Endnu en gang var hun redu-ceret til den sjove ven i deres romcom. Men hun syntes nu godt, hun kunne have fået en præmie for ikke at kigge i Saras kuffert, da hun havde chancen.

"Klar?" spurgte hun Will.

"Klar."

Han trådte et skridt tilbage, så Faith kunne gå først ned ad trappen. Hvilket var gentlemanagtigt, men også farligt, for Faith havde ingen at lande på, hvis hun faldt. Hun klaskede en myg på sin arm. Solen føltes som en laserstråle, der borede sig ind i hendes nethinder. Hun var så klar til at komme væk herfra.

Will var mere afslappet end normalt, da de gik ned ad sporet. Han stak den venstre hånd i lommen. Den højre var stadig trykket mod brys-tet.

Faith kunne ikke finde en måde at være diskret på, så hun spurgte: "Fortæl mig om dig og Dave, da I var børn."

Han så ned på hende og forventede tydeligvis en forklaring.

"Dave stak af fra børnehjemmet," sagde hun. "Hvad end det var, han gjorde nede i Atlanta, har han sikkert også gjort mod Christopher her-oppe."

Will brummede, men svarede: "Han fandt på dumme øgenavne. Stjal dine ting. Gav dig skylden for lort, han lavede. Spyttede i din mad. Fandt måder at få dig i ballade på."

"Lyder som en rigtig vinder." Faith kunne stadig ikke finde en måde at være diskret på. "Misbrugte Dave nogen seksuelt?"

"Han havde helt sikkert sex, men det er ikke usædvanligt. Børn, der er blevet seksuelt misbrugt, har det med at fokusere på sex som en måde at få kontakt på. Og sex føles godt, så de vil gerne fortsætte med det."

"Var det drenge, piger, begge dele?"

"Piger."

Faith tolkede den måde, han bed tænderne sammen på, som at Dave havde været sammen med Wills ekskone. Hvilket han næppe havde været ene om.

"Det, at man bliver seksuelt misbrugt som barn, betyder ikke, at man vokser op og selv misbruger børn," sagde Will. "I så fald ville halvdelen af verden være pædofile."

"Det har du ret i," sagde hun. "Men lad os lige trække Dave ud af statistikken. Han var tretten år, da han kom til hytterne, men de nedsatte hans alder til elleve. At være tretten og blive behandlet af alle, som var man elleve, er infantiliserende. Dave må have følt sig vred, frustreret, kastreret, forvirret. Men han groomede også Mercy. Han havde sex med hende i hvert fald, da hun var femten, og han var tyve. Hvor var Christopher, da Dave voldtog hans lillesøster?"

"Fordi han ikke beskyttede hende, mener du?"

"Det, jeg mener, er, at Christopher også var bange for Dave."

"Det havde været et virkelig godt motiv, hvis Christopher havde slået Dave ihjel."

"Måske, når vi kommer tilbage til lysningen, så har han en bombe spændt til brystkassen, og så bliver du nødt til at desarmere den, inden den springer."

Will skævede til hende.

"Kom nu, vovehals. Du har allerede løbet gennem en brændende bygning og været tæt på at blive skyllet ud over et vandfald."

"Jeg ville virkelig sætte pris på, at du ikke beskrev det sådan i din rapport."

Han guidede hende ned ad endnu en stejl sti. Faith så søen først. Solen spejlede sig i overfladen som en discokugle fra helvede. Hun skærmede for det blændende lys med sin hånd. Kevin stod ved skuret. De havde sat en kano frem på bredden. Christopher sad i midten. Hans håndled var strippet fast til stangen i midten af kanoen.

"Sara fortalte mig, det hedder en beddingsbjælke," sagde Will. "Den øverste del hedder essingen."

Faith blev mindet om dengang, Will lige havde mødt Sara. Han fandt på de mest tåbelige anledninger til bare at få lov til at nævne hendes navn.

"Hej." Kevin kom dem løbende i møde. "Han har ikke sagt et pip."

"Har han udbedt sig en advokat?" spurgte Faith.

"Niks. Jeg har filmet det, da jeg oplyste ham om hans rettigheder. Fyren så direkte ind i kameraet og sagde, han ikke havde brug for en advokat."

"Godt klaret, Kev," sagde Faith.

"Agent stikirenddreng leverer igen." Han trak en nøglering op af lommen. "Jeg giver lyd, hvis jeg finder pengeskabet."

Will så efter ham, da han gik. "Er han sur på dig over stikirenddrengjoken?"

"Ingen anelse." Det, Kevin i virkeligheden var sur over, var, at hun ghostede ham, efter de havde været sammen for to år siden. "Jeg har brug for, at du laver den der skræmmende lurer-ting, mens jeg taler med Christopher, okay?"

Will nikkede.

Faith nærstuderede Christopher, da hun nærmede sig kanoen. De havde placeret ham med ryggen til vandet, så han havde direkte udsigt til det ulovlige destilleri bagest i skuret. Han så meget gennemsnitlig ud. Ikke muskuløs, men heller ikke buttet. Den blå T-shirt fremviste en lille vom. Han havde lidt svenskerfrisure bagtil i det mørke hår, ligesom Chuck.

Hun gik forbi ham og tog en dyb indånding, mens hun så ud over vandet. Kvægmyggene svirrede ved badepontonen. Fugle cirkulerede over deres hoveder. Hun fakede et tilfredst suk. "Gud, hvor er der smukt herude. Tænk, sådan at have naturen som kontor."

Christopher sagde ikke noget.

"Du skulle tage og bede din advokat se lidt nærmere på Coastal State Prison," sagde Faith. "Det ligger i Savannah. Hvis vindretningen er rigtig, kan man af og til fornemme lidt havlugt hen over stanken af kloak."

Christopher reagerede stadig ikke.

Faith gik om bagved båden. Will lænede sig mod den åbne dør ind til skuret og så intimiderende ud. Hun nikkede, før hun vendte sig mod Christopher. Mistænkte sad på den ene af to bænke. Han sad foroverbøjet, fordi hans hænder var strippet fast til midterstangen. Den anden bænk var mindre, gemt væk i bagenden.

Hun pegede på den og spurgte: "Er det forstavnen eller styrbord?"

Han så på hende, som var hun idiot. "Styrbord er højre side. Forstavnen er forrest. Du står ved agterstavnen."

"Så et halvt heldigt gæt," jokede Faith. Hun trådte op i kanoen. Glasfiberen knagede, da den blev trykket ned mod den stenede bred.

"Stop," sagde Christopher. "Du ødelægger skroget."

"*Skrog.*" Faith sørgede for at det knasede ekstra meget, da hun satte sig ned. "Tro mig, mig vil du ikke have med ud på vandet. Jeg kan ikke kende forskel på en beddingsstolpe og en fjessing."

"Det hedder en beddings*bjælke* og en *essing.*"

"Min fejl, undskyld." Faith lod, som om hun aldrig var blevet korrekset af en mand før. Hun samlede et stykke reb op, der var bundet til et metaløje. "Hvad hedder det her så?"

"Et reb."

"Reb," gentog hun. "Jeg føler mig helt som en sømand."

Christopher sukkede kuet. Han drejede hovedet. Han stirrede ned i jorden.

"Har de givet dig noget at spise?" Faith åbnede tasken og fandt en af Wills Snickersbarer frem. "Kan du lide chokolade?"

Det fangede hans opmærksomhed.

Faith åbnede papiret. Hun sendte Christopher et undskyldende blik, da hun lagde chokoladen i hans opadvendte håndflade. Det så han ikke ud til at lade sig genere af. Han lod papiret falde ned i bunden af kanoen. Han holdt Snickersen på langs mellem hænderne i stedet for lige op. Så lænede han sig frem og bed af den, som var det en majskolbe.

Hun lod ham nyde øjeblikket, mens hun prøvede at finde på en bedre tilgang. Så mange flere dele var der heller ikke på en kano, som hun kunne få galt i halsen. Normalt brugte Will sin rugende stilhed til at hive sandheden ud af mistænkte, men det kunne man kun slippe af sted med, når man var en halvfems og naturligt skrækindjagende. Faiths særlige talent var at gøre mænd utroligt utilpas, hver gang hun åbnede munden. Hun ventede med at stille sit første spørgsmål, til Christopher havde taget en stor bid af sin Snickers.

"Christopher, kneppede du din søster?"

Han fik chokoladen så voldsomt galt i halsen, at kanoen rystede. "Er du sindssyg?"

"Mercy var gravid. Er det dig, der er faren?"

"T-tager du fucking pis på mig?" stammede han. "Hvordan kan du overhovedet spørge mig om sådan noget?"

"Det er et meget åbenlyst spørgsmål. Mercy var gravid. Du er den eneste mand heroppe bortset fra din far og Jon."

"Dave." Han tørrede munden i skulderen. "Dave er heroppe hele tiden."

"Siger du til mig, at Mercy kneppede sin voldelige eksmand?"

"Ja, det er præcis det, jeg siger til dig. Hun var sammen med ham i går før familiemødet. De rullede rundt på gulvet som dyr."

"Hvilket gulv?"

"Hytte fire."

"Hvad tid var der familiemøde?"

"Klokken tolv." Han rystede på hovedet, stadig besat af det med incesten. "Jøsses, altså. Jeg kan ikke tro, du spurgte mig om det."

"Har Dave nogensinde prøvet at komme til at kneppe dig?"

Chokket var ikke så ekstremt denne gang, men han så stadig frastødt ud. "Nej selvfølgelig ikke. Han var min bror."

"Han kneppede sin søster, men han ville ikke kneppe sin bror?"

"Hvad?"

"Du har lige fortalt mig, at Dave kneppede sin søster."

"Kan du ikke lade være med at bruge det ord? Det er ikke særligt passende for en dame."

Faith lo. Hvis hendes chef ikke kunne få hende til at skamme sig over sin brug af bandeord, så havde fyren her ingen chance. "Okay, mester. Din søster er blevet brutalt voldtaget og myrdet, men du kan ikke abstrahere fra, at jeg siger *kneppe*?"

"Hvad har noget af det her at gøre med kopisprutten?" ville han vide. "I tog mig på fersk gerning."

"Det gjorde vi fanden-kneppe-mig."

Chuck sukkede kontrolleret, som prøvede han at kontrollere sit temperament. Han så hen på Will. "Sir, kan vi ikke godt få det her overstået? Jeg tager skylden. Det var min idé. Jeg har købt begge destillerier. Jeg var ansvarlig for det hele."

"Hey, bimmelim." Faith knipsede med fingrene. "Du skal ikke snakke med ham. Snak med mig."

Christophers kinder blev røde af vrede.

Faith gav sig ikke. "Vi ved allerede godt, at Chuck var i til bollerne i din lille sprutoperation. Han har sgu ligefrem tatoveringen på ryggen til at bevise det."

Christophers næsebor vibrerede, men han overgav sig hurtigt. "Okay, jeg angiver Chuck. Er det det, du vil have?"

Faith slog ud med armene. "Det kan du fortælle mig."

"Chuck og jeg er feinschmeckere, okay? Vi elsker whisky, scotch, bourbon. Vi begyndte med at lave små mængder til os selv. Bare lidt ad gangen. Eksperimenterede med smage og forskellige former for eksotisk træ, der kunne bringe fylden frem."

"Og så?"

"Så skete Papas cykelulykke. Mercy begyndte at lave forandringer i hytterne. Udskiftede badeværelserne. Begyndte at servere cocktails. Der kom flere penge ind. Mange penge. Primært fra alkoholsalget. Chuck foreslog, at vi droppede mellemmanden og brugte vores sprut i stedet. I starten vidste Mercy ikke, at vi genopfyldte flaskerne med vores eget, men så fandt hun ud af det. Hun var ligeglad. Det eneste, der interesserede hende, var at vise Papa, at hun kunne skabe et overskud."

"Det var ikke bare hytterne," sagde Faith. "Chuck solgte også til stripklubberne i Atlanta."

Christopher lignede en, der blev fanget på det forkerte ben. Det var langt om længe gået op for ham, at Faith vidste en helvedes masse mere, end hun lod sig vide af.

"Vidste dine forældre det?" spurgte hun.

"Absolut ikke."

"Men det gjorde Drew og Keisha."

"Jeg ..." Han rystede på hovedet. "Det vidste jeg ikke. Hvad har de sagt?"

"Det er ikke dig, der stiller spørgsmålene her," sagde hun til ham. "Lad os gå tilbage til Mercy. Hvordan havde hun det med, at pengetoget kørte hendes næse forbi?"

"Jeg har ikke snydt hende. Hun er min søster. Jeg oprettede en fond til Jon. Jeg satte pengene ind på kontoen. Den kan han hæve fra, når han bliver enogtyve."

"Hvorfor ikke bare give pengene til Mercy?"

"Fordi så ville Dave få sine grådige fingre i dem. Mercy kan ikke – kunne ikke – sige nej til Dave. Han lirkede alting ud af hende. Der var intet, han ikke ville tage fra hende. Og nu fortæller du mig, at hun var gravid? Så ville hun hænge på ham resten af sit liv." Christopher så pludselig trist ud. "Så det viste sig, at hun havde ret, ikke? Hun døde, før hun kunne slippe for ham."

Faith gav ham et par sekunder til at få vejret. "Vidste Mercy besked om den fond, du har lavet til Jon?"

"Nej, jeg fortalte det ikke engang til Chuck." Han lænede sig frem og pressede mod stripsene. "Hør, dame, du hører ikke på mig. Jeg fortæller, hvordan det her fungerer. Mercy ville have fortalt Dave det før eller siden, og Dave ville have været på nakken af Jon, til fonden var tom. Der er kun to ting, der betyder noget for ham: penge og Mercy. I den rækkefølge. Han vil gøre hvad som helst for at kontrollere begge dele."

Faith skiftede taktik. "Fortæl mig, hvordan det fungerer. Hvordan hvidvaskede I pengene?"

Han rettede sig op. Så ned på sine hænder. "Gennem hytten. Mercy er ret god til bogholderi. Hun åbnede en onlinekonto, lavede lønningslister. Hun sørgede for, at der blev betalt skat af alt. Alle optegnelser ligger i pengeskabet inde på kontoret."

"Du siger, at Mercy var god til penge, men hun havde absolut ingen selv."

"Det var hendes valg," sagde Christopher. "Jeg gav hende, hvad hun havde brug for, men hun vidste godt, at hvis hun havde penge i banken, eller et kreditkort, et debetkort, så ville Dave finde ud af det. Hun var afhængig af mig til alt i sit liv."

Faith mærkede klaustrofobien trykke, da hun tænkte på, hvor hjælpeløs Mercy faktisk havde været.

"Faktisk var det det, vi talte om før middagen." Christopher så hen på Will igen. "Mercy pressede på for, at jeg skulle sige nej til investorerne. Hun sagde, at hun ikke havde noget at miste. Jeg sagde, at jeg kunne tage resten af hendes liv fra hende. Og måske gjorde jeg det. Måske skulle jeg bare have tømt mine konti og have givet hende det hele. Så var hun måske gået fra Dave, før det var for sent, ikke?"

Han havde stillet spørgsmålet til Faith. Hun kunne ikke svare ham. Hun kendte bare statistikkerne, og de var ret så forstemmende. Det krævede syv forsøg for en voldsramt kvinde at forlade sin voldsmand, og kun hvis han ikke slog hende ihjel først.

"Hvad med Chuck?" spurgte hun Christopher.

"Jeg har jo fortalt dig, at han ikke ved noget om Jons fond. Han er mere bange for Dave, end jeg er."

"Nej, det jeg mener er, hvorfor myrdede du Chuck?"

Der var ingen reaktion denne gang, bare en udtryksløs stirren. "Hvad?"

"Chuck er død, Christopher. Men det vidste du godt. Det var dig, der hældte øjendråber i hans vanddunk."

Christopher så på Faith, så på Will, så igen på Faith. "Du lyver."

"Vi kan gå hen og se ham lige nu og her," tilbød Faith. "Vi var nødt til at opbevare hans lig i kølerummet ude bag ved køkkenet. Der hænger han som en slagtet gris."

Christopher stirrede på Faith, som om han ventede på, at hun begyndte at grine, sagde, at det bare var for sjov. Da Faith ikke gjorde det, hev han efter vejret. Han lod hovedet falde ned mod brystet og begyndte at hulke. Han var mere oprevet over Chuck, end han på noget tidspunkt havde været over Mercy.

Hun gav ham et øjeblik at græde i. Faith havde spillet plageånden. Nu spillede hun hans mor. Hun lænede sig frem og gned ham på ryggen for at trøste ham. "Hvorfor slog du Chuck ihjel?"

"Nej." Christopher rystede på hovedet. "Det gjorde jeg ikke."

"Du ville ud af det her spruthalløj. Han prøvede at tvinge dig til at blive."

"Nej." Christopher blev ved med at ryste på hovedet. "Nej. Nej. Nej."

"Du sagde til Chuck, at I ikke kunne gøre det uden Mercy."

Han rystede så voldsomt, at hun kunne mærke det i skroget.

"Christopher, du er så tæt på at fortælle mig sandheden." Faith blev ved med at ae ham hen over ryggen. "Kom nu, min ven. Du får det meget bedre, når du har fået det hele ud."

"Hun hadede ham," hviskede han.

"Mercy hadede Chuck?" Faith klappede ham på skulderen, men hun fortsatte med det moderlige tonefald. "Kom nu, Christopher. Sæt dig op. Fortæl mig, hvad der skete."

Han satte sig langsomt op. Faith så hans stoiske ro smuldre. Det var, som om alle de følelser, han nogensinde havde undertrykt, blev sluppet fri. "Chuck gjorde Mercy pinligt berørt foran dem alle sammen. Jeg ... jeg passede på hende. Jeg ville give ham en lærestreg."

"Hvilken form for lærestreg?"

"Få ham til at lade hende være," sagde Christopher. "Men jeg forstår ikke. Hvordan døde han? Jeg brugte samme mængde som tidligere."

Det var sjældent, Faith blev overrasket over noget, en mistænkt sagde, men den her kom bag på hende. "Har du hældt noget i Chucks vand tidligere?"

"Ja, det er jo det, jeg sidder og siger. Jeg er destillatør. Jeg er meget omhyggelig med mål. Jeg hældte samme mængde i hans vand som de andre gange."

"Gange?" gentog Faith. "Hvor mange gange har du forgiftet ham?"

"Han blev ikke forgiftet. Han fik dårlig mave. Myldrebæ. Det er det eneste, jeg har gjort. Når Christopher var ubehøvlet over for Mercy, så kom jeg nogle dråber i hans vand for at give ham en lærestreg." Christopher så oprigtigt forvirret ud. "Hvordan døde han? Det er nødt til at være noget andet. Hvorfor lyver du for mig? Må du godt det?"

Faith havde hørt Saras teori ved gerningsstedet. Chuck var ikke død af øjendråberne. Han var død, fordi han faldt i vandet og druknede.

Hun var nødt til at spørge: "Christopher, slog Chuck Mercy ihjel?"

"Nej."

Faith hørte en skråsikkerhed i hans stemme. Hun forventede, at han ville sige noget forblommet i stil med *Chuck var forelsket i Mercy, hvordan skulle han kunne slå hende ihjel?* Men det gjorde han ikke.

"Jeg fik ham til at gå i brædderne."

"Hvad gjorde du?"

"Vi afslutter altid aftenen med en godnatdrink. Jeg puttede noget Xanax i hans for at sikre mig, at han ikke gjorde noget dumt. Chuck sad og læste på sin iPad, så faldt han i søvn." Christopher trak på skuldrene. "Soveværelsesvinduet i hytte to er lige ud for vinduet på bagtrappen ved køkkenet. Jeg tjekkede ham, inden jeg gik i seng. Han gik ingen steder."

Faith manglede ord et øjeblik.

"Jeg elskede min søster," sagde Christopher. "Men Chuck var min bedste ven. Han kunne ikke gøre for, at han også elskede Mercy. Jeg holdt ham i kort snor. Jeg havde Mercys ryg på den eneste måde, jeg kunne."

Faith var næsten mundlam igen. "Vidste Chuck, at du druggede ham?"

"Det er lige meget." Christopher havde kun et skuldertræk til overs for sine mange strafbare handlinger. "Mercy var god mod mig. Ved du overhovedet, hvordan det føles, når ingen andre i hele verden er god mod dig? Jeg ved godt, jeg er sær, men Mercy var ligeglad. Hun passede på mig. Hun lagde sig mellem Papa og mig igen og igen. Ved du, hvor mange gange jeg har set han sønderbanke hende? Og jeg mener ikke bare med næverne. Han piskede hende med et reb. Han sparkede hende i maven. Brækkede hendes knogler. Nægtede at lade hende komme på hospitalet. Og så hendes ansigt – arret i hendes ansigt – det er også Papas skyld. Han lod Mercy bære rundt på skylden for ..."

Faith så frygten i Christophers øjne, inden hovedet dukkede forover igen. Han havde sagt for meget. Men måske var det ikke et uheld. Christopher ønskede, at Faith prøvede at trække sandheden ud af ham. Men det, han ikke forstod ved Faith, var, at ingen af dem ville forlade kanoen, før hun havde gjort netop det.

"Penny Danvers har fortalt mig, at din søster fik det ar i ansigtet fra en bilulykke ved djævlesvinget," sagde hun. "Mercy var sytten år gammel. Hendes bedste ven blev slået ihjel."

Christopher svarede ikke.

Faith spurgte: "Hvordan er Mercys ar din fars skyld?"

Christopher rystede på hovedet.

"Hvordan er din far ansvarlig for arret?"

Faith ventede, men han svarede stadig ikke.

"Hvad var det for en skyld, din far lod Mercy bære rundt på?"

Igen svarede han ikke.

"Christopher." Faith lænede sig frem og invaderede hans privatsfære. "Du fortalte mig, at du gjorde dit bedste for at beskytte Mercy, på den måde, du nu kunne, og det tror jeg på. Det gør jeg virkelig. Men jeg forstår virkelig ikke, hvorfor du synes, du skal beskytte din far lige nu. Mercy blev brutalt myrdet. Hun blev efterladt til at forbløde på familiens jord. Kan du ikke give hendes sjæl noget fred?"

Christopher var tavs et par sekunder mere, så tog han en dyb indånding og skubbede ordene ud. "Det var ham."

"Det var hvem?"

"Papa." Christopher skævede hurtigt op og så så ned igen. "Det var ham, der slog Gabbie ihjel."

Faith kunne mærke Wills anspændthed bag sig. Hun måtte selv hurtigt tage en indånding, før hun var i stand til at sige noget. "Hvordan har ..."

"Gabbie var så smuk. Og rar. Og sød. Jeg var forelsket i hende." Nu så Christopher Faith i øjnene, hans stemme var skinger. "Folk lo ad mig, for jeg havde ikke en chance, men jeg elskede hende så højt. En ren form for kærlighed. Ikke noget, der kunne smudses til. Det er derfor, jeg forstod, hvordan Chuck havde det med Mercy. Han kunne ikke gøre for det."

Faith anstrengte sig for at holde tonefaldet neutralt. "Hvad skete der med Gabbie?"

"Papa skete." Den skingre stemme var væk. Det døde tonefald var tilbage. "Han kunne ikke udholde, at Gabbie flagrede rundt i verden som en smuk sommerfugl. Hun var altid så glad. Der var en lethed i hende. Hun flirtede med gæsterne. Hun lo ad deres dumme vittigheder. Hun elskede Mercy. Det gjorde hun virkelig. Og Mercy elskede hende. Alle elskede Gabbie. Alle ville have hende. Så Papa voldtog hende."

Faiths mund føltes, som var den fuld af sand. Det var det faktuelle tonefald, han brugte til at beskrive noget, der nærmest var ubeskriveligt. "Hvornår var det?"

"Aftenen med den såkaldte ulykke."

Faith tav. Hun behøvede ikke at presse ham længere. Christopher var endelig klar til at fortælle historien.

"Jeg var ude og indsamle nightcrawler-regnorme," sagde han. "Papa voldtog Gabbie i min seng. Han lod hende ligge der, så jeg fandt hende. Papa sagde til mig, at han ikke havde tænkt sig at lade nogen få noget, han ikke selv havde haft først."

Faith prøvede at synke sandet i sin mund.

"Han voldtog hende ikke bare. Han tævede hende i ansigtet. Al hendes skønhed, hendes perfektion, den var bare væk." Christopher tog igen en dyb indånding. "Jeg gik ind for at hente Mercy, men hun lå besvimet på gulvet inde på sit værelse med en nål i armen. Hun havde så meget smerte i sin krop. Hun var så desperat efter at komme væk. Hun og Gabbie ville rejse, når sommeren var slut, men ..."

Faith havde ikke behov for, at han afsluttede sætningen. Hun havde hørt om deres plan fra Penny Danvers. Gabbie og Mercy ville flytte til Atlanta og få en lejlighed sammen og arbejde som tjenere og tjene en masse penge og leve livet, som kun teenagere kan.

Og så døde Gabbie, og Mercys liv var forandret for evigt.

Christopher fortsatte. "Papa fik ... han fik mig til at bære Mercy ud i bilen. Han smed hende bare ind på bagsædet som en sæk affald. Så satte vi Gabbie på forsædet. Hun bevægede sig ikke længere. Det var nok på grund af chokket, eller fordi hun havde fået så mange slag i ansigtet

– det ved jeg ikke. Måske var Gabbie allerede død. Jeg var glad for, at hun ikke vidste, hvad der foregik."

Han var begyndt at græde. Faith hørte hans næse pibe, da han forsøgte at få kontrol over sin vejrtrækning. Hun huskede endnu en detalje fra Penny – at Christopher havde været så utrøstelig efter Gabbies død, at han havde ligget i sengen i flere uger.

"Papa sagde til mig, at jeg skulle gå ind i huset igen, så det gjorde jeg. Jeg så dem køre bort fra mit soveværelsesvindue. Jeg faldt i søvn med hovedet på min arm." Christopher hev igen efter vejret. "Tre timer senere hørte jeg en bildør smække. Det var sherif Hartshorne. Min mor kom ind på mit værelse. Hun græd så meget, at hun næsten ikke kunne tale. Vi gik alle sammen ned i køkkenet. Papa var der også. Sheriffen fortalte os, at Gabbie var død, og at Mercy var på hospitalet."

"Hvad sagde din far?"

Han lo bittert. "Han sagde: 'For fanden da, jeg vidste, at Mercy ville ende med at slå en ihjel en dag.'"

Hans tonefald havde noget endegyldigt over sig, men Faith havde ikke tænkt sig at lade ham stoppe der. "Og Bitty havde ikke hørt noget aftenen før?"

"Nej, Papa havde givet hende noget Xanax. Intet ville have kunnet vække hende." Han lænede sig frem for at tørre næsen i ærmet. "Det eneste, mor vidste, var, at Mercy var blevet høj og var kørt galt og havde slået Gabbie ihjel. Vi spurgte aldrig ind til detaljerne. Vi havde ikke lyst til at få det at vide."

Faith havde hørt den officielle version fra Penny. Mercy havde kørt bilen, der var kørt ned ad den rutsjebanevej, der førte til djævlesvinget. Ambulancefolkene havde fortalt hele byen, at Mercy havde grinet som en hyæne omme bag i ambulancen. Mercy havde været sikker på, at de holdt parkeret foran hytterne. Hvilket gav god mening, for Mercy havde været i sit soveværelse, da hun var faldet i søvn med en nål i armen. Hun havde ingen erindring om at være blevet båret ud i bilen.

Og Faith kunne blot antage, at Cecil McAlpine havde sat bilen i frigear og håbet på, at tyngdekraften ville gøre det af med hans datter og den unge kvinde, han havde tævet og voldtaget.

"Bilen faldt seks meter ned i kløften," sagde hun til Christopher. "Mercy blev kastet ud gennem forruden. Det var sådan, hendes ansigt blev flået af. Gabbies hoved var knust, men det skete før ulykken. Din fars gode ven sherif Hartshorne sagde, at hun havde fødderne oppe på instrumentbrættet ved sammenstødet. Den ligsynsansvarlige sagde, at hendes kranie var pulveriseret. De var nødt til at bruge tandlægejournalen for at identificere hende. Det var, som om nogen havde brugt en forhammer mod hendes hoved."

Christophers læber skælvede. Han kunne ikke se Faith i øjnene, men Faith vidste godt, at der ikke var ret mange mennesker, Christopher kunne se i øjnene.

"Hvad var Gabbies fulde navn?" spurgte hun.

"Gabriella," hviskede han. "Gabriella Maria Ponticello."

19

Will var fyldt med selvbebrejdelser. Paul havde været foran næsen på ham hele tiden. Will burde have presset manden for en forklaring på, at han havde registreret sig under falsk navn. Han skulle have gravet dybere i hans fortid. Delilah havde fortalt Will om Gabbie mindre end time efter Mercys død. Will havde en kvalmende fornemmelse af, at han vidste helt præcis, hvad der stod på Pauls tatovering. Man fik ikke tatoveret et ord hen over sit hjerte, medmindre det ord var meget vigtigt for en.

Will havde kigget lige på den og havde ikke været i stand til at læse det.

Faith havde på mindre end et minut fået bekræftet Pauls forbindelse til Gabbie over telefonen. Hun havde fundet en nekrolog i *Atlanta Journal-Constitution*s arkiv. Gabrielle Maria Ponticello efterlod sig sine forældre Carlos og Sylvia og sin lillebror Paul.

"Kevin," sagde Faith. "Tag stien den anden vej rundt. Tag Gordon over i hytte fire. Lyt til, hvad end for en historie han brygger, så sammenligner vi med, hvad end vi kan få ud af Paul."

Kevin så overrasket ud, men gjorde honnør. "Javel, ma'am."

Will begyndte at få ondt i tænderne, så hårdt bed han kæberne sammen. Faith havde sat Kevin på afhøringen, fordi hun havde behov for at babysitte Will.

Det kunne han ikke bebrejde hende. Han havde allerede fucked så meget op i denne sag.

Døren til hovedhuset blev åbnet. Delilah kom først ud. Hun sprang ned ad trappen. Bitty skubbede Cecil ud på verandaen. Dave kom ud bag dem. Han tændte en cigaret og pustede røg ud, mens han fulgte med dem hen til kørestolsrampen på bagsiden af huset.

Faith trak i Wills ærme og fik ham med ind i skoven. De ventede på, at lysningen var øde. Christopher var strippet til et skovlhjul inde i bådehuset. Sara var hos Jon. Cocktails var begyndt for fem minutter siden. Monica og Frank var gået derhen som de første. Så Drew og Keisha. Nu hvor resten af familien var gået, var der kun Gordon og Paul tilbage. Der var lys i hytte fem, men mændene var ikke kommet ud. Og hvorfor skulle de også det? Takket være Will var Paul sikker på, at han var sluppet af sted med mord.

Will kunne ikke tie om det længere. "Jeg fuckede up, det beklager jeg," sagde han til Faith.

"Fortæl mig, hvordan du gjorde det," sagde Faith.

"Paul har en tatovering på sit bryst. Jeg er sikker på, der står Gabbie, men jeg nåede ikke at læse det. Han dækkede den til med et håndklæde."

Faiths tavshed var lige et øjeblik for lang. "Det ved du ikke."

"Det ved jeg. Du ved det. Amanda får det at vide. Sara vil ..." Det føltes, som om hans mave var fyldt med benzin. "Keisha fortalte mig, at Paul og Gordon kom sent over til morgenmad. Det var der, Paul gemte det knækkede knivskaft i cisternen. Jeg har skræmt livet af hende og Drew helt uden grund. De var rædselsslagne for at blive skudt. Og Chuck ville formentlig have været i live. Det var planen, at Christopher skulle guide gæster her til morgen. Chuck kunne have ligget og sovet i sin seng."

"Forkert," sagde Faith. "Aktiviteterne blev aflyst på grund af det med Mercy."

Will rystede på hovedet. Det var alt sammen lige meget.

"Penny fortalte mig om bilulykken," sagde Faith. "Det kunne jeg have fulgt op på for flere timer siden. Jeg havde Gabbies fornavn. Jeg kunne have krydstjekket det med alle de andre navne, herunder Pauls. Det var sådan, jeg fandt nekrologen."

Will vidste godt, hun greb efter strå. "Vi er nødt til at få Paul til at tilstå. Jeg kan ikke lade ham slippe af sted med det her, fordi jeg begik en fejl."

"Han kommer ikke til at slippe af sted med det," sagde Faith. "Se på mig."

Will kunne ikke se på hende.

"Christopher kommer til at sidde mange år i fængsel. Vi bruger hans vidneforklaring til at få Cecil dømt for mordet på Gabbie. Vi arresterer Paul for mordet på Mercy. Og tænk på, hvor mange stripklubber i

Atlanta der købte kopisprut af Chuck. De tog nær livet af Monica med det lort. Intet af det var sket, hvis du ikke havde været heroppe. Tror du selv på, at Småkage ville have efterforsket mordet på Mercy? Du er den eneste årsag til, at Paul bliver fanget. Og Christopher. Og Cecil."

"Faith, jeg ved godt, du prøver at muntre mig op, men hvert eneste ord, der kommer ud af din mund, lyder som medlidenhed."

Døren til hytte fem blev åbnet. Gordon kom først ud, dernæst Paul. De grinte begge ad et eller andet, for de havde ingen anelse om, at helvede om lidt ville bryde løs hen over deres hoveder.

"Så er det nu," sagde Will.

Han løb hen over lysningen. Kevin kom fra den anden side. Han greb Gordon i armen.

"Undskyld mig?" sagde Gordon, men Kevin var allerede i gang med at trække ham væk.

"Hey!" Paul prøvede at gå efter ham. Will lagde en hånd mod mandens bryst.

Paul så ned. Der var ikke noget flirtende smådrilleri denne gang. Hans mund blev en stram linje. "Okay. Så er det vel nu, vi gør det her."

"Lad os gå indenfor igen," sagde Faith.

Will holdt sig lige i hælene på Paul, i tilfælde af at han prøvede at stikke af. Kevin tog Gordon med ind i hytte fem. Lyset blev tændt. Døren blev lukket, men ikke før Gordon nåede at sende Paul et fast blik. Will sikrede sig, at Faith også havde set det.

Begge mænd var indblandet i det her.

Stuen lugtede som et brunt værtshus. Der var halvtomme sprutflasker og væltede glas. Skraldespanden flød over med chipsposer og slikpapir. Will kunne lugte pot. Han fik øje på et askebæger ved stolen. Det var fyldt med flere jointstumper, end han kunne tælle.

"Det er ellers noget af en fest, I to har holdt her. Noget bestemt, I har fejret?"

Paul hævede et øjenbryn. "Er du ked af, du ikke var inviteret?"

"Fortvivlet." Faith pegede mod sofaen. "Sæt dig."

Paul satte sig fornærmet ned. Han lænede sig tilbage og lagde armene over kors. "Hvad drejer det her sig om?"

"Det var dig, der sagde: 'Så er det vel nu, vi gør det her'," sagde Faith. "Så hvad er det, vi gør?"

Paul så på Will. "Du så tatoveringen."

Will følte et metalspyd gennembore sit bryst.

"Jeg har holdt øje med jer cirkle rundt herude hele dagen," sagde Paul.

"Var det Mercy? Fortalte hun nogen om det, før hun døde?"

"Hvad havde hun at fortælle?" spurgte Faith.

Will så Paul knappe skjorten op og trække stoffet til siden, så hans bryst var blottet. Tatoveringen var snirklet og dekoreret med røde hjerter og blomster i mange farver. På afstand kunne Will kun tyde G'et, men det var sikkert også kun, fordi han kendte navnet.

Faith lænede sig frem. "Meget snedigt. Man ser egentlig ikke rigtigt navnet, hvis man ikke ved, hvad man leder efter. Må jeg?"

Paul trak på skuldrene, da Faith trak sin iPhone frem.

Da hun havde taget adskillige billeder, satte hun sig tilbage i stolen med et suk.

"Er jeg et vidne eller en mistænkt?" spurgte Paul.

"Det forstår jeg godt, du er forvirret over," sagde Faith, "for du opfører dig ikke som nogen af delene."

"Mit privilegie som hvid mand, ikke sandt?" Paul rakte ud efter en flaske sprut. "Jeg har brug for en drink."

"Det ville jeg ikke gøre," sagde Faith. "Det er ikke Old Rip."

"Det er stadig sprut." Paul tog en velvoksen slurk direkte fra flasken. "Hvad er det, I leder efter?"

Faith så på Will, som om hun forventede, at han tog over. Han regnede med, at hans tavshed ville få hende til at fortsætte, men det skete ikke denne gang.

"Hallo?" sagde Paul. "Vidne-skråstreg-mistænkt her. Er der nogen hjemme?"

Will rødmede. Han kunne ikke blive ved med at være skyld i, at det her blev fucked up. "Så Mercy din tatovering?" spurgte han Paul.

"Jeg lod hende se den, hvis det er det, du mener."

"Hvornår?"

"Det ved jeg ikke, en times tid efter, vi havde tjekket ind. Jeg tog et brusebad. Jeg stod i soveværelset og var ved at tage tøj på. Jeg så ud ad vinduet. Mercy kom gående hen mod hytten. Jeg tænkte: 'Hvorfor ikke?'" Paul rullede flasken mellem hænderne. "Jeg bandt håndklædet om livet og ventede."

"Hvorfor ville du gerne have, at hun så tatoveringen?"

"Jeg ville have, at hun skulle vide, hvem jeg var."

"Vidste Mercy, at Gabbie havde en bror?"

"Det tænker jeg. De havde kun kendt hinanden et par måneder hen over sommeren, men de blev ret hurtigt tæt knyttet til hinanden. Alle Gabbies breve hjem handlede om Mercy, og hvor sjovt de havde det sammen. Det lød ..." Paul stoppede op og ledte efter de rigtige ord. "Du ved, hvordan det er, når man er ung og møder en eller anden, og man bare klikker sammen som to magneter, der hænger sammen, ikke? Man forstår slet ikke, hvordan man kunne have haft et liv, inden man mødte dem, og man vil bare leve resten af livet sammen med vedkommende."

"Var de kærester?" spurgte Will.

"Nej, de var bare to perfekte, smukke venner. Og så blev det ødelagt."

"Du indregistrerede dig under et falsk navn. Det havde vel været et godt tidspunkt at lade Mercy vide, at du er Gabbies bror?"

"Jeg ville ikke have, at hendes familie fandt ud af det."

"Hvorfor ikke?"

"Fordi ..." Paul tog en slurk mere. "Føj, det er noget frygteligt stads. Hvad fanden er det?"

"Illegalt." Faith rakte over og snuppede flasken ud af hænderne på ham. Hun satte den på gulvet. Hun ventede på, at Will fortsatte.

Han kunne ikke gøre så meget andet end at lade munden køre på autopilot. "Hvorfor ikke?"

"Hvorfor jeg ikke ville have, at McAlpine-familien fandt ud af det?" Paul sukkede, som om han lige tænkte over det en gang til. "Jeg ville gerne holde det mellem Mercy og mig, okay? Jeg vidste ikke engang, at jeg havde lyst til at gøre det, men så så jeg hende, og jeg ..."

Paul trak på skuldrene i stedet for at gøre sætningen færdig.

Will lyttede til stilheden i stuen. Han så ned på sine hænder. Selv den skadede af dem prøvede at forme en knytnæve. Hans kæbe gjorde ondt dybt inde i knoglen af at bide tænderne så hårdt sammen. Hans krop kendte godt vreden. Han havde mærket den i skolen, når læreren skældte ham ud for ikke at kunne skrive sætningen på tavlen færdig. Han havde mærket den på børnehjemmet, da Dave gjorde nar af ham, fordi han ikke læste ret godt. Will havde lært sig at slukke for tankerne i sådanne situationer, simpelthen hive stikket ud af sin krop, som stikket til en lampe.

Men nu sad han ikke længere bagest i et klasselokale. Han var ikke på børnehjemmet. Han talte med en mordmistænkt. Hans makker regnede med ham. Og endnu vigtigere, Jon regnede med ham. Will havde mærket Mercys hjerte slå for sidste gang. Han havde tavst lovet kvinden, at hendes morder ville få som fortjent. At hendes søn ville finde fred i at se den mand, der havde taget hende fra ham, blive straffet for forbrydelsen.

Will rykkede sofabordet væk fra sofaen. Han satte sig direkte over for Paul. "Du skændtes med Gordon på stien i går eftermiddags."

Paul så overrasket ud. Han kunne umuligt vide, at Sara havde overhørt dem.

Will sagde: "Du sagde til Gordon: 'Jeg er bedøvende ligeglad med, hvad du synes, det er det rigtige at gøre.'"

"Det lyder ikke som mig."

"Og så sagde Gordon: 'Siden hvornår interesserer du dig for at gøre, hvad der er rigtigt?'"

"Er der kameraer derude? Er stedet her overvåget?"

"Ved du, hvad du sagde til Gordon?"

Paul trak på skuldrene. "Overrask mig."

"Gordon spurgte: 'Siden hvornår interesserer du dig for at gøre, hvad der er rigtigt', og du svarede: 'Siden jeg så det liv, hun for fanden har nu!'"

Paul nikkede. "Okay, det lyder som mig."

"Gordon sagde, at du var nødt til at give slip på det. Men det gjorde du ikke, vel?"

Paul fingerede ved kanten af sin T-shirt og lavede små folder. "Hvad sagde jeg mere?"

"Det kan du fortælle mig."

"Jeg har sikkert sagt noget i stil med: 'Lad os diskutere det over en tønde Jim Beam.'"

"Du har fortalt mig, at du så Mercy på stien omkring halv elleve i aftes."

"Det gjorde jeg også."

"Du sagde, at hun var på sin runde."

"Det var hun også."

"Talte du med hende?"

Paul gik i gang med at rette folderne ud.

"Hvad sagde du til hende?"

"Du vil ikke tro mig, når jeg fortæller det," sagde Paul. "Gordon sagde, jeg skulle holde mig langt væk fra dig. Han sagde, du bare var et stort brød af en strisser, der ville anholde enhver, der har noget, der bare minder om et motiv."

"Du har lidt mere end det," sagde Will. "Hvad sagde du til Mercy på stien i aftes, Paul? Hun udførte sit arbejde, gik sin runde, og du kom ud af din hytte omkring halv elleve, og du talte til hende."

"Det er korrekt."

"Hvad sagde du?"

"At …" Han sukkede igen tungt. "At jeg tilgiver hende."

Will betragtede Paul, der igen begyndte at lave læg i stoffet.

"Jeg *tilgav* hende," sagde Paul. "Jeg har bebrejdet Mercy i så mange år. Det åd mig op indvendigt, ikke? Gabbie var min storesøster. Jeg var kun femten, da det skete. Der var så meget af hendes liv – vores liv sammen – der blev stjålet fra mig. Jeg fik aldrig lært hende rigtigt at kende."

"Var det derfor, du slog Mercy ihjel?"

"Jeg slog hende ikke ihjel," sagde Paul. "Man skal hade nogen for at slå dem ihjel."

"Og du hadede ikke den kvinde, der var ansvarlig for din søsters død?"

"Det gjorde jeg i mange år. Og så fandt jeg ud af sandheden." Paul så op på Will. "Det var ikke Mercy, der kørte bilen."

Will betragtede manden nøje, men han afslørede intet. "Hvordan ved du, at hun ikke kørte bilen?"

"På samme måde, som jeg ved, at Cecil McAlpine voldtog hende."

Det føltes, som om al luft var brændt ud af stuen. Will så hen på Faith. Hun så lige så overrasket ud, som han følte sig.

Paul fortsatte. "Jeg ved også, at Cecil og Christopher satte Gabbie ind i den bil sammen med Mercy. Jeg håber, Gabbie allerede var død. Jeg har ikke lyst til at tænke på, at hun vågnede på den måde, at hun så bilen fortsætte direkte mod det skarpe sving og vidste, at hun intet kunne gøre for at stoppe det."

Will skævede igen til Faith. Hun var rykket helt ud på kanten af stolen.

"Hendes bækken var også knust," sagde Paul. "Den lille detalje fortalte min mor mig sidste år. Den stakkels kvinde lå på sit dødsleje. Kræft i bugspytkirtlen, plus demens, plus en voldsom nyre-bækken-betændelse. Hun var proppet med morfin. Hendes hjerne – hendes skønne hjerne – holdt hende fanget i den sommer, hvor Gabbie døde. Hun hjalp hende med at pakke til bjerget, sørgede for, hun havde det rigtige tøj, vinkede farvel, mens min far kørte hende derop. Og hun tog telefonen. Hørte om bilulykken. Fik at vide, at Gabbie var død."

Paul lænede sig frem og tog flasken fra gulvet. Han tog en ordentlig slurk, inden han fortsatte.

"Der var kun mig ved min mors dødsleje. Min far døde af et hjerteanfald for to år siden." Paul knugede flasken ind til brystet. "Demens forstår sig ikke på mønstre. Den mærkeligste detalje kunne komme og gå i hendes hjerne – at Gabbie havde glemt at pakke sin tøjbamse. Måske vi kunne sende den til hende? Eller at de håbede, McAlpine-familien gav hende ordentlig mad. Og var de ikke bare nogle dejlige mennesker? Hun havde talt med faren i telefonen, da Gabbie havde søgt praktikopholdet. Han hed Cecil, men alle kaldte ham Papa. Det var ham, der ringede og fortalte os, at Gabbie var død."

Paul satte flasken for munden, men fortrød så. Han rakte flasken til Will. "Den telefonopringning fra Cecil – det var den, der blev hængende hos hende. Papa gav hende alle detaljer om ulykken. Min mor gik ud fra, at han prøvede at være hjælpsom ved at være så brutalt ærlig, men det var ikke det, det handlede om. Han genoplevede volden. Kan du forestille dig, hvor psykopatisk man må være, når man voldtager og myrder en kvindes barn for så at ringe til hende og fortælle hende alt om det?"

Will havde mødt den slags psykopater før, men det var først nu, det gik op for ham, at Cecil McAlpine var en af dem.

"Den telefonopringning hjemsøgte min mor hele vejen til graven. Hun havde kun få timer tilbage, og det var det eneste, hun kunne tale om. Ikke de glade stunder, som Gabbies violinspil eller atletikstævnerne, eller da jeg overraskede alle ved at komme ind på medicinstudiet, men den telefonopringning fra Cecil McAlpine, der fortalte hende alle de blodige detaljer om Gabbies død. Og jeg var nødt til at sidde og lytte til hvert eneste ord, for det var de sidste stunder, jeg nogensinde ville have sammen med min mor på denne jord."

Han så ud ad vinduet, øjnene glitrede i lyset.

"Hvordan fandt du ud af, at det var Cecil, der slog din søster ihjel?" spurgte Faith.

"Jeg var nødt til at gennemgå min mors papirer, efter hun døde. Også min fars. Hun havde aldrig rigtigt fået sorteret i dem. Der var en mappe bagest i hans arkivskab. Der stod alt, der havde med ulykken at gøre. Ikke at der var så meget at se. En politirapport på fire sider. En obduktionsrapport på tolv sider. Jeg er plastikkirurg. Jeg har arbejdet på folk efter trafikulykker. Jeg har aflagt vidneforklaringer i straffesager og civile søgsmål om skaderne. Jeg har aldrig set en sag, der ikke havde kassevis af papirarbejde. Og det er selv, når ingen døde. Gabbie døde. Mercy døde næsten. Og det fortæller du mig kan klares på seksten sider?"

Will havde også set sin del af obduktionsrapporter. Manden havde ret. "Lavede de en toksikologisk analyse?"

"Så du *kan* andet end at se godt ud." Der var noget trist over Pauls smil. "Det var det, der virkelig skilte sig ud. Gabbie havde marihuana og en høj dosis af alprazolam i blodet."

"Xanax," sagde Will. McAlpine-familien havde en forkærlighed for det stof.

"Gabbie røg, men hun foretrak uppers," sagde Paul. "Hun tog stimulanser – Adderral, molly, coke fra tid til anden, hvis der var nogen, der havde det. Hun var ikke afhængig. Hun kunne bare godt lide at feste. Det var en af grundene til, at min far tvang hende til at tage det praktikophold i hytterne. Det var ham, der fandt det. Han tænkte, at frisk luft, hårdt arbejde og motion ville få hende på ret køl igen."

"Mercy blev aldrig tiltalt for noget, der var relateret til ulykken," sagde Will. "Syntes dine forældre ikke, at det var mærkeligt?"

"Min far troede blindt på sandhed, retfærdighed og det amerikanske system. Hvis en betjent sagde, der ikke var noget at komme efter, så var der ikke noget at komme efter."

Faith rømmede sig. "Hvilken betjent?"

"Jeremiah Hartshorne den første. Det er nummer to, der har jobbet nu, hvilket er en passende betegnelse."

"Har du talt med ham?"

"Nej, jeg hyrede en privatdetektiv," sagde Paul. "Han ringede, han bankede på døre. Halvdelen af folkene i byen nægtede at tale med ham. Den anden halvdel sydede, bare de hørte Mercys navn. Hun var en luder, junkie, morder, dårlig mor, spild af liv, en heks, besat af Satan. Hver evig eneste af dem bebrejdede hende for at slå Gabbie ihjel, men det handlede ikke rigtig om Gabbie. De fucking bare hadede Mercy."

"Så hvordan fandt du ud af, hvad der rent faktisk var sket?" spurgte Will.

"Vi blev kontaktet af en informant. Meget hemmelighedsfuldt." Pauls smil blev bittert. "Det kostede mig ti tusind dollars, men det var pengene værd endelig at få sandheden at vide. Men jeg kunne tydeligvis ikke gøre noget ved det. Røvhullet klappede i som en østers, i samme øjeblik han havde pengene i hånden. Ville ikke vidne. Nægtede at sige det officielt. Vi tjekkede ham efter i sømmene. Han er glat som en ål. Jeg tvivler på, at hans vidneforklaring kunne have fået Jeffrey Dahmer dømt for at gå over for rødt."

Will kendte allerede svaret, men han var nødt til at spørge: "Hvem var informanten?"

"Dave McAlpine," sagde Paul. "I arresterede ham for mordet på Mercy, men af en eller anden grund lod I ham gå. I ved godt, han ikke kun er hendes eksmand, ikke? Han er også hendes adopterede bror."

Will gned sin kæbe. Dave kunne ikke stikke en pind i en lort uden at ødelægge begge dele. "Hvad sagde du til Mercy på stien i aftes?"

Paul sukkede langsomt. "Først skal I vide lidt mere om Gabbies breve. Hun skrev mindst en gang om ugen. Hun elskede Mercy så højt. De havde planer om at leje en lejlighed sammen i Atlanta og – I ved, hvor tåbelig man er, når man er sytten. Man regner ikke med at skulle tjene så mange penge, når man kan leve af mac & cheese til ti cents om ugen. Gabbie var så lykkelig over at have fundet en ven. Hun havde det ikke nemt i skolen. Jeg fortalte om violinen. Hun spillede i et orkester. Hun var blevet mobbet i årevis. Det var først, da hun voksede sig smuk, at hun endelig fik en form for liv. Og Mercy var hendes første venskab i det nye liv. Det var noget særligt. Det var perfekt."

"Hvad var det andet?" spurgte Will.

"Gabbie skrev også om Cecil. Hun havde en fornemmelse af, at han gjorde Mercy fortræd. Mishandlede hende fysisk, måske også noget andet, jeg ved ikke hvad specifikt, for det skrev hun ikke. Jeg tror egentlig ikke, hun havde ordene til det. Gabbie er ikke vokset op med frygt. Det var før, internettet tog vores uskyld. Vi havde ikke tyve trilliarder podcasts om smukke, unge kvinder, der blev voldtaget og myrdet."

Will kunne høre tristheden i hans stemme. En ting stod klart, og det var, at Paul havde elsket sin søster. Men han havde stadig ikke besvaret det oprindelige spørgsmål. "Hvad sagde du til Mercy på stien i aftes?"

"Jeg spurgte, om hun vidste, hvem jeg var. Hun sagde ja. Jeg sagde til hende, at jeg tilgav hende."

Will ventede, men han sagde ikke mere.

"Og?" opfordrede Faith.

"Og, jeg havde forberedt den her lange tale om, at jeg godt vidste, at hun havde elsket Gabbie, at de var bedste venner, at det ikke havde været Mercys skyld, at det havde været hendes far hele vejen igennem, at hun intet havde at være skyldbetynget over – al den slags. Men Mercy gav mig ikke lejlighed til at sige noget af det." Paul tvang et smil frem på læberne. "Hun spyttede på mig. Bogstaveligt talt. Harkede en ordentlig spytklat og sendte den af sted."

"Var det det hele?" spurgte Faith. "Hun sagde ikke et ord?"

"Tjo, hun sagde, jeg kunne rende hende noget så grusomt. Så gik hun ind i huset. Jeg så efter hende, mens hun gik indenfor og knaldede døren i efter sig."

"Og hvad skete der så?" spurgte Faith.

"Ingenting. Jeg var selvsagt målløs. Og jeg havde ikke tænkt mig at opsøge hende igen efter det. Hun havde gjort det helt klart, hvordan hun havde det. Så jeg gik indenfor igen og satte mig præcis, hvor jeg sidder nu. Gordon havde hørt det hele. Vi var begge to noget lamslåede, hvis jeg skal være ærlig. Jeg havde ikke forventet, at hun ville falde mig taknemmeligt om halsen, men jeg havde nok tænkt, vi kunne indlede en form for dialog og måske få en form for afslutning begge to."

Tristheden havde forladt hans stemme. Nu lød han perpleks.

"Okay, jeg er lige nødt til at spole lidt tilbage." Faith delte tydeligvis Wills skepsis. "Mercy spyttede på dig, og du gjorde ingenting?"

"Hvad kunne jeg gøre? Jeg var ikke vred på hende. Jeg havde ondt af hende. Se lige det liv, hun har heroppe. Alle i byen hadede synet af hende. Hun er fanget på det her bjerg med den far, der fik det til at se ud, som om hun slog sin bedste ven ihjel. Hele familien opfører sig, som om det er hendes skyld. Hun har mistet sit ansigt på grund af den mand. Tænk lige over den del. Mercys egen far smadrede hendes ansigt, og hun bor sammen med ham, arbejder sammen med ham, spiser alle måltider sammen med ham, tager sig af ham. Og dertil kommer, at hendes egen eksmand eller bror, eller hvad vi skal kalde ham, gerne tog ti tusind fra mig for at fortælle sandheden, men han har aldrig fortalt hende, hvad der faktisk skete? Det er jo så fucking trist."

"Hvordan vidste Dave, hvad der var sket?" spurgte Will.

"Den del af det kan jeg ikke hjælpe dig med." Han trak på skuldrene. "Tilbyd ham ti tusind mere, så er jeg sikker på, at han kapitulerer."

Will skulle nok tage sig af Dave senere. "Du virkede ikke særligt over-rasket her til morgen, da jeg meddelte, at Mercy var blevet dolket ihjel."

"Jeg var meget fuld og meget høj," sagde Paul. "Gordon sendte mig ud under den kolde bruser, så jeg kunne blive lidt mere klar i hovedet. Det var derfor, jeg ikke var den bedste udgave af mig selv, da du kom ind og talte med mig. Vandet var virkelig koldt."

"Hvordan kan du være sikker på, at Mercy ikke vidste, at hendes far var ansvarlig for Gabbies død?" spurgte Faith.

"Manden/broren fortalte mig, at hun intet anede. Værre endnu, så var han lidt af et røvhul omkring det. Arrogant. Som i *ha-ha, jeg ved det her, og det gør hun ikke, se lige, hvor klog jeg er.*"

Det lød absolut som Dave.

"Jeg ved, det var sandt, den allerførste gang jeg talte med Mercy," sagde Paul. "Jeg prøvede at trække det ud af hende, ikke? Finde ud af, om hun virkelig ikke vidste, hvad hendes far havde gjort. Jeg talte om de penge, det her sted tjener ind, hvor skønt der er heroppe. Jeg tænkte, hun måske var med i det, eller dækkede over sin far."

"Men?" spurgte Faith.

"Jeg spurgte til arret i hendes ansigt, og hun prøvede at dække det med begge hænder." Paul rystede på hovedet. Det var tydeligt, at min-det påvirkede ham. "Mercy så så pokkers skamfuld ud, ikke? Ikke bare almindelig flovhed, men skam på den måde, hvor man føler, ens sjæl er blevet tampet ud af ens krop."

Den form for skam kendte Will godt til. Det faktum, at Dave havde tvunget det på Mercy, at han havde brugt det til at straffe moderen til sit eget barn, var samvittighedsløst ondskabsfuldt.

"Det var det, Gordon og jeg skændtes om på stien. Jeg vidste, jeg var nødt til at fortælle hende sandheden. Og jeg prøvede, men hun gjorde det helt klart, at hun ikke var interesseret. Gordon havde ret. Jeg havde allerede mistet min søster og begge mine forældre. Det er ikke min opgave at fikse den her fucked up familie. Den kan ikke repareres."

Faith havde begge hænder på knæene. "Kan du huske noget som helst andet om Mercy i aftes? Eller familien? Så du noget?"

"Det er meget muligt, jeg også lytter til for mange podcasts, men det er altid den ene ting, man ikke tillægger nogen betydning, der ender med at være afgørende. Så ..." Paul trak på skuldrene. "Da Mercy gik ind i huset og knaldede døren i efter sig, var jeg helt lamslået. Jeg stod bare der og så vantro efter hende. Og jeg sværger på, at jeg så en på veran-daen."

"Hvem?" spurgte Faith.

"Jeg tager sikkert fejl. Jeg mener, det var mørkt, ikke? Men jeg kunne sværge på, at det lignede Cecil."

"Hvorfor skulle du tage fejl af det?"

"Fordi efter døren blev smækket i, så rejste han sig og gik indenfor."

20

Sara tilpassede sine skridt til Jons slæbende gang, da de fulgte Ring-stien hen til spisesalen. Hun havde forhalet deres afgang, fordi hun ikke havde tænkt sig at tage en sekstenårig med til cocktails. Det virkede som en fjollet streg at trække i sandet, når man tager i betragtning, at han var skæv, da hun havde banket på døren til hytte ni. Hun havde bestukket sig adgang til hytten med chipsposer og to Snickers, som Will helt sik-kert ville savne.

Jon havde absorberet nyheden om sin fars uskyld med chokeret tavs-hed. Han var tydeligvis overvældet af det sidste døgns begivenheder. Han havde ikke længere forsøgt at skjule sine tårer. Han havde bare stirret vantro på Sara med skælvende hænder og bævende underlæbe, mens hun havde forelagt ham fakta: Dave var uskyldig. De havde en anden mistænkt, men mere havde Sara ikke lov til at fortælle ham.

Hun havde tilbudt at følge ham hjem til hans bedsteforældre, men Faith havde haft ret. Knægten havde ikke travlt med at komme hjem. Sara havde holdt ham med selskab efter bedste evne. De havde talt om træer og vandreture og alt muligt andet end det faktum, at hans mor var blevet myrdet. Sara kunne høre på hans måde at tale på – der var hver-ken de *øh* eller *ikk-os'* eller *lissom,* der prægede de fleste teenageres sæt-ninger – at han primært var vokset op blandt voksne. At de voksne alle hed McAlpine til efternavn, var ganske uheldigt.

Jon sparkede til en sten på stien, hans fod fejede gennem støvet. Han var tydeligvis nervøs. Han vidste bedre end Sara, at de var tæt på spise-salen. Han tænkte sikkert på, at hans tilstedeværelse, efter at han havde været væk i så mange timer, ikke ville gå ubemærket hen. Den sidste gang han havde været inde i den bygning, havde han været æskestiv og havde skreget ad sin mor, at han hadede hende.

"Er du sikker på, det er det her, du vil?" spurgte Sara. "Det er ikke lige-frem privat. Mange af gæsterne vil også være der."

Han nikkede, håret faldt ned i øjnene. "Er han der også?"

Sara vidste godt, han mente Dave. "Det er han nok, men jeg kunne godt fortælle din familie, at du er tilbage. Så kan du vente på dem ovre i huset."

Han sparkede til endnu en sten og rystede på hovedet.

Hun gik ud fra, de så ville fortsætte i tavshed, men Jon rømmede sig. Han skævede til hende, før han igen så ned i jorden.

"Hvordan er din familie?" spurgte han.

Sara overvejede sit svar. "Jeg har en lillesøster, der har en datter. Hun læser til jordemoder. Altså min søster, ikke min niece."

Jons mundvige løftede sig i antydningen af et smil.

"Min far er blikkenslager. Min mor står for regnskaberne og planlæg-ningen i firmaet. Hun er meget involveret i lokalsamfundet og aktivite-ter i kirken, hvilket hun tit minder mig om."

"Hvordan er din far?"

"Tja ..." Sara var klar over, at Jon havde et kompliceret forhold til sin far. Hun havde ikke lyst til at udskamme Dave. "Han elsker onkelhu-mor."

Jon skævede til hende igen. "Som hvad?"

Sara tænkte på det kort, hendes far havde lagt i hendes kuffert. "Han vidste, jeg skulle op i bjergene i den her weekend, så han gav mig en dol-lar til turen."

"Hvorfor det?"

"Fordi den godt kunne gå hen og blive rådyr."

Jon fnøs.

"Men det var alligevel bedre, end hvis den gik hen og blev rålam."

Jon grinte højt. "Den var i hvert fald lam."

Sara syntes, den var skøn. Hvis Jon havde været uheldig, havde hun scoret hovedgevinsten. "Husk, hvad jeg fortalte dig om Will. Han vil gerne tale med dig om din mor. Han har nogle ting, han skal fortælle dig."

Jon nikkede. Han så ned i jorden igen. Hun tænkte på den unge mand, hun havde mødt dagen før. Han havde været så selvsikker, da han var kommet ned ad trappen fra sit barndomshjem. Eller, det havde han i hvert fald været, indtil Will satte ham på plads. Nu virkede Jon nervøs og kuet.

Som børnelæge havde Sara været vidne til mange dualiteter i børn. Især drenge var desperate efter at finde ud af, hvordan de skulle være mænd. Desværre var det oftest de forkerte mænd, de så op til som rollemodeller. Jon havde Cecil, Christopher, Dave og Chuck. Han kunne helt sikkert vælge noget værre end en klam incel, der rutinemæssigt blev forgiftet af sin bedste ven, men han kunne også vælge noget meget bedre.

"Sara?"

Faith ventede på hende på udsigtsverandaen. Hun var alene. Der var lys i spisesalen. Sara kunne høre bestik klirre og lavmælt samtale. Alle havde været isolerede heroppe i timevis, mens gæsterne en efter en var kommet i søgelyset. Køkkenpersonalet havde sikkert fortalt dem om liget i kølerummet. Christopher var ikke at se nogen steder. Og så var Dave dukket op som en atombombe, der var detoneret, og Gordon og Paul var ikke kommet til cocktails. Sara gik ud fra, at teorierne svirrede lystigt.

"Vil du vente på mig med at gå indenfor?" spurgte hun Jon.

"Nej, ma'am. Jeg kan godt." Jon rankede ryggen, da han gik ind gennem døren. Han havde paraderne oppe. Hendes hjerte knugedes ved synet af hans skrøbelige mod.

"Sara," gentog Faith. "Denne vej."

Sara fulgte med hende op ad Foderstien. Faith havde tidligere haft lejlighed til at opdatere Sara på Christophers afsløringer, mens Kevin og Will sikrede manden i bådehuset. Nu prøvede Sara at opdatere Faith på sin ende af efterforskningen. "Nadine ringede. Vandløbet har trukket sig tilbage. De har hældt to ton grus på vejen. Hun er her inden for en time. Der vil ikke gå lang tid, før nyheden om, at folk kan komme væk, vil have spredt sig. De taler allerede med hinanden. Det, man siger til en, kunne man lige så godt sige til alle."

"Fortæl mig om obduktionen," sagde Faith.

Det var svært for Sara at tænke i overskrifter lige nu. "Mener du om graviditeten, eller?"

"Hvilke prøver indsamlede du til laboratoriet?"

"Sæden i hendes skede. Urin og blod. Jeg svabrede hendes lår, mund, hals og næse for spyt, sved eller berørings-DNA. Jeg indsamlede nogle fibre – røde, primært, men også nogle sorte, der ikke passer til Mercys påklædning. Der var nogle hår med intakte hårsække. Jeg skrabede under neglene. Jeg udførte også en ..."

"Okay, det er fint. Tak."

Faith blev usædvanligt stille. Det var tydeligt, hun vendte forskellige idéer i hovedet. Sara tænkte, at hun alligevel snart ville finde ud af, hvad der foregik, hvilket var præcis, hvad der skete, da de kom rundt i det sidste sving på stien og så Will.

Han studerede det kort, Faith havde lavet markeringer på. Sara kunne se fra hans udmattede ansigtsudtryk, at noget var gået helt galt under afhøringen af Paul.

"Det var ikke ham?" spurgte hun.

"Nej," sagde Will. "Paul vidste allerede, at det var Cecil, der slog hans søster ihjel. Gordons historie var stort set det samme. Det var ikke ham."

Inden Sara nåede at komme sig over overraskelsen, spurgte Faith: "Som læge, hvad har du så bemærket ved Cecil?"

Sara rystede på hovedet. Spørgsmålet var kommet helt ud af det blå. "Kan du være mere specifik?"

"Kan han komme ud af sin kørestol?" sagde Faith.

Sara rystede igen på hovedet, men det var mere for at ryste forvirringen af sig. "Nu kender jeg ikke detaljerne om hans specifikke skader, men to tredjedele af brugere af mobilitetshjælpemidler har en vis førlighed."

"Hvad betyder det?" fortsatte Faith.

"At de ikke er lammede. De kan gå korte afstande, men de bruger stolen på grund af kroniske smerter eller skader eller udmattelse, eller fordi det er fysisk nemmere." Sara spolede tilbage til sin korte interaktion med Cecil ved cocktailsammenkomsten. "Han kan bruge sin højre arm. Han gav hånd i aftes, ikke sandt?"

"Han havde et fast greb," sagde Will.

"Det har du ret i, men vi kan umuligt ekstrapolere data uden en fysisk undersøgelse." Sara prøvede at tænke det igennem, men hun kunne ikke se, at hun kunne være nogen hjælp. "Jeg kan ikke fortælle jer, om han kan gå, medmindre jeg ser hans journal og taler med hans læger. Og selv da kan viljens kraft være ret så fantastisk. Se bare, hvor længe Mercy holdt sig i live, efter hun var blevet dolket så mange gange. Videnskaben vil aldrig kunne forklare alt. Nogle gange kan kroppe gøre ting, der ikke giver nogen mening."

"Kan de få erektion?" spurgte Faith.

Det, hun antydede, chokerede Sara. De havde Cecil i søgelyset. "Giv mig nogle flere oplysninger."

"Du har været i huset," sagde Will. "Så du, hvor Cecil sover?"

"De har inddraget en af stuerne nedenunder," huskede Sara. "Han sover i en almindelig seng, ikke en hospitalsseng. Men – og det er ikke sikkert, det betyder noget, men jeg ville have forventet en toiletstol. Toilettet nedenunder er for smalt til en kørestol. Badekarret har ikke noget hjælpesæde. Cecil var i boksershorts, da jeg så ham på verandaen her til morgen. Han havde ikke en urinopsamlingspose på. Der var ingen katetere i badeværelset. Jeg så også toiletsager, der tilhører en mand, på hylden over toilettet. Selv hvis badeværelset havde været tilgængeligt, ville han ikke kunne nå dem fra stolen."

"Du sagde også, det var underligt, at der ikke er nogen bil med plads til en kørestol på parkeringspladsen," sagde Faith.

"Jeg sagde ikke, det var underligt. Jeg sagde, at han nok havde folk, der kunne hjælpe ham ind og ud af trucken. Bitty er for lille til at gøre det alene. Hun kunne have spurgt Jon eller Christopher. Eller Dave, for den sags skyld."

"Vent lige," sagde Will. "Da jeg ringede med klokken, var Cecil den første, der kom ud. Dernæst så jeg Bitty, men jeg så hende ikke skubbe stolen. Cecil var der, og så kom Bitty. Christopher dukkede ikke op før senere. Og heller ikke Jon. Delilah var stadig ovenpå, da jeg kom tilbage fra Gordon og Pauls hytte. Du sagde det selv. Bitty ville umuligt kunne løfte Cecil selv. Hun er ikke engang halvanden meter høj og vejer omkring femogfyrre kilo. Så hvordan kom Cecil over i sin stol?"

"Han rejste sig og gik," sagde Faith.

Sara kunne ikke diskutere gang-evner længere. "Hvad har Paul sagt til jer, der har sat alt det her i gang?"

Will forklarede. "Han så Mercy klokken halv elleve, men hun gik ikke op ad stien. Hun gik ind i huset. Paul så Cecil rejse sig fra verandaen og følge efter hende indenfor."

Det vidste Sara ikke, hvad hun skulle sige til.

"Den første opringning fra Mercy til Dave kom klokken 22.47," sagde Faith. "Dave svarede ikke. Mercy flippede ud. Så gik hun hen for at snakke med sin far. Måske gik Cecil i panik, fordi han troede, at Mercy ville tale med Paul igen og finde ud af, hvordan Gabbie i virkeligheden døde. Hvad gjorde Cecil ved Mercy i de ti minutter?"

Sara tog sig til halsen. Hun havde hørt om nogle af de ting, Cecil McAlpine var i stand til.

"Uanset hvad der skete med Cecil, fik det Mercy til at gå i panik. Hun ringede til Dave kl. 22.47, 23.10, 23.12, 23.14, 23.19, 23.22. Vi ved, hun var inden for wi-fi-rækkevidden, da hun foretog disse opringninger."

Will holdt kortet op, så Sara kunne se. "Mercy var sikkert stadig inde i huset, da hun begyndte at ringe. Hun pakkede sin rygsæk, stoppede tøj og sin notesbog ned i den. Hun løb ned til spisesalen. Hun blev ved med at prøve at komme i kontakt med Dave."

"Der er et pengeskab i kontoret bag køkkenet," sagde Faith. "Kevin åbnede det med Christophers nøgle. Det var tomt."

"Husk, hvad Mercy sagde i telefonbeskeden: 'Dave er her lige straks.'"

"Det var Cecil, hun talte med," sagde Faith.

Sara så på kortet, kiggede på afstanden mellem huset og spisesalen, spisesalen og Ungkarlehytterne. "Det er muligt, Cecil kunne gå hen til spisesalen, men ikke ned til Ungkarlehytterne. Han ville ikke kunne klare rebstien, og Den forsvundne enkes sti ville have taget for lang tid. I øvrigt har han heller ikke den fysiske styrke til at dolke Mercy så mange gange."

"Og derfor sendte han en anden til at ordne hende," sagde Will.

Sara måtte lige tage et øjeblik til at fordøje præcis, hvad det var, de sagde. Hun så på Will. Nu forstod hun hans hærgede ansigtsudtryk. "Du tror, Cecil havde en medskyldig?"

"Dave," sagde Will.

Sara mærkede alting klikke på plads. "Mercy prøvede at blokere salget. Hvis hun var ude af billedet, havde Dave kontrol over Jons stemme. Han har et pengemotiv."

"Han har mere end det," sagde Will. "Han har hjulpet Cecil med at rydde op efter ham før."

Faith tog over. "Dave vidste, at Cecil havde fingeret bilulykken. Det fortalte han Paul sidste år mod kontant betaling. Hør ..."

Sara så Faith swipe fingeren hen over telefonen og hente et kort over countyet frem.

"Djævlesvinget er i nærheden af stenbruddet i udkanten af byen, det er tre kvarters kørsel fra hytterne. Christopher sagde, der gik tre timer, fra Cecil kørte sin vej med Gabbie og Mercy i bilen, til sheriffen kom og fortalte dem om ulykken. Cecil ville umuligt have kunnet gå hjem på tre timer. Der er et helt bjerg mellem de to steder. Nogen må have kørt ham."

"Dave," sagde Sara.

"Dave hjalp Cecil med at dække over mordet på Gabbie for fjorten år siden," sagde Faith. "Og i aftes hjalp Dave Cecil med at slå Mercy ihjel for at dække over ham igen."

Sara var overbevist. "Hvad gør I så? Hvad er planen?"

"Jeg skal bede dig finde en måde at få Jon ud derfra på," sagde Will. "Så rusker jeg op i Dave."

"Rusker op i Dave?" Det syntes Sara ikke lød godt. "Hvordan har du tænkt dig at ruske op i ham?"

"Giv os lige et øjeblik," sagde Will til Faith.

Sara mærkede alle de små hår i nakken rejse sig, da Faith gik ned ad stien. "Du har brug for, at Dave vender sig mod Cecil," sagde hun til Will.

"Ja."

"Så du ansporer Dave til at sige noget dumt."

"Ja."

"Og så vil han sikkert prøve at gøre dig fortræd."

"Ja."

"Og han har sikkert en kniv til."

"Ja."

"Og det vil Kevin og Faith lade ske."

"Ja."

Sara så på hans højre hånd, som han stadig holdt ind mod brystet. Forbindingen var trevlet og næsten sort af snavs og sved og gad vide hvad ellers. Hun lod blikket søge nedad. Han havde ikke den revolver på sig, som Amanda havde givet ham. Hans venstre hånd hang langs hans side. Hun kunne se vielsesringen på hans finger.

Wills første frieri til Sara havde ikke rigtigt været et frieri. Hun havde ikke svaret på hans spørgsmål, for han havde ikke rigtigt stillet det. Det faktum burde ikke have været overraskende. Han var en bemærkelsesværdigt akavet mand. Han havde det med at grynte og holde lange pauser. Han foretrak at være i selskab med hunde frem for de fleste mennesker. Han kunne godt lide at ordne ting. Han foretrak at undlade at tale om, hvordan de var gået i stykker.

Men han lyttede også til Sara. Han respekterede hendes mening. Han satte pris på hendes input. Han fik hende til at føle sig tryg. Han mindede ret meget om hendes far. Hvilket i bund og grund forklarede, hvorfor Sara var så inderligt og uigenkaldeligt forelsket i ham. Will ville altid rejse sig op, når alle andre blev siddende.

"Tæv ham sønder og sammen," sagde hun.

"Okay."

Sara følte sig lettere rystet, da hun gik mod spisesalen. Hun drejede vielsesringen rundt om fingeren. Hun tænkte på Jon, for han var den eneste, hun gerne ville beskytte. Det sidste døgn havde været knusende traumatisk for den unge mand. Han havde drukket sig fra sans og samling. Han havde skændtes med sin mor. Han havde kastet op i sin egen forhave foran en fremmed. Han havde været omgivet af flere fremmede, da han fik at vide, at hans mor var blevet myrdet. Så var hans far blevet anholdt, så var hans far blevet frikendt, og nu ville Will pirre Dave til at prale af det faktum, at han havde myrdet sit barns mor.

Sara var nødt til at få Jon ud derfra, før det skete.

Faith ventede igen oppe på udsigtsverandaen. Nu stod Kevin sammen med hende.

"Jeg har fået køkkenpersonalet af vejen. De er oppe i hytte fire, til det her er overstået. Hvad med gæsterne?"

"Vi må improvisere," sagde Will. "Vi vil have Dave til at give en forestilling. Han vil muligvis gerne have et publikum."

Sara så op på Will. "Hvad nu, hvis jeg ikke kan få Jon til at gå?"

"Så hører han, hvad han hører."

Sara tog en dyb indånding. Den var hård at sluge. Hun nikkede. "Okay."

"Hold øje med Bitty," advarede Faith. "Husk, hvad jeg sagde om, at hun opfører sig som Daves psykopatiske eks. Hun er muligvis uforudsigelig."

Den del af det var Sara klar til. Intet af det, der skete heroppe, kunne overraske hende længere. "Lad os få det overstået."

Kevin åbnede døren.

Sara gik først ind i spisesalen. Scenariet var velkendt. To borde, der var kun dækket op på det ene. Hovedretten var allerede blevet serveret. Desserttallerkenerne var skrabet rene. Vinglassene var halvtomme. I stedet for at sidde samlet var parrene spredt ud, de var i hver deres lejr. Frank og Monica sad sammen med Drew og Keisha. Gordon og Paul sad sammen med Delilah. Cecils stol stod for bordenden. Bitty sad på hans venstre side, med Dave ved sin side. Jon sad på Cecils højre side, direkte over for sin bedstemor.

Sara kunne mærke, at alles blikke var rettet mod hende, da hun satte sig ved siden af Jon. Det havde drænet den unge mands mod at være så tæt på sin far. Han knugede hænderne sammen i skødet. Der var svedaftegninger på hans skjorte. Hovedet var bøjet, men selv Sara kunne mærke det hvidglødende had, han sendte over bordet mod Dave.

"Jon." Sara rørte ved hans arm. "Må jeg tale med dig udenfor?"

"Fandeme nej," sagde Dave. "I folk har allerede berøvet mig for nok tid med min dreng."

"Det er så sandt, som det er sagt," sagde Bitty. "Jeg vil have jer alle sammen væk herfra, i samme øjeblik den forbandede vej er åben igen."

"Stille," sagde Cecil. Han tog en gaffel op med højre hånd. Han spiddede et stykke kage. Han tyggede højlydt i stilheden.

Jon holdt hovedet bøjet. Hans smerte var lige så håndgribelig som hans vrede. Sara havde bare lyst til at lægge armene om ham og tage ham langt væk herfra, men hun kunne ikke blande sig i efterforskningen. Will og Faith havde allerede indtaget deres positioner. Kevin blokerede indgangen. Faith stod ved den modsatte ende af bordet. Will havde stillet sig tæt på Dave, så han samtidigt var tæt på køkkendøren. De havde dannet en perfekt trekant.

"Nå?" bjæffede Cecil. "Hvad handler det her om?"

"Hvor er min søn?" spurgte Bitty.

"Christopher er blevet arresteret for at producere, distribuere og sælge ulovlig alkohol."

Den korte stilhed, der fulgte, blev afbrudt af Daves latter.

"Det må jeg sgu nok sige," sagde han. "Sådan, Fiskehvisker."

"Hørt, hørt." Paul hævede et glas. "Skål for Fiskehvisker."

Monica prøvede at deltage i skålen, men Frank lagde sin hånd oven på hendes. Sara så på Bitty. Kvindens opmærksomhed var udelukkende på Dave.

Hans fremtoning havde ændret sig. Han var godt klar over, dette ikke var en behagelig samtale. Han greb fat om bordkanten og så først på Kevin, så på Faith, og til sidste drejede han endelig hovedet og så op på Will. "Davs, Skraldebøtte. Hvordan har hånden det?"

"Bedre end dine nosser," sagde Will.

Jon fniste.

"Jon." Sara talte lavmælt, da hun foreslog: "Hvad med at vi går uden-for?"

"Du holder bare røven i stolen, knægt," sagde Dave.

Den direkte ordre fik Jon til at stivne. Bitty udstødte en misbilligende lyd. Sara så på bestikket. To slags gafler, en kniv, en gaffel. Hver og en kunne anvendes som våben. Hun vidste, at Will havde lavet samme regnestykke. Hans blik var ikke rettet mod Daves ansigt, men mod hans hænder. Sara så også på Bittys hænder. De lå foldet på bordet.

"Så?" sagde Dave. "Hvad har du, Skraldebøtte?"

Faith svarede: "Den ligsynsansvarlige ringede. Hun har fundet nogle beviser under Mercys obduktion."

Bitty fnøs. "Er det virkelig et passende sted at diskutere den slags?"

"Jeg synes, i aften ville være et glimrende tidspunkt for, at vi alle sammen kan få sandheden at høre," sagde Paul.

Sara nåede at se Faith lukke munden på ham med et blik.

"Eller not." Paul vendte tilbage til sit glas på bordet.

"Der blev taget skrab fra under Mercys fingernegle," sagde Faith. "Hun fandt stykker af hud, hvilket betyder, at Mercy har kradset den person, der angreb hende. Vi skal derfor bruge DNA fra alle personer herinde."

Dave lo. "Held og fucking lykke med det, dame. Det skal du bruge en kendelse til."

"Den sidder dommer Framingham og underskriver i dette øjeblik." Faith talte med så stor autoritet, at selv Sara nær havde troet på hende. "Den dommer kender du godt, ikke, Dave? Som præsiderede ved et par af dine spritdomme, ikke? Det er ham, der fratog dig dit kørekort."

Dave lod fingrene glide langs gaflen ved siden af sin tallerken. "Så I vil bare tage DNA fra alle herinde?"

"Det er korrekt," sagde Faith. "Hver evig eneste person."

"Det kan I ikke," sagde Drew. "Der er ingen grund til at mistænke ..."

"I har for fanden ikke brug for mit DNA," sagde Cecil. "Jeg er sgu da for helvede hendes far."

Sara krympede sig over det pludselige vredesudbrud. Hun tænkte straks på Gabbie, så på Mercy.

"Mr. McAlpine." Faiths stemme var rolig. "Der er noget, der hedder berørings-DNA, som betyder, at alle, der har været i fysisk kontakt med Mercy, hvad enten det var Bitty eller Delilah eller dig eller Jon, eller selv en af gæsterne, har efterladt noget genetisk materiale på hendes krop. Vi er nødt til at fastlægge alles profiler, så vi kan isolere morderens. Køkkenpersonalet og Penny har allerede afgivet deres. Det er virkelig ikke nogen stor operation."

"Okay." Delilah overraskede alle ved at tale først. "Jeg holdt Mercy i hånden. Det var før middagen, men jeg er på. Hvordan gør vi det? Spyt? Vatpind?"

"Fuck. Nej." Keisha slog hånden i bordet. "Jeg holder ikke på jeres hemmelighed længere. Det her er noget pis."

"Hvilken hemmelighed?" spurgte Delilah.

"At Mercy var gravid i tolvte uge," sagde Faith.

Bitty gispede. Hun så straks på Dave.

Sara så også på Dave. Nyheden havde tydeligvis rystet ham.

"Vi ved, at Mercy havde sex med nogle af gæsterne," sagde Faith.

Der blev snakket ind over bordet, men Sara så kun Bitty, der lagde en beroligende hånd på Daves arm. Hans kæber var sammenbidte. Han vedblev med at knytte og slippe hænderne.

"Hvad er det, du siger om min kone?"

"Mercy var ikke din kone." Det var det øjeblik, Will havde valgt at lægge sig ud med Dave.

Dave knyttede begge næver. Han ignorerede Will og rettede al sin vrede mod Faith. "Hvad er det for noget lort, din forpulede mund står og lukker ud?"

"Det var ikke kun gæsterne," sagde Will. "Mercy kneppede også Alejandro jævnligt."

Dave rejste sig så hurtigt, at stolen væltede bag ham. Nu så han på Will. "Luk din forpulede kæft."

Sara stivnede, ligesom alle andre ved bordet. De to mænd stod ansigt til ansigt, klar til at slå hinanden ihjel.

"Dave." Bitty trak i hans skjorteryg. "Sæt dig ned, min skat. Hvis de havde en kendelse, ville de vise den."

Der bredte sig et vulgært grin hen over Daves ansigt. "Hun har ret. Vis mig papiret, Skraldebøtte."

"Så du tror ikke, jeg kan få fat i dit DNA?" spurgte Will. "Når du smider et cigaretskod eller en coladåse fra dig, eller breder røven ud på et toiletsæde, så står jeg parat lige bag dig for at samle op. Du kan ikke gøre for det. Du efterladen stanken af dig på alt, du rører ved."

"Jeg ryger ikke." Det var Frank, der kom på banen, den evige freds-mægler. "Men der er ingen grund til at følge rundt efter mig. Jeg leverer gerne spyt eller får taget prøve med en vatpind."

"Tja, hvorfor ikke?" sagde Gordon. "Jeg er også med."

"Kan vi selv vælge, hvilken form for donation, vi giver?" spurgte Paul.

Sara så Jon lade ansigtet falde ned i hænderne. Han udstødte et vræl og skubbede sig væk fra bordet. Han løb gennem rummet og ramlede nær ind i Kevin. Døren smækkede i efter ham. Lyden gav genlyd i stilhe-den. Sara vidste ikke, hvad hun skulle gøre, om hun skulle gå efter ham eller blive.

"Min dyrebare dreng," hviskede Bitty i stilheden.

Dave så ned på sin mor. Bitty sad stadig på den anden side af bordet og rakte indover efter Jons tomme stol. Langsomt lænede hun sig til-bage. Slog hænderne sammen. Dave løftede blikket og så mod den dør, Jon lige var flygtet ud gennem. Der var noget uafskærmet i hans udtryk. Underlæben begyndte at bæve. Tårerne pressede sig på bag øjnene.

Og lige så pludseligt forsvandt det hele igen.

Daves fremtoning ændrede sig så pludseligt, at Sara troede, hun var udsat for en tryllekunst. Det ene øjeblik var han fuldstændigt knust, det næste var han rasende.

Dave sparkede til den væltede stol. Træet splintrede mod væggen.

"Så du vil have mit DNA, Skraldebøtte?" skreg han.

"Jah," sagde Will. "Det vil jeg."

"Det kan du tage fra den baby, jeg har lavet i Mercys mave. Ingen andre har nogensinde rørt hende. Den fucking unge er min."

"Der har vi ham," sagde Will. "Årets far."

"Det kan du fandenedeme tro, at jeg er."

"Du er så fuld af lort," sagde Will. "Mercy var den eneste forælder, Jon nogensinde har haft. Hun sørgede for hans tryghed. Hun forsørgede ham. Hun sørgede for tag over hans hoved og mad på bordet og kærlig-hed i hans hjerte, og det har du taget fra ham."

"*Vi* gav Jon de ting!" skreg Dave. "Mig og Mercy. Det har altid været mig og hende."

"Lige siden du var elleve, ikke sandt?"

"Fuck dig." Han trådte truende frem mod Will. "Du aner intet om, hvad vi havde. Mercy har elsket mig, siden hun var lille."

"Som en god lillesøster?"

"Din motherfucker," brummede Dave. "Du ved præcis, hvad vi havde. Det var mig, hun elskede. Det var mig, hun kunne lide. Jeg var den eneste mand, der nogensinde kneppede hende."

"Du tog i hvert fald røven på hende."

"Gentag det," sagde Dave. "Sig det en gang mere til mit ansigt, din lille mide. Skal jeg skrive det ned til dig? Skal jeg stave det for dig, Skraldebøtte? Mercy elskede *mig*. Den eneste, der nogensinde betød noget for hende, var *mig*."

"Hvorfor sagde hun så ikke noget om dig?" spurgte Will. "Mercy var stadig i live, da jeg fandt hende, Dave. Hun talte til mig. Hun nævnte ikke engang dit navn."

"Pis med dig."

"Jeg bad hende fortælle, hvem der havde dolket hende. Jeg tryglede hende. Ved du, hvad hun sagde?"

"Hun sagde ikke, det var mig."

"Nej, det gjorde hun ikke," sagde Will. "Hun vidste, hun skulle dø, og den eneste, hun bekymrede sig om, var Jon."

"*Vores* Jon." Han hamrede knytnæven mod sin brystkasse. "*Vores* søn. *Vores* dreng."

"Hun ville have Jon væk fra dig," sagde Will. "Det var det første, hun sagde til mig. 'Jon kan ikke blive her. Få ham væk herfra.' Væk fra *dig*, Dave."

"Det passer ikke."

"De skændtes under middagen," sagde Will. "Jon var vred på Mercy, fordi hun blokerede for salget. Han sagde, han gerne ville bo sammen med sin bedstemor i et hus sammen med dig. Hvem har sat det i hovedet på ham, Dave? Var det det samme røvhul, der fortalte, han skulle kalde mig Skraldebøtte?"

Dave begyndte at ryste på hovedet. "Du er fuld af lort."

"Mercy ville have, jeg sagde til Jon, at hun tilgav ham," sagde Will. "Hun ville ikke have, at han bar rundt på skyldfølelse over skænderiet. Det var bogstaveligt talt de sidste ord på hendes læber. Intet om dig, Dave. Slet ikke dig. Mercy kunne knap nok tale. Hun forblødte. Kniven sad stadig i hendes brystkasse. Jeg kunne høre hendes vejrtrækning hvæse gennem hullet i hendes lunger. Og med sine allersidste kræfter, sit allersidste åndedrag, så hun mig lige i øjnene og sagde det tre gange i træk. *Tre gange*. Tilgiv ham. Tilgiv ham. Tilgiv ..."

Will tav. Han stirrede på Dave med afsky i ansigtet.

"Hvad?" sagde Dave. "Hvad sagde hun?"

Sara forstod ikke, hvad der foregik. Hun så Wills brystkasse hæve og sænke sig, da han tog en dyb indånding og langsomt slap den. Hans blik var stadig låst i Daves. Noget blev udvekslet mellem dem. Måske deres fælles historie. De var to faderløse drenge. Jon var vokset op som faderløs. Og nu var hans mor væk. De vidste begge bedre end nogen, hvad det ville sige for alvor at være alene.

"Mercys sidste ord var *sig til Jon, at jeg tilgiver ham*," sagde Will til Dave.

Dave sagde ikke noget. Han stirrede op på Will, hovedet bagover, munden lukket. Han nikkede let, bare et let dyp med hagen. Så skete tryllekunsten igen, denne gang bare modsat. Luften gik af Dave som af en ballon. Skuldrene faldt sammen. Knytnæverne slap. Hænderne faldt ned langs siden. Det eneste, der ikke forandrede sig, var det sørgmodige ansigtsudtryk.

"Sagde Mercy det?" spurgte han.

"Ja."

"Det var præcis, hvad hun sagde?"

"Ja."

"Okay." Dave nikkede en enkelt gang, som havde han lige taget en beslutning. "Okay, det var mig. Jeg slog hende ihjel."

Bitty gispede. "Davey, nej!"

Dave tog en papirserviet fra bordet. Han tørrede øjnene. "Det var mig."

"Davey," sagde Bitty. "Sig ikke mere. Vi skaffer en advokat."

"Det er okay, Mama. Jeg dolkede Mercy. Det var mig, der slog hende ihjel." Dave gjorde en håndbevægelse mod døren. "Gå nu. Du behøver ikke høre detaljerne."

Sara kunne ikke løsrive blikket fra Will. Smerten i hans øjne tog livet af hende. Hun havde set ham ved søen sammen med Mercy. Hun vidste, hvad hendes død havde gjort ved ham. Han så ned på den tilskadekomne hånd. Han lagde den mod brystet. Sara længtes efter at gå hen til ham, men det vidste hun godt, hun ikke kunne. Hun kunne blot sidde hjælpeløst tilbage, mens folk begyndte at gå. Først gæsterne, så rejste Bitty sig langt om længe for at skubbe Cecils stol, så var de væk.

Endelig så Will på Sara. Han rystede på hovedet. "Tag over," sagde han til Faith.

Sara mærkede hans hånd på sin skulder, da han gik forbi. Han trykkede nedad, bad hende blive. Han havde brug for tid alene. Det var Sara nødt til at give ham.

Faith handlede hurtigt. Hun havde sin Glock i hænderne. Kevin var kommet nærmere. "Vis mig kniven. Langsomt," sagde hun til Dave.

Dave begyndte med butterfly-kniven. Han lagde den på bordet. Han sagde: "Jeg vidste godt, Mercy knaldede med alle mulige. Jeg vidste godt, hun var gravid. Jeg vidste ikke det med sprutten, men jeg vidste godt, hun tjente penge, og at hun ikke gav mig nogen af dem. Vi begyndte at skændes."

"Hvor skændtes I?"

"I køkkenet." Dave tog sin pung frem, sin telefon. "Jeg tømte pengeskabet. Det var derfor, I ikke fandt noget."

"Hvad lå der i det?" spurgte Faith.

"Penge. De bøger, hun skrev i, så alle fik deres løn."

"Hvad med kniven?" spurgte Faith.

"Hvad med den?" Dave trak overdrevent på skuldrene. "Rødt skaft. Et stykke metal, der stak ud, der, hvor det var knækket."

"Hvor fik du den fra?"

"Mercy havde den i sin skrivebordsskuffe. Hun brugte den til at åbne kuverter med."

"Hvordan endte hun nede ved Ungkarlehytterne?"

"Jeg jagtede hende ned ad rebstien. Jeg dolkede hende og lod hende ligge. Jeg satte ild til hytten for at skjule mine spor."

"Hun blev ikke fundet i hytten."

"Jeg skiftede mening. Jeg ville have, at Jon havde et lig at begrave. Jeg trak hende ud til vandet. Regnede med, at beviserne ville blive skyllet væk. Jeg vidste ikke, hun stadig var i live, for så havde jeg druknet hende." Han trak på skuldrene. "Så gemte jeg mig ude ved den gamle lejr. Fangede et par fisk, lavede noget aftensmad."

"Voldtog du hende?"

Dave tøvede, men kun et øjeblik. "Jah."

"Hvad gjorde du med knivskaftet?"

"Jeg sneg mig ind i hytte tre, efter Skraldebøtte havde ringet med klokken. Samme toilet, jeg havde ordnet, inden gæsterne kom." Dave trak igen på skuldrene. "Jeg tænkte, at Drew ville få skylden. Men I fik mig jo."

Sara så Dave række hænderne frem, så Faith kunne give ham håndjern på.

"Ikke endnu," sagde Faith. "Fortæl mig om Cecil."

Dave trak igen på skuldrene. "Hvad vil du vide?"

21

Will løb gennem skoven. Han var heller ikke på stien denne gang, men skar genvej fra Ringstien. Lavthængende kviste og grene ramte ham i ansigtet. Han holdt hænderne op for at skåne sine øjne. Han huskede aftenen før, den blinde forvirring, mens han ledte efter kilden til skrigene. Han havde ikke fundet stedet endnu. Han var blevet vendt rundt, sendt i to forskellige retninger. Han havde lugtet røg fra den brændende hytte. Han var løbet derind for at finde Mercy. Han var styrtet ned til bredden for at redde Mercy. Han havde fået en kniv gennem hånden i forsøget på at redde hende. Og så havde han hørt lige præcis det, han gerne ville høre.

Tilgive ham ... tilgive ham ...

Will listede op ad trappen til verandaen. Døren stod på klem. Han sneg sig indenfor. Det var blevet mørkt, de skyer, der gled for månen, bar løftet i sig om endnu et uvejr. Will så en skikkelse i soveværelset. Skufferne var rodet gennem. Der stod kufferter åbne på gulvet.

Dave havde regnet det ud få minutter før Will. En gnist af erkendelse havde slået Sjakalen i hans eget spil. Han havde kendt Mercy, siden hun var barn. Han var hendes bror. Han var hendes ægtemand. Han var hendes voldsmand.

Han var også beregnende og snu og manipulerende. Der ville ikke kunne sættes en finger på den tilståelse, Dave ville give Faith. Men det ville være en løgn. Han havde sikkert opfanget detaljer nok de sidste tolv timer til at kunne besvare hvert eneste af Faiths spørgsmål. Alle i området var blevet vækket, da Will ringede med klokken. Småkage vidste, at Mercy var fundet ved søen. Delilah havde siddet ved liget nær den udbrændte hytte. Keisha havde set skaftet på den knækkede kniv. Dave vidste sikkert, hvor den havde været, før den blev brugt som våben. Køkkenpersonalet havde set Kevin åbne pengeskabet. Det var ikke svært at gætte, hvad Mercy havde opbevaret derinde. Dave vidste, hvor der var wi-fi-forbindelse, hvor man kunne ringe fra, og hvor man ikke kunne.

Tilgiv ham. Tilgiv ham.

Det havde været ordene. Ved søen havde Will ligget på knæ og tryglet Mercy om at holde ud for Jons skyld. Hun havde hostet blod i Wills ansigt. Hun havde grebet fat i hans tøj, trukket ham ind til sig, set ham i øjnene og sagt sine sidste ord. Men hendes sidste ønske havde ikke været til Jon. Det havde været til Will.

Tilgiv ham.

Dig, som politibetjent, *tilgiv min søn* for at have myrdet mig.

Will hørte en lynlås blive åbnet. Så en til. Jon ledte febrilsk Saras rygsæk igennem. Han ledte efter den e-cigaret, Sara havde bestukket ham til at give hende. Ovre i spisesalen havde Will så godt som stået og fortalt knægten, at metallet kunne testes for DNA, og at den DNA ville koble ham til mordet på Mercy.

Han ventede, til Jon havde fundet lynlåsposen i forlommen.

Will tændte lyset.

Jon tabte underkæben.

"J-j-jeg ..." stammede Jon. "Jeg, øh, havde brug for noget til at dulme nerverne med."

"Hvad med din anden e-cigaret?" spurgte Will. "Den, du har i baglommen?"

Jon rakte ud efter den, men stoppede så. "Den er gået i stykker."

"Lad mig se den. Måske kan jeg lave den for dig."

Jon skævede rundt i hytten efter en flugtvej – vinduerne, dørene. Han vendte sig mod badeværelset, fordi han var seksten år gammel og stadig tænkte som et barn.

"Lad være," sagde Will til ham. "Sæt dig på sengen."

Jon satte sig på hjørnet af madrassen, skoene godt plantet på gulvtæppet, hvis nu han skulle få en chance for at stikke af. Han knugede plasticposen til sig, som afhang hans liv af den. Hvilket det faktisk også gjorde.

Det var ikke Dave, der var Cecils medskyldige.

Det var Jon.

Sara havde næsten fanget ham lige efter mordet. Jon havde en rygsæk med, parat til at gå ned ad bjerget. Han havde også været skjult af mørket, Sara havde blot gættet, da hun havde kaldt Jons navn. Hun antog, at han kastede op, fordi han havde drukket. Hun kunne umuligt vide, at han lige havde myrdet sin mor.

At det gik op for Sjakalen, inden det gik op for Will, var ikke overraskende. At han havde prøvet at redde sin søns liv med sit eget, var det eneste gode, den mand nogensinde havde gjort.

Will lirkede lynlåsposen ud af Jons greb. Han lagde den på bordet og satte sig i stolen. "Fortæl mig, hvad der skete," sagde han.

Jons adamsæble hoppede.

"Sara fortalte mig, at hun stod og så på dig, da din mor skreg om hjælp," sagde Will. "Mercy døde ikke med det samme. Hun besvimede. Hun vågnede. Hun må have været forpint, desorienteret, bange. Det var derfor, hun kaldte på hjælp. Det var derfor, hun skreg *hjælp mig.*"

Jon sagde ikke noget, men han begyndte at pille i neglebåndet på den ene tommelfinger. Will så knægtens øjne bevæge sig fra side til side, mens han desperat forsøgte at tænke sig vej ud af det her.

"Hvad gjorde du ved din mor?" spurgte Will.

Blodet begyndte at pible fra Jons neglebånd.

"Sara fortalte, du havde en mørk rygsæk på ryggen," sagde Will. "Hvad var der i den? Dit blodplettede tøj? Knivskaftet? Pengene fra pengeskabet?"

Jon trykkede hårdt til på neglen og pressede mere blod ud.

"Da du havde hørt Mercy skrige om hjælp, løb du ind i huset." Will tøvede. "Hvad fik dig til at gå indenfor, Jon? Var der nogen, der ventede på dig?"

Jon rystede på hovedet, men Will vidste, at Cecils soveværelse var i stueetagen.

"Dit hår var vådt, da jeg så dig. Hvem sagde til dig, at du skulle tage et bad? Hvem sagde til dig, at du skulle tage noget andet tøj på?"

Jon smurte blodet ud over tommelfingeren, hen over hånden. Endelig brød han sin tavshed. "Hun blev ved med at gå tilbage til ham."

Will lod ham tale.

"Dave var den eneste, der nogensinde betød noget for hende," sagde Jon. "Jeg tryglede hende om at forlade ham. For at det bare skulle være os to. Men hun gik altid tilbage til ham. Jeg ... jeg havde ikke nogen."

Will lyttede lige så meget til hans tonefald som til hans ord. Jon lød hjælpeløs. Will kendte godt den smerte, det indebar at være et barn, der var afhængig af upålidelige voksnes luner.

"Det var lige meget, hvad Dave gjorde," fortsatte Jon. "Tævede hende, kvalte hende, sparkede hende – hun tog ham altid tilbage. Hver evig eneste gang valgte hun ham over mig."

Will lænede sig let frem i stolen. "Jeg ved godt, det er svært for dig at forstå nu, men Mercys forhold til Dave havde intet med dig at gøre. Relationer, hvor der foregår mishandling, er komplicerede. Uanset hvad der skete, så elskede hun dig af hele sit hjerte."

Jon rystede på hovedet. "Jeg var et åg om hendes hals."

Will vidste godt, det ikke var en beskrivelse, han selv havde fundet på. "Hvem har fortalt dig det?"

"Alle, gennem hele mit liv." Jon så trodsigt op på ham. "I sagde det jo selv. Mercy kneppede gæsterne, hun kneppede Alejandro, hun blev gravid igen. Bare gå ned i byen, og snak med folk der. De vil fortælle jer præcis det samme. Mercy var et dårligt menneske. Hun slog en pige ihjel. Hun var prostitueret. Hun drak og tog stoffer. Overlod det til en anden at opfostre sit barn. Lod sin eksmand banke hende til plukfisk. Hun var ikke andet end en dum luder."

"Det gør det nemmere, når du kalder hende alle de ting, ikke?" spurgte Will.

"Gør hvad nemmere?"

"Det faktum, at du dolkede hende så mange gange?"

Jon benægtede det ikke, men han så heller ikke væk.

"Din mor elskede dig," sagde Will. "Jeg så jer to sammen, da vi ankom. Mercy strålede nærmest, når du var i nærheden. Hun kæmpede mod din tante Delilah for at få forældremyndigheden. Hun blev clean. Hun ændrede sit liv. Alt sammen for din skyld."

"Hun ville bare vinde," sagde Jon. "Det var det eneste, der betød noget for hende. Hun ville slå Delilah. Jeg var trofæet. Da hun først havde fået mig, satte hun mig op på hylden og skænkede mig ikke en eneste tanke igen."

"Det er ikke sandt."

"Det er sandt," insisterede han på. "Dave brækkede min arm engang. Sendte mig på hospitalet. Vidste du det?"

Will ville ønske, han var mere overrasket. "Hvad skete der?"

"Mor sagde, jeg var nødt til at tilgive ham. Hun sagde, at han havde det skidt over det, at han lovede, han aldrig ville røre mig igen, men det var Bitty, der endte med at beskytte mig," sagde Jon. "Hun sagde til

Dave, at hvis han nogensinde rørte mig igen, så kunne han ikke komme herop mere. Og hun mente det. Så han lod mig være. Det gjorde Bitty for mig. Hun beskyttede mig. Hun beskytter mig stadig."

Will spurgte ham ikke, hvorfor hans bedstemor aldrig havde brugt samme trussel til at beskytte sin egen datter.

"Hun reddede mig," sagde Jon. "Hvis jeg ikke havde Bitty, ved jeg ikke, hvad der var sket med mig. Så ville Dave sikkert have slået mig ihjel nu."

"Jon ..."

"Kan du ikke se, hvad min mor har drevet mig til?" Jons stemme var forpint ved de sidste ord. "Jeg ville bare være forsvundet heroppe. Jeg ville intet have været. Bitty er den eneste kvinde, der nogensinde har elsket mig. Min mor var skideligeglad, indtil hun kunne se, at hun havde mistet mig."

Will var nødt til at opveje sit ønske om en tilståelse mod Jons mentale helbred. Han kunne ikke smadre drengen. Jon ville sikkert tilbringe resten af sit liv i fængsel, men på et eller andet tidspunkt ville han være nødt til at forholde sig til, hvad han havde gjort. Han fortjente at vide, hvad hans mors sidste ord havde været.

"Jon," sagde Will. "Mercy var stadig i live, da jeg fandt hende. Hun var i stand til at tale til mig."

Hans reaktion var ikke den, Will havde ventet. Jon tabte underkæben. Han blev askegrå i ansigtet. Hele hans krop stivnede. Han holdt ligefrem vejret.

Han så helt og aldeles rædselsslagen ud.

"Hvad ..." panikken forhindre Jon i at tale. "Hvad har ... Sagde hun ..."

Will genspillede de sidste sekunder af samtalen. Jon havde været passiv, da Will havde anklaget ham for mordet. Hvad havde fået ham til det? Hvad var han bange for?

"Det, hun så ..." Jon var begyndt at gispe igen, han nærmest hyperventilerede. "Det var ikke ... vi har ikke ..."

Will lænede sig langsomt tilbage i stolen.

Kan du ikke se, hvad min mor har drevet mig til?

"Det var ikke min mening ..." Jon sank. "Hun var nødt til at forsvinde, okay? Hvis hun bare havde ladet os være, så vi kunne ..."

Min mor var skideligeglad, indtil hun kunne se, at hun havde mistet mig.

"Jeg beder dig ... Jeg har ikke ... Vil du ikke nok ..."

Wills krop begyndte at acceptere sandheden, før hans hjerne gjorde.

Hans hud blev varm. Det ringede højt og indtrængende for hans ører. Hans tanker vendte tilbage til spisesalen som en karrusel af mareridt. Han så Daves rystede ansigtsudtryk, da Jon løb ud ad døren. Den langsomme ændring i hans fremtoning. Det var ikke det, at Jon løb væk, der havde trigget hans tilståelse. Det var lyden af Bittys blide hvisken ...

Min dyrebare dreng.

Faith havde joket med, at Bitty opførte sig som Daves psykopatiske ekskæreste. Men det var ikke en joke. Dave havde været tretten, da han var stukket af fra børnehjemmet. Bitty havde fået han nedskrevet til elleve år. Hun havde infantiliseret ham, gjort ham vred, frustreret, kastreret og forvirret. Det er ikke alle seksuelt misbrugte børn, der vokser op og misbruger andre, men seksuelle misbrugere er konstant på udkig efter nye ofre.

"Jon." Will kunne næsten ikke få navnet over sine læber. "Mercy ringede til Dave, fordi hun så noget, gjorde hun ikke?"

Jon gemte ansigtet i hænderne. Han græd ikke. Han prøvede at gemme sig. Skammen hamrede sjælen ud af hans krop.

"Jon," sagde Will. "Hvad var det, din mor så?"

Jon ville ikke svare.

"Fortæl mig det," sagde Will.

Han begyndte at ryste på hovedet.

"Jon," gentog Will. "Hvad var det, Mercy så?"

"Du ved godt, hvad hun så!" skreg Jon. "Lad være med at få mig til at sige det!"

Det føltes, som om tusindvis af barberblade huggede sig ind i Wills brystkasse. Han havde været så fucking dum, igen havde han kun hørt, hvad han gerne ville høre.

Mercy havde ikke villet sige til Will, at Jon skulle væk *herfra*.

Hun havde villet sige til ham, at Jon skulle væk fra *hende*.

SYVOGTREDIVE MINUTTER FØR MORDET

Mercy stirrede ud ad det revnede vindue i foyeren. Månen lyste så stærkt, at det var som et spotlys lige ned i lysningen. Paul Ponticello var sikkert i fuld gang med at beklage sig til sin kæreste inde i hytte fem. Det var han i sin fulde ret til. Det berømte Mercy-temperament havde brølet som en løve, og nu var hun fuld af anger. Faktisk havde Pauls tilbud om tilgivelse gjort hende målløs.

Mercy fortjente mange ting for at have slået Gabbie ihjel, men tilgivelse var ikke en af dem.

Hun trykkede fingrene ind i øjnene. Hendes hoved var ved at tage livet af hende. Hun var glad for, at Dave ikke havde taget telefonen, da hun havde ringet til ham for at fortælle, hvad der sket. Mand, han elskede en god *fuck dig*-historie, men han ville bare have fået hende endnu mere op i det røde felt.

Hendes krop reagerede allerede. Hun følte sig oppustet og klam. Hun skulle sikkert have sin menstruation lige om lidt. Mercy fulgte ikke længere med i appen. Hun havde læst rædselsvækkende historier på nettet om politifolk, der fik fingre i dine data og krydstjekkede dine kreditkort for at se, hvornår du sidst har købt tamponer. Det sidste, Mercy havde brug for, var, at Fisk fik gennempløjet sin økonomi. Hun var nødt til at tale med Dave om at bruge kondom igen. Og denne gang mente hun det. Uanset hvor meget han surmulede, var det ikke det værd at risikere hendes bror for.

Som jo teknisk set også var Daves bror.

Hun lukkede øjnene igen. Alt det frygtelige, der var sket i dag, indhentede hende pludselig. Og hendes tommelfinger dunkede som en sindssyg. Endnu en tåbelig fejl, hun lavede, at tabe glasset, da Jon havde råbt ad hende. Stingene var blevet våde, da hun gjorde rent i køkkenet. Hendes hals gjorde ondt efter Daves kvælningsforsøg. Hun kunne ikke tage noget stærkere end Panodil.

Og værre endnu, hvad fuck havde hun tænkt på, sådan at tale med den læge? Sara havde virket så rar, og hun havde helt fået Mercy til at glemme, at kvindens mand var strisser. Will Trent var i forvejen ude efter at få Dave ned med nakken. Det sidste, Mercy havde brug for, var en GBI-agent, der snusede rundt på ejendommen. Gudskelov var der et uvejr på vej ind over bjergkammen. Mercy tvivlede på, at parret, der var på bryllupsrejse, havde brug for ret mange undskyldninger for at blive inde i hytten resten af ugen.

Hun tænkte på tåbelige Chuck, der havde stået og viftet med det sølvpapir ude foran skuret her til morgen. Han var begyndt at sløse, han destillerede alt for meget alt for hurtigt til, at kvaliteten var i orden. Det var på tide at lukke ned for det lort. Fisk havde mumlet i månedsvis om, at han ville ud. Og det var ikke bare kopisprutten. Han ville ud af dette klaustrofobiske fængsel, som generationer af McAlpines havde bygget, ikke af stolthed, men af trods.

Den chokerende sandhed var, at Mercy også ville ud. Hendes trusler under familiemødet havde i sidste ende været tomme. Hun ville aldrig vise dagbøgerne fra sin barndom, der beskrev Papas vrede, til nogen. Ingen ville finde ud af, at Papa havde fået kontrol over hytterne ved at angribe sin egen søster med en økse. Bittys forbrydelser ville falde bort på grund af forældelsesfristen. Mercys breve til Jon, der afslørede Daves mishandling, ville aldrig se dagens lys. Fisk kunne vikle sig ud af spritfremstillingen og udleve sit eneboerliv ved vandet.

Mercy ville bryde den onde cirkel. Jon fortjente mere end at være bundet til denne forbandede jord. Hun ville stemme for at sælge til investorerne. Hun ville tage hundrede tusind til sig selv og sætte resten i en fond til Jon. Delilah kunne være værgen. Hun gad godt se Dave prøve at trække blod ud af den sten. Mercy ville leje en lille lejlighed i byen, så Jon kunne gøre sin skole færdig, og så ville hun sende ham af sted på et godt college. Hun vidste ikke, hvor mange penge der skulle til for at klare sig selv, men sidste gang havde hun fundet arbejde. Så det kunne hun gøre igen. Hun havde en stærk ryg. En god arbejdsmoral. Livserfaring. Hun kunne godt.

Og hvis hun fejlede, kunne hun altid flytte sammen med Dave.

"Hvem der?" bjæffede Papa.

Mercy holdt vejret. Hendes far havde været ude på verandaen, da hun havde sagt til Paul, at han kunne rende hende i røven. Papa havde forlangt at få alle detaljer at vide, men Mercy havde nægtet. Nu kunne hun høre sin far røre på sig i sengen. Snart ville han komme stavrende ud i gangen med benene slæbende efter sig som Jacob Marley i lænker. Mercy skyndte sig op ad trappen, inden han fik fat i hende.

Lyset var slukket, men måneskinnet vældede ind ad vinduerne i begge ender af gangen. Hun holdt sig i højre side. Mercy havde sneget sig ind og ud af huset nok gange til, at hun vidste, hvilke gulvbrædder der knirkede. Hun så ned mod badeværelset for enden af gangen. Jon havde ladet sit håndklæde ligge på gulvet. Hun kunne høre Fisk snorke som et godstog bag den lukkede dør. Bittys dør stod på klem, men Mercy ville hellere stikke ansigtet op i en brøndgravers røv end at kigge derind.

Døren var lukket ind til Jon. Et blødt lys strømmede ud under døren.

Mercy mærkede noget af den tidligere anspændthed vende tilbage. På en skala over alle de skænderier, hun havde haft med sin søn, havde det under middagen ikke været det værste, men det havde været det mest offentlige. Hun kunne ikke længere huske, hvor mange gange Jon havde skreget af sine lungers fulde kraft, at han hadede hende. Han plejede at skulle have en dag eller to til at køle ned. Han var ikke ligesom Dave, der kunne slå en i ansigtet det ene sekund for så at surmule det næste over, at man var vred på ham.

Mercy havde ved gud aldrig bildt sig den vildfarelse ind, at hun var en god mor. Hun var allerhelvedes bedre end Bitty, men det var godt nok også at sætte barren lavt. Mercy var en okay mor. Hun elskede sin søn. Hun ville give sit liv for ham. Perleporten ville alligevel ikke svinge op for hende i det næste liv – ikke med alle de mennesker, hun havde gjort fortræd, det dyrebare liv, hun havde taget – men måske ville renheden i Mercys kærlighed til Jon give hende et rart sted i skærsilden.

Hun burde fortælle Jon om salget. Han kunne ikke være vred på hende over, at hun gav ham præcis, hvad han ville have. Måske de kunne tage et sted hen sammen. De kunne tage på ferie i Alaska eller i Hawaii eller et af de mange andre steder, han havde drømt om at besøge, dengang han var et lille sludrechatol med store drømme.

Penge kunne hjælpe nogle af de drømme med at gå i opfyldelse.

Mercy stod ude foran Jons dør. Hun hørte plinkende lyde som fra en spilledåse. Hun rynkede panden. Hendes søn lyttede til Bruno Mars og Miley Cyrus, ikke *Blinke, blinke, stjerne klar*. Hun bankede let på døren. Hun havde ved gud ikke lyst til at tage Jon på fersk gerning med en tube creme igen. Hun ventede, lyttede efter hans velkendte fjedren hen over gulvet. Men det eneste, hun kunne høre, var den tinagtige lyd fra en metalkam, der gled hen over en roterende spole. Noget sagde hende, at hun ikke skulle banke på igen. Hun drejede dørknoppen. Hun åbnede døren.

Den bilulykke, der havde slået Gabbie ihjel, havde altid været helt væk i Mercys hjerne. Hun var faldet i søvn på sit værelse. Hun var vågnet op i en ambulance. Det var de to eneste detaljer, Mercy kunne huske. Men nogle gange huskede hendes krop noget. Et glimt af rædsel brændte gennem hendes nerver. En kold frygt isnede blodet i hendes årer. En hammer smadrede hendes hjerte i småstykker.

Det var den samme følelse, hun fik, da hun fandt sin mor i seng med hendes søn.

Det var et uskyldigt scenarie. De havde begge tøj på. Jon lå i Bittys arme. Hun havde læberne presset mod hans hår. Spilledåsen spillede. Han havde sit babytæppe om skuldrene. Bittys fingre snoede sig i hans hår, benene var flettede ind mellem hans, den anden hånd kærtegnede hans mave uden på skjorten. Det kunne næsten været gået for at være helt normalt, bortset fra det faktum, at Jon næsten var en voksen mand, og hun var hans bedstemor.

Bittys ansigtsudtryk udryddede enhver skygge af tvivl. Skylden, der stod malet i hendes ansigt, fortalte hele historien. Hun kravlede i al hast ud af sengen, mens hun holdt sin morgenkåbe godt lukket til og sagde: "Mercy, jeg kan forklare."

Mercys ben bukkede sammen under hende, da hun stavrede ud på badeværelset. Hun kastede op i toilettet. Vand og opkast plaskede tilbage op i hendes ansigt. Hun holdt fast om kummen med begge hænder. Hun kastede op igen.

"Mercy," hviskede Bitty. Hun spærrede for døren. Hun knugede Jons babytæppe ind mod sit bryst. "Lad os tale om det her. Det er ikke, som du tror."

Mercy havde ikke brug for snak. Det hele kom tilbage til hende. Den måde, hendes mor behandlede Jon på, den måde, hun havde behandlet

Dave på. De mættede blikke. Den konstante berøring. Den ustandselige babypludren og nusseriet.

"Mor ..." Jon stod ude i gangen. Hele hans krop rystede. Han havde pyjamas på, den, Bitty fik ham til at bruge, den med tegneseriefigurer på bukserne. "Mor, vil du ikke nok høre ..."

Mercy sank opkastet i sin mund. "Pak dine ting."

"Mor, jeg ..."

"Gå ind på dit værelse. Tag tøj på." Hun vendte ham helt fysisk om og styrede ham ind på værelset. "Pak dine ting. Tag, hvad end du har brug for, for vi kommer aldrig tilbage hertil."

"Mor ..."

"Nej!" Hun stak fingeren helt op i hans ansigt. "Hører du mig, Jonathan? Nu pakker du dine fucking ting og møder mig i spisesalen, eller også river jeg hele den her forpulede hytte ned!"

Mercy styrtede ind på sit værelse. Hun tog sin telefon fra opladeren. Hun ringede til Dave. Den skiderik. Han havde hele tiden vidst, hvad Bitty var.

"Mercy!" råbte Cecil. "Hvad helvede er det, der foregår deroppe!"

Mercy lod den ringe ud for fjerde gang. Hun lagde på, inden telefonsvareren tog over. Hun så sig omkring på værelset. Hun skulle bruge sine vandrestøvler. De ville gå ned ad bjerget i nat. Og de ville aldrig vende tilbage til dette gudsforladte sted.

"Mercy!" skreg hendes far. "Jeg ved, du kan høre mig!"

Mercy fandt sin lilla rygsæk på gulvet. Hun begyndte at proppe tøj ned i den. Hun tænkte ikke over, hvad hun stoppede i, hun var ligeglad. Hun ringede til Dave igen.

"Tag den, tag den," jamrede hun. Et ring. To ring. Tre, fire. "Fuck!"

Mercy begyndte at gå, men så kom hun i tanke om sin notesbog. Hendes breve til Jon. Hun faldt på knæ foran sengen. Hun stak hånden ind under madrassen. Pludselig havde hun ingen luft i lungerne. Jons barndom flimrede forbi i hvert eneste molekyle af hendes krop. Hendes dreng. Hendes blide, følsomme unge mand. Hun trykkede notesbogen ind mod sit hjerte, som holdt hun om sin baby. Hun ville gå tilbage, læse hvert eneste ord i hvert eneste brev for at se, hvad hun havde overset.

Mercy tilbageholdt et hulk. Dave var ikke det eneste monster heroppe. Mercy havde ikke set tegnene. Det hele var foregået inde i dette hus, lige nede ad gangen, mens hun sov.

Hun proppede notesbogen ned i rygsækken. Nylonmaterialet var så udspændt, at hun næsten ikke kunne lukke lynlåsen. Hun rejste sig. Bitty stod og spærrede i døråbningen.

"Mercy!" brølede Papa igen.

Hun greb sin mor i armen og ruskede hende voldsomt. "Din lede fisse. Hvis jeg nogensinde ser dig i nærheden af min søn igen, så slår jeg dig fandeme ihjel. Forstår du det?"

Mercy skubbede hende ind mod væggen. Hun ringede igen til Dave, mens hun gik ind på Jons værelse. Han sad på sengen. "Rejs dig. Nu. Pak dit lort. Jeg mener det, Jon. Jeg er din mor, og du har fandeme at gøre, som jeg siger."

Jon rejste sig. Han så sig omkring i værelset, nærmest som i en døs.

Mercy afbrød opkaldet til Dave. Hun gik hen til Jons skab. Hun begyndte at hive tøj ud. T-shirts. Undertøj. Shorts. Vandrestøvler. Hun gik ikke ud, før Jon var begyndt at pakke. Hendes mor stod stadig ude i gangen. Mercy hørte en knirkende lyd fra gulvbrædderne. Fisk stod på den anden side af sin lukkede dør.

"Du bliver derinde!" advarede Mercy sin bror. Hun kunne ikke lade ham se det her. "Gå i seng igen, Fisk. Vi taler om det i morgen."

Mercy ventede, til han føjede hende, før hun gik mod bagtrappen. Tårer og snot løb ned over hendes ansigt. Papa ventede på hende neden-under. Han holdt fat i gelænderet med begge hænder for ikke at falde.

Hun prikkede ham i brystet med en finger. "Jeg håber fandeme, at djævlen selv knepper dig i helvede!"

"Din lille møgfisse!" Han greb ud efter hendes arm, men fik kun fat i snørebåndene på hendes vandrestøvler. Hun kylede dem i hovedet på ham og løb ud ad døren. Mercy løb ned ad kørestolsrampen. Hun ringede igen til Dave. Talte ringetonerne.

Fuck!

Mercys knæ bukkede sammen under hende, da hun nåede ud på Foderstien. Hun faldt ned på jorden og trykkede panden mod ærtestenene. Hun blev ved med at se Bitty for sig. Ikke sammen med Jon – alene tanken var alt for smertefuld – men sammen med Dave. Den måde, hendes mor forlangte et kys, hver gang hun så ham. Den måde, hvorpå Dave vaskede Bittys hår i vasken og lod hende vælge sit tøj. Det var ikke kræften, der havde startet de ritualer. Dave hentede morgenkaffe til Bitty og masserede hendes fødder og lyttede til hendes sladder og lakerede hendes negle og lagde hovedet i hendes skød, mens hun legede med hans hår. Bitty var begyndt at oplære ham, i samme sekund Papa havde taget ham med hjem. Han havde været så taknemmelig. Så desperat efter kærlighed.

Mercy satte sig på hug. Hun stirrede tomt ud i mørket.

Hvad nu, hvis Dave ikke vidste det med Jon? Hvad hvis han var lige så uvidende, som Mercy havde været? Dave var blevet misbrugt af sin gymnastiklærer. Han havde aldrig kendt sin mor. Han havde tilbragt hele sit liv omgivet af skadede mennesker. Han anede ikke, hvad normalt var. Han vidste kun, hvordan man overlevede.

Mercy ringede igen til ham. Ventede fire ring og lagde så på. Dave var sikkert på bar. Eller sammen med en kvinde. Eller sad og stak en nål i armen. Eller druknede en håndfuld Xanax med en flaske rom. Hvad som helst for at bedøve minderne. Hvad som helst for at flygte.

Mercy ville ikke lade deres søn ende på samme måde.

Hun rejste sig. Hun gik ad Foderstien, hen over udsigtsverandaen. Hun måtte i pengeskabet. Der var kun fem tusind dollars i kontanter, men dem ville hun tage og så vandre ned med Jon, og så måtte hun bagefter finde ud af, hvad hun skulle gøre, når hun lige fik et øjeblik til at trække vejret.

Mercy mærkede antydningen af lettelse, da hun så, der allerede var lys i køkkenet. Jon var gået ned ad bagvejen. Mercy prøvede at få hold på sig selv, mens hun gik rundt om bygningen og anstrengte sig for at få det plagede udtryk væk fra sit ansigt, da hun åbnede døren.

"Pis." Drew stod ved barvognen. Han havde en flaske sprut i hånden. Uncle Nearest. Mercy længtes efter at mærke den bløde smag brænde hele vejen ned gennem halsen.

Hun satte rygsækken fra sig ved døren. Hun havde ikke tid til det her. "Der fik du mig. Det er ikke den ægte vare. Det store destilleri er i materielskuret, det lille er i bådehuset. Sig det til Papa. Sig det til strømerne. Jeg er ligeglad."

Drew satte flasken tilbage på vognen. "Vi har ikke tænkt os at fortælle det til nogen."

"Virkelig?" spurgte hun. "Jeg så dig ellers trække Bitty til side efter middagen. Du sagde til hende, at der var noget, du gerne ville tale med hende om. Jeg troede fandeme, I havde tænkt jer at klage over kalkpletterne på vandglassene. Så hvad er det? I vil være med?"

"Mercy." Drew lød skuffet. "Vi elsker stedet heroppe. Vi vil bare gerne have, du stopper. Det er farligt. Du kunne ende med at slå nogen ihjel."

"Hvis det var så nemt, så ville jeg fandeme hælde hver eneste flaske, vi havde, ned i min mors forpulede hals."

Det var tydeligt, at Drew ikke anede sine levende råd. Han var den hund, der pludselig havde fanget bilen.

"Bare gå." Mercy åbnede døren for ham.

Drew rystede på hovedet, mens han gik forbi. Hun fulgte efter ham rundt til udsigtsverandaen for at se, om Jon var der. Hun hørte puslen bag køkkenet. Hendes hjerte sprang næsten op i halsen. Jon var på vej ned ad Fiskehviskerens sti.

Men det var ikke Jon, der stod ved siden af kølerummet.

"Chuck." Mercy spyttede hans navn ud. "Hvad fanden vil du?"

"Jeg var bekymret." Chuck fik det der dumme, forlegne udtryk i ansigtet, der fik hendes mave til at vende sig. "Jeg sov, og jeg hørte Cecil råbe, og så så jeg dig løbe hen over gårdspladsen."

"Var det dig, han råbte på?" spurgte Mercy. "Nej? Det gjorde han ikke, vel? Så gå tilbage op ad stien, og pas for fanden dig selv."

"Jøsses, jeg prøvede bare at være en gentleman. Hvorfor skal du altid være sådan en kælling?"

"Det ved du fucking godt hvorfor, din perverse stodder."

"Hey!" Chuck løftede hænderne, som var hun et dyr med hundegalskab. "Rolig nu, mi-lady. Der er ingen grund til at blive ubehagelig."

"Hvad med at jeg tager min ubehagelige røv med op til hytte ti? Fyren med rødtoppen er strisser. Skal jeg hente ham til dig, Chuck? Skal jeg fortælle ham om din lille sidegesjæft nede i Atlanta?"

Han lod hænderne falde langs siden. "Din lede fisse."

"Jamen, tillykke. Så kom du langt om længe tæt på en." Mercy gik ind i køkkenet og knaldede døren i. Hun så på uret. Hun havde ingen anelse om, hvad tid hun havde forladt huset. Hun havde givet Jon fem minutter til at komme herned, men det føltes nærmere som en time.

Hun løb ind i spisesalen for at lede efter ham, men den var tom. Så røg hjertet op i halsen på hende. Udsigtsverandaen. Kløften var den sikre død. Hvad nu, hvis Jon ikke kunne se hende i øjnene? Hvad nu, hvis han havde besluttet at tage sit eget liv?

Mercy styrtede udenfor. Hun greb fat om gelænderet. Kiggede ud over siden, faldet på femogtyve meter ned ad bjergsiden, stejlt som bladet på en økse.

Skyer rullede ind foran måneskinnet. Skyggerne dansede hen over kløften. Hun lyttede efter hvad som helst – klynk, gråd, lyden af besværet vejrtrækning. Hun vidste godt, hvordan det føltes, når man ikke kunne mere, når smerten var for meget, når kroppen var alt for træt, og man bare ønskede at lade sig omslutte af mørket.

Hun hørte latter.

Mercy trak sig væk fra gelænderet. To kvinder kom gående ad Ungkarlestien. Hun genkendte Delilahs lange, hvide hår. Mercy havde ikke engang bemærket, at den gamle kælling ikke var inde i huset. Hun strakte hals for at se, hvem det var, Delilah holdt i hånd med.

Det var Sydney, hende investoren, der blev ved med at ævle løs om heste.

"Hold da kæft," hviskede Mercy. Der var ikke det spøgelse, der ikke kom herop i aften.

Mercy løb ind i bygningen igen. Gennem den tomme spisesal, ud i køkkenet. Hun kiggede ud i badeværelset og ind på sit kontor. Fisk havde lavet hul i væggen til et pengeskab, da de begyndte at fremstille sprut selv. Der hang en kalender over døren. Mercy skyndte sig ind bagved, rodede skufferne i skrivebordet igennem for at finde nøglen. Hun fandt en af Fisks gamle rygsække stå i et hjørne og samle støv. Alt, hun kunne tage med fra det pengeskab, bragte hende og Jon nærmere på friheden.

Fem tusind dollars, alle i tyve dollars-sedler. Regnskabsbogen over den illegale forretning. Lønningslisterne. Hytternes to regnskaber. Den dagbog, Mercy havde ført, siden hun var tolv år gammel. Hun stoppede det hele ned i Fisks brune rygsæk. Hun lynede den omhyggeligt. Hun prøvede at gennemtænke en plan – *hvor kunne hun skjule Jon, hvordan kunne hun hjælpe ham, hvornår ville de løbe tør for penge, hvor kunne hun finde et job, hvad kostede en psykiater, hvem kunne hun henvende sig til, var det strisserne eller en socialarbejder, ville hun være i stand til at finde nogen, Jon stolede nok på til at tale med, hvordan skulle hun overhovedet kunne finde ord for, hvad hun havde set ...*

Spørgsmålene var alt for overvældende for hendes hjerne. Mercy var nødt til at tage det en time ad gangen. Vandreturen var farlig om natten. Hun lynede en æske tændstikker inde i forlommen på rygsækken. Tog kniven med det røde skaft i skrivebordsskuffen. Hun brugte den til at åbne kuverter med, men bladet var stadig skarpt. Den fik hun brug for, hvis de mødte et dyr på stien. Mercy stak kniven i baglommen. Bladet skar gennem sømmen og lavede en slags skede. Hun vidste nok, hvordan man pakkede til en vandretur. Sikkerhed, vand og mad. Hun gik tilbage til køkkenet. Satte rygsækken hen ved siden af sin egen op ad den lukkede dør. Hun fyldte to vandflasker. Der var vandreforplejning i køleskabet. Hun skulle bruge en del til Jon.

Mercy så op.

Hvad var det, hun havde gang i?

Køkkenet var stadig tomt. Hun gik ind i spisesalen. Stadig tom. Hjertet sank igen, da hun vendte tilbage til køkkenet. Panikken havde lagt sig. Nu ramte virkeligheden hende som et godstog.

Jon kom ikke.

Bitty havde talt ham fra at tage af sted. Mercy skulle aldrig have ladet ham blive alene tilbage, men hun havde været så chokeret og frastødt og bange, og som sædvanlig havde hun ladet følelserne tage over i stedet for at se på de hårde, kolde fakta. Hun havde svigtet sin søn, ligesom hun havde svigtet ham tusind gange før. Mercy ville være nødt til at gå tilbage til huset og trække Jon ud af Bittys klør. Og den næste del kunne hun umuligt gøre alene.

Mercy var nødt til at lægge telefonen på køkkenbordet, fordi hendes hænder var alt for svedige til at holde den. Hun ringede en sidste gang til Dave. Hendes desperation forstærkedes for hvert ring. Han tog den stadig ikke. Hun måtte lægge en besked for at få den sygelighed ud, der fik hendes sjæl til at rådne. Mercy tænkte over, hvad hun ville sige, hvordan hun skulle fortælle ham, hvad hun havde set, men da hun hørte fjerde ring, og hans indspillede hilsen lød, fløj ordene panisk ud af hende. "Dave!" skreg hun. "Dave! Åh gud, hvor er du? Ring til mig, vil du ikke nok? Jeg kan ikke tro – åh gud, jeg kan ikke ... ring til mig. Jeg beder dig. Jeg har brug for dig. Jeg ved godt, du aldrig har været der for mig før, men jeg har virkelig brug for dig nu. Jeg har brug for din hjælp, skat. R-ring til mig ..."

Hun så op. Hendes mor stod i køkkenet. Bitty holdt Jon i hånden. Mercy følte det, som om en knytnæve slog sig vej op gennem hendes hals. Jon så ned i gulvet. Han kunne ikke se på sin egen mor. Bitty havde knækket ham, ligesom hun havde knækket alle andre.

Mercy kæmpede for at finde sin stemme. "Hvad laver du her?"

Bitty rakte ud efter telefonen.

"Nej!" råbte hun. "Dave er her lige straks. Jeg har fortalt ham, hvad der er sket. Han er på vej."

Bitty havde allerede trykket på skærmen og afbrudt opkaldet, før hun blev færdig. "Nej, det er han ikke."

"Han sagde til mig, at ..."

"Han sagde ikke noget som helst til dig," sagde Bitty. "Dave har sovet ovre i sovebarakkerne. Der er ikke dækning derovre."

Mercy slog hånden for munden. Hun så på Jon, men han ville ikke se på hende. Hendes fingre begyndte at ryste. Hun kunne ikke få vejret. Hun var bange. Hvorfor var hun så bange?

"J-Jon ..." Hun måtte stamme hans navn frem. "Skat, se på mig. Det er okay. Jeg skal nok få dig væk herfra."

Bitty stod foran Jon, men Mercy kunne stadig se hans nedadvendte ansigt. Tårerne samlede sig i kraven på hans T-shirt.

"Skat," prøvede Mercy. "Kom herover, ikke? Bare kom her over til mig."

"Han vil ikke tale med dig," sagde Bitty. "Jeg ved ikke, hvad det er, du tror, du så, men du opfører dig hysterisk."

"Jeg ved fucking udmærket, hvad jeg så!"

"Tal ordentligt," bed Bitty. "Vi er nødt til at tale om det her som voksne mennesker. Kom med over i huset."

"Jeg sætter aldrig mine ben i det forpulede hus igen," hvæsede Mercy. "Dit fucking monster. Det er djævlen selv, der står foran mig."

"Vil du så straks stoppe," beordrede Bitty. "Hvorfor skal du gøre alting så svært?"

"Jeg så ..."

"Hvad så du?"

Mercys hjerne hentede billedet frem: sammensnoede ben, en hånd på Jons mave, læber trykket mod hans hår. "Jeg ved præcis, hvad jeg så *moder*."

Jon krympede sig ved hendes hårde tone. Han kunne stadig ikke se op på hende. Mercys hjerte splintredes. Hun vidste godt, hvordan det føltes at bøje hovedet i skam. Hun havde gjort det så længe, at hun knap var i stand til at se op længere.

"Jon," sagde hun. "Det er ikke din skyld, skat. Du har ikke gjort noget forkert. Vi skal nok få noget hjælp til dig, okay? Det skal nok gå alt sammen."

"Få hjælp fra hvem?" spurgte Bitty. "Hvem vil tro på dig?"

Mercy hørte spørgsmålet give genlyd gennem hvert eneste år af hendes liv. Når Papa flåede huden af hendes ryg med et reb. Når Bitty stak så hårdt til hende med træskeer, at blodet løb ned ad hendes arme. Når Dave trykkede en glødende cigaret mod hendes bryst, indtil lugten af hendes eget brændende kød fik hende til at kaste op.

Der var en grund til, at Mercy aldrig havde fortalt noget til nogen.

Hvem vil tro på dig?

"Det tænkte jeg nok." Udtrykket i Bittys ansigt var ren og skær triumf. Hun rakte ned og flettede sine fingre ind mellem Jons.

Endelig så han op. Hans øjne var røde. Hans læber skælvede.

Mercy så til i rædsel, mens han løftede Bittys hånd til sine læber og kyssede den blidt.

Hun skreg som et dyr.

Al smerte i hendes liv kom ud i et ordløst hyl. Hvordan havde hun kunnet lade dette ske? Hvordan havde hun mistet sin søn? Hun kunne ikke lade ham blive. Hun kunne ikke lade Bitty fortære ham.

Kniven var i Mercys hånd, før hun vidste, hvad hun foretog sig. Hun flåede Bitty væk fra Jon, skubbede hende ind mod køkkenbordet og holdt knivspidsen lige ud foran hendes øje. "Din lede møgkælling. Har du glemt, hvad jeg sagde her til morgen? Jeg får din magre røv smidt i statsfængsel. Ikke for at kneppe min søn, men for at fucke med regnskaberne." Det var det mest sødmefulde øjeblik i hele Mercys liv, da hun så arrogancen drænes ud af Bittys ansigt.

"Jeg fandt bøgerne bagest i skabet. Kender Papa til din skuffeopsparing?" Mercy kunne se på hendes chokerede ansigtsudtryk, at den havde Cecil ingen som helst anelse om. "Det er ikke kun ham, du skal være bekymret for. Du har snydt i skat i årevis. Tror du virkelig, du kan slippe af sted med det? Regeringen går efter *præsidenter*. De stopper ikke ved en vindtør gammel pædofil. Slet ikke når jeg overrækker dem beviserne på et sølvfad."

"Du ..." Bitty sank. "Det ville du ikke ..."

"Det kan du fucking tro, jeg vil."

Mercy havde ikke mere at sige. Hun stak kniven tilbage i baglommen, vendte sig for at tage de to rygsække og svingede dem begge over skulderen. Hun vendte sig om igen for at sige til Jon, han skulle få fart på, men han lænede sig ned, så Bitty kunne hviske i hans øre.

Galden flød tilbage op i Mercys mund. Nu var det slut med trusler. Hun skubbede så hårdt til sin mor, at hun røg hen over gulvet. Så greb hun Jon om håndleddet og trak ham med ud ad døren. Jon prøvede ikke på at trække sig væk. Han prøvede ikke på at sætte hendes tempo ned. Han lod hende bruge sit håndled som en rorpind til at styre ham væk. Mercy lyttede til hans overfladiske åndedræt og de tunge skridt. Hun havde ikke anden plan end at komme et sted hen, hvor Bitty ikke kunne følge efter.

Hun fandt let den kampesten, der markerede rebstien. Hun fik Jon til at gå forrest, så hun kunne holde øje med ham. De bevægede sig begge hurtigt ned ved hjælp af rebene, tumlede fra det ene til det næste og gled nærmest af sted ned ad kløften. Endelig havde de fast grund under fødderne igen. Mercy greb igen om hans håndled for at føre an. Hun satte tempoet op, begyndte at småløbe. Jon løb bag hende. Hun gjorde det. Hun ville rent faktisk gennemføre det her.

"Mor," hviskede Jon.

"Ikke nu."

De trampede gennem skoven. Grene slog mod hendes krop. Hun var ligeglad. Hun havde ikke tænkt sig at stoppe. Hun blev ved med at løbe, hun brugte det klare måneskin til at orientere sig efter. De ville overnatte i Ungkarlehytterne i nat. Dave ville dukke op i morgen tidlig for at arbejde. Eller måske skulle hun tage Jon med hen til Dave med det samme. De kunne følge bredden, tage en kano og padle over. Hvis Dave sov i barakkerne, ville han have fiskestænger, brændstof, mad, ly. Dave forstod sig på at overleve. Han kunne tale med Jon, sørge for, at han var i sikkerhed. Mercy kunne vandre ind til byen og finde en advokat. Hun havde ikke tænkt sig at opgive hytterne. Og det var fandeme heller ikke hende, der skulle forlade stedet på søndag. Mercy ville give sine forældre til klokken tolv i morgen til at pakke deres ting og forsvinde. Fisk kunne blive, eller han kunne rejse, men uanset hvad, så ville Mercy og Jon være de McAlpine, der blev tilbage.

"Mor," forsøgte Jon igen. "Hvad har du tænkt dig at gøre?"

Mercy svarede ikke. Hun kunne se måneskinnet ramme søen for bunden af sporet. Den sidste sektion var terrasseret med jernbanesveller. De var ganske få meter fra Ungkarlehytterne.

"Mor," sagde Jon. Det var, som om han var vågnet af en trance. Han modsatte sig endelig, prøvede at slippe ud af hendes greb. "Mor, stop nu."

Mercy strammede grebet og trak så voldsomt i ham, at hun mærkede sine rygmuskler forstrække sig. Da de nåede frem til lysningen, gispede hun af anstrengelse af at trække ham med sig.

Hun lod begge rygsække falde til jorden. Der var cigaretskodder over det hele. Dave havde ikke gjort klar til uvejret. Alting lå præcis, hvor han havde efterladt det. Savbukke og værktøj, en dunk benzin uden låg, en generator, der lå på siden. Arbejdspladsens elendige forfatning var en brat påmindelse om, hvem Dave egentlig var. Han tog sig ikke godt af ting, og slet ikke af mennesker. Han gad ikke engang rydde op efter sig selv. Mercy kunne ikke betro ham det her.

Igen stod hun helt alene.

"Mor," sagde Jon. "Vil du ikke godt droppe det her? Lad mig gå tilbage."

Mercy så på ham. Han græd ikke længere, men hun kunne høre hans pibende vejrtrækning gennem den tilstoppede næse.

"Jeg e-er nødt til at gå tilbage. Hun sagde, jeg godt kunne komme tilbage."

"Nej, skat." Mercy trykkede sin hånd mod hans bryst. Hans hjerte hamrede så hårdt, at hun kunne mærke det mod hans ribben. Hun kunne ikke stoppe den hulken, der kom ud af hendes mund.

Det overvældende ved det, der lige var sket, indhentede hende på en gang. De forfærdelige ting, hendes mor havde gjort ved hendes søn. Den råddenskab, der havde spredt sig gennem hele familien.

"Skat, se på mig," sagde hun. "Du skal aldrig tilbage dertil. Det er afgjort."

"Jeg vil ikke ..."

Hun lagde begge hænder om hans ansigt. "Jon, hør på mig. Vi skal nok få noget hjælp, okay?"

"Nej." Han vristede hendes hænder af sit ansigt. Han tog et skridt baglæns, så et til. "Jeg er den eneste, Bitty har. Hun har brug for mig."

"Jeg har brug for dig!" Mercys stemme var hæs. "Du er min søn. Jeg har brug for, at du er min søn."

Jons hoved begyndte at bevæge sig fra side til side. "Hvor mange gange har jeg ikke bedt dig om at forlade ham? Hvor mange gange har vi ikke pakket vores tasker, og dagen efter så kneppede du ham igen?"

Mercy kunne ikke sige noget imod, for det var sandt. "Du har ret. Jeg har svigtet dig, men det råder jeg bod på nu."

"Jeg har ikke brug for, at du gør noget som helst," sagde Jon. "Det er Bitty, der har beskyttet mig. Det er hende, der har holdt mig i sikkerhed."

"I sikkerhed fra hvad? Det er hende, der gør dig fortræd."

"Du ved, hvad Dave gjorde mod mig," sagde han. "Jeg var kun fem år gammel. Han brækkede min arm, og du sagde, jeg skulle tilgive ham."

"Hvad?" Hele hendes krop rystede. Det var ikke det, der var sket. "Du faldt ned fra et træ. Jeg stod selv og så det. Dave prøvede at gribe dig."

"Det advarede hun mig om, at du ville sige," sagde Jon. "Bitty beskyttede mig mod ham. Du sagde til mig, at jeg var nødt til at tilgive ham, at lade ham gøre, hvad han ville, så han ikke blev vred igen."

Mercy mærkede sin hånd søge mod munden. Bitty havde fyldt ham med de værste løgne.

"Jon ..." Hun sagde det første, der faldt hende ind. "Vi går op til hytte ti."

"Hva'?"

"Parret i hytte ti." Endelig kunne hun se en vej ud af det her. Løsningen havde ligget lige for hele tiden. "Will Trent arbejder for Georgia Bureau of Investigation. Han lader ikke Småkage feje det her ind under gulvtæppet. Hans kone er læge. Hun kan passe på dig, mens jeg fortæller ham, hvad der er sket."

"Er det Skraldebøtte, du mener?" Hans stemme bliv skinger. "Du kan da ikke ..."

"Det kan jeg, og det gør jeg." Mercy havde aldrig følt sig mere sikker på noget i hele sit liv. Sara havde sagt, at hun stolede på Will, at han var en god mand. Han kunne fikse det her. Han kunne redde dem begge. "Det er det, vi gør. Kom."

Mercy rakte ned efter rygsækkene.

"Rend mig i røven."

Kulden i hans stemme fik Mercy til at stoppe op. Hun så op på ham. Jons ansigt var så hårdt, at det kunne være hugget i marmor.

"Det eneste, du vil, er at vinde," sagde han. "Du vil kun have mig nu, fordi du ikke kan få mig."

Det gik op for Mercy, at hun var nødt til at passe rigtig meget på. Hun havde set Jon vred før, men aldrig sådan her. Hans øjne var næste sorte af raseri. "Er det, hvad Bitty har fortalt dig?"

"Det er sgu da det, jeg har set!" Spyttet stod ud af munden på ham. "Se lige, hvor ynkelig du er. Du prøver ikke at beskytte mig. Du løber i armene på den strisser, fordi du ikke kan acceptere, at jeg har fundet en, der gør *mig* glad. Som *jeg* betyder noget for. Som kun elsker *mig*."

Han lød så meget som Dave, at hun næsten ikke kunne få vejret. Det bundløse hul, det uendelige kviksand. Hendes eget barn havde løbet i det lige ved siden af hende, og Mercy havde ikke ulejliget sig med at se det.

"Undskyld," sagde hun. "Jeg burde have set det. Jeg burde have vidst det."

"Fuck dig og dine undskyldninger. Dem kan jeg ikke bruge til en skid. Fuck!" Han smed hænderne i vejret. "Det her er lige præcis, hvad hun advarede mig om. Hvad fuck skal jeg stille op for at standse dig?"

"Skat ..." Hun rakte igen ud efter ham, men han slog hendes hænder væk.

"Du skal fucking ikke røre mig," advarede han. "Hun er den eneste kvinde, der får lov til at røre mig."

Mercy løftede overgivende hænderne. Hun havde aldrig nogensinde været bange for Jon, men hun var bange for ham nu. "Træk vejret, okay? Bare slap lidt af."

"Det er dig eller hende," sagde han. "Det var det, hun sagde til mig. Jeg er nødt til at vælge. Dig eller hende."

"Skat, hun elsker dig ikke. Hun manipulerer dig."

"Nej." Han begyndte at ryste på hovedet. "Hold kæft. Jeg er nødt til at tænke."

"Hun er et rovdyr," sagde Mercy. "Det her er, hvad hun gør ved drenge. Hun kommer ind i deres hoveder, og så fucker hun så meget med dem ..."

"Hold kæft."

"Hun er et monster," sagde Mercy. "Hvorfor tror du, din far er så fucked up? Det var ikke kun det, der skete ham i Atlanta."

"Hold kæft."

"Hør på mig," tryglede Mercy. "Du er ikke noget særligt for hende. Det, hun gør mod dig, er præcis det samme, hun gjorde mod Dave."

Han kastede sig over hende, inden hun nåede at registrere, hvad der skete. Hænderne snoede sig op og lagde sig om hendes hals. "Nu holder du eddermame kæft."

Mercy gispede efter luft. Hun greb om hans håndled, prøvede at trække hans hænder væk. Han var for stærk. Hun borede fingerneglene ind i Jons brystkasse, prøvede at sparke ud med fødderne. Hun mærkede sine øjenlåg begynde at sitre. Han var så meget stærkere end Dave. Han trykkede alt for hårdt.

"Din ynkelige kælling." Jons stemme var dødsens rolig. Han havde lært af sin far, at man ikke skulle larme for meget. "Det er ikke mig, der tager af sted herfra i aften. Det er dig."

Mercy følte sig ør. Hendes syn flimrede. Han ville slå hende ihjel. Hun rakte om til sin baglomme og lukkede fingrene om knivens røde plasticskaft.

Tiden sneglede sig af sted. Mercy gennemgik tavst bevægelserne for sig selv. Trække kniven ud. Skære ham i underarmen. Var der arterier der? Muskler? Hun måtte ikke gøre ham fortræd – han var allerede så skadet, at det var svært at reparere ham. Hun måtte vise ham kniven. Truslen ville være nok. Den ville stoppe ham.

Det gjorde den ikke.

Jon rev kniven ud af hånden på hende. Han svingede bladet over sit hoved, klar til at hugge det ned i hendes bryst. Mercy dukkede sig, kravlede på alle fire hen over jorden. Hun mærkede luften bevæge sig, da bladet susede lige forbi hendes hoved. Mercy vidste, der kom et stød til. Hun greb rygsækken og holdt den foran sig som et skjold. Bladet gled hen over det tykke, brandbestandige materiale. Hun gav ikke Jon tid til at sunde sig. Hun svingede rygsækken mod hans hoved, så han røg bagover.

Instinktet tog over. Hun knugede rygsækken mod sit bryst og begyndte at løbe. Forbi den første hytte, så den næste. Jon var hurtigt lige i hælene på hende og indhentede hende. Hun løb op ad trappen til den tredje hytte. Knaldede døren i lige i hovedet på ham. Fumlede febrilsk for at skyde bolten i låsen. Hørte hans knytnæver hamre mod det solide træ.

Mercy gispede efter luft, hendes brystkasse hævede sig, mens hun hørte ham vandre frem og tilbage ude på verandaen. Hjertet sad helt oppe i halsen på hende. Mercy lænede sig op ad døren, lukkede øjnene, lyttede efter sin søns fjedrende skridt. Der var kun stilhed. Hun kunne mærke en brise tørre sveden på sin pande. Alle vinduerne på nær et var sømmet til med brædder. Månen sendte et blåt skær hen over de groft tilhuggede vægge, gulvet, hendes sko, hendes hænder.

Mercy så op.

Dave havde ikke løjet, da han fortalte om det tørre råd i hytte tre. Bagvæggen i soveværelset var fjernet helt. Jon var kommet ind mellem stolperne. Der stod han med kniven i hånden.

I blinde famlede Mercy bag sig. Trak bolten tilbage. Drejede på håndtaget. Flåede døren op. Hun vendte sig, og det føltes, som om en forhammer ramte hende mellem skulderbladene, da Jon hamrede kniven ind til skaftet.

Slaget slog al luft ud af hende. Hun stirrede ud mod søen, munden åben i rædsel.

Så trak Jon kniven ud og hamrede den ind igen. Og igen. Og igen.

Mercy slingrede ned fra verandaen, faldt ned ad trappen og landede på siden.

Kniven skar gennem hendes arm. Hendes bryst. Hendes ben. Jon sad overskrævs på hende og huggede kniven mod hendes brystkasse, hendes mave. Mercy prøvede at kæmpe imod ham, dreje sig væk, men intet kunne standse ham. Jon blev ved med at svinge frem og tilbage og dolke kniven ind i hendes ryg, trække den ud, hamre den ind igen. Hun mærkede knogler knække, organer eksplodere, sin krop blive fyldt med is og lort og galde, indtil Jon ikke bare dolkede hende, han tævede også løs på hende med knytnæver, for kniven var knækket inde i brystet på hende.

Og med et stoppede Jon.

Mercy kunne høre ham gispe, som havde han løbet et maraton. Han var udmattet oven på angrebet. Han kunne knap stå på benene. Han vaklede væk fra hende. Mercy prøvede at trække vejret. Hendes ansigt lå mod jorden. Hun fik rykket sig en smule om på siden. Alt i hendes krop gjorde ondt. Hun var faldet ned ad trappen. Fødderne lå stadig oppe på verandaen. Hovedet hvilede på jorden.

Jon var tilbage.

Hun hørte væske plaske, men det var ikke bølgerne, der ramte bredden. Jon gik op ad trappen med benzindunken. Hun hørte ham sprede brændstoffet rundt inde i hytten. Han ville brænde beviserne. Han ville brænde Mercy. Han smed den tomme kande fra sig ved siden af hendes fødder.

Han gik ned ad trappen igen. Mercy så ikke op. Hun så blodet dryppe fra hans fingre. Stirrede på de sko, Bitty havde købt til ham inde i byen. Hun kunne mærke Jon se ned på hende. Ikke med tristhed eller medlidenhed, men med samme afkoblethed, hun havde set hos sin bror, sin far, sin ægtemand, sin mor, sig selv. Hendes søn var helt igennem en McAlpine.

Ikke mindst da han strøg en tændstik og smed den ind i hytten.

Suget fra den brølende ild sendte en bølge af varm luft hen over hendes hud. Mercy så Jons blodtilsølede sko fjedre hen over snavs og jord, da han gik derfra. Han gik tilbage til huset. Tilbage til Bitty. Mercy trak langsomt og hvæsende luft ind. Øjenlågene begyndte at flakse. Hun kunne mærke blod gurgle i halsen. Hun blev overvældet af følelsen af at flyde. Hendes sjæl forlod hendes krop. Der var kun et koldt mørke, der arbejdede sig ind fra siderne af, på samme måde, som en sø fryser til om vinteren.

Så var der Gabbie.

De hvirvlede begge gennem luften, men de var ikke engle i himlen. De var blevet kastet ud fra djævlesvinget. Mercy vendte sig for at se på Gabbies ansigt, men der var kun en blodig masse tilbage. Et øje, der dinglede fra hulen. Hendes hud var flænset op, så smadrede tænder og knogler var synlige. Så truede en intens, sydende varme med at opsluge hende.

"Hjælp!" skreg Mercy. "Hjælp mig!"

Hun åbnede øjnene. Hun hostede. Små dråber blod stod som en sky ud og landede på jorden. Mercy lå stadig på siden, stadig halvt nede ad trappen til verandaen. Der var røg overalt i luften. Varmen fra ilden var så intens, at hun kunne mærke, at blodet på hendes hud tørrede ind. Mercy tvang sig til at dreje hovedet og se tilbage på det, der kom. Flammerne arbejdede sig hen over verandaen. Snart ville de tygge sig hen mod trappen og finde hendes krop.

Mercy forberedte sig på mere smerte, da hun rullede om på maven. Hun trak sig ned ad trappen med albuerne. Det afbrækkede knivblad i hendes brystkasse skrabede en streg i jorden som et støtteben. Hun trak sig fremad, truslen om ilden fik hende til at blive ved med at bevæge sig. Hendes fødder blev slæbt nyttesløse efter hende. Hendes bukser var gået op. Jord kagede sig ind i stoffet og trak hendes jeans ned om anklerne. Anstrengelsen indhentede hende hurtigt. Mercys syn blev igen sløret. Hun nægtede at besvime. Delilah havde sagt, at en McAlpine ikke var sådan at slå ihjel. Mercy ville ikke leve længe nok til at se solen stå op over bjergene, men hun kunne godt nå ned til den forbandede sø. Som altid var selv disse sidste øjeblikke en kamp. Hun blev ved med at besvime, vågne, skubbe sig selv fremad, besvime igen. Hendes arme rystede, da hun endelig mærkede vand mod sit ansigt. Hun brugte sine allersidste kræfter på at rulle om på ryggen. Hun ville dø, mens hun så op på fuldmånen. Den var en helt perfekt, rund cirkel, som et hul midt i alt det sorte. Hun lyttede til sit hjerteslag, mens hjertet langsomt pumpede blod ud af hendes krop. Hun hørte vandet skvulpe blidt om ørerne.

Mercy vidste godt, hun var tæt på at dø, at det ikke kunne forhindres. Hun så ikke sit liv passere revy for sit indre blik.

Hun så Jons liv.

Legende i Delilahs have med sine små trælegesager. Trykkende sig ind mod væggen i lokalet, da Mercy troppede op til sin første retsbestemte besøgsaftale. Blive hevet ud af Delilahs arme af Mercy foran retsbygningen. Siddende på Mercys skød, mens Fisk kørte dem op ad bjerget. Gemme sig sammen med Mercy, når Dave fik en af sine ture. Komme med bøger til Mercy om Alaska og Montana og Hawaii, så de kunne komme væk. Se hende pakke sine ting igen og igen. Se hende pakke dem ud igen, fordi Dave havde skrevet et digt til hende eller sendt hende blomster. Blive overladt til Bitty, mens Mercy sneg sig ned i en af hytterne sammen med Dave. Blive efterladt hos Bitty, fordi Mercy skulle på hospitalet med endnu et brud, et snitsår, der ikke ville hele, en syning, der ikke holdt.

Igen og igen blive skubbet i favnen på Mercys mor, hans bedstemor, hende, der forgreb sig på ham.

"Mercy ..."

Hun hørte sit navn som en hvisken inde i kraniet. Hun mærkede sit hoved blive drejet, så verden, som om hun kiggede ind i den forkerte ende af et teleskop. Et ansigt kom til syne. Manden fra hytte ti. Betjenten, der var gift med rødtoppen.

"Mercy McAlpine," sagde han, hans stemme forsvandt som en sirene, der forsvinder ned ad en gade. Han blev ved med at ruske i hende, tvinge hende til ikke at give efter. "Se på mig."

"J-Jon." Mercy hostede navnet ud. Hun var nødt til at gøre det her. Det var ikke for sent."... sig til ham ... sig, h-han skal ... s-skal væk fra ... he..."

Wills ansigt forsvandt ind og ud af hendes synsfelt. Det ene øjeblik var han der, det næste var han væk.

Så skreg han: "Sara! Hent Jon! Skynd dig!"

"N-nej ..." Mercy mærkede en skælven helt ind i knoglerne. Smerten var ubærlig, men hun kunne ikke opgive nu. Hun havde et sidste forsøg. "J-Jon må ikke ... ikke ... blive ... skal væk fra ... fra ..."

Will sagde noget, men hun kunne ikke få hans ord til at give mening. Hun vidste bare, at hun ikke kunne efterlade tingene med Jon sådan her. Hun var nødt til at holde fast.

"E-elsker ... elsker ham ... så meget."

Mercy kunne mærke sit hjerte slå langsommere. Vejrtrækningen var overfladisk. Hun kæmpede mod den lethed, der var i at forsvinde. Hun var nødt til at sikre, at Jon vidste, han var elsket. At det ikke var hans skyld. At det ikke var en byrde, han var nødt til at bære. At han kunne komme ud af kviksandet.

"Undskyld, jeg ..." Det skulle hun have sagt til Jon. Skulle have sagt til ham ansigt til ansigt. Nu kunne hun ikke gøre andet end at bede denne mand sige sine sidste ord videre.

"Tilgiver ... ham ... Tilgiver ham ..."

Will ruskede Mercy så voldsomt, at hun mærkede sin sjæl vende tilbage til kroppen. Han lænede sig ind over hende, hans ansigt var helt tæt på hendes. Denne strisser. Efterforsker. Denne ene gode mand. Hun greb fat i hans skjorte, trak ham tættere på endnu, stirrede ham så dybt i øjnene, at hun praktisk taget kunne se hans sjæl.

Hun måtte suge luft ind, før hun kunne presse ordene ud og sige til Will: "Tilgiv ham ..."

Han nikkede. "Okay ..."

Det var alt, Mercy havde brug for at høre. Hun slap hans skjorte. Hovedet lænede sig tilbage i vandet. Hun så på den smukke, perfekte måne. Hun mærkede bølgerne trække i hendes krop. Skylle synderne bort. Skylle hendes liv væk. Så kom roen endelig, og med den en kraftfuld følelse af fred.

For første gang i sit liv følte Mercy sig tryg.

EN MÅNED EFTER MORDET

Will sad ved siden af Amanda på sofaen i hendes kontor. Hendes bærbare stod åbnet på sofabordet. De så den filmede afhøring af Jons tilståelse. Han havde en brun jumpsuit på. Han havde ikke håndjern på, fordi han var blevet indlagt på en psykiatrisk ungdomsafdeling, ikke sat i et voksenfængsel. Delilah havde hyret en af Atlantas bedste forsvarsadvokater. Jon kom på institution, men ikke nødvendigvis resten af sit liv.

På videoen sagde Jon: "Jeg fik et blackout. Jeg kan ikke huske, hvad der skete bagefter. Jeg vidste bare, at hun ville gå tilbage til ham. Hun gik altid tilbage til ham. Hun efterlod mig altid."

"Efterlod dig hos hvem?" Faiths stemme var lavere. Hun var uden for billedet. "Hvem efterlod hun dig hos?"

Jon rystede på hovedet. Han ville stadig ikke indblande sin bedstemor, selvom hun var død. Bitty havde tømt en flaske morfin, før de nåede at anholde hende. Obduktionen havde vist, at hun havde kræft og var terminal. Kvinden havde ikke bare narret retfærdigheden. Hun havde også narret sig ud af en lang og pinefuld død.

"Lad os vende tilbage til den aften," sagde Faith. "Da du havde lagt en besked om, at du stak af, hvor tog du så hen?"

"Jeg overnattede på engen i hesteindhegningen, og næste morgen gik jeg hen til hytte ni, fordi jeg vidste, der ikke var nogen, der boede der."

"Hvad med knivskaftet?"

"Jeg vidste, at Dave ..." Jon tav et øjeblik. "Jeg vidste, at Dave havde ordnet toilettet, så jeg tænkte, at beviset ville pege på ham. For I havde allerede arresteret ham for at have slået hende ihjel. Han bør komme i fængsel uanset hvad. Jeg ved godt, Mercy sagde, det ikke passede, men han brækkede min arm. Det er børnemishandling."

"Okay." Faith lod sig ikke køre ud på et sidespor, selvom de begge havde set hospitalsjournalen om den brækkede arm. Jon var faldet ned fra et træ. "Da Dave blev anholdt, var du allerede løbet væk hjemmefra. Hvem fortalte dig, hvad der var sket?"

Jon begyndte at ryste på hovedet. "Jeg var nødt til at vælge."

"Jon ..."

"Jeg var nødt til at beskytte mig selv," sagde han. "Der var ingen andre, der passede på mig. Jeg betød ikke noget for nogen."

"Lad os lige gå tilbage til ..."

"Hvem skal beskytte mig nu?" spurgt han. "Jeg har ingen. Ingen."

Will så væk fra skærmen, da Jon begyndte at græde. Han tænkte på den sidste samtale, han havde haft med knægten. De havde siddet i soveværelset i hytte ti. Will havde sagt til Jon, at relationer, hvor der foregår mishandling, er komplicerede, men lige nu forekom det ham virkelig fucking enkelt.

Lad være med at gøre børn fortræd.

Amanda sagde: "Okay, du fornemmer de store træk."

Hun lukkede den bærbare. Hun holdt på Wills hånd et par sekunder. Så rejste hun sig fra sofaen og gik hen til skrivebordet.

"Opdater mig på kopisprutsagen."

Will rejste sig, glad for at føle-øjeblikket var overstået. "Vi har Mercys regnskabsbog, der detaljeret har opført udbetalingerne. Regnearkene på Chucks computer opregner alle de klubber, han solgte til. Vi koordinerer med ATF og IRS-CI."

"Godt." Amanda satte sig bag skrivebordet. Hun tog sin telefon. "Og?"

"Christopher erklærer sig skyldig i uagtsomt manddrab på forgiftningen af Chuck. Han får femten år, så længe han vidner mod sin far i sagen om mordet på Gabriella Ponticello. Plus vi har det andet sæt regnskabsbøger for hytterne, som vi kan ramme Cecil for skatteunddragelse med. Han siger, at han ikke kendte noget til det, men pengene står på hans konto."

Hun tastede på telefonen. "Og?"

"Såvel Paul Ponticello som hans privatdetektiv har afgivet edsvorne vidneforklaringer om det, Dave fortalte dem, men det er andenhåndsoplysninger. Vi er nødt til at finde Dave, for at det holder."

"Vi?" Amanda så op. "Du arbejder ikke på den del af sagen."

"Det ved jeg godt, men ..."

Amanda stoppede ham med et skarpt blik. "Dave forsvandt, dagen efter hans mor begik selvmord. Han har ikke forsøgt at kontakte Jon. Hans telefon er gået i sort. Han har ikke været i sin trailer. Han var ikke på lejrpladsen. GBI's filial i det nordlige Georgia har efterlyst ham. Han skal nok dukke op før eller siden."

Will gned sig om hagen. "Han har været gennem en hel del, Amanda. Den eneste familie, han nogensinde har kendt, er lige smuldret fuldstændigt."

"Hans søn er her stadig," mindede hun ham om. "Og glem ikke, hvad han gjorde mod sin kone. Jeg taler ikke kun om den fysiske og psykiske mishandling. Dave har i mange år vidst, at Mercy ikke var ansvarlig for Gabbies død. Han skjulte det for hende for bedre at kunne kontrollere hende."

Den del kunne Will ikke sige noget imod, men der var flere ting. "Amanda ..."

"Wilbur," sagde Amanda. "Dave McAlpine går ikke lige pludselig hen og bliver et bedre menneske. Han bliver aldrig den far, Jon har brug for. Der er ikke noget logisk indspark, et godt råd, en livslektie eller kærlighed i nogen form for mængde, der kan få ham til at ændre sig. Han lever på den måde, han gør, fordi han vælger at gøre det. Han ved præcis, hvem han er. Det favner han. Han forandrer sig ikke, fordi han har ikke lyst til at forandre sig."

Will gned sig igen om hagen. "Det er der mange mennesker, der også ville have sagt om mig, da jeg var barn."

"Men nu er du ikke noget barn længere. Du er voksen." Hun lagde telefonen fra sig på bordet. "Jeg ved bedre end de fleste, hvad du måtte igennem for at komme hertil. Du har fortjent din lykke. Du har al ret til at nyde den. Det kan jeg ikke tillade, at du smider væk i et eller andet misforstået forsøg på at redde alle. Især ikke dem, der ikke vil reddes. Du kan ikke tjene to herrer. Der er en grund til, at Superman aldrig giftede sig med Lois."

"De blev gift i 1996 i: *Superman: The Wedding Album*."

Hun tog telefonen. Hun begyndte at skrive igen.

Will ventede på hendes svar. Så huskede han, hvor god hun var til at afslutte samtaler.

Han stak hænderne i lommerne, da han gik ned ad trappen. Der var meget, der skulle pakkes ud, hvad Jon angik, men Will var mere typen, der flyttede, end den, der pakkede ud. Han rakte ud efter udgangsdøren med den tilskadekomne hånd. Der var gået Frankenstein i knivsåret. Det havde ikke været for sjov, at Sara var bekymret for infektion. Der var nu gået en måned, og han var stadig nødt til at tage piller, der var på størrelse med hulspidsprojektiler.

Lyset var slukket på hans etage. Teknisk set havde Will fri, men han havde bemærket, at Amanda ikke havde været efter ham over, at han arbejdede over. Det var forkert, det, hun havde fortalt ham, og ikke kun fordi Will tydeligvis var mere Batman end Superman.

Man kunne godt forandre sig. Will havde tilbragt sin attenårs fødselsdag på et shelter, sin nittende i fængsel, og da han nåede til den tyvende, gik han på college. Grundskoleknægten, der rutinemæssigt fik eftersidninger, fordi han ikke havde læst alt, de fik for, blev færdig på college med en grad i strafferet. Den eneste forskel på Will og Dave var, at nogen havde givet Will en chance.

"Hey," kaldte Faith fra sit kontor.

Will stak hovedet ind. Hun stod med en fnugrulle og prøvede at få kattehår af sine bukser. Faith havde kørt McAlpine-kattene ned til Atlanta for at aflevere dem på et internat. Så havde Emma fået øje på dem, og den ene var kommet ud af sin transportkasse og havde slået en fugl ihjel, og det var forklaringen på, hvorfor Faith nu havde to katte, den ene ved navn Hercule og den anden med navnet Agatha.

"En eller anden møgunge i børnehaven viste Emma TikTok," sagde hun. "Så nu bliver hun ved med at prøve at stjæle min telefon."

"Det måtte jo ske før eller siden."

"Jeg troede, jeg havde mere tid." Faith smed fnugrullen ned i sin taske. "Alt imens jeg har FBI, der banker min dør ned, fordi de gerne vil have Jeremys ansøgning hurtigt igennem. Hvorfor går alting så stærkt? Selv færdigretter får lov til lige at stå et minut, efter man tager dem ud af mikroovnen."

Will mærkede sin mave knurre. "Jeg har set afhøringen af Jon. Det gjorde du godt."

"Tja." Faith trak tasken op over skulderen. "Jeg sluttede af med at læse Mercys breve op for Jon. De knuste mit hjerte. Dem kunne jeg have skrevet til Jeremy. Eller Emma. Det er bare Mercy, der prøver at være en god mor. Jeg håber, Jon når til et sted en dag, hvor han kan tage dem til sig."

"Det skal han nok," sagde Will, mest fordi han gerne ville have, det var sandt. "Hvad med Mercys dagbog?"

"Den var præcis, som man kunne forvente af en tolvårig pige, der er forelsket i sin adoptivbror og rædselsslagen for sin voldelige far."

"Noget nyt om Christopher?"

"Han siger stadig, at han ikke havde nogen anelse om, hvad der foregik. Bitty har aldrig rørt ham på den måde. Han var nok ikke hendes type." Faith trak på skuldrene, men ikke for at nedgøre det. Fordi det var for meget. "Mercy så det ske med Dave, vidste du det? Der står noget om det i hendes dagbog. Og en hel del i brevene. Bitty, der stryger Dave over håret, eller Mercy, der kommer ind i et værelse, og så ligger Dave med hovedet i Bittys skød. Eller han masserer hendes fødder eller skuldre. Det virkede mærkeligt – jeg mener, Mercy siger det selv, at det er mærkeligt – men hun lagde aldrig rigtigt to og to sammen."

"Krænkere groomer ikke bare deres ofre. De gaslighter også alle omkring ofrene, så hvis du siger noget, så er det dig, der er syg i hovedet."

"Apropos syg i hovedet, så skulle du læse nogle af de sms'er, Bitty og Jon skrev til hinanden."

"Det har jeg gjort," sagde Will. Han havde fået så meget kvalme, at han måtte springe frokosten over.

"Hun hader babyer," sagde Faith. "Kan du huske, at Delilah fortalte dig, at Bitty ikke engang ville tage sine egne børn op? Hun lod dem bare ligge med deres lortebleer. Og så kommer Dave ind i billedet, og han er lige hendes type. Eller hun gør ham yngre, således at han bliver hendes type. Tror du, at Dave vidste, at hun har misbrugt Jon hele tiden?"

"Jeg tror, han lagde to og to sammen i spisesalen, og at han gjorde, hvad han kunne for at redde sin søn."

"Det giver jeg også mig selv lov til at tro på, fordi alternativet er, at han tilstod for at redde Bitty."

Det var ikke et scenarie, Will havde lyst til at tænke på. Der var andre ting, der holdt ham vågen om natten. "Jeg er ked af, jeg ikke så Pauls tatovering."

"Klap i," sagde Faith. "Det er mig, der er tåben, der blev ved at sige, at Bitty var Daves psykopatiske eks, som om hun faktisk ikke var Daves psykopatiske eks."

Will vidste, han var nødt til at slippe det. "Når bare det ikke sker igen."

"Jeg skal prøve," grinte Faith. "Hvordan endte jeg egentlig med et Agatha Christie *det lukkede rum*-mysterium med et V.C. Andrews-twist?"

Han krympede sig.

"For tidligt?"

Will lavede en Amanda og afsluttede samtalen ved at gå videre ned ad gangen mod sit eget kontor. Han vendte sig i døråbningen og mærkede den velkendte lethed i brystet, da han så Sara sidde på sofaen. Hun havde taget den ene sko af. Hun gned sin lilletå.

Han elskede den måde, hendes ansigt lyste op på, når hun så op på ham.

"Hey," sagde hun.

"Hey."

"Jeg knaldede min tå ind i stolen." Hun tog skoen på igen. "Har du set afhøringen?"

"Jep. Hvordan gik frokosten med Delilah?"

"Jeg tror, det er godt for hende at have nogen at tale med," sagde Sara. "Hun gør, hvad hun kan for Jon. Det er ikke nemt lige nu, for han vil ikke have hjælp. Hver gang hun besøger ham, sidder han i en time og stirrer ned i gulvet, så går hun og kommer tilbage dagen efter, og han stirrer ned i gulvet igen."

"Han ved, hun er der," sagde Will. "Tror du, det ville hjælpe, hvis Dave besøgte Jon?"

"Det ville jeg overlade til eksperterne at vurdere. Jon har en masse, han skal processere. Dave har sit eget at slås med. Han er nødt til at hjælpe sig selv, før han kan hjælpe sin søn."

"Amanda sagde til mig, at Dave ikke vil fikses, for det at være i stykker er alt, han har."

"Det har hun sikkert ret i, men jeg ville ikke opgive Jon. Delilah er der på den lange bane. Hun elsker ham virkelig. Det tror jeg gør en stor forskel i disse situationer. Håb smitter."

"Er det din lægefaglige vurdering?"

"Min lægefaglige vurdering er, at min mand og jeg skulle gå hjem fra arbejde, så vi kan spise en masse pizza, se en masse *Buffy* og sørge for, at min tå ikke er det eneste, der bliver knaldet i aften."

Will lo. "Jeg skal lige sende denne rapport, så ses vi derhjemme."

Sara gav ham et utroligt dejligt kys, før hun gik.

Will satte sig ved skrivebordet. Han trykkede på tastaturet for at vække skærmen til live. Han skulle lige til at sætte sine earbuds i, da telefonen på hans skrivebord ringede.

Han trykkede på højtalerknappen. "Will Trent."

"Trent," var der en mand, der sagde. "Du taler med sherif Sonny Richter fra Charlton County."

Will havde aldrig før fået en opringning fra Georgias mest sydlige county. "Goddag, sir. Hvad kan jeg hjælpe med?"

"Vi stoppede en fyr, fordi hans baglygte ikke virkede. Fandt en pakke heroin under hans sæde. Der ligger en efterlysning på ham fra filialen i det nordlige Georgia, men han sagde, jeg skulle ringe til dig. Han påstår, han har nogle oplysninger, han gerne vil handle med mod en mildere dom."

Will vidste godt, hvad der nu ville komme, før manden overhovedet havde gjort sætningen færdig.

"Han hedder Dave McAlpine," sagde sheriffen. "Vil du komme herned, eller skal jeg ringe til filialen?"

Will drejede vielsesringen rundt om sin finger. Det tynde metalbånd indebar så mange ting. Han vidste stadig ikke, hvad han skulle stille op med den følelse af lethed, han mærkede i brystet, hver gang han var i nærheden af Sara. Han havde aldrig oplevet så langvarig lykke før. De havde været gift i en måned, og den eufori, han havde følt under ceremonien, var stadig ikke aftaget. Om noget blev intensiteten øget, for hver dag der gik. Sara smilede til ham, eller lo af en af hans dumme vittigheder, og så føltes det, som om hans hjerte blev til en sommerfugl.

Amanda havde igen taget fejl.

Der fandtes faktisk en vis mængde kærlighed, der kunne forandre en mand.

"Ring til filialen," sagde Will til sheriffen. "Jeg kan ikke hjælpe ham."

TAK

Den første tak går som altid til Kate Elton og Victoria Sanders, der stort set har været der fra første go. Jeg vil også gerne takke min kollega Bernadette Baker-Baughman og Diane Dickensheid og teamet på VSA. Tak til Hilary Zaitz Michael og folkene på WME. Og apropos alt det, så tusind tak til Liz Heldens for at følge op på den middag i Atlanta og få det magiske til at ske, og også for at bringe Dan Thomsen ind i mit liv. I er alle sammen de bedste.

På William Morrow skal lyde en særlig tak til Emily Krump, Liate Stehlik, Heidi Richter-Ginger, Jessica Cozzi, Kelly Dasta, Jen Hart, Kaitlin Harri, Chantal Restivo-Alessi og Julianna Wojcik. På HarperCollins worldwide vil jeg særligt gerne takke Jan-Joris Keijzer, Miranda Mettes, Kathryn Cheshire og sidst, men ikke mindst, den vidunderlige og utrættelige Liz Dawson.

David Harper har givet mig (og Sara) gratis lægelig rådgivning alt for længe, og jeg er evigt taknemmelig for hans tålmodighed og venlighed, især når jeg forsvinder ned i et Google-hul og skal trækkes ud med et elektrisk stød i albuen. Den uforlignelige Ramón Rodrìguez var så venlig at komme med nogle menuforslag, som en puertoricansk kok kunne finde på at servere. Tony Cliff gjorde kortet til en realitet. Dona Robertson har besvaret et par GBI-spørgsmål. Eventuelle fejl er naturligvis mine egne.

Sidst, men ikke mindst, tak til min far for at hænge ved og til DA – mit hjerte. Du kan altid være sikker på mig. Jeg vil altid være sikker på dig.

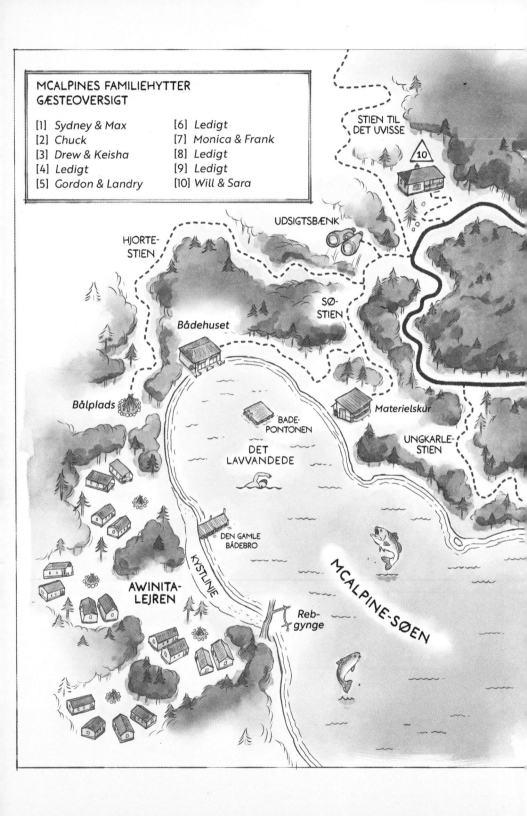